U0839888

中國鄉土小說名作大系

平凹题

主编 郑电波

中篇小说系列（一九七七年至二〇一二年）

第三十六卷

中原出版传媒集团
大地传媒
中原农民出版社

图书在版编目(CIP)数据

中国乡土小说名作大系.第36卷 / 郑电波主编.—郑州:中原出版传媒集团,中原农民出版社,2014.12
ISBN 978-7-5542-1010-9

Ⅰ.①中… Ⅱ.①郑… Ⅲ.①中篇小说-小说集-中国-当代 Ⅳ.①I247

中国版本图书馆CIP数据核字(2014)第278512号

中国乡土小说名作大系

出 版 人 刘宏伟
总 编 审 汪大凯

总 策 划 刘宏伟
策划编辑 郑电波
责任编辑 郑电波 高燕燕
责任校对 杨 玲
装帧设计 吴丹青
装帧制作 董 雪
封面题字 贾平凹
插 图 董 钺

出版发行 中原出版传媒集团 中原农民出版社
地 址 河南省郑州市经五路66号 **邮 编** 450002
网 址 http://www.zynm.com **电 话** 0371-65751257
邮购热线 0371-65724566 **传 真** 0371-65751257
承印单位 河南省瑞光印务股份有限公司

开 本 787mm×1092mm 1/16
印 张 24
字 数 465千字
版 次 2014年12月第1版 **印 次** 2014年12月第1次印刷

书 号 ISBN 978-7-5542-1010-9 **定 价** 98.00元

《中国乡土小说名作大系》编辑工作委员会

原始资料搜集查询

凡 例

本大系全套共36卷,精选了1977年至2012年在中国国内公开发表、出版的乡土小说作品中的短、中篇名作。其中前6卷为短篇小说,后30卷(7卷—36卷)为中篇小说。其中包括荣获全国大奖的乡土短、中篇小说;被小说选刊选载且极具影响力的作品;在当时受到社会广泛关注、在读者记忆中留下深刻印象的优秀作品。

本套书的选编原则上是以发表、出版的时间顺序排列的,每卷从作品的品质考量前后有所微调,但大的格局不变。

上世纪整个80年代,是中篇乡土小说创作的黄金时段,名作灿若群星,该大系收录此时段的作品较多。短篇小说系列每卷分上、中、下三部分,而中篇小说系列不作界分。

每卷的字数大致相当。由于上世纪80年代及90年代初,一般中篇小说的篇幅比后来的较长,因此每卷的篇数较少,这也是全套各卷选篇数目不均的原因。

卷首语

三十多年来，中国农村发生了翻天覆地的变化，而中国农村题材小说的创作，正是对应了这段历史。它们是如此的丰富、瑰丽、饱满和激越，如此的斑驳陆离色彩纷呈。它们是心史，是一次不曾间歇的歌哭相随——过人的敏感，欣悦和忧郁，惊愕与绝望，大喜过望以及突如其来的沮丧，肤浅的赞许和陡峭的情感——这一切情愫一切境遇的全面记录和生动描摹。

张 炜

2013 年春

卷首语

中原农民出版社出版《中国乡土小说名作大系》，是当今文化界一个大事件。

中国现代文学过去多少年取得的成就主要是乡土小说。

现在我们国家的改革进入到了城乡一体化阶段，农民进城，小城镇的人到县上，县上的人到省城，省城的人到北京上海等大城市，中国社会已是迁徙的社会。我估计将来再过一两代人，乡土小说类型慢慢就要消退了，肯定不会再成为中国文学的主流了。但是，消亡我觉得是不可能的，因为大量的农村还在，更重要的是中国农村文明的思维还在，只要土地在，思维在，农耕的思维观念在，不管在哪儿，就是你在美国，到月球上去，你还是中国的，中国式的，写中国人的文学就不会消失，因此乡土小说也不会真的消失。

在中国，你想真正了解这个社会，获得一些更深层的东西，就去看一看乡土小说。乡土小说就好像馆藏一样，那里有丰富的宝藏。现在它已经不出现在街头了，就像庙堂或者说茶室一样，有闲时可以去坐一坐，静一静，慢慢品味它。

贾平凹

2014年春

前 言

中国是一个乡土性很强的大国，诚如社会学家费孝通所说，中国是一个“乡土中国”。

乡土，几乎是每个中国人的精神家园。

在新时期文学中，乡土文学堪称最敏感的文化神经。新时期当代文化思潮的演进变化，许多是从乡土小说中透露出重要信息的。应该说，从中国乡土小说中可以读懂当代中国。

农民在我国的文学中，历来处于一个突出而显赫的地位。农民的社会地位不高，而文学地位不低。这是由中国作家的乡土情结、生活阅历、审美情趣及价值取向所决定的。在文学对民族文化心理的反思中，农民作为民族文化心理的主要载体，自然成为小说家关注和表现的对象，故乡土小说天然地在新时期小说中，有着举足轻重的地位。

改革开放的三十多年，这是一个伟大的时代，一个中国前所未有的大变革时代。农村生活的改变，农民心气的勃发，新一代农民在精神、意识、思想上的吐故纳新，新与旧在现实生活中的冲突与较量，以及对于腐败现实的理性批判，随后成为乡土小说在一个时期里反复吟唱的主旋律。作家成了这个时期乡村广大农民理想的抒发者和愿景诉求的代言人。农民在内心理想的感召下奋发向前，作家与之击鼓前行。

改革开放以来的文学，我们称之为新时期文学。新时期文学有三个相互联系的阶段：“伤痕文学”、“反思文学”和“改革文学”。许多作品系统地反映了农村农民生活命运的变化，社会的深层变革，抒写了自己的社会理想。有些作家把思想的锋芒指向乡土文化与农耕文明，以自己的眼光与理性来发现和表现乡土中国的浑重、复杂与嬗变。当然，也有不少作家在作品中多有对自身命运的描述和情感宣泻。

新时期文学初期，印象深、乡土味儿较浓的有何士光的短篇小说《乡场上》，高晓生的《陈奂生上城》《李顺大造屋》，张炜的《一潭清水》，贾平凹的《黑氏》，铁凝的《哦，香雪》，邵振国的《麦客》，张石山的《镢柄韩宝山》，王润滋的《内当家》，史铁生的《我的遥远的清平湾》，田中禾的《五月》，乔典运的《满票》等。中篇小说有郑义的《老井》，路遥的《人生》，张贤亮的《绿化树》，张一弓的《犯人李铜钟的故事》，叶蔚林的《在没航标的河流上》，莫言的《红高粱》，张炜的《秋天的愤怒》，映泉的《桃花湾的娘儿们》，王安忆的《小鲍庄》等等。

新时期文学的早期，是一个激动人心的时期，是一个重建希望的时代，人的内心如同枯木逢春，激情被时代精神所鼓舞并迅速地再度燃烧起来。人们在思想解放运动的昭示下又一次看到了未来的希望，并热情地期许这一切尽快变成现实。深怀理想主义文化信念的作家，无论用什么样的创作方法，骨子里都潜伏着浓重的浪漫主义基因，时代气氛使这浪漫潜滋暗长。那个时代的作家极少悲观，历经再多的苦难也不能告别乐观。作家几乎对未来用承诺的方式描绘着生活，读者的期待使写出好作品的作家一夜成名，自发阅读小说的人超过以往任何时代。人们最大的自由就是对美好的向往，人们在想象的话语中得到满足。

时间在飞驰，中国的变革在加深、加快。二十世纪九十年代引发的经济热潮、商业大潮席卷而来，文学受到很大冲击，一些作家纷纷下海弃文经商，文学创作受到了影响。然而乡土小说的创作，因与政治思潮、商品大潮都有一定程度的疏离，也由于作家的坚守，似乎并没有出现中断或萎缩的情形，无论是中、短篇小说还是长篇小说，都在坚守中有所拓展，且成就了乡土小说创作的特有景观，其作家创作形成了楚文化群落、吴越文化群落、齐鲁文化群落、燕赵文化群落、秦晋文化群落、中原文化群落、东北文化群落、巴蜀滇黔文化群落等，乡土小说内容丰富，五彩斑斓。

九十年代的乡土小说不再是单色的，而是多色的，很耐人寻味。如陈源斌的《万家诉讼》，李佩甫的《无边无际的早晨》，关仁山的《九月还乡》，余华的《活着》，迟子建的《雾月牛栏》，张宇的《乡村情感》，韩少功的《马桥人物》，杨争光的《公羊串门》，赵德发的《通腿儿》等等。

这一时期的长篇小说数量不太多，但质量很高，作家开始向家族、人生命运深处思考，审察人性、反思历史、反观传统，因此作品更显得有分量。长篇小说取得了重大成就。先有张炜的《古船》初现端倪，继有陈忠实的《白鹿原》，莫言的《丰乳肥臀》，阿来的《尘埃落定》的联袂冲刺，掀起长篇小说创作的第二个新高潮，是继八十年代古华的《芙蓉镇》，路遥的《平凡的世界》，贾平凹的《浮躁》之后第二个创作高峰。

新世纪阶段比之于前二十年文学文化领域，因面临着商业文化、传媒文化与信息科技的多重冲击，更由于人们价值观的变化，乡土小说读者的减少，作家浪漫情怀的式微，总体来说乡土小说创作出现了下滑和萎缩的趋势。然而，乡土小说并未到这部乐曲的尾声，不少乡土作家还在这片"土地"上耕耘，他们的笔墨自由而灵动，多元的叙事与多元化的观念已出现，令人感到振奋的是长篇小说的进一步繁荣，乡土长篇小说的创作出现了新的景观。贾平凹的《秦腔》，蒋子龙的《农民帝国》，孙慧芬的《歇马山庄》，铁凝的《笨花》，张炜的《你在高原》，刘震云的《一句顶一万句》，莫言的《蛙》等，其中有的作品的水平，已达到乡土长篇小说的新高。这是由于一些乡土小说作家一直在创作的深刻思考之中，他们甘于寂寞，其思考已抵达生活、社会、历史、人生甚至哲学的深处。

中国乡土小说可以说是新时期文学的精华与支撑，几乎所有的小说名篇都与"乡土"血脉相连，这不但有广泛的共识，也是不争的事实，它们占据了文学、文化、出版价值的制高点。

它是我们这个时代特有的文学形态，具有深厚的人文价值，就中国乡土小说而言，可以说达到了中国文学史上"前无古人"的思想和艺术高度，而且由于我们社会的深度变革，农耕文明的逐渐瓦解，这种形式的文学必将终结，因此可以说，它不仅是空前的，也是绝后的，它的辉煌如同唐诗宋词在中国文学史上的辉煌一样。

乡土小说植根于中华民族精神深处汲取营养，又表现并滋润着民族精神和意识，形成了新时期的文化景观。它不但被中国有识之士充分肯定和赞许，同时也被世界看重。"越是民族的，越是世界的"，莫言获诺贝尔文学奖，就是一个有力的证明。

多年来，从鲁迅到沈从文，中国作家无不有着共同的诺贝尔文学梦，可是直到去年，莫言才为中国作家实现了这个梦想。我认为，莫言获诺贝尔奖，不是他一个人的胜利，而是一大群中国乡土小说作家的胜利。这片热土，造就了这一批作家；这个时代的气候，滋润了这一批作家的成长。如张炜、贾平凹、陈忠实等一批作家，其文学创作的实绩和水平，也大都进入了这个层面。我们为中国乡土作家的成功而鼓掌，为中国乡土小说的辉煌而欢呼。

这是一套乡土小说的精选本，我们这套书重在推出改革开放35年(1977—2012)来中国乡土小说的精华部分，它们绝大部分是获奖名篇或被小说选刊选载、被评论家和广大读者所关注、极具影响力的作品。这些作品是时代的一面镜子，较深刻地反映了一个时期的社会现实。

本套书重时代感，所选作品的排序按照原作初次发表的时间先后顺延。选篇首重乡土气息、时代精神和文学价值，以作品品质为标杆(作家名气、地位作第二位考虑)以期展示35年中国农村变革、农民精神嬗变的文明进程，使内涵巨大的乡土小说所构成的文字画卷，具有以文学纪录时代史诗般的价值。

虽然过去也有一两家出版社出版过一些乡土小说选集版本，但大多是以作家为标杆选择篇目，规模小，不全面；而这套书以整个大改革时代为着眼点，登高望远，选篇宏观铺陈，将散失于长达35年间奇珍般的乡土小说，用一根乡土彩线串系在一起，这是对乡土小说的寻找与抢救，也是在打造我们中国人共同的心灵家园。

由于书的印张所限，有不少影响大、水平高的乡土小说未能选入，对此我们深感遗憾。我们希望这套书的出版，不但能让热爱乡土小说的读者喜欢，而且能让更多的农民兄弟读到。让农民了解农民，了解农村的变化，关心自身命运，关心社会变革，这是我们的初衷。

郑电波
2013年初春

目　录

小爱物

张 炜

每一片果园里都有自己的护园人，他们像园中霸王。在我们眼里，这些家伙个个都是凶神恶煞，可能暗中干了许多坏事，说不定会有命案在身。看看这些人的长相和打扮就能知道，他们可不是一般的人。

平时这一带就是护园人的天下。

别看一片片果园里静悄悄的，其实就有人踞在暗处——一声不吭待上一天一夜，耐心大得吓人。一旦有哪个倒霉蛋溜进来摘个果子，他们会一个恶虎捕食蹿过去。栽在他们手里的主要是过路的渔人、打猎和采药的人，还有更可怜的——孩子们。

护园人又古怪又孤独，好人才不会干这个，能干这个的，得有杀牛的心。他们大多是光棍一条，没有家口，以海边林子为家。

比如说，有一个远近闻名的老护园人是个哑巴，一辈子都干这个，平时只穿蓑衣，两臂一撑蓑衣毛儿就奓开，像一只豪猪拼死打斗前的模样。他腰上别了一把镰刀，三句话没完镰刀就飞出来，砍死人不偿命。还有一个护园人是个矮子，身高不过一米二三，力大无穷，秃头，宽膀子，能死死压住一头黑犍牛，直到它力气使尽不再挣扎。这个矮人独自经管两片果园和一大片林子，从无失手的时候。

像哑巴和矮人这样的在海边一带数不胜数，所以每家大人总是叮嘱孩子：千万不要往园里蹿，尤其是果子成熟的时候，走路要绕开；如果万不得已非要从旁边经过不可，那最好闭上眼睛。

这话只有海边孩子才会明白，外地人怎么也想不出是怎么回事。当我们一眼看到串串彤红的樱桃、叶子下闪闪烁烁的桃子、火焰色的杏子，心里会阵阵发痒。那时再也不想别的，只琢磨怎样立刻把它们摘到手里。这股馋劲儿谁也无法抵挡。

离我们最近的这片果园出了一件怪事：新来的护园人竟然是个馊货。这人瘦弱不堪，三十来岁，一脸憨相。我们大家暗地议论，一致认为这是个不中用的家伙，这里交给他最好了。但是后来又有些犹豫，认为一切都不会那么简单，这家伙一定有些来历，他那副蔫蔫的样子或许是装出来的。

我们十分留意，认真观察了好久。这个人奇高，个子有一米八以上，小腰却只有一拃粗，走路像女人一样扭动，又细又长的脖子上挂了一层灰尘：离近些看，发现是粗糙的斑点，就像长了细细的鱼鳞。我们估计这是长年待在海边的缘故——冬天的海风就像锉刀一样。我们都想亲手摸一摸他的鳞脖。

他有个外号："见风倒"。

这真是一个脆弱的、朝不保夕的家伙。原来他从小患有严重的心脏病，动不动就捂着胸口倒下来——只要有一阵北风刮过来，他就哎哟哎哟躺下了。

"见风倒"住在园中小土屋里，不怎么出门。他有一支长筒猎枪，但永远也不会打响了，因为枪栓什么的全锈住了。可他几乎是人不离枪，那是他的伴儿。我们几个常常趴在小土屋的后窗往里瞄着，想发现一些秘密。

打鱼人老万路过这儿，肩上扛着一支橹，也往小窗里面望了望，挤挤眼说："这家伙还不知能不能挨过这个冬天哩。"

这里的冬天啊，北风刮起来让人害怕。沙子飞到空中，树枝发出咔嚓嚓的响声，鸟儿大清早死在脚下。冬天里的"见风倒"真的凶多吉少。可冬天还远着呢，"见风倒"早就不出门了。他把火炕烧得热热的，小铁锅里永远有好吃的东西，那是煮花生和玉米棒，还有黄瓤地瓜。他在屋里走来走去，手按在胸口那儿。那一定是摸着不舒服的地方，想着一些倒霉的事。

有一只猫溜进了小屋，跳上了热乎乎的炕，被"见风倒"一把搂在怀里。他们一起打着呼噜，秋天就要一点点过去了。我们几个实在忍不住，只想破门而入。这个秋天哪，树上的果子摘光了，护园人就再也不愿出小屋了。我们在门口扯起了绊绳，想让"见风倒"一出门就绊个跟头。

他终于出来了，仰脸看天，打个哈欠，耸耸肩上的枪，一扭一扭往前走，快要碰上绊绳那会儿，两条腿突然像跳舞一样腾挪了一下，绊绳对他毫无用处。那只猫也跟出来，一下跃上肩膀，接着又攀上头顶，在乱蓬蓬的头发间做窝趴下。

太阳好的时候，"见风倒"偶尔会头顶一只猫出来，只站在小屋门前。我们猜他在等候真正的冬天。只要一阵风刮来，他立刻就踮着碎步回屋了。

冬天来了。在一个大风天里，我和虎头、小双几个痛快地走在园子里。沙子打在脸上，一会儿就把脸弄得像秋桃一样红。玩到黄昏时分，我们在小土屋门前唱起了歌。唱了一支又一支，里面一点声音都没有。那家伙被大风吓破了胆。我们高兴地号唱。

天黑了，门开了一条缝，我们几个由虎头带头，呼一下钻进去。老天爷，原来小屋里暖暖的香香的，灶里有炭火，锅里有地瓜。"见风倒"揹枪抱猫，模样阴阴的。这家伙从来不会笑也不会哭。他正吃一块地瓜，还往猫嘴里抹地瓜糊糊。猫不高兴。

屋角有一只半大的羊。我们争着去抱白白的小家伙。羊咩咩叫，用刚生出的嫩角顶我们，顶了一会儿就逃到“见风倒”身边去了。羊和猫紧贴着他，一块儿偎在暖和的炕角。屋外的风声越来越大了。

这个冬天，“见风倒”的小土屋是最好玩的地方。这里有人正一声不响地对抗着凶猛的冬天——听人说冬天其实是一个妖怪搞出来的：那家伙长了绿色的眼窝，身子有五个黑牛加起来那么大，每年春天要去海北，天一热就过海往南走，走啊走啊，走到十一月就来到了我们这儿。它走累了，一屁股坐在海边，望着南山，张开血盆大口喘气，把一地沙子都吹起来了。

打鱼的老万说，你们半夜里侧耳听一听，就能听见妖怪打鼾的声音。

他盯着小土屋，讲出一个故事：从前，有个猎人凭着过人的枪法，发誓要赶走那个妖怪。他找到了这个大家伙，想趁着它打鼾的时候一枪结果了它。谁知道妖怪睡着了还睁着一只眼，早就看见端枪的猎人了，只是继续打鼾。猎人凑得近一点，只有几步远了，这才扣响了扳机。猎人发了狠，早就装足了火药，那是能够打死几头牛的霰弹。谁知轰隆一声火光一闪，妖怪照样打鼾。猎人吓得丢了枪，转身就跑，刚跑了没有几步，妖怪又打了个大大的喷嚏，掀起的一大股沙子立刻就把猎人埋在了下边。

老万讲完了故事，问：“你们知道那个猎人是谁吗？”

“是谁？”

“就是‘见风倒’的姥爷。从那以后他们家个个害怕妖怪，一听到刮北风就吓得脸色蜡黄，腿也不好使了。他们这家人跟冬天有仇。”

我们听了那个故事，再也不用原来的眼光看“见风倒”了。原来这是个大英雄的后代啊。在大风呜呜响的夜晚，我们为了安慰小土屋里的人，就一块儿挤在他身边，都想问一问他们一家跟冬天结仇的事儿，最后还是忍住了。

我们一起熬着冬天，等待老妖怪返回海北的日子。

第一只蝴蝶飞来了，那只猫从“见风倒”头上一跃而起，扑向窗户。谁也想不到这个憨憨的“见风倒”手脚那么麻利，只一蹿就抓住了飞到半空的猫。蝴蝶逃出窗户，飞到了一旁的李子花中。

“见风倒”高兴了。不过他从来不笑，总是阴着脸。能让人看出愉快的，就是那只扭动不停的腰。“这不是男人的腰。”老万说。他说以前他们打鱼的那儿也有一个人长了这样的腰，只在渔铺里做饭，不去海里打鱼。“那饭做得真好，可惜走路像娘们儿。”老万咂着嘴，远远地瞟着“见风倒”，

“是男是女看看就知道了，嗯。”

老万的话让我们吓了一跳，你看我我看你，谁也不吱声。

老万笑眯眯的：“海上那个人后来到底还是露了馅，他夏天热得受不住，跳进海

里洗澡,被人撞见了,嘿嘿……”

“咋回事?”

“原来不是男的也不是女的。”

多么奇怪啊!世上还有这样的人?我们都不信:“那是怎么回事啊?”

“就是那么回事,”老万眯着眼,不再正经说话了。待了一会儿他又说:“从那以后打鱼的人都不愿理他了,也不想吃他做的饭。我只想帮帮他。那年头我家里穷,娶不上媳妇,光棍一条,就琢磨起了事儿。我让他把头发留长,等扎上了两条小辫子,就娶回家当老婆了——至今还是我老婆,能做一手好饭。”

大家瞪着眼发愣。我们当中心最细的是小双,他问:“生娃娃了?”

“啊啊,”老万摇着头,“这事儿不急的……”

可是我们都想弄清“见风倒”是男是女——当我们凑近了端量时,觉得他绝对是男的:嘴唇上有一层黄黄的小绒胡。不过有一点不妙:他的眉毛又细又弯,这可是个问题。

太阳晒得一地沙子发烫,赤脚走在上面真好。小蜥蜴探头探脑四处乱瞅,猫就把它们逮住了。那只羊与“见风倒”一块儿卧在沙子上,被一群蜜蜂围着。“见风倒”袒露着上身,抓一把烫烫的沙子往肚脐上撒。

我们注视了一会儿,都跑到他跟前玩起了这个。他的肚脐像小酒盅,很深,凹着。等它装满沙子后,羊爬起来嗅了嗅,发出了“咩咩”声。“见风倒”嫌热,松脱了长裤翻扭着。小双掀起他的短裤看了看,他懒洋洋的并不阻止。

小双说:“他是男的。”

大团大团的李子花开过,接着是桃花梨花苹果花。那个带来冬天的妖怪越逃越远,大概早到了海北,于是最好的春天就留给了我们。一群群绿翅红嘴鸟儿飞来了,它们在园子里忙碌嬉闹,全不理睬别人。

这算得上真正的节日。一到星期天,我们就在花海里钻来钻去,与蝴蝶和蜜蜂、各种鸟儿周旋,忘记了一切。家里大人关心的是我们与看园人的关系,担心受到捉弄和欺负。这次他们搞错了,说实在的,我们不捉弄他就算不错了。

这个人有点痴傻,心眼可能还抵不上我们一半。

而且这人懒得出奇,有时一整天躺在树下,只要不起风就仰脸往上看:白天看小鸟和蝴蝶,晚上看星星。这里的夜晚星星大,没有月亮时就格外大。有些动物是跟上月亮起哄的,它们在明晃晃的月光下不会安生,又飞又跳又跑,分不清是一些什么东西。

半夜里,有一只狗那么大的动物唰唰跑在园角。说不定什么时候,又有一只更大的动物从东到西跑过。我们问“见风倒”它是什么?他吸吸鼻子,侧着耳朵听,又贴在地上听,只不回答。

虎头一个人蹲在黑影里,突然神色慌张地跑过来,伸手指着一角说:“听,噗噗的，像一只大鸟。”

他的声音透着恐惧。我们屏住呼吸。听到了，好像有一大团棉花，轻轻地落在了园子里。我们吓得一动不动，身子贴在了一起。

又过了许久，再没有一点声响。小双第一个离开大家，蹑手蹑脚走向园子深处。花的浓香一阵阵钻到鼻孔里，有人打起了喷嚏。羊和猫守在“见风倒”身旁，快睡着了。

夜色里的花树如同一座座山峦。我们都觉得每到夜晚花的重量比白天增加了几倍，细细的枝丫眼看就承受不住了。花的山峦里藏了各种动物，有飞禽也有走兽，它们都知道那个大妖怪离开了，于是不再安生，一齐出动。

小双扯着我的手，小心又小心地来到一棵最大的苹果树下。他从一个树隙指给我看。

那儿什么也看不清，只是一团浓黑。我们紧张极了，只听见自己的一颗心扑扑跳。小双转脸看我，我发现他的眼睛闪闪发亮。正这会儿，那团黑影颤了几下，发出“噗、噗”的声音，就像一只大母鸡在抖动翅膀——还没等我们回过神来，它嘴里又发出细小的“吱吱”声，就像一只轻到不能再轻的气球，只一跃就弹到了更高处——比所有的树都高。它在无数的树尖上弹跳了几次，最终不知落在了哪棵树上。

我和小双都没看清它的模样，因为花丛太密，天太黑。但我们都一致认为这家伙的个头不小于一只大鹅，会飞会跳，身子轻盈灵巧到无法形容的地步。

第二天夜里又是相同的情形：到了半夜时分，天安静得出奇，一天星星眨眼不停，没有风；大大小小的动物开始在园中跑动，它们尽可能隐藏自己的声息。可是我们个个耳尖眼明，绝对放不掉任何行踪。大约在虎头第二次打哈欠的时候，小双的手指又竖在嘴边了。我们捕捉那“噗、噗”的声音。

那个古怪的飞禽或走兽又一次神秘地降临了。

我和小双、虎头三个人猫腰钻过几棵树，然后大气不出地趴在地上。虎头怀里抱着猫，他有自己的盘算。

半个钟头过去，四周静得吓人。小双又伸出了手指。不远处有“呼呼”的喘息声，就像一个小孩子疯跑之后大口喘气。虎头激动得快要哭了，扯扯我和小双，一丝丝往前爬。

当离那喘息声越来越近时，它反而一点声音都不再发出。这家伙多么狡猾。可是我们都看到了：在最高处的一个树丫上，沉甸甸地压了一个东西，像石头一样。它比鹅还大，头是圆的，正轻轻转动，像在寻找什么。

我们正在凝神，虎头突然把手中的猫往树上一撩。

猫的眼睛比我们尖多了，它早就看到了树尖上的家伙了，一直在虎头怀中挣动呢。

猫急急地往上蹿。我们料定那是一只大鸟，而猫见了鸟类就不会饶过，再大的鸟都会败在它的手里。

说时迟那时快，猫像闪电一样直击树梢，接着发出“扑哧扑哧”的打斗声、惨惨的叫声——尽管星光微弱，我们还是看清了最后一幕，这一幕说起来没人相信……我们惊得目瞪口呆。

好几天以后我们讲给大人听，他们还觉得这事不可思议。谁都不信。可一切都是真的，是我们亲眼所见。

当我们讲给“见风倒”时，他弯弯的细眉抖了抖，惊得大张嘴巴，露出一口米粒似的细牙。他回头细细查看爱猫，发现它左边的脸，还有一只眼，都肿了。

大家多么同情这只猫。

那一夜我亲眼见过了飞快完结的这一幕：猫飞速冲到那个怪物近前，对方正望着远处；直到猫伸出利爪那怪物才回过神来，低头一看，接着抬起一边的翅膀——也可能是手——一下提起猫狂舞的两只前爪，用另一只手狠狠揍了它几个耳光。猫惨叫着，给“啪啦”一声扔到了树下。

猫跌得好惨，双爪捂头乱叫。树尖上那个家伙正嫌脏似的拍打着双手。它低头看着我们，嘴里发出若有若无的嘻嘻声。

这是个永远无法忘记的夜晚。

“见风倒”听了我们的叙说，脸上有了慌张的神色。他把锈住了的枪摘下又背上。

老万路过果园时，我们把整个过程从头到尾讲了一遍。他寻思了一会儿，说：“会飞，有手，那是什么？只能是妖怪！”

我们这片园子里真的出现了妖怪，并且是大家亲眼所见，这是多么美妙的事情啊。这事儿实在让人兴奋，谁都不想睡觉了。

“见风倒”痴痴地望着自己的领地，好像对发生的事情难以接受。他一下下抚摸肿了半边脸的猫，安慰它，小心地亲它的脑门。

春天越来越深入，满园繁花谢去之后，绿蓬蓬的叶子就长出来，只一眨眼，枝条都遮在了绿叶后面。这时所有的鸟，也包括各种走兽，都躲在更隐蔽的地方玩闹了。

我们大白天难得来园子里一次，因为要去讨厌的学校。星期天和夜晚应该属于我们，但是自从出了妖怪的事情之后，我们出门会受到各种阻拦。说实话，对于海边林野里隐下的种种危险，不要说我们，就是来来往往的渔人和猎人也惧怕三分。他们个个都传达过这些故事，讲述的时候仿佛个个都是受害者，好在就因为自己机智勇敢，这才逃过一劫。

老万是个对妖怪特别有研究的人，他说自己已经无数次经历了这一类事，并且在常年的林海荒地生活中习惯了这一切。听他的口风，好像还暗中交往过几个妖怪。他这样暗示了几次之后，我们也心动了。

小双说："如果咱们跟一个不太凶狠的妖怪好起来，也蛮有意思的。"

虎头想得更多一些，摇摇头："只要是妖怪，那就得防着——听说它们分两种，吃荤的和吃素的，如果吃荤，那就得小心了。"

我同意虎头的分析，因为我们都属于"荤"。但我想补充一点的是，有的妖怪是荤素不论的，既吃果子和一般植物的根茎叶子，也会逮活物吃，比如吃鸟和鱼。它们当中有的还吃儿童，如果有这样的机会，那会是十分高兴的。

我至今记得外祖母告诉的一件事，那可是她亲眼看见的。当时她正在门口抽烟，和几个爱抽一口的老太太一块儿过烟瘾，你一口我一口地传递着烟斗，凶险事儿就降临了。原来其中一个老太太的小外孙正在草垛旁玩耍，突然传来"嘎呀"一声大叫，一只老鹰扑下来，抓起白白嫩嫩的小孩就飞走了。

"那孩子胖啊，老鹰抓得费劲，摇摇晃晃，摇摇晃晃，往半空里去了……"外祖母说。

那个看护外孙的老太太差点哭瞎了双眼。

外祖母那个亲历的故事谁都相信，因为都知道她是说谎最少的人——要知道海边林子里的老人个个都爱说谎，平时就爱编点什么吓唬孩子，有时也为了吸引别人，为了让更多的人敬重。这里的人常常说到某个见多识广的人，说某某真了不起，一辈子遇到过多少怪事啊，口气里流露出强烈的羡慕。

外祖母讲了许多故事，其中的一半仅凭我的智慧也可以识破是假的。她低估了自己的外孙。不过她有说谎的权利，因为说谎是海边老人的习惯，这也不全是他们的错。

我从外祖母的故事说起，初步认定来我们园里的是一只类似于大鹰的飞禽。

可是这个判断很快就被否定了。

那是一个月亮很大的夜晚。这样的夜晚香甜可口，风是香喷喷的。在洒了一层荧光的沙地上干什么都格外有趣。我们为了表达对"见风倒"的情谊，都带来了一点吃的东西。"见风倒"阴着脸，抓过东西就吃，并不感谢什么。这个人与哑巴没有多大区别，只是常常与猫和羊说话：咕咕哝哝。

他与身边的动物友谊超常，这是显而易见的。我们亲眼看见有一只彩色的大鸟落在他的头顶，拉了一泡屎又飞走，他丝毫不恼，擦一把了事。还有一次一只狐狸走到他跟前——那只狐狸倒也真不难看，小脸儿仰着，两眼水灵灵的，直盯着他。"见风倒"为了看个仔细就使劲弓着腰，那模样就像给狐狸鞠躬似的。

总之他与人没有多少话要说，与动物倒有很多共同语言。用老万的话来讲，就是："'见风倒'这个家伙不善于说人话。"

这个夜晚我们分吃好东西，糖果、炒花生、栗子和小巧饼——这是拇指大的稍硬的烤饼，分别做成了小猴子、小猫、小狗等各种模样，香极了。"见风倒"小牙像米粒那么大，嚼东西费劲，很长时间才能吃掉一个小巧饼。正吃着，小双的手指又竖起来了，大家一齐停止咀嚼。

一只动物正从园子东北角小心地走来，像是踩在棉花上的又软又轻的蹄脚。不过它瞒不过小双尖尖的耳朵，也瞒不过我们。猫一下偎到了“见风倒”的怀里，羊高高地抬起了头。

我们一齐伏在沙子上，抬眼去看——沙地上的月光像浅浅流水，使人觉得有无数小鱼在上面游动，如果有一只大水鸟来啄食一点都不奇怪——正这样想着，真的有一只大鸟来了！瞧它两只又粗又壮的长腿吧，吧嗒吧嗒踩着浅水，得意扬扬地来了！

虎头躺在旁边，我能感到他激动得全身打战。我大气不喘，顺着那只“涉禽”——书上这样叫它们——往上看，刚刚定神就惊得闭不上嘴了！老天爷啊，这哪里是什么大鸟啊，这家伙长得多怪啊，它像人一样长了两条腿，可是上半身又像鸟，因为有双翅；不过双翅上方有窄窄的肩膀，有脖子，上面长了比常人略小一些的头颅……我紧紧盯着，发现它有一张小娃娃似的小圆脸，额头可真不小，鼓着，大眼睛上方是一溜整齐的刘海……

“见风倒”呼一下坐起。他大概吓坏了。这人又一次被证明有点痴，因为他竟然在这个关键的时刻暴露了自己。

结果糟透了——那个怪物听到声音立刻止步，圆脸一抖一缩，瞬间缩成了拳头那么大。接着双翅一张，几乎毫无声息地飘离了地面——我敢说自己盯得仔细，那简直不是飞，而是像跳高运动员那样轻轻一弹，就稳稳地落在了一棵大树尖顶上。它只在这棵树梢停留了一秒，又连弹几次，在几棵大树上方选择一圈，最终不知落在哪一棵上了。

我们一起追寻，可惜连个影子都没有发现。正在我们发呆的时候，园子深处却传来了嘻嘻的声音。这种细小的发声以前听过，那显然是对我们的嘲弄，而且分明透着得意。

大家争论这是一种什么动物。争执最大的是走兽还是飞禽，因为这是不可混淆的一个原则。谁也无法做出结论。统一的看法是，这不是一般的大鸟，因为它有人一样的头脸，似乎还有手。不过它离地的那一刻又像鸟——好像它的双臂随时都可以当成一对翅膀来用。

“见风倒”只是听着我们的议论，并不加入讨论。他在月光明亮的夜晚敞着衣怀，露着一只大肚脐，长了鳞的脖颈就像胳膊一样细。我这会儿有一个奇怪的念头，觉得这个护园人也是一个妖怪。

我们身边这个“妖怪”的不同之处，是一点都不让人恐惧。他和我们躺在一起，无论是在沙滩树下还是在小土屋里，时不时就要紧紧地搂一下左右的人，包括猫和羊。有时候他真是激动啊，紧绷着嘴，猛的一下咧开又像要哭出来。我知道他是激动了。我心里承认,他是最能激动的一个人。关于他的身世没人了解,只知道他是一个身带重病的人,随时都能离开人世。就是说我们面前的这个嘴唇发青的细高个子,说不定什么时候就能在一阵风里倒下,然后再也不会爬起来。

大概由于时时面对了死亡,所以他才有那样阴沉的神色,他害怕啊,他不高兴啊。也同样因为这个,他才要紧紧地搂住我们,那是他舍不得与我们分别啊。我发现每一次大家离开时,他都要狠狠地盯一会儿——不是恨我们,而是恨又剩下了独自一人。

老万说"见风倒"所有的亲人都因为害心口痛过世了,只剩下这根独苗,"独苗命苦,人长得痴,娶不上媳妇。"他警觉地盯我一眼,说:"小心一点吧!"

我问为什么?

"不为什么,反正小心一点吧!"老万不怀好意地笑,往地上吐口水,"这是个不男不女的东西。"

我立刻争辩:"不,他是男子汉,这是真的。"

老万摇头:"什么男子汉,一个废人。打鱼不行,推车不行,护园子也不行——有一年秋天被几个偷苹果的老娘们按住打了一顿,还把他的裤子脱下来扔到了树上。那天正好起风了,他吓得趺趺撞撞往回跑,光着腚,鞋子也掉了。"

我可怜起小土屋里的人了。

一连好多天,我一想起老万的话就为护园人难过。我和伙伴们更多地去园子里,带去好吃的东西。当然,我们最好奇的还是那个来去无踪的妖怪。

秋天来了,果子挂在树上,再有不久就要成熟了。半熟的果子格外馋人。

小双和虎头都发现,随着果子一天天长大,"见风倒"就变得不那么友好了。这家伙的一对眼睛泛着瓷亮,就像鱼眼,这是大家刚刚发现的。鱼眼圆圆的,很拗,一动不动地盯过来,会让人心慌。

我们爬树时,他一定要上前拦住,还扳锈住的枪栓。这家伙吃了我们多少巧饼和花生,一转眼就翻脸不认人了。他大概担心我们将果子碰掉。其实我们想摘下果子。杏子和苹果只有指甲大时就吞下肚了。它们真酸。不过对付再酸的果子都有办法,那就是嚼的时候闭上右眼,这样也就可以忍得住了。

而"见风倒"闭上一只眼睛时,那就是在端枪瞄准。树上的鸟、爬到树上的猫,被他瞄住时全不介意,因为它们都知道这是一支放不响的枪。

如果不能爬树,只在地上待着,那就没有多少意思了。一年里,除了北风呼啸的冬天,我们一直在树上攀爬,摘果子逮鸟,闭着眼想心事,这些都要在树上才行。"见风倒"终于露出了护园人的本来面目,他原来像那个传说中的老哑巴和矮子一样,天生就是我们的对头。他竟然用枪向我们瞄准,这是多么可怕啊,这枪如果能够打响,他真的敢扣响扳机吗?

果子眼看熟了,满园香气让人心痒,鼻子发酸,走路就像坐船——飘飘悠悠的。

一开始我还以为只有自己这样，问了问小双和虎头，他们也差不多。只要我们进了园子，“见风倒”就会跟上，寸步不离。他解溲的时候我们就往林子深处钻，这时他就提着裤子追赶。

虎头有一次背着手走出林子，可能藏了什么，“见风倒”转到身后，虎头就随着他打旋。虎头越旋越快，弄得“见风倒”头晕，一下栽倒在沙地上。我们趁机爬到树上，每人都找到了最甜的果子。

起风的日子最好了，这时候护园人就不敢走出小土屋了，只趴上北窗往外瞭望。可惜有时风刮起来，却偏偏不是星期天，放学回家了，风又停下来。

老万从园边走过时身上背个帆布褡子，看到“见风倒”过来，就让我们往另一边跑。我们后面紧跟着“见风倒”，那边的老万就动手摘果子，直到把布褡子装满。

我们从园里跑出来，在通海小路上与老万会合时，他正笑嘻嘻地啃果子。可是这家伙太吝啬了，每人只分给一个苹果，而且还专挑小的。他咔嚓咔嚓咬着大苹果，果汁四溅，说：“对付这家伙还不容易？赶明儿让海上渔老大娶了去。”

我们都不吃苹果了，盯着老万。

老万吃过苹果又抽烟，两撇黄胡须翘起来：“海上老大早没老伴了，正找家口哩，我看‘见风倒’就合适。”

小双惊呼：“可他是个男的啊！”

老万笑了：“我们老大是女的，这不正好吗？”

海上老大是指挥打鱼的把头，怎么会是女的？这玩笑开得也太大了。我们全都不信。老万使劲吸一口烟说：“老大过去是男的，他天天喝酒，天天喝，一天这个数儿。”他伸出三根手指：“三碗。这就喝死了。老大没了，打鱼的就得散了摊子，因为大伙儿谁的话也不听，只听老大的。上级一看实在没辙，就让老大家里那个老娘们来管咱们了。”

虎头听得入迷，头快探到老万怀里了。老万用烟卷火头触一下虎头的鼻子，虎头猛地缩回来。老万继续说：“这娘们儿比我还高，腰粗肚大，大脚丫子踩地扑哧扑哧响，还会抽烟，喝酒也在这个数儿上。”老万又伸出了三根手指。

大家哄笑。

“你们也不用笑。俺们那一伙都听她的，为啥哩？就因为她是师母辈的，等着我们孝敬她哩。她辈分高，可惜年纪不太大，也就四十一二岁吧。夜里她和大伙一块儿挤在渔铺里睡，当老大嘛，就得和大伙同吃同住。半夜里她一声连一声叹气，坐起又趴下，一双大手捂着胸口。开头大伙以为她病了，心口疼，后来才知道是另一回事。”

老万说到这里卖个关子，不吭声了。

我们都急了，逼他快说怎么回事？他又吃苹果又抽烟，半晌才说下去：“老大是想师傅了，想重新找一个男人过日子。本来这事儿好办，睡在一个铺子里的打鱼人这么多,可惜不行啊,全都不行!"

"为什么不行?"小双问。

"因为咱一伙里尽管有不少光棍汉,可大伙都跟她叫老大,她是师母啊!"

这回我们都听懂了。虎头搓手,望向果园的方向。他在想什么。

"如果老大把那个人,"老万夹烟的手往南挥动一下:"把'见风倒'娶了去,那园里的果子还不成了咱大伙的? 咱想怎么吃就怎么吃!"

"可是,可是,"小双像憋气一样,鼻子上出了一层汗粒:"我想他不敢的,不敢的……"

"怎么就不敢了?"老万盯住小双,因为过于专注,似乎有点斗鸡眼。

我替小双答了,说:"那人见风就往屋里跑,胆子特小!"

老万拍掌大笑:"这你们小孩牙牙就不懂了! 那是因为他一个人老要闷在屋里,没有摔打出来! 只要有了家口,这个人也就'皮实'了!"

"'皮实'是什么意思?"虎头问。

"就是耐折腾的意思,"老万扔了烟蒂,"就说我吧,别看娶来的是不男不女的一个物件,几年下来再也不管什么天气——以前不行,淋一场雨就得赶紧喝酒,生怕寒气扎到骨缝里。娶了家口,热汤热水吃喝,身子骨也就壮起来了。男人女人全一样,得有人疼,在他(她)耳朵边哈着气说话,一边说一边用小手摸摸他(她),他就一天天皮实起来了。"

大家都听得出神。我心里想,老万这个人懂得可真多。

最后分手时老万下了决心,说:"这事就这么定了,等个好月亮天,我拉上俺老大去园里相亲吧!"

"为什么要在月亮天? 白天不行吗?"我觉得这一次老万搞颠倒了。

老万用食指叩叩我脑壳说:"白天? 白天看得太清亮了,说不定两人都相不中哩!"

我们都怀上了一个大心事,喜滋滋的,只等着老万领着女老大来相亲了。

但我们私下里议论,最担心的是他们之间相互看着都不顺眼。不过比较一致的看法是,只要海上老大相中了"见风倒",事情也就成了大半——这个憨痴痴的家伙没有什么选择的余地,只要有谁愿意领他走,他跟上就是了。

从那以后,我们看到"见风倒",怎么看都觉得他是女老大的家口了。

大月亮终于来了。吃过晚饭,大家早早地来到了园子里。真是有些激动呢。"见风倒"似乎心情不错,头上顶着那只猫,身边跟着羊,不停地耸动肩上的枪。他一嘴小牙真白,在月光下闪着光亮。月亮之夜,他的小牙更可爱了。

我们躺在沙子上,绝口不提将要发生的事情,用力地吸着鼻子——满园果子全熟了,这香味可不是一般人能够忍受的。奇怪的是"见风倒"能在长达几个小时里不吃一个果子,多大的忍耐力啊。

“见风倒”总是沉默寡言，自我们结识他到现在，几乎没听他说上几句话。这家伙与哑巴无异。话少的人心劲就大，而心劲大的人最适合用来保护公家的财产——这是我暗暗推理出来的。

静静的月夜一丝风也没有。不知过了多久，远处传来了走路声。“见风倒”警觉地欠身看了看。我们都知道老万快领人来了。

走路声越来越近，后来就停住了。我不知什么时候一转脸，马上惊得捂住了嘴巴——一个小矮人在不远处眼巴巴地看着这边，而“见风倒”正与之对望！如果我没有看错的话，这个小矮人就是前些日子弹来跳去的那个小妖怪！

老天爷啊，这一回我算是看清了：两条腿像藕瓜似的，膝盖上方有弧纹；脚掌有蹼，就像水鸟差不多；肚子圆圆的，看不清颜色；不知是胳膊还是翅膀，耷在身侧一动不动；细脖，大头，圆脸，眼睛亮亮的，额上是一溜整齐的刘海儿……我在一瞬间认出这是一个雌性——女的。我使劲捂住了嘴巴，害怕叫出声来。

“见风倒”和小妖怪对视了一会儿，竟然像被丝线牵住了一样，慢慢起身，迎着她走去——他们一步步走进了园子深处。

猫和羊都呆在原地，身上好像有些发抖。

我相信大家都像我一样，看清了这一幕。没有人说话，因为都不知该说什么……这无声无息的一刻我在想：“见风倒”这些日子里一定偷偷约会过小妖怪！如果不是这样，他怎么敢在这个大月亮天里跟她走？

这会儿谁也没有想过要追回“见风倒”。这是他自己的事情：一次凶险万分的约会。

“见风倒”是冬天的仇人，可是他再也等不到冬天了，只在这个秋天就会被小妖怪害死。

由于失望和害怕，我们躺在那儿一动不动。谁也没有想到去摘一些果子，压根就没有想起甘甜的果子。心思全在另一边了，都在用心捕捉园子深处的声音。如果这时候发出一声尖叫，我们就会不顾一切地冲过去。

谁也不知道小妖怪吃荤还是吃素，或者是像以前担心的那样：荤素不论。反正这个护园人是凶多吉少了。我们渐渐忘了与老万的约定，把女老大相亲的事丢在了脑后。

余下的时间没有什么奇迹发生，园子里静悄悄的。我们最后无精打采地站起来，各自回家了。

第二天是星期天，早晨醒来第一件事就是去看小土屋里的人——我们几个不约而同地跑到果园里来。

“见风倒”皮毛无损，模样照旧，还是警觉地盯住我们，生怕偷走了树上的宝贝。多么悲伤啊，我们一直担心他的安危，他却时时牵挂果子，交到这样的朋友真是倒霉。不过谁也不想离去，因为这儿实在有许多东西吸引着我们。

昨夜里大概刮过一阵风，树下掉了不少果子。“见风倒”见我们一直端量树下，总算慷慨了一回——每人分给一个。

离他近一点时，我发现这张憨痴的脸上似乎有了一丝不易察觉的笑容，一双弯细的眉毛在轻轻蠕动，下唇使劲往上收拢，好像要极力包住一些隐秘。那根鳞脖微微变红了，上面有几道浅浅的挠痕——这马上让人想到是小妖怪抓弄的。

一会儿打鱼的老万来了，他离老远就向我们招手。

离开园子一点，老万告诉今夜女老大就来相亲了。我们几个兴奋无比，但对马上要发生的事儿多少有些担心：这或许需要告诉当事人一声吧？如果他根本不想见那个人怎么办？

老万哈哈大笑：“哪有‘见风倒’不愿意的？这样的废人，只等俺们老大娶了去就是！”

大家相互看着，将信将疑。小双讲了昨夜发生的事，老万一脸惊愕，不断追问一些细节，脸色一下沉重了。他拍拍腿：“一点不错，那是一个妖怪！”

“那怎么办？”我问。

老万往园子里望几眼，肚子疼似的蹲下了。他掏出烟抽几口，发狠地点点头：“那妖怪总是先让人迷上，然后再一点一点收拾他……”

“怎么‘收拾’？”小双眨着眼。

“那就不一定了。妖怪们使用的方法是不一样的，它们和人差不多，脾气不同，那些性急的就把他领到没人的地方，咔嚓咔嚓几口吃了算完；性子缓的会慢慢逗弄他，直到玩腻了，遇到坏天气心上一烦，也就把他嚼巴了。”

我们吓得脸都白了，咝咝吸着凉气。

“看起来这事再也耽搁不起了，快让女老大把他领走吧，越早越好——幸亏她今晚就来。”

虎头说：“领回渔铺？这可不行啊，他还要在这里护园哩。”

老万点头：“只要老大娶了，住哪儿都一样，这小土屋收拾干净了就是新房。”

老万走后，我们一时觉得特别寂寞。时间过得太慢了。好不容易到了中午，太阳热辣辣的。要到多久月亮才出来啊。

实在等不下去，虎头建议到海上去，就近看看那个女老大什么模样！这个主意可真不错，这就好比我们代“见风倒”去相亲了——不管怎么说，我们与他有这么长的交情，不放心呢。

一路飞跑，穿过一片杂树林，又钻到灌木丛中，踏着一地马兰和拉拉秧……又看到与蓝天相接的大水、一个个棕色的渔铺了。渔铺是打鱼人的老窝，那里面有吃不完的鱼，喝不完的酒，抽不完的烟。

太阳刚刚偏西，打鱼的人早把网撒进海里，马上就要往岸上拉网了。太阳照得沙滩很热，拉网的人都穿了很少的衣服，有的干脆光着膀子，下身只有一条小短裤。

这些人全都是黑红色的皮肤，牙齿雪白，说起话来嗓门忒大，骂人忒狠，最爱欺负小孩儿——家里人说这些打鱼的万万不能招惹，他们火了抓起小孩就往海里扔。

我们到处找那个女老大。咋咋呼呼指挥拉网的都是横眉竖眼的男人。海滩上的光腚客太多了，男人在这里不爱穿裤子。

虎头指着不远处一个跑来跑去喊叫的人说："就是她！就是她！"

我们走近一看，马上吓了一跳：这人脸色乌黑，大嘴宽肩，只穿了小背心和大裤衩子。破背心挡不住那对大乳房，她一奔跑它们就扑棱棱乱跳，从背心里一下下跳出来。

我们不敢继续跟上去：女老大满脸横肉，不住声地骂人，正对一个小伙子发火，踢了他的胯部，让他疼得哎哟哎哟蹲下来……

我们正在发呆，老万过来了。原来他是海上会计，不干力气活。他朝不远处的女老大甩甩拇指，小声说："看见了吧？多壮实，真是好样的！"

谁也没有吭声。

我觉得"见风倒"和这个女人在一起，不太美妙。

"那小子和她在一起过日子，用不了多久也就'皮实'了。"老万乐呵呵地吸烟。

可是我有一句疑问没有说出来：可那个男老大，就是她丈夫，为什么死那么早呢？

这事真的有点玄。想想看，如果"见风倒"不小心得罪了她，这边一脚踹过去，他怎么受得住？这哪里是娶亲，这简直是找死。

天色渐渐晚下来，我们越发替小土屋里的人担心了。

大家默默地往回走。月亮升起之前我们先要赶回家，然后再到园子里。这是个不祥的夜晚。

可怜的"见风倒"还什么都不知道呢。

只有临近了这样的关头，我们才觉得与他有些亲近。好像一下子记起了许多事情：他在这个世界上没有一个亲人，没有一个人疼爱。如果真有个好女人照顾他，给他做饭洗衣，那该多好啊！可惜那个女老大脾气太暴，样子也凶，年纪更不般配——老万说她只比"见风倒"大三岁，再好不过了，这不是胡说吗？看上去女老大比"见风倒"至少要大十几岁。

月亮升起来了。鸟儿啾啾飞过，接着又有什么在园里唰唰奔跑。这个夜晚一开始就不安宁，好像连飞禽走兽都得知了消息。

"见风倒"显然什么都没察觉，像往常一样趿拉着鞋子走出小土屋，背枪顶猫，身侧是那只羊。

他那双纽扣似的圆眼看着我们，照样有些警醒的神气。

月亮升到树梢那么高，一丝风吹来，"见风倒"不安地扯了扯上衣。只一会儿风就变大了，他二话不说直奔屋里。

不知是风吹树梢还是各种野物的嘈杂，反正大家进屋之后，一直听到外面乱糟糟的。这在月亮天里是很少见的。“起风了，起风了。”虎头看着窗外，咕咕哝哝像念经。

我们等待着。“见风倒”好像预感到今夜要发生一件大事，不时瞥一眼窗子，还几次跷脚往外看。

月亮转到了正南，那只猫从主人怀里一跃而下，尾巴高高地竖起，在屋里巡行半圈。羊抬起硬邦邦的长嘴，指向月亮。与此同时，我们都听到了咚咚的脚步声，然后是一声粗长的喊叫——错不了，是那个女老大踏进园子里了。

“见风倒”听到声音，竟不慌不忙地点起了蜡烛。他坐在蜡烛下，眨着眼。

重重的脚步声代替了“砰砰”的敲门声，门“啪啦”一声给推开了。女老大在前，老万在后，大步流星走进来。“见风倒”身子一挺，右手立刻去抓枪。老万笑着，比比画画对女人说着什么，又转身扯过“见风倒”。他们在说什么谁也听不清。大家都静了几分钟。

我发现女老大在烛光下多少像个女人了——她穿了领口很低的紫碎花单衣，露出胸脯上很大一片黑红色；开阔的脑瓜上是几道深深的横纹，眉毛又粗又长往上扬着——这让我想起了过年时贴的门神：厚厚的嘴唇包裹起坚固的牙齿，使人有些害怕。她正用心端量面前这个男人。

“见风倒”在烛光下缩着又软又长的身体，整个人变小了一倍。他是细长的身个，蜷缩了会显得体积很小。可是他继续蜷缩。

女老大可能完全看清了，开口笑起来。这洪亮的笑声把猫吓得往旁猛蹿，羊也转身离开了。女老大凑近些，扦着腰，满是老茧的大手举起来，重重地落在“见风倒”肩上——对方的枪“哗啦”一声掉下来。

“你有武装啊！”女老大歪头看着，从各个角度看他。

老万像立了大功一样，也扦着腰站在一侧，指着“见风倒”对女老大说：“瞧，他这人没多少本事，就是听话！老实孩子，保准不出错，你说什么就是什么……”

她伸手托起“见风倒”的下巴，让他仰起脸，又拨开他的嘴，低头去看口腔、看牙齿，凑近了嗅一嗅，点点头。最后她飞快地搓手，往手上哈一口气，扳住了对方的脸，两只大拇指按住了“见风倒”的眉骨，一下下抻理起那双又弯又细的眉毛，像要把它们拉直。

“多好看的眼眉啊！哦哟哟女娃一样——属什么的哩？羊、鸡、马、兔？蛇？”她哈哈大笑，拍手，眼圈红起来。

老万高兴得跺脚，认为大功告成，“我说过嘛老大，我这人办事有数，从来八九不离十，嗯嗯……”

他们说话时，“见风倒”慢慢直起了身子，侧着耳朵倾听起来。

外面的风好像更大了。今夜真不安宁。有野物乱跑的声音，还有夜猫子在叫。

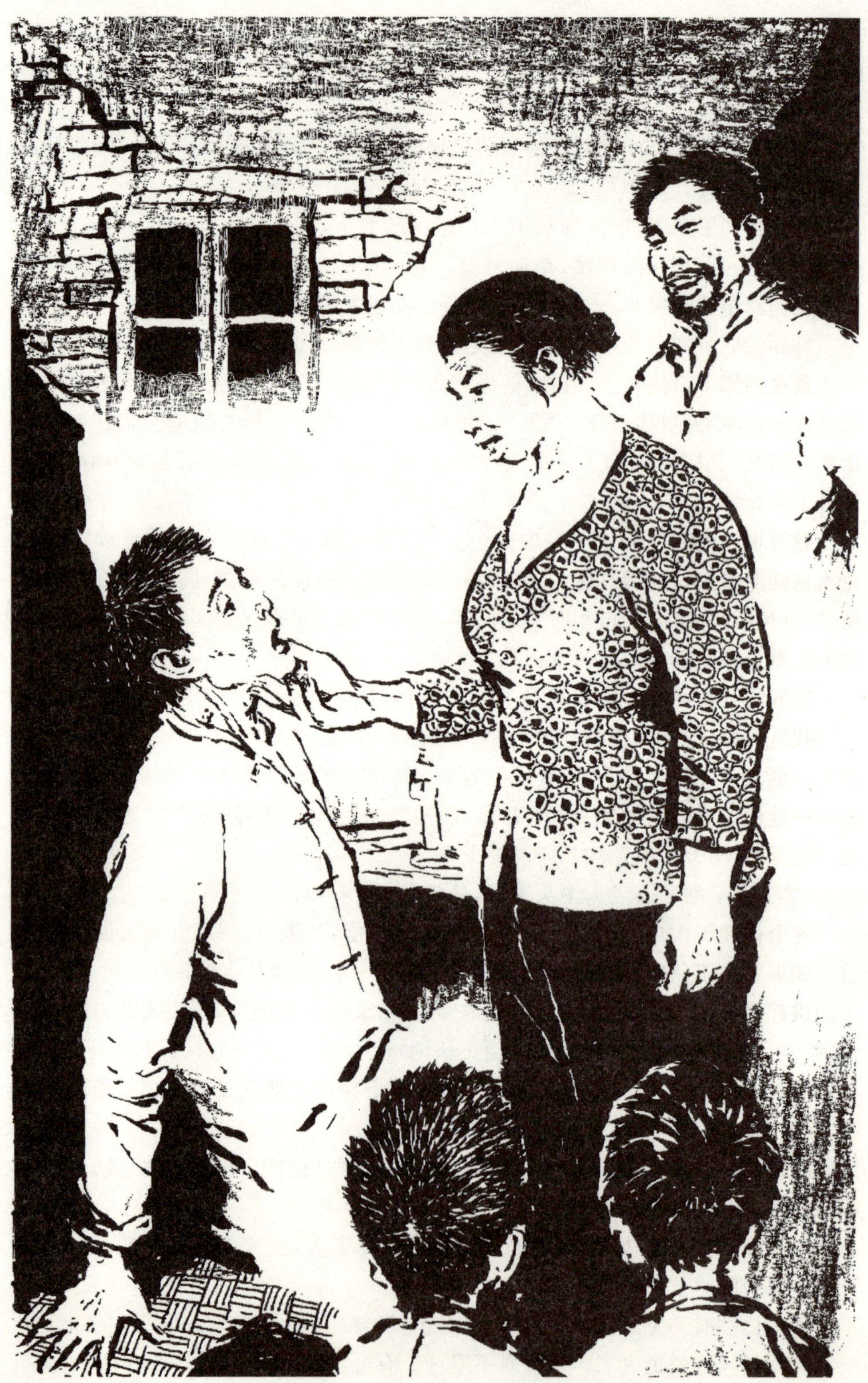

“见风倒”站起来了，谁也不看，趴到了后窗上。

我们屏息静气，最后都听到了哀哀的哭泣——像个女孩的声音，细细的——这声音像是近在窗前，又像是从很远处飘来，若有若无，连绵不绝……

“这是它，它来了！”小双在我耳边说。

还没等别人开口说什么，“见风倒”一个反身离开了窗子，摇晃着往门外跑去。老万试图拦住他，却被三两下推开了。他一直跑进明晃晃的月亮地里，只一闪就钻进了树丛中。

我们几个都跟上去。

外面的风好大，这是极反常的。事情一准要糟，因为在这样的大风天里，他会一头栽在沙地上，翻白眼吐口沫，一会儿就不省人事了。这个夜晚真是凶险啊。

沙子扬起来迷了眼，我搓弄了一会儿眼睛，费力地看着树隙里蹿动的那个细长个子，不知怎么就丢失了目标。还能听到那个断断续续的哭泣声，这声音在园子最深处。

老万也跟上来，他的身侧是女老大。

这样跑了一会儿，前边什么影子都没有了。老万停下，迎着重重叠叠的树影喊：“‘见风倒’你这个王八羔子，你给我立马回来！到什么时候了，还敢撒丫子跑，也不看看是什么日子！等我给你来个老鹰抓小鸡……”

风变小了——是突然变小的。园子里一下安静了，哭泣声也没了。

我这时好像有个预感，猜想是小妖怪扯着“见风倒”的手，他们正在树下溜达，踏着一地浅水似的月光；他们走到树影下时，他蹲下了，她的额头偎到他的心窝那儿……这样的时刻别说各种动物不再吵闹，就连风也不愿打扰他们。

老万停了一会儿，开始大骂，骂过了又回头安慰女老大。女老大响亮地吐着口水，对老万说着什么，难以听清。

这个夜晚不知是怎么结束的。我们很晚才离开园子。

如果不是亲身经历，我和伙伴们一定会把这样的事情当成胡言乱语。过去大人们讲起这类事情，我们都认为是说谎，是为了炫耀；但这一次我们也有夸口的本钱了。

眼下这个小妖怪到底是什么模样，还不能算特别清晰，因为我们只在月色里见过，而且是极短的一刻。但有一点是确凿无疑的，她是雌性，而且是介于动物和人之间的什么，兼有飞禽和走兽的双重本领；体积在大鹅与羊之间，个子仅抵我的下颏；不太大的额头鼓鼓的，额下是一对又大又亮的眼睛。是的，这眼睛是最令人难忘的——谁都会承认这眼睛的美丽。

正因为她的美丽，所以那个“见风倒”要犯一个天大的错误了。这真的不幸，太不幸了。

“天大的错误”是老万说的。他在事后发了一大通脾气，当然不是对我们。他骂咧咧的:“等着看热闹吧,看女老大怎么收拾他!她火了会把他的肠子踩出来,让他活不过这个冬天——他吃不上明年的麦子了。这是他自找的……”

我们心里颇为不平,因为谁都清楚,相亲的事完全没有征求过“见风倒”的意见,这有点太霸道了。

老万继续骂:“狗东西什么都敢干。这种妖物海边林子里多了去了,连打猎的都不敢招惹!谁知道它是什么闪化的?它迷惑人,耍弄他些日子,再把他的血气一点一点吸净。那时你们再见了他,他一准躺在地上,就像纸人一样,掂一掂没有二两重……”

小双和虎头大惊失色,看看我。我也害怕了。

“那可怎么办啊?”小双急得嗓子变尖了,嘴唇青魆魆的。

老万抽烟,皱眉,动脑筋想大主意了。他这样半晌才说:“别的法子没有,只有逮住这个小妖怪再讲。逮住了揍一顿,让它发誓不再祸害人间,咱就放了它;它态度不好——”老万一手做成刀状:“‘咔嚓’一下宰了!”

我们不愿看到最后一种结局。如果严厉教育一番,这还是可以尝试的。我们再三央求不能杀害它。

老万一直木着脸,最后点头:“那就不杀——我这人心软;只不要告诉女老大啊,她才不会饶它。等抓到了,我和你们一块儿审它。”

我们都答应了。一想到哪天能就近看看小妖怪,心跳都加快了。这是多么诱人的一件事。我们想如果小妖怪不害人,“见风倒”待她能像猫和羊那样,该多好啊。

老万与我们商定:整个过程绝对保密,要使用最稳妥的办法。老万说有两种方法最为有效:一是猎人常用的兔子扣,二是狐狸夹子。这两样器具都不致死,又能缚住较大的动物。

“会不会伤了它?”我最关心的是这个。

老万摇头:“放心,到手的准是好生生的活物。”

事情在不声不响地进行。我们和老万都兴冲冲的。这要彻底瞒住“见风倒”很难,因为他总要巡行在园子里,盯住所有来去的人。老万找到了铁夹子,也学会了做兔子扣的方法,只是难以找机会下手。后来他忍了忍说:“干脆等些日子吧,等果子下了树,秋风刮起来,那时‘见风倒’就卧在炕上了。”

从收获果子到北风呼号的冬天,绿葱葱的园子还会有二十多天。在这段时间捉小妖怪是最合适不过的。想到老万说的我们要一起“审”小妖怪,心就扑通扑通跳。那会是怎样的情形啊!我们要像大官一样坐成一排,老万主审,坐在中间,大手一拍桌子,拖着长腔问:“小妖怪,我来问你——”我们每个人都不能笑,木着脸,只等这个小东西如实招来。

不过说心里话,一想到这些还多少有点难受,因为它多么可怜人啊!还有“见风倒”，他知道了也会难过的，说不定会与我们永远绝交。

收过果子之后的园子空空荡荡，“见风倒”果然不像以前那样紧盯我们了。大家可以随便爬树，捉迷藏，待在园子深处半天不出来。起风了，每逢这时候小土屋里的人就不再出门。他是世界上最怕风的人。

我们和老万里应外合，将几个兔子扣拴在园中，并用草叶巧妙地掩护，只等那个小东西束手就擒。铁夹子不仅放在地上，而且还设法架在树梢——小妖怪弹跳上去，正好会逮个正着。

每当月亮出来我们就兴奋不已。又忐忑又激动，长时间趴在园子一角观看，等待那惊人的一幕。老万的烟头一明一暗，后来担心进园的小妖怪发现，就不再抽了。他小声说：“真是怪啊，‘见风倒’遇到不大的风就要藏起，那一夜风多大，他就敢往外跑！连命都不要了！他在大风里待了那么久……我琢磨呀，他心里有火……”

小双眨巴着大眼：“什么‘火’？”

“他心里有火！无论男女，一到了这时候就不怕什么了，不怕风也不怕雨——心里有火，那就不一样了。”老万直盯盯地看着一地月光。

我们还是不太明白，只是听着。

老万说：“小孩牙牙不懂的，再大一些就明白了。当年我娶自己的家口时，也是这样哩。”

虎头笑了：“什么时候让咱看看她(他)呀？不男不女，这怎么会？”

“一人相中一人，这得专门的眼才行——你们小孩牙牙不懂的。”老万说着又摸出了烟，但看了看又放回了口袋。

“专门的眼”，这几个字让我暗暗记住了，我会好好琢磨一下。

“快些让我们看看你的家口吧！”小双也央求起来。

老万点头：“行。不过先做眼前这件大事吧，嗯，好好盯着。”

几夜过去了，我们差不多要承认失败了。有几次那个小妖怪真的来了——不是看见，而是听到了“噗噗”的落地声。它在一角发出奇怪的鸣叫，那等于唱歌，只唱给一个人，只向一个人发出召唤！果然，“见风倒”一会儿就在这鸣叫中出现了：掮着枪，一摇一扭从小土屋奔出，不顾一切地往园子深处扎，风把他的头发都吹起来了。

我们的心都提到了嗓子眼。

“见风倒”和小妖怪在园子里跑动，一阵阵脚步声十分清晰。小妖怪除了跑动，又玩起了拿手好戏：弹跳。它噌一下就弹上了树梢，在最高处炫耀着，洗着月光。

这真是一个精灵，它怎么都碰不到我们的机关。结果我们只好眼巴巴地看着它和护园人戏耍，一点办法都没有。

老万沮丧透了，咕哝着：“这得重新想个法子了，这得跟女老大说了！”

我们极不愿那个女人插手。说真的，即便“见风倒”和小妖怪好起来，也比娶了女老大要好。在我们眼里，这个女老大其实也是不男不女的东西，那天在烛光下，我甚至看到了她唇上有一层粉红色的胡子。

老万哼着鼻子，说：“女老大恨死了，气得连鱼都不想打了，躺在渔铺里，一会儿叫一遍‘见风倒’……不逮住小妖怪怎么得了！”

小双问：“她叫他？为什么？不打鱼了？”

老万点头：“那当然。她看中了‘见风倒’嘛，心里急，又娶不走他，麻烦也就大了！她说抓住了小妖怪，就放进鱼铺的大铁锅里煮汤，和鱼一块儿煮！”

大家全吓蒙了，大声骂起了女老大。

老万摇头：“她不过是在气头上，真逮住了又是另一回事了。不过咱不会告诉她的，只想让她帮帮咱——我琢磨啊，用渔网就成！把一种细丝渔网扯在树隙里，小妖怪给罩住，那就‘插翅难逃’了！”

我们都不吭声。是的，那样小妖怪真的要被捉住了。这时大概每个人心里都有些反悔：该不该和老万一块儿做这事？

如果现在改变主意还来得及，只可惜下不了决心：还是担心“见风倒”出事。

老万有了女老大的支持，细丝渔网很快扛来了，并且在半夜悄悄地布下了——每一面网都有一根绠绳藏在草叶里，人在暗处揪住，到时候一拉绠绳就成了，它会被紧紧勒住，再也跑不掉了。老万很得意：

“别说它了，就连一只蚂蚱都逃不出！”

这时候要阻止也有些晚了。小妖怪啊，事情就这样了，也许我们几个要犯个大错了，不过我们总要保护老朋友，这也是不得已的事。

我们知道，只要是妖怪就一定会有奇能，让人无法猜测无法抵抗。一想到这些就有些后怕。不过这也是冒险的乐趣和代价吧。

这些日子，我们遇到“见风倒”就装作没事的样子，可惜装不像。这家伙也装不像，因为自从有了小妖怪之后，他长了细鳞似的脖子就变红了，而且额上闪着苹果一样的亮光。那个酒盅似的肚脐似乎更深了。他躺在那儿，揪一片梧桐叶盖在脸上，不理我们，也不理猫和羊——有一次虎头猛地掀开树叶，发现他在偷着笑呢！

以前他从来不会笑，当然也不会哭。

问题严重了。我们觉得面前这个人或许真该交到女老大的手里，那时她就会管住他、保护他了。这个孤零零的光棍汉真得有个人疼爱，尽管女老大可能还会欺负他——谁知道她会怎样，也许一会儿欺负一会儿疼爱吧？我们“小孩牙牙”真的什么也搞不明白。

老万在等待的日子里很焦虑，搓着手说：“这些天也打不了多少鱼，女老大不干了，有心事呢，想着一个人呢。唉，咱不该让她来相亲，这下子全糟了，擦眼抹泪了。”

“她也会哭?”我不信。

“她说自己命苦啊！瞧瞧咱这事办的吧，真是对不起过世的师傅。就让咱快些逮住小妖怪吧，那时再从头来一遍……”

在没有月亮的夜晚，我们趴在园子一边，不相信会有什么奇迹发生。动物和人一样，喜欢在月光荧荧的时候嬉闹。老万吸烟，并不在乎一闪一亮的火头；小双捏住虎头的鼻子，虎头像鲨鱼一样张大嘴巴——正玩着，小双突然竖起了一根手指。

一种若有若无的声音，就像人蹑手蹑脚走来，像一只皮球轻轻地在园子里跳动……我们不能抬头，老万把我们按住了。什么都看不见。这样过了几分钟，园子中央传来了“吱——”的一声，这响声细小、瘆人，可怜巴巴。

老万呼一下坐起，接着把手里的绠绳用力一拽。那“吱吱”声更响更尖了。我们不顾一切地跑过去。

老天爷，大事真的发生了，一只大鹅——也许比它还要大一点——在细丝网里挣扎，发出扑棱棱的声音。它正死命撞着网扣。

老万憋着气，两肘奓着挡开我们，一个人将网收紧，发狠地攥住网绠，一边跺脚威吓，一边麻利地收好，背上肩膀就走。

我们紧紧跟上。

走出园子的一刻，我回头看了看小土屋，发现后窗上有闪亮的灯光。

大家深一脚浅一脚往前走，不知走向哪里。身上汗津津，心跳不止。大家都明白，这事千万要躲开“见风倒”，他如果赶上来就会拼命。

直走进一片槐林里，停在一块空地上。老万喘得像头牛，把沉沉的网包放到地上:“死沉的物件呀，咱这回逮住了你，你得老实一点——不打你不骂你，只要从实招来。”

老万这样说的时候，一直在网里挣撞的小妖怪竟然安静下来。它不声不响伏在黑影里。我们都急坏了，还有点害怕——黑乎乎的什么都看不见。正焦急，老万让我们从林子里找来一些干树枝扎成一束，然后用打火机点亮——

它身子微微抖动，脸背向一边，不知是害怕还是害羞。它大约有九十公分多一点，后背是灰色的，全身长了细密的绒毛，光滑极了。两条腿真像莲藕，膝盖像人一样。它在老万的拨弄下转过了身子，这让大家发出“啊”的一声。

这张小脸圆圆的，完全像个娃娃。大眼睛，鼓额头——就像以前在月光下看过的那样，额上是一溜整齐的刘海。小鼻子圆圆的像猫，鼻头翘起一点。眼睛是灰褐或浅蓝，哀哀怨怨地看人，一个一个看。它大概很快明白老万是说了算的人，最后只怯怯地盯住他。

“站起站起——”老万手掌往上抬着，比画着，并没有恶声恶气。

它真的慢慢站起。我可以看到它的全身了，把一声惊叫用力压住——它脖子以上是一种浅栗子色，胸部是棕色，整个肚子上部是灰白色——到了肚脐之下就转为浅蓝色了；最不可思议的是从那儿到胯部这儿，长出了一个贴紧肚皮的兜兜，就像为了装东西方便一样！它这会儿两手——准确点说是翅膀，因为展开之后是宽宽的蹼一样的东西，所以会飞——有不多不少五根手指，正紧紧捂在两腿之间……

老万扯开了它的手，我们于是不好意思地看了看。

它真是雌性，真是不出所料。

这时我们又注意到它的脚：从大趾到小趾样样都有，不同的只是长了蹼。

我们在火把熄灭前细细地看过，从心底认定这是一个小姑娘。特别不能忘记它的眼睛，那神情里有羞愧、惊惧、愤怒、哀求……

大家不再说什么。火把熄灭。心仍旧怦怦跳。接下去怎么办？黑影里没有一点声音，老万也没了主意。不远处有个老鸦“啊啊”一叫，好像发出了抗议。

我心里承认：这个小妖怪又可怜又可爱，很不幸的。我相信小双和虎头他们也会这样想。老万点了一支烟，提起网包。小妖怪一声咳嗽，老万就将烟熄了。我们往前，走了一会儿发觉是大海的方向，就折回了。我知道老万肯定要瞒住女老大。

此刻小土屋里的人在干什么？他知道这个夜晚自己的园子里发生了这样的大事吗？

在槐林边站了一会儿，回望着那片园子。网包里的小家伙无声无息，它大概认命了吧。我问老万到底怎么办、把它送到哪里？他只说：“跟上吧。”

一直走到离林子不远的小村尽头，在一幢小屋跟前停下。

老万叩门，原来是自己的家。大家马上想到他那个不男不女的“家口”。黑影里有个沙沙的嗓子说：“天天下半夜才回，中了魔怔啊！”从里屋随声出来一个人，手里端着一盏灯——这人果真扎了两条小辫，个子真高，差不多高出所有人一大截，干瘦。他（她）一双大眼陷在眼眶里，用力看人。我注意到他（她）的嘴唇薄薄的，毛茸茸的，心里马上做出判断：“他是个男的！”

老万对我们介绍出来的人：“这是俺老伴‘山花’，叫她大婶吧。”

“大婶……”我们叫着，有些不太情愿。

山花大婶急急去看网包，连连大叫：“哎哟，原来是这么个物件！吓死我了，吓死我了，这是个什么怪鸟儿？”

老万无心搭理，在屋里到处翻找，找出一个竹子做的大鸟笼——老天，这可能是全国最大的一只鸟笼了！他小心地将网包里的小妖怪挪进去，一边咕哝：“唉，对不起了，这儿还是窄巴了些，赶明儿给你造个大宿舍，先得委屈两天。”

它已经没有了原来那样的惊慌，小鼻子用力吸着，辨析着这里的气味。它像企鹅那样在笼内挪动，打了个小小的喷嚏。

老万嘱咐山花好好饲喂，递食时千万、千万防止它逃脱，最后加重语气说：“军令如山！”

山花摊着手问：“这物件吃什么？菜叶？肉包？不是兔子也不是鹅……”

“你就一样一样试着来，不能渴也不能饿，千万、千万！”老万揪揪山花的小辫，对我们做个鬼脸。

这个夜晚真像一个梦境。

我们在黎明时分散去。回到家里怎么也睡不着，睁眼闭眼都是那个被囚禁的小家伙。

醒来时已是半上午了，我匆匆赶到果园，推开小土屋的门，里面什么都没有。我找遍了半个园子，这才发现“见风倒”坐在一棵老桃树下，样子有些吓人：嘴瘪着，像是随时都要哭出来；细细的鳞脖又变成了铁青色，额头上的亮光也没了。猫和羊分坐两旁，就像他一样沮丧。我推他，他一动不动。我有些害怕了，不敢肯定他对昨晚的事情是否知晓。

我心里开始强烈挂念另一个地方，就轻手轻脚地离开了。

赶到老万家时，小双和虎头已经围在那儿了。山花大婶叼着烟，一遍遍重复说：“我家老头子去海上了。”她抽着烟，当离那个大鸟笼近了时，小家伙就咳起来。我们央求她再也别抽了，她才揉灭了烟。鸟笼里放了一些菜叶，一条小鱼，还有一小块肉。山花大婶拍拍手：“硬是不吃，荤素不进，准得饿死。”

小妖怪两手抱在胸前，头垂着，背向我们，身子有些发抖。

小双的泪水顺着鼻子流下来。虎头咬紧牙关，望向远方。小双抚摸鸟笼说：“你肯定是想园里那个人了！快吃些东西吧，我们一定喊他来……”

想不到这最后一句被闯进来的老万听到了，他断喝一声：“不能告诉‘见风倒’，会出大事的！他有枪！别闹出人命啊！”

“可她不吃不喝，会饿死的！”虎头怒冲冲盯住老万。

老万蹲下咕哝：“我老伴会有法儿，她有法儿，老娘们儿家……”

他的声音低下来，有些泄气。我们都知道他在搪塞。瞧这个山花大婶鼻子像鹰，脸像獾，他（她）才是妖怪哩。

我们一致要求放她重返林子。老万拉出拼命的架势：“这事我说了算！这是一百年里也遇不到的怪事儿啊，到底怎么办还得想想哩……”

山花大婶鹰钩鼻子朝天，恶声恶气说：“这里还是俺老头子说了算，小孩牙牙老实待着。俺老头子火了劈头一顿——”她龇着牙，竖起又黑又大的巴掌。

又是一天过去。我们已经无心上学，急得团团转，大多数时间往返在果园和小村之间。第二天大家再也挨不住了，就决定从老万家里劫走小家伙，把她营救出来！

我们瞅准了老万出门的时候闯到小院，想寻个机会。可山花大婶总是守在大鸟笼旁边，一口接一口抽烟。我们心急火燎的。

不知是否故意，山花大婶有一次撩起衣襟，露出了红布裤带——我们都看到裤带上拴了一支粗大的铁鞭。

第三天我们在村头小路遇到了老万,他摇摇晃晃走来,还没等我们开口就坐在地上,连连呼叫:“倒霉啊,倒霉啊!”

原来老万担心小妖怪死在自己手里,想不出更好的办法,就去了镇医院——他想让朋友帮忙,谁知消息很快走漏了——“这事惊动了上级,老天爷,结果派来了民兵,他们要把它火速押走……”

“押到哪里?”虎头带着哭腔叫起来。

“一级一级往上送……”老万双手拍打地面,“那可是‘见风倒’的‘小爱物’啊!”

小双哭了。我心里重复着“小爱物”三个字,认定这才是它的真名儿。我与虎头对视,彼此额头上都生出了一些汗粒……一切就快来不及了。老万啊,我们恨死了你。

“这事儿晚了,因为已经报告了上级!”老万铁青着脸,腮肉一下下发颤。

我们不再缠磨,只想马上告诉“见风倒”,事到如今再也不能瞒他了。可是园子里早没人了——村里人说本来一点风都没有,可他突然口吐白沫躺在地上,就给抬到了医院。

“见风倒”刚刚苏醒过来,仰在病床上,一双圆眼看着我们……

大家来不及安慰他,也不便多说什么,很快就出来了。我们一刻不敢耽搁,要马上找到并抢回“小爱物”。我们先是打听老万那个朋友,又在一个看门老人的指点下去了镇兽医站。

不知转过了多少旮旯,终于在一处又脏又臭的木板棚里看到了那个大鸟笼,它这时蒙上了一块黑布——我那会儿心怦怦跳,眼泪差点涌出来。

一个麻脸民兵持枪守在板棚旁边,一见我们出现就大声咋呼,不许靠近。

“听说它就要送走了,让我们看看吧,看看吧。”虎头装出万分好奇的样子,边说边往前挪蹭。

麻脸叼着烟,提枪站起,朝虎头瞪眼。

虎头急得搓手,转头看着我们。天马上要黑了——天一黑,再转亮就是明天了,那时“小爱物”就得被民兵押着上路,要“一级一级往上送”……突然虎头朝鸟笼努一下嘴,一个转身就挨近了背枪的人。

虎头紧紧抱住了麻脸民兵。

这事简直让人毫无准备!两个人很快厮扭在一起:麻脸把虎头压在身子底下,虎头去咬他的手……我们惊呆了,一动不动。

那个人被咬痛了,发出一声尖利利的惨叫。虎头费了好大劲儿才挣扎出来,一边躲闪挥来的枪托一边朝我们大喊。

我和小双一下醒过神来,迅速扑到板棚里,什么都不管不顾了,拖着大鸟笼就跑。

接下来连呼吸都忘记了,只是一直跑、跑……天完全黑了,有好几次险些撞在墙上。直跑了许久，小双和我才缓口气，轮换着扛起大鸟笼。我们来到了镇边的野地里。

到处黑乎乎的。我们在一条渠边镇定了一下，找准了那个小村的方向——一直向北吧，那儿就是一片槐林。

一路不知被绊倒了多次，脸上胳膊上都被荆棘划破了，血和汗混在一起。再也跑不动了，我们一下子瘫坐在槐林里。第一件事就是去掀笼子上的黑布。

小双说："'小爱物'啊，你快些走吧，你一点都别耽搁！"

我们打开大鸟笼，来不及抚摸她一下。

夜色里一点声音都没有。她好像在迟疑。这样呆了一瞬，最后无声地走了出来。但她并没有马上跳向树梢。

远处有人正咚咚跑来。小双说："'小爱物'，快跑啊，快啊，有人追来了！"

她还是一动不动。

这会儿我们听出是虎头。果然是他。虎头呼呼大喘跑过来，脸上全是血痕。但是他高兴极了。

黑影里，我们一个个去摸"小爱物"，细细地摸。她一点都不害怕。她的身体就像丝绒那样润滑，暖暖和和。有那么一会儿，我觉得她的额头轻轻地抵在了我的手上，足足有一分钟。

时候到了，我们小心地退开几步……

所有人都沉默着，等待着，直到响起了"噗噗"声——这声音我们熟悉极了！

她只轻轻一弹，就跃到了高高的树梢上……

接下来要做的就是赶紧返回医院，可是"见风倒"已经不见了——医生说这个人跑了，谁也拦不住他。

我们匆匆去了果园。小土屋里什么都没有。在屋后那棵大李子树下，我们终于找到了他：拄着那支锈住的猎枪，头顶是猫，身边是羊。

他看清了是我们几个，嘴里发出了"啊啊"声，伸长两臂用力抱过来……大家久久依偎着，坐在洁白的沙地上。

月亮一点点升起来，"见风倒"的脖子挺直了，目不转睛盯住远处一丛丛树影。

这个夜晚好静啊，大家深深地吸了一口：空气是甘甜的，那是月亮的气味，是果子留下的余香。

"噗、噗……"

小双竖起了手指。我们都在细心捕捉这无比美妙的声音。

"见风倒"缓缓站起，就像被一根线牵住一样，径直向园子深处走去了……

张 炜

1956年出生于山东省龙口市，原籍山东省栖霞县。1980年毕业于烟台师范中文系。1975年参加工作，历任栖霞县寺口橡胶厂技术员，山东省办公厅干部，1984年调山东省文联任专业作家。后历任山东省龙口市政府副市长、市委副书记，山东省青联副主席。现任中国作家协会主席团委员，山东省作家协会主席，万松浦书院院长。

1975年开始发表文学作品。主要作品有长篇小说《古船》《九月寓言》《家庭》《柏慧》《外省书》《能不忆蜀葵》《丑行或浪漫》《刺猬歌》《你在高原》，长诗《皈依之路》《松林》，散文随笔集《在半岛上游走》《张炜散文精选集》，专著《楚辞笔记》《芳心似火》，文论《精神的背景》《当代文学的精神走向》《午夜来獾》及《张炜自选集》(6卷)、《张炜文库》(10卷)等。小说《声音》《一潭清水》分获1982年和1984年全国优秀短篇小说奖，《秋天的愤怒》《秋天的思索》获《中篇小说选刊》优秀作品奖，1999年《古船》分别被两岸三地评为"世界华语小说""百年百强"和"百年百种优秀中国文学图书"，《九月的寓言》与作者分别被评为"九十年代最具影响力十作家十作品"，并获上海第二届中长篇小说大奖一等奖。《你在高原》获第八届茅盾文学奖。

乡风

邓宏顺

一

一天的重活儿让三喜累散了骨头。就先睡了一觉。醒来见女人还眼睁睁地坐那儿看电视,就迷迷糊糊地说,睡吧!女人说,电视里正谈城市房价飞涨的事呢,看看。三喜说,看个卵!烦人!睡!三喜翻过身又睡。

女人还是坐那儿看。等到女人钻进被窝时,睡足了的三喜就来了欲望。但刚搂紧女人,女人推开他说,好像有人在叫你呢!三喜把耳朵竖直了一听,是四狗的破嗓子从木窗格里一串一串地钻进来。三喜没答应,但不得不起来。

四狗家里出事了。

四狗连夜从县城里回来,走近家门口就嗅到南瓜身上散发出来的气味,他伸长鼻子横扫房子周围,各种不同气味像一股股烟丝袅腾上来,飘浮上来。往他的鼻孔里钻进去,一直钻进胸腔里,然后,被他像分拣一片片不同颜色的纸张那样分拣出来:这是他堂客的气味,这是他家狗的气味,这是他家鸡的气味,这是他家猫的气味……四狗的嗅觉钻过门缝,进入房里,南瓜的气味快要盖住房里所有的气味。那么,南瓜在他房里!房里睡着他的女人啊!他推了推房门。门闩着。四狗的心一下子像掉在地上的皮球,胡乱地蹦跳了一阵,但马上就平静了下来。这门闩难不倒四狗,他非常清楚怎么打开门闩会没有一点响声。四狗像一只蝙蝠,又长又尖的爪子在屋壁上勾紧。身子就贴紧了门板,一只手从窗子里伸进去,往左拐,就摸到了系着废电线的门闩。他把门闩轻轻拉开,门闩就吊在那根废电线上晃荡。叶子门失去门闩,往里弹了一下,于是,屋里有了急骤的响动,四狗推开门,一个黑影从屋里迎面冲出来,力量大得让他难以阻挡。四狗大叫一声:南瓜你跑不了啦!

四狗原说去县城里是要住一夜的,没想到他当夜又回了。南瓜听四狗叫了他名字,不得不顿了一下脚,就被四狗扯住了裤头。照说,南瓜该被四狗打一顿,但事情相反,南瓜反倒把四狗推倒在屋门口的鱼塘里呛了好几口尿泥水,还摔伤了一只脚。四狗见南瓜逃了,就拼命地叫三喜。

四狗没有喊应三喜，从尿泥塘里爬起来就先打自己的堂客。堂客是个哑巴，知道自己错了，不还手，除了哭，就是咿咿呀呀地不知诉说些什么苦楚。

村里男人虽各有小名，但都姓陈，都有辈分，南瓜平时叫四狗的堂客为哑巴婶子。村里至今未出过侄儿、婶子偷情这种乱伦事，野男人打家男人，村里更是没有过。这太不合情理。但事情竟就这么来了。四狗实在是吃不消，他原本也是一身力气的壮汉，前几年到外面打工，不知工厂里的什么毒物悄悄钻进他体内，他总是不停地咳，一身肌肉和力气都变成痰水被自己一口一口地吐掉，现在只剩下一把没有散架的骨头和缠包着骨头的筋和皮，还有他那越来越灵敏的嗅觉。但他个性依旧，很要强，干什么事不胜不放手。想想自己没有娶到个健全女人，娶了个哑巴还遭人这样欺负，就拖刀四处追南瓜，边追边骂：狗日的南瓜！我要把你卵儿割下来喂狗！

晴天夜里，仰看天空，非常地幽深，月下的屋弄里被四狗搅得到处都是人影踩着狗影，狗影踩着人影，人在那里调解矛盾，狗就在那些矛盾里凑热闹，不停地在人胯裆下转悠。村里人打过了多少比方劝四狗，都不能把四狗的怒气平息下来。四狗说：一定要三喜来评个理。

三喜从那些人影狗影里踩过来，摸了摸不长胡子的下巴，娃娃脸上的眼角皱了几下，听完四狗的叙述，像哭像笑地说，四狗啊，要不是你在外面打工染了这么一身病，你恐怕也不会娶个哑巴；要不是现在的年轻女人都剩在城里，让南瓜娶不到女人这么挨“鸡”饿，南瓜恐怕也不会和你哑巴老婆有今夜这事！你说是不是？人啊，人啊，想事情不能离开现实环境！三喜想尽快平息四狗和南瓜的矛盾，就跟四狗许愿说，四狗，这事儿就到此为止，以后呢，有赚钱的好事我给你做，不给南瓜做！四狗虽还在嚷骂着强调自己再没有力气也还有一个灵验的鼻子，可以把任何事情都嗅出来，但手里的刀已经咣当一声掉在地上。如果能吃睡在自己家里，在家门口赚钱，那真是太好不过的事情。三喜的话像一张网把他罩住了，他虽还挣扎，但就像挣不出那张网，情绪慢慢稳定下来。全村人，能让四狗佩服的就只有三喜，不仅因为三喜是村长，更因为这么多年来，三喜都是聪明能干又讲情义的好兄弟。他让儿子读完大学，又在城里弄到了工作，现在又说要花几十万元给儿子在城里买房，同村其他人想都不敢想。三喜不偷不抢，不到外面去打工，还不问人家借账，他弄进来的钱都是人家愿意给他的。所以，现在南瓜和哑巴女人的事，也就只有三喜这样说话才算让四狗平静下来。当然。三喜知道，这种平静是暂时的，四狗会怀恨在心。

忙完春耕的日子，三喜从村口的小石桥上走出来。在泥田里扯了很多天，人是瘦了一圈，脸上手上也都像涂了一层刮不掉的黑漆，但看见四狗坐在村口桥头的老枫树根上，他还是在圆圆的脸上做出些灿烂的笑容朝他点点头。四狗从后面一把将三喜抱住，在他衣袋里掏烟抽。三喜其实不大抽烟，但只要到县里去，就总要在身上背一包高档烟。他曾在县城里读高中，同班同学现在有的当局长、有的当县长，他每回进城就要到他们那里去转一转，当官的同学问他乡下有没有什么矿产，他就向当官的同学打探农民搞什么事情政府有补贴，只要能挨上边的，他都会扯住不放。从县城里回来，没有散完的烟就背在身上。三喜昨天到过县城，身上可能还藏着好烟。四狗果然就在三喜身上掏出半包好烟来。三喜本不让四狗拿走，说是下次进县城还要哄人，但一看南瓜站在身边，就怕四狗丢面子，于是放了四狗一马，让他把烟拿走。四狗把烟分给了聚在村口的人，但不给南瓜分。南瓜就低着头蹲到远处去轻轻地骂些什么话，嘴皮像风吹麻叶翻动着，但什么声音也听不见。三喜又怕南瓜丢了面子，只好把自己的那一支丢给南瓜。于是，有人一边抽烟就一边问三喜，今年种什么东西最赚钱。三喜说，如今啊，吃的穿的都赚不了大钱，好像老铜菩萨、老瓷罐罐最值钱，一个几十万，几百万，上千万，但你种得出来吗？种不出来！你敲个瓷片种在地里，它不给你发芽！说得人人都哈哈大笑。他的意思也就是要给南瓜和四狗带来点和谐，给大家带来点快乐。三喜话锋一转说，当然也还有别的赚大钱的路子，我就不好跟你们明说了，泄露了天机，我三喜就给儿子买不成房了。有人见他屁股上背着弯弯刀，肩上扛了把老锄头，脸上好像充满了希望，就说，三喜啊，是去哪儿挖金狗银猫吧？三喜只笑笑，没说话就走了。人们在他身后感叹：这年月，谁都享福了，只有你两口子这么像牛像马地做事！……三喜回过头说，乡里没有女人啊！儿子要在城里买房结婚安家，有什么办法呢！三喜一边说一边就出村口过小溪，沿着大堤朝远处的山里走。

三喜说过这话，有游丝一样的酸楚渗过心头和鼻腔，把眼泪带了出来。儿子要在城里买房，他不能不支持！但这种支持不是举手投票选乡官县官，而是要一张一张地数钱，数几十万啊！

他现在绝不能跟任何人说他要去哪儿干什么。他要做的事情，现在只能在他肚里生根发芽，在他肚子里长大。三喜肚里的希望是天上的云彩，是山上的绿树，是耳边的鸟歌。

三喜是要去山里找锑矿，这又是二龙村任何人都没有想到的。也许人们会笑他昨夜里做过什么美梦醒来还在梦里，但三喜的决策源于他对信息的敏感和科学分析，因为就在大山那边已经开出了锑矿。这是他在省电视台的新闻里看到的。他看到的那个新闻是说那个新开的锑矿出了重大安全事故，死了好几个人。就这个新闻而言，当然不是好事，但在三喜看来，这条新闻带给他一个非常重要的信息：那座大山里有锑矿。那座大山横跨两县，既然山那边挖出了锑矿，山这边就也应该有锑矿。矿是有矿脉的，矿脉就像人身上的血脉，会走得很远，这条矿脉就该伸展到这边来，而这边就是他自己山林，他要到那座山上去找这种锑矿，看能否闻到锑矿的味道，看到锑矿的矿石尖儿。

从村口伸出去的路真像人身上的血管，越远越弯越细小。三喜走到大山脚下时，已经不知路在哪儿。但和人世间所有的事情一样，没路的时候，哪儿也就是路了！展示在三喜面前的是茂密的森林，肥硕的草丛，他得凭自己的意志和力气砍出一条路来！他看了看这座根本就看不到顶也看不到边的大山，但他没有一丝畏惧，这山像牵在他手里的一头牛，他能驯服它。他从屁股上抽出那把磨得亮闪的弯弯刀，一手拿着锄头，一手操起刀来，肥嫩的草丛抖动着，齐斩斩地从他落刀的地方一排一排地倒下，给他让出一条路来。他从这些草丛让出的路中走过，走进了茂密的森林。然后，就听到锄头落在土上，落在石上的声音。空气有一些震荡，吊在蛛丝上的叶片开始翻飞和反反复复地转动，蜘蛛赶快离开自己布下的网络躲到树皮下隐藏起来，不知这里将要发生什么；鸟儿感到自己的领地来了它们不认识的人，不知道他要在这里干些什么，于是，它们飞起来，叫喊着自己的伙伴赶快蹲上树尖；偶尔也有野兽从厚厚的落叶里匆忙地窜过，脚步自然十分惊慌，它们不知道三喜并没有丝毫和它们过不去的意思，三喜只是找他的矿脉，谋他的生路。

三喜在这座山上挖了很多的小洞，他从小洞里取出些石头的样品，然后，看它们断口的颜色，试它们的重量，闻它们的味道。三喜到山那边的那个锑矿上看过，还带回来一块矿石保存在他屋楼上的门角里。所以，他已经能辨认锑矿石的特征，最明显的就是锑矿石比普通石头要沉很多，又黑又亮。

深山里的蝉鸣像一串串翡翠项链横横顺顺地交替耷拉在天空，扯长在林间，长得不知哪是头，哪是尾。傍晚就是被这种蝉鸣捎到三喜身边的，三喜看到傍晚的时候，最显著的变化就是分不清远处的树干和叶片的彼此，它们成了糊糊的一团黑绿。

他扛上一包石头从山上下来往家里走了。那些石头都是他认为有研究价值的宝贝，都孕育着他崭新的希望。

一进家门，他就把那包石头提进堂屋。闩上两舍叶子门之后，开了电灯他才拿了锤子，咣当咣当地慢慢将石头敲开。他不想让别人过早地看见他这些秘密。上亿年的历史全都折叠微缩在石头里，三喜凭自己的那点儿文化，很难阅读，几百年历史在石头里或许找不到一点儿痕迹。于是，三喜不得不读得极精细，把所有的石头脑敲开之后，似乎嗅出了一点儿锑矿的味道，看出了一点儿锑矿的颜色。于是，他到楼上去，把门角那块样品拿下来一比较，区别显然很大，但希望也还是有的。在三喜看来，这个希望不能断绝！如果断绝，那他现在就没有好路走了；虽然，现在这些石头并不能让他如愿，但他得想办法把自己的希望喂大喂肥，喂得开花结果！三喜把自己敲开的石头再次凑近电灯下仔细观看了好一阵，他笑了一下，笑得有一些狡黠。他是在狡黠地再笑了一下之后才跟妻子佘氏说，老子要拿这块好样品去化验！佘氏说，这是从山那边别人矿上拿来的，又不是自己山上挖出来的，化验出来也没用！三喜说，我不会说是自己山上挖出的？佘氏马上领会了三喜的意思。她说，你骗得了谁啊？三喜说，你懂什么？我们中学时读过一篇课文叫《百万英磅》,你还记得吗?现在就像是那个年代,人人都在为钱发疯,钱可以改变一切。我敢肯定,我那些同学中当了官的,我现在想骗谁就骗谁!如今这些人啊,只要听说哪里有矿产资源,他们就不要命地暗暗入股投资分红。我只要把我这个锑矿化验单拿到手,在他们面前悄悄一晃,保准一伙一伙人到我们门上来投资,我还愁没钱给儿子买房?好在余氏读中学时和三喜是同班同学,也还记得《百万英镑》里的那些事儿:那个精通股票的美国人星期六坐在游艇上游玩,不料驶出太远,漂到英国伦敦,在他身无分文的时候,有人给了他一张一百万英镑的钞票,他拿着这张钱,一分也没有用出去,但他什么都能得到。余氏就模模糊糊地像是拿捏到了一把把百元的票子,她白了一眼丈夫,是那种自豪和欣赏的白眼,她想笑一下,但没有笑出来,把笑往下咽进了肚里。

二

第二天,三喜两口子起得很早,这让成益老人笑了。成益老人躬着腰站在门口像一截不发芽的老树蔸,以为儿子起得这么早是要去田地里干活了,苞谷长得脚膝高了,该锄草;稻子转青分蘖了,该薅秧……他微笑着看了一眼儿子和儿媳。但说话时把脸转向一边严肃起来,人勤地生宝,人懒地生草。当农民的没巧!三喜两口子听见父亲在跟他们说话,但没有回他,只顾忙着换他们的衣服,刷他们的皮鞋。成益老人一下明白过来,自己高兴得太早,儿子和儿媳起得早是又要往县城里跑。

果然,三喜把那匹铁马推出来,踏了一脚,噗噗噗地屁叫起来。三喜喊,余氏,快点!余氏飘一头黑发从房里出来,跨上摩托,坐在三喜背后,一把将三喜的腰搂紧了。成益老人感到有点酸,但见他们两口子如此亲热,又满意地笑了一下,感到这个儿媳妇还算是找对了,这么些年治家养孩子,她也够累了,但从没听她说过半个"累"字,她不仅把家里的事料理得清清楚楚,还帮三喜干那些只有村里的男人才能干得下来的重活,四十几岁的人了,两口子还生活得像一对新婚夫妇那样甜甜蜜蜜,作为父亲,他还能希望什么?成益老人不再问他们去县城做什么,两只脚刚从泥田里扯出来,歇几天,也不算过分。

三喜说,爸,我们走了啊。

成益老人回说,快点回来!不要在县城里耽搁久了。

从二龙村到县城好几十里路程,先是村道,然后乡道,再后才上县道。这样的公路县城那头大,村道这头小,像一根又弯又长的南瓜藤蔓。乡道和村道虽然前年都铺了水泥,但质量太差,现在像是被虫咬缺了,到处坑坑洼洼,路上布满了形状各异的水凼。三喜两口子傍晚回家时,裤子、鞋子全都是厚厚的黄泥。成益老人见儿子儿媳什么都没有买,空手去空手回,就又忍不住多嘴说,累了就在家好好歇两天,有事无事地往县城里跑什么？摩托一叫就要吃汽油，汽油也是要钱买的，电视里天天都在说油涨价。三喜这才跟爸说，爸，我们在办件大事哪！

成益老人问，什么大事？

三喜说，到时候你就知道了。

成益老人就猜，到底儿子在办件什么大事？但怎么也猜不着，想问问儿媳，偏是儿媳那几天一见他就眯笑着躲他，分明也是不想过早地告诉他。

这日子，村里人看见三喜连续到外面跑了好几趟，有人说，三喜一定又是在想什么鬼主意；有人说，这回他家一定是碰困难了，往县城里跑贷款，或者是问他同学借钱。

三喜家的困难真的来了。儿子打电话回来催交房子的首期付款，但钱还不知道在哪里，家里真是没钱了。三喜虽然晚上睡不着觉，抓着妻子的手叹气，但白天见了村里人，仍是一脸的笑。三喜装出来的笑脸瞒不过成益老人的眼睛。聪明是生活教导的，成益老人什么事没经过？他把自己压在床头稻草里的一个老布包拿出来，一层一层的剥开，交给儿子说，还逞什么强？拿去用！三喜瞧都不瞧爸那个布包，说，爸，我要用你这几个钱，我这脸往哪儿放！

成益老人不喜欢儿子这样说话，他骂道，爷爷给孙儿的，你就没脸了？

三喜说，我自己有钱！

成益老人说，你把钱拿给我看看！

三喜说，钱不在手边。

成益老人说，在哪儿？你说！

三喜笑笑说，人家还没有送来呢。

成益老人说，你当父亲的要是让自己的儿子在外面让人瞧不起，我就用扁担捶你的背！

三喜笑笑说，哪会呢！马上就会有人给我送钱来！

成益老人说，你做梦！

三喜说，我就是要梦想成真！

日子一天一天地过去，离给儿子汇房款的日子越来越近。可是，还不见外面有人来跟他联系开锑矿的事。三喜真就急了。他已经把矿石样品化验单复印了好几份，神神秘秘地送给了那几个当局长、县长的同学，照说，是应该有消息的时候了。

三喜今天敢在父亲面前这样说话，是因为他左眼皮一直跳个不停，“左跳财”嘛！可中午时还没见什么分晓，他心里又着急又烦躁，实在有些稳不住自己，就要余氏炒了几个菜，特地在屋外的晒谷坪的柚树边摆了张小方桌，然后坐下来慢慢地喝酒，吃菜；酒是一丝丝儿地喝，菜也是一点点地吃。才看过《三国演义》电视剧，心里就联想起诸葛亮坐在城头上弹琴演空城计的情景。成益老人看他不顺眼，就时不时瞪他一眼。于是，他要爸也坐在他对面去喝几口，爸不肯，还骂他，穷快活！三喜要妻子余氏来陪，余氏像他的尾巴，就来陪了，两口子还吃一阵笑一阵，滋滋有味。一代人是一代人事，成益老人简直有些嫉妒儿子儿媳妇的这种亲热劲，但是，他无法理解他们这种穷乐呵，他盛了饭坐到离饭桌很远的石头上去吃了！

溪水流得越来越响的时候，屋后面的那一片竹林看着看着就成了分不清层次的朦胧，只有在很多白鹭争窝时才看见竹叶的抖动。一山窝的木楼，窗子上开始有了零散的灯光。酒意和暮色慢慢地填满了天空，这使三喜的内心越来越急，悠然的样子只有他自己明白是故意做出的。事情真是有些悬啊，过些日子还不能给儿子汇房款，儿子买房的事就又要吹了，预交的上万元定金就要不回了，但他还不知道买房钱在哪儿。他看了看妻子，大大地喝了一口酒，想把所有的焦虑和忧愁都吞咽下去，但来不及咽下那口酒，就把双耳竖直了，问妻子，像是有汽车喇叭响。余氏也把耳朵竖直了说，好像是有！

三喜说，你也听到了？

余氏说，听到了。

三喜重复地问，是小车喇叭声吗？

余氏再次回说，好像是！

三喜把酒咽下去，说，再来一杯！——他们来了，送钱来了。

余氏说，那也不一定。

三喜说，肯定是！

两口子的话还没有说完，陌生的声音就在背后问话，陈三喜家是在这儿吗？余氏就忙起来了，搬凳子泡茶，又递上蒲扇打蚊子，招呼他们坐下，不让三喜动手，把三喜供得像个大老板，高高在上。三喜借着灯光认了认那三个陌生人，一眼就看出谁是投资老板，谁是他的当官的同学的代表。但是，他们介绍说，都是矿产资源局的。一个叫胡局长，还有两个就不作介绍了。三喜心里暗喜，但把自己扮得一点惊喜都没有，冷冷冰冰地说，你们找我有什么事哦？那两人不直接说话，朝胡局长使眼色。胡局长就把屁股下的凳子挪了挪，朝三喜挪近，然后说，听说你们这里发现个锑矿？

三喜说，你们消息这么灵？比我们村四狗的鼻子还灵！

胡局长说，信息时代嘛，影视明星在沙滩上裸晒，全世界马上就都有现场照片看了。

三喜说，锑矿倒是有一个，储量也十分丰富，含锑量也高。

胡局长脸上一喜，说，我们想具体了解一下情况。

三喜知道这几个人是自己老同学派来的，他们没有说真话，想糊他，明明是受人之托来准备开矿的，却要装扮成矿产资源局来调查了解情况的。当然，他们也不好说真话，不好暴露真实身份，各级纪检会对腐败工作抓得越来越紧。既如此，他也不得不认真对付。三喜也就往深处说，没什么好调查了解的，现在哪儿的环境没被破坏啊！就剩我们这儿还山清水秀。这个矿再好，我们也不打算开！

三喜说完这个话，就认着胡局长的脚，他看见胡局长的脚不停地颤抖，脚趾也在鞋里面拱动。那是激动，是急切，是急躁。胡局长说，这种想法也不一定都对。有水快流，利用本地资源尽快让村民致富，也还是符合上面精神的。

三喜装傻说，上面有这精神？

胡局长说，有哩！

三喜说，哎呀，前几天来了几趟人要开这个矿，十万八万地往我怀里塞钱，我都挡回去了，不敢收啊！真是后悔哪！

胡局长他们互相递了惊喜的眼色。胡局长说，这个——你做得很对。矿产资源都是国家的，不能随便让人开采。

三喜说，我是家丑不怕外扬啊！我儿子先是上大学要钱，现在在城里工作要买房，要交首期付款，真是憋得屁滚尿流啊！

胡局长他们又互相递了个眼色，然后，胡局长说，只要这个锑矿开起来了，哪还愁这几个钱呢！

三喜说，就怕政府不让开啊！

胡局长说，只要办好了正规手续，矿还是可以开的。

三喜说，哎呀，那我上当了，我早就该跟上几趟人说，要他们去办这个手续。

胡局长说，三喜村长啊，不瞒你说，这个手续也不是什么人想办就能办来的。

三喜说，那要什么人才能办来呢？

胡局长说，这个——也不是夸口，除非我们几个，其他人是办不来的。

三喜说，那我就算是碰到贵人了。我明天就到你们矿产局去，你们帮我办个手续，我组织人去开。

胡局长轻蔑地笑了一下说，三喜村长啊，开矿哪是你想的那样容易啊！起码要上百万元资金首期投入才行。

三喜说，要那么多钱干什么？矿石都拱出地面来了，一锄头挖下去，锑矿石就翻出来了。叫人担出山来用车子装去卖钱就是！

三喜只这么几句话，就把那三人脸上的肌肉都说得拱动起来。但其中一个站起来说，那我们先找村书记联系一下吧。

三喜知道这话的真实意思是想撇开他。三喜说，那好，你们去找村书记吧。不过，我告诉你，要是村书记不知道这个锑矿，你们回头就别再来找我！三喜叫余氏说，余氏，把碗筷收拾了。余氏就来收拾碗筷了。三个人这才感到陈三喜不是他们想象的那种山区老实农民，又看见屋东头还有一辆摩托，就试探着问，那摩托是你自家的？三喜说，那破玩意儿！现在上面政策好，我们日子好过，没事的时候，我就骑上它带上我女人到县城里转转，看看新鲜，了解点儿外面的信息。

胡局长说，现在啊，连这老山区的农民都现代化了。

三喜说，如今，农民的日子幸福啊！不要交一分钱税，还补贴这个钱补贴那个钱。当官的虽然也吃掉些国家给农民的补贴，但总还是不敢吃完！除了公路不好，交通不便以外，其他方面也不见得比城里差！国家的政策还这么好几十年不变，又没有外敌来打仗，又不搞那些空对空的政治运动，我们的日子还不知要幸福到什么样子呢！

胡局长说，你思想境界高啊！

三喜说，你要有信心，天天看中央台新闻！你要有良心，天天看湖南台“寻情”！

大家都被三喜说笑了。胡局长又把话往回说，三喜村长啊，其实我们也不愿意和村书记打交道，就不知道你做不做得这个主。

三喜说，矿产资源是国家的，但矿脉在我责任山上，我自己是村长，你说，我能不能做这个主？

胡局长笑了，说，噢——那就好！

话谈到这儿，胡局长想了解的情况已差不多了，于是，他说，这样吧，我们过几天再进来吧。

三喜的背心突然凉了。他今天等来的希望难道就这么散泡了？他可是急着要给儿子买房钱啊！他不能让这几个人就这么走了。他说，我想，你们就不用来了，明天就有大老板来看矿送定金。既然你们说办了正规手续就可以开矿，我明天就答应他们了。

胡局长他们脸都急青了，互相示了个眼色。胡局长马上显得极为亲热地走过去拍了拍三喜肩膀，笑着说，三喜村长啊，我们是第一次打交道，也不好一来就把真正的身份交给你。你是个聪明人，能不能看出我们的身份来？我们是你的老同学介绍来的，你老同学直夸你又聪明又诚实又讲感情。

三喜问，是哪个老同学介绍的？

胡局长说，这个，我们需要暂时保密，说得太白了，对谁都没有好处。

三喜说，我一看就知道你们是当官的，有福气，有财运。

胡局长笑着说，这么跟你说吧，我们也不是矿产资源局的，也都是开矿的老板。我姓胡，你叫我胡老板，他们两位一个姓张，一个姓李，你叫他们张老板、李老板就是。以后，是我同你直接打交道，他们的详细身份你也不用问，反正都不是一般人。

三喜说，噢，原来也都是大老板啊！

胡老板说，大不大，我们也不好说，反正要个千把万资金不成问题，银行不敢不给。

三喜就把问题向实质方向推进了，说，哎呀，你们要是早几天来就好了。我先答应别人明天来看这个矿了，我总不能不讲信用啊！现在电视台天天都在讲诚信啊！

胡老板说，你只是口头答应吧？

三喜说，那倒也是。

胡老板说，又没有签文字合同，你怕什么？根本不算你不讲诚信。市场经济都搞这么多年了，你还这么死板啊！也真是像你老同学说的，是个大实人！

三喜笑了一下，再给这些老板们放了一枪。他说，虽没有签合同，但我已经收了别人的一笔定金了。

张老板说，刚才你不是说没有收谁的定金吗？

三喜说，我们刚见面，和你们一样，哪能什么老底子都跟别人说呢？这都是能随便跟人说的事？你们刚才不是也在我面前不露真实身份吗！

张老板想想，觉得有理，说，那你收了他多少定金？

三喜马上警觉地朝周围看了看，见没有外人才说，数额可大了，整整五万元哪！

老板们都轻蔑地笑了，不过五万元，就把这个农民吓成这样子。张老板说，这个钱嘛，好说。

李老板接上话说，我们给你五万就是！

胡老板为把事情码牢，又补上一句说，这个矿我们非弄到手不可！

三喜高兴得热血直往头顶上涌，但他说出来的话却非常地冷静。他说，你们还是认真考虑一下，这个矿你们还仅仅只看到个化验单，最好是看了矿场再说。

李老板说，矿场当然要看，而且在我们没有看之前，你不能让任何人先看！这个矿开得成开不成，也要让我们先答复了再说。

三喜见胡老板还不付钱，就说，我是拿了别人五万元钱的，我不让人家开可以，连看都不让人家看，我做不出这等事！我是凭良心吃饭的人！

胡老板说，五万元钱算什么？我们几个既然来找你开矿，当然就有足够的准备。我现在就给你五万！他妈的，老子就是不开这个矿，这钱也就算是捐助给你儿子了！胡老板说着，就从一个大黑包里取了十大扎票子，从中间拗了一半，数也不数，就丢在三喜怀里，说，五万，今天上班时才从银行取出来的热票子。

三喜的双手颤了起来，他摸了摸那五大扎票子，说，这么几大捆钱，我怎么敢收呢！

胡老板说，这只是个小意思，也就是定金。以后要是矿开红了，弟兄啊，那可就不是这点儿钱啊！跟我们干，钱嘛，有的是！

三喜说，那我给你写个收条。

胡老板为显示气魄，就说，算了吧！你就是不认账也才卵大个事！我们哪天不在麻将桌上丢几万啊！

张老板说，那就这么说定了，你把别人的钱退掉，也不要让别人去看矿。过两天，我们就请专家来看。

三喜说，那好，我就退别人的定金，等着你们来看矿。你们也要抓紧点啊！

三

三喜送胡老板一行三人到村口，又握手告别，看着车子走远了，他心里那块大石头才下地。他回家把那几捆票子仔细看了半天才跟妻子说，余氏，明天把五万汇出去给儿子买房。余氏说，这钱还是人家的定钱呢！三喜说，定钱就一定是我的钱！到了我手里，谁还能拿得回去？看样子，这些老板有的是钱，我还要让他们给我更多的钱！唉——他们的钱说到底也是银行的，银行的钱也是国家的钱，国家的钱我也该有一份！难道就只许他们花不许我花？天下哪有这道理！我到银行里贷不到钱，我要让他们给我送钱。三喜一边笑一边这么说，像是说得极认真，极符合逻辑，又像是在跟谁开玩笑，说鬼话。

成益老人走进门来说，刚走的这几个都是些什么人？

三喜说，吃活路食的人。

成益老人说，我看就不像是地道人！

三喜说，地道人哪会这么有钱啊！

成益老人听出三喜的意思了，说，他们开着车来找你有什么事？

三喜说，欠我点儿钱，他们送来了。

成益老人说，和这些人打交道，你可要小心啊！拿不得的钱你可不能拿啊！到坐牢打官司的时候，他们都有官护着，你是平头百姓一个，那就只有你去顶罪！

三喜说，我就不相信别人比我多个脑袋！

第二天，三喜骑上自己的铁马，带上妻子去给儿子汇钱，他故意在村口那些闲谈着的人群里停下车来说话，别人问他昨天开车来的人找他什么事，他说，欠他的账，来送钱的。别人听不明白，这些开着小车的人哪还会欠他一个农民的钱？大家想起来就觉得怪。

三喜承受过很多困难，但他总会找到自己的通途。三喜走了，四狗就在背后喊话，三喜，仍然背包好烟回来给我们抽啊！三喜说，这回我不是去和当官的同学拉关系，我是去给我儿子汇款。

不过几天，胡老板他们就带人来看锑矿了。三喜叫余氏把那只在门口咯咯叫着的下蛋母鸡哄进屋去关了，然后，故意追得满屋子乱飞，让来看矿的人感动。看矿的人越是说不要捉鸡，三喜就越是说一定要杀了这只老母鸡待贵客。

杀了鸡，煮了腊肉，炒了小溪打来的白鱼婆，外加自己家的小菜，桌上的碗盘都摆得重叠起来，那餐饭菜把看矿的人都香醉了。

不知他们从哪儿请来了一位帮他们看矿的工程师，样子比农民还沧桑，脸很黑，额上那些深深的横坑，太阳斜照过来时，几乎看得见肉皱里有阴影，像黄土高原上水土流失的切痕。到了三喜说的锑矿现场，三喜指着一匹看不见巅的大青山说，看看，看看，这都是我的责任山，锑矿就在这山里。三喜抽刀砍掉些小树和杂草，往深处走去，说，你们跟我来啊，锑矿的样品就在这儿取的。三个老板走近去，看了看新挖出来的洞已经填满了土石和落叶，他们没有说什么，只是认着工程师，等着工程师发言。工程师四下里看看，笑了一下，说，矿样是这里取的？三喜说，是！工程师又笑了一下，三喜看着他。他好像什么都明白，就是不说。他不说出来，三喜就有些难料后果。

工程师跟胡老板他们说，这山太高了，你们就在这里等等，我要到山脊上去看看矿脉。工程师一直往山上走。三喜说，我去陪陪工程师，帮他带带路，免得他找不回来被老虎吃掉。

三喜说着笑着就跟着工程师走。走到很高的山顶，工程师突然回过脸来跟三喜说，你是个骗子！

三喜身上一阵热烧，但还是咬着牙说，工程师，你说什么？

工程师说，但你骗不了我！

三喜说，我没有骗你啊！

工程师说，你的矿样不是这地方出的！这里根本不会有这样的矿石，你是从山那边的矿场上拿来的。

三喜尽管早就在心里下决心要坚持怎样说，但到底经不起揭露，全身筋骨都软了，一手吊着一棵老藤，一只脚跪在厚厚的腐叶里，求着说，工程师，你也知道我家情况，我儿子在城里工作，买房要的是钱啊！你既然知道了这个实情，就请你睁一只眼闭一只眼，放我一马，反正这些人的钱来得容易！

工程师认了认从层层树叶上筛下来的太阳光片，说，到了我这个年龄，还有什么事看不懂啊！我和你一样，都是太阳照不到的人。你起来吧，我只跟你个别说，我不会跟他们说的。我为他们效忠没有意义！我知道该跟他们说什么。

三喜还是跪着说，那就为难你了。

工程师说，不为难。你希望他们来开矿吗？

三喜说，那当然。

工程师说，好，你起来吧。

三喜笑着站起来。

工程师说，他们当着官，拿着工资，好日子还过不满足，想把全世界的钱都赚到自己的衣袋里。

三喜听出工程师内心的怨愤了，问道，工程师，你也有不顺心的事？

工程师说，我也正愁着儿子买房要钱哪！现如今，谁不想干点儿反贪官污吏的事啊！

三喜说，那我们就是一根苦藤上的瓜了。

工程师说，他们这些人，吃着人民的俸禄，还要四处入股开矿，钱不论来路，不论多少；出了事，就拿别人抵刀！这些年我看得多了。

三喜心里一喜，知道是自己的同道人了，说，是啊是啊！听你这么说话我就放心了。我也是孩子买房要钱，没有办法想了，才想起这么个主意救急。他们这些人的钱啊，本就不该是他们的！

工程师说，我能理解。

贴在树干上的肥肥的蝉娘把叫声拉得越来越长，越来越弯，也越来越疲倦，尾音拖得像即将消逝的云丝。三喜陪着工程师下山来，胡老板他们围住他说，工程师，情况怎么样？

工程师说，其实看看山那边就知道了。山那边都能开得那样红火，不用我来看，你们自己看看也会觉得可以开。

三喜暗自赞叹，工程师真会说话，比算命先生还会说话。

胡老板说，照你这么说，形势大好喽？

工程师说，也不能太乐观，可能要打很深的洞子，就怕你们没有这个决心，没有这个耐心，没有这笔资金啊！

三喜明白，工程师在给自己日后脱壳留退路。

张老板说，只要有好矿就不怕洞子深。

李老板说，我们得赶快拉机器来。

三喜有工程师这么暗里帮他，就不再生怯。他一听这几个老板要拉机器进来，心里喜开花了。但他不说自己的喜，偏说，机器还不忙着拉进来，要先办手续，不然，上面知道了会找麻烦。如果找到我头上来，我也不好说话。

胡老板笑着说，看不出来啊，三喜村长还真是个诚实守信的人，还真是个法纪观念很强的人啊！但你也不看看我们是准，谁还敢把麻烦找到我们头上啊！有权找我们麻烦的人，我们早就给他烧过香纸，磕过头了。你放心！

三喜说，不遵纪守法哪行呢！

胡老板说，这个你别管，天塌下来有我们顶着！李老板他小舅子，张老板的姑爷都是上面遮得天的人。

李老板说，我们头上的事还用得着你操心嘛？那才怪呢！

三喜看了看工程师，工程师给了他一个意思明白的眼神，是在说，这帮人神通广大。三喜就不再出声了。他说，好，矿也看好了，鸟都归窝了，我们也该回家了。

从大山里往外走，小路沿着小溪行。流水被如兽的石头挤成亮亮的水花，流动的声音像云烟一样地飘浮。工程师说，难得这里有这么好的环境啊！有点儿像九寨沟了。于是，几位老板就在水里洗鞋子，洗手，有颜色奇怪的蛙类伸直着脚腿一动不动地顺着水漂下来。胡老板好奇地用木棍戳它们，它们才一使劲往岸上跳了，射出一线尿来表示它们对于惊扰的愤慨。张老板说，下次来我们矿上，就打一篓子青蛙做菜吧。李老板说，你不怕吃胀了筋骨在这地方受苦吗？这地方可没有开房睡女人的条件啊！

老板们走后不几天，胡老板回头就押着一辆卡车送来了一堆机械，有打钻的风机、皮管和几桶柴油等等。胡老板从驾驶室里跳下，交代三喜到他们矿上去具体负责，请人搬东西、打洞子什么的，请的民工该开多少钱，一切都由三喜做主安排。三喜的月工资是一千五百元。

开矿的机械下在村口，像一堆粗细不均的柴火，不知这些东西都是从哪个矿上搬来的，还一身的黄泥水。三喜说，手续没办好，我不大敢开。胡老板说，办手续要花多少时间多少钱你知道吗？矿都还没有挖出个样子来，你办那些干什么？要先上车后买票。你放心，没有人来过问的，在我们头上的这些事，上面的人是该聋的聋，该瞎的瞎，该哑的哑。

三喜说，噢，那就好。

下完货，时间不早了，三喜叫胡老板住下，胡老板跳进了驾驶室，小声说了句什么，三喜没听清。车子一调头，呜一声喇叭走了。胡老板在喇叭声里伸出头来大声说，三喜啊。一切都交给你了啊！过十天我来看你干得怎样。到了这个时候，三喜也就毫不犹豫地说，我办事你放心！

车一走，三喜用脚把那些机械踢了踢，笑着在心里骂道，娘卖髀！好气派啊！说拉机械就拉这么一大车来了！

村口围了好些人，已经知道三喜是要把外面的人引进到他的责任山上开锑矿。四狗咳过几声说，三喜啊，你不是在哄人钱吧？三喜不喜欢四狗这样的聪明，说，我不说他哄我就不错了！他自己送上门来的！我又没有到外面请他。

从村口把这些机械搬到开矿的山上去，还有很远的山路要走，要用不少的劳力。第二天，三喜就发号施令，叫人来抬这些机械。村里没有多少好劳力，都是年纪偏大或有点疾病的人留守在家里作阳春。他们的手脚像冻过一样的僵硬和迟钝，怯于抬着那么重的机械走那些坑坑洼洼、陡峭处险得碰鼻子擦屁股的路面；而且他们的思想也复杂，总是怀疑三喜一个人赚了什么大好处，三喜要做的事情总让他们捉摸不透。因此，三喜叫他们去抬机械，他们一动不动地蹲那儿抽烟，听而不闻地说些与搬运开矿机械毫无关系的笑话。无法弄清楚三喜的底细，但是，以静制动的办法，他们还是知道的。

有一些红蜻蜓、黄蜻蜓低低地浮飞在眼前，翅膀就要擦着三喜耳鬓了。三喜就抬头看天，天的脸色不大好看。插完秧的日子，人很疲倦，天的脾气也不好，动不动就把黑云凑到一块儿，甚至让你来不及戴斗笠，脸上就挨了凉凉的雨滴。三喜急了，对大家说，谁给我抬机械去，五十元一天，现在就给！大家朝他认了认，看他拿不拿票子出来。现在的二龙村，如果不标现款是没有人帮你做工的。

三喜明白大家的心思，就从衣袋里摸出一沓票子来。那是胡老板给他的那一沓票子的一部分。大家笑了一下，还是不行动。大家在想，这些开矿的老板一定给了三喜很多钱。五十元工钱只是一个普通工日的工价，并不得到三喜的便宜，把机械从村口抬到那座山上，足足要一天。三喜马上有了对付的办法，说，我请六个人，第一个愿意来抬机械的，一天给一百五十元，第二个来的给一百四十元，第三个来的给一百三十元，以此类推。南瓜霍地站起来，首先报名。三喜当场给了他一百五十元。马上就有几个人争先恐后地来了。可是来得太多，三喜就按先来后到的秩序定人。四狗是最后一个来的，得不到这个名额就跟三喜吵上了，骂三喜说话不算数，和以前不一样了！变了！他跟南瓜打架那天，三喜说过有赚钱的事要给他四狗做的，今天当着南瓜在这儿，太不给他面子。三喜明白，四狗自从身体垮掉以后，要挣一个钱到手的确不容易，见这样的挣钱机会不给他，而且是当着南瓜的面不给他，他感到伤心也情有可原。三喜平时是非常注意给四狗面子的，但今天要干的是重活，三喜看不上他的劳力，而且他不停地要咳嗽，也让别人不愿意跟他在一起做事；加之南瓜已经在里面来了，不好把他退回去，就更不想接受四狗，怕他俩在一起说得不投机打起来。但三喜仍怕伤了四狗的自尊，只是说，没有别的原因，就是你来得太迟，要的人已经满额了。四狗说，太迟？你不标现钱出来的时候，我能报名跟你干吗？三喜说，你以前那么相信我，今天为什么这么不相信我？你既然这么不相信我，你跟我干什么？四狗说，你现在是给矿老板做事，花矿老板的钱！矿老板有几个不是哄人骗人的？三喜说，花矿老板的钱，也要讲良心嘛！病人脾气都暴，刚说这么几句，四狗就火了，说，讲良心？你以前怎么说的？你说过有赚钱的事先让我做吗？你今天在我面上做出了这种事还敢说良心！三喜，你不要以为你和矿老板挂上了就瞧不起人！你有本事你开矿吧！我就不相信你没有蹩脚的时候！三喜想，自己平时那样照顾四狗的面子，四狗今天却说翻脸就翻脸，也咽不下这种话，难道我三喜还怕你一个四狗了？说，那就落到你手心那天再说！

拿了钱的人就抬着机械往山里走了。三喜跟着走。三喜背着钱，不参与抬机械。抬机械的人抬得黄汗直流，就说，三喜啊，你耳垂子肥大啊，真是个富贵坯子！看着你儿子买房没有钱路了，这下人家又把钱送到你门上，又有资格让我们为你吃苦。三喜跟在后面走着，一路高谈阔论，世道啊，谁也说不定，三十年前，把城里娃儿强行赶往农村去吃苦，叫下放锻炼；三十年后，农村娃儿又拼命往城里钻去讨苦吃，叫进城打工。我看来看去，城里娃也好，农村娃也好，最终凡是真正有出息的，都还是那些素质高的人。素质有先天素质和后天素质。先天素质就是父母的遗传，后天素质就是要多读书。所以，我做牛做马也要让儿子读大学！一个人，一个家庭，甚至一个国家，经济上要翻身，首先还是要文化翻身……

抬机械的人抬得鼻子冒烟地说，三喜你还好意思说你做牛做马，你看你现在好快活啊！我们抬得骨头发叫，你跟在后面甩脚摆手海阔天宽地说神话。你自己也该来抬一抬这压断骨头的钢铁砣砣。黄花女不生儿，不知道身子痛！三喜笑着说，我不抬。抬机械的钱是你们拿了，我又没有拿一分。我要学雷锋也得去帮别的老婆婆担水劈柴。你们拿钱我帮你们干活，那是蠢卵做的事！

飞过一阵小雨，山谷里起了一道彩虹，之后，太阳就把抬机械人的身影越缩越小，小到他们自己踩着自己的身影时，也就到日中正午了。他们在中途的一棵老枇杷树下歇脚，枇杷熟了，在青嫩的叶丛里点着一簇簇的黄色。乡风裹着蝉声飘过来，把身边的竹叶飘成一歪一歪的舞姿，白鹭扯直长长的翅膀滑翔到田里来，伸着瘦瘦的脚杆站在稻田里，等着小鱼和蝌蚪游到脚边来。肥肥的小鱼和蝌蚪很好吃。白鹭这几年多了起来，所以，放养在稻田的鱼总是不太丰收，放禾花鱼的时候，常常是一丘田里放不出一二十斤。但是，这些禾花鱼很香，煮新鲜汤或者晒干鱼炒辣椒都特别下饭。今年，开矿的人来了，三喜就想，自己的禾花鱼是不能吃了，要卖给开矿的人变成现钱，价格比市场上的还要卖贵些，因为市场上的鱼都不是地道的禾花鱼。想到这里，他就有些恨那吃小鱼的白鹭，他拾起一块小石头，朝着白鹭那儿打过去。小石头落在水田里钻破水面的响声很闷。白鹭吓得飞起来，翅膀把禾叶拍断了几根。不过，禾叶过几天就会生长复原，不会给稻子造成损失。平时没有来这样惊吓白鹭的人，白鹭就不明白今天到底是发生了什么，还会发生些什么。白鹭不认识人抬来的机器，它从来没有见过。它也不知道那些人为什么要抬那些东西到这个地方来。

抬机械的人脖子上有了一层的白盐粉，把汗歇干了就有些睁不开眼睛，昏昏欲睡，于是，一个人吼了一声，我们走啊，路还远呢！

于是，又起程。

四

一堆机械丢在准备开矿的山脚，就像刚杀了一头牛，有牛头、牛脚、牛肠、牛皮和牛尾……藤藤草草和一些小树被踩断和压断了一大片，但没见它们哭，可三喜听到它们在哭，因为，这是他自己的责任山，每一棵小树将来都会长成大树，断了就是他的损失。然而，他也明白，不开这个矿，他儿子买不成房，他需要这样一个矿，不管它将来会不会出合格的矿石，反正矿石的钱他是赚不到的，他只能搞几个帮开矿人做事的操心钱。这钱对于他很重要，所以，他不能痛惜这些小树。

看样子，这些开矿的人的确有钱。三喜坐在那堆机械上，坐成一位“思想者”，不过，他没有手托下巴显得深沉，而是偏着头看着不远处的溪那边一块小土坪好笑。他想，那块土坪能给他挣钱。挣钱的方式很多，他得从现在起就把那些能挣钱的项目做起来。首先，他得在那里造一栋小房子，让开矿的人住下；然后，他得在房子周围种菜，在房子里安一部无线电话，让开矿的人可以和外面联系，这里还没有手机讯号；还要创造条件把电拉通，把电视搬来，要让在这大山里开矿的人也过上和外面一样的生活。矿要慢慢地开，开得越久他越能多赚钱，开矿进度快了对他极为不利，如果让矿主过早发现这里的矿开不成，他就拿不成做事的钱了；但这些为矿上服务的项目要抓紧做，早一天做好就可以早一天算钱。三喜的脑子里闪亮过很多钱票子，闪亮过很多钱数字，那些票子和数字把他脑里装得满满的，还像有很多希望的小手在他面前召唤。

自从那一堆开矿的机械下在村口，村里精明人的很多想法就被震醒。他们在想，三喜到底拿了开矿的人多少钱？三喜会不会发大财了？三喜这人啊，没有什么事情能难倒他！这一回，他一定要为矿上雇劳力的，在他为矿上雇劳力时，大家一定要在他面前抬抬价，反正钱又不要他三喜出。于是，精明人就等着三喜在村里雇劳力的那一天。

但是，三喜仿佛料到了精明人的心思，他不去请那些精明人，他只请两个人。这两人是村里人谁都没有想到的。一个是四十多岁还打着单身的南瓜，连父母兄弟姐妹这类亲人也没有。南瓜和哑巴女人偷情闹了一场风波后，现在在村里见了四狗就低头，日子很不好过。他想到外面去打工，但到城里去了几天又回来，说城里没有日夜，睡不着觉，其实是人家嫌他年纪太大。还有一个是又聋又哑的茄子。这两个人的素质实在是不高，但三喜现在要的不是素质，而是劳力；在三喜面前做事，素质可以由三喜来弥补，三喜的素质高得有余。这两人的劳力都很好，这样的人用起来像使自家的牛，非常听话。

三喜就把这两人带到了工地上。同他们一起上工地的还有一大包被子和几样炊具、一袋大米和一些蔬菜。南瓜在放机械的地方挖洞子，茄子就在对面整理做屋基的地坪。三喜就在他俩之间跑来跑去行使指挥权。

三喜这样雇工，不能不让村里的精明人失算和嫉恨。看样子，三喜是想一人赚钱，不让村里其他人沾油水。这两个人就能把锑矿开出来？

矿能不能开出来，三喜心里早有底牌。矿上不能搞得太热闹，摊子一大，人就多，有本事的人来了，说不定他三喜就会被素质更高的人取代；现在，他需要的是就这么慢慢地进行，他指挥着南瓜和茄子，一个月一千五百元工资，相当于县机关一个科员的正常收入，如果把他在这里独有的资源也算钱，儿子买房的钱就越来越不愁了。他要论持久战，永远不把底牌翻出来。

三喜想着这些事，在南瓜和茄子之间来回忙着。他竖了几块石头做成一个灶，打了几个木桩挂鼎罐和锅子，又捡了些干柴枝子放成一堆，再到水渠坎上扯了一把水芹菜，到路边扯了把野胡葱，然后，他就指给南瓜和茄子看，表示吃饭的问题他已经解决得非常好了。

三喜做完这些事，已是太阳偏西，但他就是不做饭。南瓜已经把洞口的地基清理好了，洞口已挖出了轮廓。茄子也把屋基清理得差不多了。一个人一个上午能做这么多的事，已是非常地累了。但三喜跟南瓜说，加油干啊，我给你们每天五十元工钱，一个月下来就是一千五百元哪！拿了钱，你就可以去县城住一夜，摸那些漂亮的女人，又白又嫩，那比你亲哑巴女人强多了。现在漂亮女人宁愿剩在城里也不愿留在乡里啊！三喜知道南瓜是非常需要女人的，自从偷上哑巴女人后，就更是想女人，但他胆小，不敢随便对村里会说话的女人有表示，他怕闹出来不好办，他是爱面子的人。南瓜本来是又累又饿，经三喜这么一鼓动，劲又上来，又给三喜使劲地干活。对于茄子，三喜是不能跟他说话的，他只有走到他面前做手势，告诉他，有了钱就有女人让他摸。茄子好像也有过摸女人的经历，他做手势表示女人不让他摸。三喜就告诉他，要先给钱，给了钱，就会笑着让你摸。茄子就让三喜说笑了，笑得分不出鼻子眼睛，还流出一嘴巴的涎水，也就拼命地往锄头上使劲。一日的功效在上午，上午不使劲干活，下午就只是这一天的尾巴，尾巴是没有多少肉的。三喜就用精神兴奋法，在一个上午里把南瓜和茄子的劳力利用到了极致。

到吃中饭时，溪两岸都已经晒不到太阳，有些阴凉，蛇就盘在溪边的土坎下半闭着眼睡觉，有了响动也不动身子，只是吐吐信子；嘴巴很尖的黄鼠狼很快地从那儿跑过，它像是追赶什么动物，或是被别的什么动物追赶而逃跑，放过一个很臭的屁。三喜看看南瓜和茄子，他俩都看到了这些动物，但是，他俩疲惫得没有力气，静静地坐在那儿不去惊吓它们；来到这里，它们也似乎成了自己可亲的伙伴。

房子还没有修成，他们就用树枝在溪边做了床，是架空的，让蛇和虫子上不去；然后，在上面铺了稻草和被子。夜里，他们就在那里仰躺着，让月亮和星星照看他们过夜，听他们的鼾声。

十天后，胡老板来检查开矿情况。那时，洞子已经挖成形了，只是房子还没有筑起来。胡老板看到工程进度不错，洞子要往深处打了，机械都摆开了阵势，就笑着说，三喜啊，要再接再厉啊！

三喜怕胡老板说他雇工太少耽误进度，现在胡老板不仅没有说这话，还表扬他，那么，胡老板就是感到这个进度不慢，很满意。三喜就说，胡老板，虽然这里只有两个劳力，但一个劳力要抵得好几个劳力，他们创造的剩余价值多哪！胡老板说，看得出来，看得出来！如果不是很努力的话，哪能搞出这么多的土石方呢！

于是，三喜就把胡老板拉到一边，背着南瓜和茄子结账。胡老板又给了三喜一把钱票子。

胡老板一走，三喜就把南瓜和茄子的工钱付了，按每天五十元兑现，又告诉他们可以回去一趟，如果有自己喜欢的女人就可以给她们钱。

南瓜和茄子回去了一趟，不知他们是不是摸到了女人，反正第二天回到矿上，精神是好多了。大约是领略到有钱的好处，南瓜和茄子不再要三喜跟他们讲那些有关女人的事来鼓励，他们很自觉地干得非常卖力。柴油机已经开叫了，南瓜已经开始用风钻在洞里打炮眼放炮；茄子也已经把房子筑出了规模。房子是土墙筑的，土墙是茄子一个人一块一块筑起来的。鲤鱼脊的屋顶，盖的是杉树皮。没想到的是，搬进房子住的那一夜，大风把杉树皮像厨师刮鱼鳞一样地揭走了，屋顶成了没肉没鳞的鱼刺状。三喜只好到山外去买些捆牢杉树皮的铁丝。但是，工地上不能没人监工，不能没人给南瓜和茄子做饭。三喜就叫妻子余氏去代他一天。余氏听三喜的安排，就背了背篓去矿上。

两个男人和一个女人在一起，而且是在那样的深山里，三喜不是没有担心，加之南瓜和茄子对于女人的渴望，三喜这些天在同他们的交往中，也算是有了深刻的了解。三喜原想去县城里买些质量好的铁丝，但因为有这些担心，他中途改变了主意，只到乡场上买了就往回赶。

尽管三喜急着回到工地，但因为路程实在太远，他还是到了下午才走近工地。果然，他在离矿区不远处听到了女人的呼喊，是他的余氏在呼喊，喊声一节一节地被折断后从天空中掉下来，落在莽莽苍苍的山谷里。三喜明白，事情坏了，肯定是女人出什么事了。他急得跑了起来。在坑坑洼洼的路上跑起来很吃力，大多数时间，他几乎是像兔子一样地蹦跳，背在身上的那圈铁丝一闪一闪地在树林间晃得银亮。

赶到工地时，南瓜和茄子正把余氏按在地上撕扯她的衣裤，余氏在地上挣扎，滚倒了一地白白的麻叶，衣服已经扯开了，奶子在白亮亮地晃动着，裤带也被解开了半截，余氏正用双手死命地护着不让解，两双男人的大手已经在她的肚脐上抠出了很多血红的爪印。大约是因为南瓜和茄子看见余氏白嫩的身体，全身心地投入到了余氏的身上，因此，三喜什么时候来到了背后，他们竟全然不知。三喜还在老远就看明白了，他用一根不很大的木棒像在田塍上打蛇一样，照着南瓜和茄子的头上一阵痛打。瞄得很准，先是打倒了南瓜，他知道，肯定是南瓜起的坏主意，茄子肯定只是个帮手。茄子看见南瓜倒在地上，抬起头来认着三喜时，三喜才又瞄准茄子打。茄子也翻倒在地时，余氏起来了，喘着粗气，捂紧衣服，理了几下乱发，把肚皮上被手抓起的血印搂出来给三喜看。三喜越看越伤心，又将南瓜和茄子各踢了好几脚。三喜知道，这样的小木棒是打不死人的，但是，打在头上很痛！只要很痛就可以了。南瓜和茄子各搂着自己的头部，缩着身子像两条虫蛹蜷着一动不动！三喜又在他们的肚子上各踩了一脚，踩得很重，屁都被踩了出来。三喜吼道，起来！欺负到老子头上来了！

余氏并不把南瓜和茄子当着正常人看，她好像是和他们玩过一场游戏，她跟三喜说，南瓜他给我几张钱，就和茄子把我往地上按。三喜果然就看见有几张百元的票子飞落在草丛里。三喜伤心了，扬起木棍又打了南瓜和茄子几下，南瓜以手护头，闭着眼说，三喜，你自己说的，给了女人钱，就可以摸女人。三喜说，我什么时候叫你摸我的女人了？南瓜这才放下手，睁开眼申辩，你说，村里哪还有比你女人年轻漂亮的？三喜沉默了好一会儿才说，没有年轻女人也不能摸我的女人啊！三喜

把几张百元的票子从草丛里扯出来，往自己的衣袋里塞了。

南瓜说，那钱是我和茄子的。

三喜说，你和茄子的？我要告你们强奸罪！至少你们得坐几年牢！

茄子听不见，不知道三喜到底在说些什么，一直朝着三喜苦苦地笑着，一心想讨好他。南瓜知道自己是惹不起三喜的，一听要坐几年大牢，吓得浑身发抖地说，三喜，你就饶了我们吧！钱我不要了。

三喜说，也可以！只要我不告，就没有事。那你们得给我在这里老老实实地做事！

南瓜说，你不把我们弄到牢里去，我们一定给你当牛做马！

三喜说，那就好！快给我去做事！

南瓜就马上起来去挖洞子，茄子就去盖房。

五

茄子其实很聪明，只是不会说话也听不见别人说话。他一手盖起来的房子，看上去很漂亮：土墙筑得像粉过水泥一样的平滑，有棱有角，衔接处的线缝横竖垂直；杉树皮盖得像水泥瓦一样地整齐排行。于是，三个人的吃住都由露天搬进了屋里。三喜仿佛忘记了南瓜和茄子按倒过他女人，待他们好像不错，每隔几天还炒一点猪肉打牙祭。

修完房子，茄子也就过来帮南瓜打洞。矿洞已经挖得深不见光了。炮眼都是用风钻打，每天上午放一次炮，下午放一次炮，炸下来的土石，就由南瓜和茄子用篾篓拉出来。洞子的高度刚够人躬着腰挖土，是不能直起腰来担土的。南瓜和茄子就只能一篓一篓地把土石方从洞里拖出来。拖的时候，要肩上背着拖带，两手两脚抠着地面，一步一步地往外爬，那样子比牛马还用劲，嘴巴都扯歪了。

过了一段时间，胡老板来送工钱，见房子建起来了，洞子也挖那么深了，请来的南瓜和茄子做事又那么卖力气，就再一次表扬了三喜，说三喜办事真是可以放心的。三喜就叫苦，说，南瓜和茄子都是做牛做马地干活。在这地方做事，简直就是坐牢，晚上没有电，没有电视看。胡老板看了看逼仄的天空，一脸的无奈，又看见了南瓜和茄子吃苦的样子，表示同情，就给五百元作为他们改善生活的费用。但是，南瓜和茄子不知道这些，他们在洞子里拖土，三喜不让他们听胡老板说话。胡老板走后，三喜并没有改善他们的生活，还是像从前一样。

这一年，是三喜运气不错的一年，他想着要给矿上拉电时，就正逢国家大张旗鼓地为农民办好事，搞农电网改造。三喜就把村里拉电剩下的一部分电线运到了矿上。

三喜备足电线就开始往矿上拉电。电线大多安在活树腰上,个别地方没有能够将就的,就砍一根杉树立起来做电杆。

矿上通电后,三喜把自己家的旧电视搬进了矿上,立了一根高高的天线杆。晚上,他就调到电视剧频道,让南瓜和茄子看那些不知道要说些什么内容的电视剧。看到男人和女人上床时,南瓜和茄子就跺脚指手地激动,还互相交流些什么,非常地投入;而三喜就总要骂他俩,稀奇个卵了!三百年没嗅到女人了!三喜以前用女人激励南瓜和茄子,现在不喜欢他们这样,因为这总让他想起自己的女人被他们按在地上撕扯的情景。

洞子里还拉上了电灯。土石方一堆一堆地往外运,洞口的土山丘越堆越高,洞子越来越往深处钻。

这一天,南瓜和茄子突然躺在洞门口睡觉,不肯进洞子拉土。三喜用树枝戳他们的肚皮,叫他们,赶他们。南瓜不说什么,茄子却坐起来,反反复复地挪动着拇指和食指,做着数钱的手势,南瓜就解释说,茄子说你这么久没有发工资了。三喜明白,这是南瓜和茄子商量的对策,南瓜是在叫茄子当出头鸟。三喜把脸一黑,说,我没把你们送进牢里去就算宽恕你们了,你们倒向我发难了?告诉你们,你们把我女人按在地上脱衣服,这两个月工资算是对你们的罚款!

南瓜不说什么,失望的双眼望着茄子,做手势告诉茄子,这两个月工资没有了,进三喜的衣袋了。茄子还在咿咿呀呀地嚷,南瓜做手势告诉他,你再嚷,三喜要把你送进牢关起来。茄子就流泪了。

洞子越挖越深,南瓜和茄子的衣裤一套一套地被磨烂,被红黄的土石一块一块地吞掉;不能再穿的衣服挂在洞门口的树枝上像拖把一样,然后,就在日晒雨淋中不见了,不知是被风吹走了还是霉烂了掉下来被树叶盖住了。

三喜觉得自己应该不停地跟胡老板叫点儿苦,说点儿困难,让胡老板多投点钱进来。可是,胡老板见三喜把工程抓得不错,就很长一段时间没来了,三喜就急着想跟胡老板说情况。于是,三喜到外面买了一台无线电话,这种电话只要有电就可以和外面通话,非常适应这偏远的深山。三喜把机子装好,拨了胡老板的手机号,果然就说上话了。三喜说他是三喜时,胡老板吃了一惊,说,三喜,你不在工地上监工,你跑哪儿去了?三喜说他在工地上监工。工地上已经安了无线电话,以后就可以经常汇报矿上的工作了。胡老板喜得在电话里哈哈大笑,说,三喜,你真不错,真像你老同学说的那样,为人又诚实,头脑又灵活啊!于是,三喜说了矿洞的进度很快,炸药不够用了。胡老板说,过几天就送来。

矿上终于像一个矿了,有矿洞,有房子,有电,有电视,有电话。胡老板来送炸药时,在矿上转了一路,非常有信心地站在洞门口吹着夏日的乡风,两手叉在腰上说,得加快进度,要尽早地把锑矿石挖出来。他又拍了拍三喜肩膀说,三喜,这段时间你在矿上抓得不错,现在场面大了些,应该多上些人。三喜笑一下,好像早就知道胡老板要说这话。但他不想加快进度，进度慢才对他有好处。他回道，我也早就想多上些人，想加快些进度，可是，有个问题你考虑过没有？胡老板不知道三喜说的是哪个问题。三喜说，你开矿的手续办好了没有？胡老板说，没见矿石出来，我去白求人、白花钱干什么？出了矿石再办手续不迟！我早就跟你说过，现在时兴先上车后买票。三喜说，就是嘛！你现在开的是个没有手续的黑矿，不宜人多，人多势大，上面就一定会找你麻烦。现在矿上人少，进度也不慢，又少要你开钱，你到哪里去找这样的好事！好矿石一出来，你把手续办齐了，再上几十百把人都行。胡老板觉得三喜说得有理，说，三喜，你幸好是长在这么个山旮旯里，你要是长在城市里，恐怕早成资本家了。三喜蔑笑了一下，说，资本家也不是那么好当的。现在有些中国人，就是再有钱也还不够当资本家，真正的资本家是要通过管理来赚取利润，而现在中国的有钱人，大都是利用权力、采用种种手段大量截取国家和人民的财产。资本家对工人的剥削也太残酷了，大都是些缺德的资本家！谁佩服啊！怕是有那么一天，人民还要取回自己的财富啊！胡老板说，三喜，还是上天有眼啊，应该把你这样的聪明人放在这深山老林里！

这一回，胡老板在矿上的小屋里和他的矿工们同甘共苦了一晚，吃晚饭时，用饭钵子敬三喜和南瓜、茄子的酒，还和他们在汗臭的床上睡了一夜，第二天才走。走时，别的都不说，单单交代三喜，在洞子里放炮要特别注意安全！

胡老板不说，三喜本也是很注意安全的，因为茄子又聋又哑，每次放炮前，三喜都要亲自把茄子叫到小屋里躲着。放炮的事，只让南瓜一个人去干。从在洞口放炮到现在把洞子打这么深，不知放了多少炮，南瓜是从不出差错、从不放哑炮的。点了炮之后，他就从洞子里跑出来，跑进屋里还要过好一会儿炮才响。放炮的炸药、雷管、导火索也都是由南瓜一人掌管，从不让茄子弄这些东西。有一次，南瓜看见茄子在发什么气，用木杵锤他那一大圈导火索，就狠狠地骂了一顿茄子，还打了茄子一下。

可是那天出事了。

出事前，很多乌鸦聚在头顶上盘旋着不停地叫，茄子听不见，南瓜在洞子里装炮、点炮，也听不见，只有三喜听得见。乌鸦在大山里是天神，有什么事总是它们先知道。三喜就在屋子里喊道，南瓜，你可要注意安全啊！话还没有说完，洞子里一声巨响。过后，一团浓烟冒出洞口。三喜没有看见南瓜跑出来，就拼命喊南瓜，没见南瓜应，心里一紧，又打手势问茄子看见南瓜跑出来了没有，茄子摆了摆头。三喜没等烟雾散尽，就跑到了洞门口，他一下子惊呆了，一只壮实的大手孤零零地落在地上，还一勾一伸地活动着，粗裂的手掌还在一张一合地抓着地上的土石，但已抓不起来。断口熏得很黑，但从断口上流出来的血却非常的鲜红。三喜拼尽全力地叫着：南瓜——南瓜——

南瓜没有应，洞里死静静地，几丝余烟漂浮着恐惧。

乌鸦更多了,聚在头上叫。

三喜往矿洞里走进去,就看到了南瓜的衣服布片和南瓜身体的大大小小的零件。那么,南瓜已经被分解了,不再有那个完整的、非常有力气的南瓜了。放了这么多炮,为什么独独这一炮出了事呢?他想起茄子锤过放炮的导火索,他想是不是茄子把导火索里面的火药锤松了,使导火索点燃后很快燃到了雷管?他剪了一截导火索来做试验,点燃后,果然一下子就从这一头燃通了那一头。他哭着叫了一声,茄子啊,你害死了人啊!可是茄子听不见!

茄子也走到了洞口,他一看见南瓜的那只手,就把手抱在怀里哭。三喜也不管是不是茄子把导火索的火药锤松了,就骂道,都是你!是你害死了他!他一边骂,一边把南瓜捡成一堆儿放在洞门口。茄子不知道三喜在说些什么,只是哭,还哇哇啦啦地嚷。

三喜看见南瓜那些分离了的尸体本来就怕,乌鸦一叫,茄子这么一嚷,就更加害怕。他不敢再捡那些东西,就吼着茄子说,哭什么哭!快把南瓜捡成一堆。他是天天和你一起挖洞子拖土石的!三喜情急,就只顾说他的,茄子并不听见。三喜又做手势,叫茄子去干。茄子就只好照着三喜的安排去做。

三喜在洞门口坐了一会儿,突然想起自己是吓蒙了,不是有个电话吗?应该马上把这个紧急大事报告给胡老板。

三喜突然从地上弹起来,跑过小溪,跑进矿洞对面的小屋里,在电话键上按了胡老板的手机号。很顺利,胡老板接了电话。三喜颠三倒四地总算把南瓜在洞里炸死的事情说完了。胡老板好一会没有出声。三喜问,胡老板,你听见我说话吗?胡老板骂道,你怎么搞的嘛,走的时候,我还一再交代你注意安全嘛!三喜说,是啊,我也是每次放炮前,都要嘱咐南瓜注意安全啊!我想,很可能是茄子那天把导火索锤松了。

胡老板说,不管是什么原因,你得赶快把这件事处理好!

三喜说,我就是不知道该怎么处理,才给你打电话。

胡老板说,矿上的一切工作都是你负责,你不知道该怎么处理,我知道怎么处理?处理不好,坐牢砍头都由你受!你是每月领了一千五百元工钱的!

三喜没有想到胡老板会这样说话,他沮丧地放下电话,一屁股软在地上。这么大的事都得由他负责,由他处理?他怎么处理?想了好一会儿,他又只好站起来走到矿洞门口。他在南瓜旁边流了几滴泪说,好,你姓胡的连死人的事都不肯管,那就好!老子也来吓你一跳!他走进小屋去再拨胡老板手机。胡老板接了。三喜说,胡老板,既然你不愿管这事,那好,我现在就卷被子去公安局投案自首。

胡老板真被这句话给吓坏了,他马上改口说,三喜村长啊,你怎么能这么做呢?那万万不行!好歹我们也还是兄弟一场嘛!我明天就赶过来处理这件事,你不要跟任何人说出去。

三喜说，南瓜是我多年的兄弟，他这么死了，好惨啊！我良心上过不去！

胡老板说，你现在不要说这些，我来了再说。这类事，我处理得多了。才死一个人，好大的事嘛！

胡老板关了手机，三喜就等着胡老板来。

胡老板来到矿上后，就像是什么事情也没有发生过。他走进洞子里看了看，然后，避开茄子把三喜找到一边谈话。胡老板把事故发生的前前后后问过一遍，说，这样吧，我给你钱，你把这件事处理好。

三喜说，我怎么处理？我没法处理！

胡老板说，你是本地人，一定会有办法处理的。

三喜痛哭流涕地说，我没法处理。他是我多年的好兄弟啊！

胡老板从一个黑皮包里取出几捆钱来，说，这是你处理这件事情的报酬，六万块钱。

三喜眼前出现了很多票子的舞动，像春天菜地的飞蝶，让他目不暇接。胡老板说，处理完后，再给你四万。

三喜被这么多钱吓呆了，不知是惊是喜，但他想了很久还是说，这事我干不来！

胡老板说，三喜啊，我知道，你现在儿子买房要一大笔钱是不是？不然，你也不会到这里来吃这苦，是不是？

三喜说，那倒是。

胡老板说，处理好这件事，对你一个本地人来说，很容易，而你有了这十万元给儿子买房，差的钱就不多了是不是？已经死了的人，你再悲痛又有什么用呢？

三喜听这么说，就问胡老板，那你叫我怎么处理呢？

胡老板轻松地笑了一下说，这个办法你自己去想，我相信你会想出来的，你这么聪明，我就不抢这个聪明了。我总的要求是不能让任何人知道！在这样荒无人烟的大山里，只有你和一个又聋又哑的人知道这件事情，你难道还想不出处理办法吗？我碰到这样的事情不知多少回了，都是当地人自己想办法处理好的。他们处理得天衣无缝啊！省里甚至中央来人都没有查出来。我看那些人没有一个有你聪明！

胡老板把几捆钱丢在三喜的怀里。三喜看了看那么多钱，想起自己的儿子有了这么一笔买房的钱，但一想起南瓜又手足无措，只是苦着脸，这里蹲一会儿，换个地方又在那里蹲一会儿，心里有一种抑制不住的战栗。

胡老板这天又在矿上住了，他等待着三喜把这个事故处理好。

三喜用一个蛇皮口袋把钱捆好，藏在自己床头下的稻草里，以防茄子发现。晚上睡觉时，他就把钱当枕头压着，睡不着时，他就不停地摸钱。

三喜睡到下半夜悄悄起来，茄子因为劳累了一天，鼾声如雷，睡得很死，不知胡老板是否已经睡着，他不睡着也没有关系，他会假装睡着的。

三喜走出门一看，月亮竟像白天的太阳一样照亮着山谷。魔影一般弯曲的田塍、怪物一样肥大的草垛和海洋一样的树林仿佛都在那里为南瓜送行。月亮今天为何要这样的明亮？难道是天意不让他去干他不该干的事情？但是，既已拿了胡老板这么多钱，他就得把事情办好。再往深处想，他也不是自己要这些钱去吃喝嫖赌，而是给儿子买房，至于城里房子为什么要卖那么多钱，那就不是他的事情，也不知道该去问谁。人有三六九等，土地也是在乡下为粪土，在城里是金子！想想自己那些当官的同学，吃着皇粮国税还派这些人跑到这大山里来开矿，不是为钱又是为什么？近几年来，电视上报道的那些当了县长、省长、部长，甚至国家领导人的，还那么拼命地捞钱，他三喜是地道的农民，儿子要那么多钱买房，他的苦处谁能知道啊？何况南瓜已经炸成了这个样子，怎么处理也救活不了这个人啊！……这么想着，他晃晃悠悠地就走到了洞口。他看见了南瓜。南瓜已是一个凑合拢来的南瓜，用树枝盖着。三喜把树枝揭开，一群苍蝇嗡嗡地飞旋起来，不知是什么动物从树枝下跑了出去。三喜狠狠地踢了一脚，动物被踢得惨叫着往草丛里逃了。他骂道，我一脚踩糊你个狗日的！我兄弟他死是死得惨，但还轮不到你们这么欺负他！

三喜把南瓜装进白天拖土的篾筐里，然后背着，顺手抓了把锄头，往山上的树林深处走了。每走一步就轻轻地喊一声南瓜，说，南瓜，你也别怪我，你是为钱到这里来，我也是为钱才到这里来。这是命！是命啊！我从来不相信命，但我们这些平头百姓只能这么想才想得通！我们不能怪世道，不能怪人心，我们只能怪自己的命不好！只怪我们自己没能耐！

在一棵老栎树下，三喜挖了一个深深的坑，把南瓜轻轻地放下去，然后，盖上厚厚的黄土和落叶，再蹲了一会儿，就回到小屋睡了。

三喜没有想到茄子会起得那么早，天还没有全亮，茄子就起来去找南瓜。他找了好一会儿才跑回来咿呀哇啦把三喜摇醒起来，告诉他，南瓜不见了。三喜不想睁眼看茄子，闭着眼朝天上指了指，说，南瓜升天了。茄子明白了三喜的意思，流着鼻涕眼泪坐在门口哭了一会儿，三喜起来就赶他去洞里拖土。三喜想让劳累抹掉茄子对南瓜的记忆。

三喜起来后，胡老板也跟着起来。胡老板已经知道三喜昨夜里做的事情。但他还是到洞门口看了看究竟。南瓜真的不见了，胡老板才相信三喜把事情处理好了。胡老板若无其事地拿一个小尼龙袋到溪里刷牙洗脸，然后交代三喜说，如果有人问起南瓜，你就说，跟我到远处开矿去了。胡老板说过这话就走了。

三喜就一直愁着这事不好跟村里人交代，听胡老板这么说，他突然有了丝轻松。

六

南瓜在村里没有真正的亲人，但三喜回村时，还是有人问起南瓜怎么这么久没有回家，家门口都长出野油麻树了。三喜又在胡老板的话上加些好听的说，胡老板见南瓜的力气大，为人又老实可靠，就带他到远处去开矿了；远得很，在外省，具体在哪儿也不清楚，胡老板也没有说，南瓜享福去了！

村里人想想这个说法也言之成理，但四狗却不相信。四狗在外面打了多年工，钱没赚到，见识是长了不少。四狗对三喜当初不要他抬开矿机械一直怀恨在心，觉得三喜变了，食言，太让他伤自尊了，竟然收了南瓜不收他四狗！于是，他当着村里人的面说，三喜，我明天就要到你矿上来找茄子核实，如果茄子和你说的不一样，我就问你要人！我对南瓜的仇恨还没有了结呢！你不会把南瓜卖了吧？

三喜心里打鼓，这四狗就像是知道矿上出了事，但三喜的嘴皮不得不硬起来说话。他有意轻松地笑了一下说，欢迎你去访问！

三喜没有想到四狗真的第二天来到矿上找茄子问南瓜哪去了。幸好茄子朝天指了指。这是三喜告诉茄子的，茄子是照着三喜的意思和手势说南瓜上了天。三喜如释重负地叹了一口气，庆幸自己当初选人真是深谋远虑，高人一着，要是选一个会说话的人，那可就真的麻烦了！四狗弄不懂茄子朝天指是何意思，三喜就骂着四狗，你狗日的真是蠢如耕牛！什么地方最远？天边最远嘛！茄子朝天指是什么意思你都不懂？那就是说很远，就是说南瓜到很远的地方去了，就是说南瓜跟着胡老板到很远很远的地方开矿去了。

四狗说，我又不问你！

三喜说，你不问我，你就不该到我矿上来问，我是这个矿上的负责人。你给我滚蛋！三喜只望四狗快点离开这里，这家伙在这里待久了，说不定就会嗅出事来的。他的嗅觉能力实在可怕。

四狗说，我偏不滚蛋，我还要到周围转转。

三喜心紧了。他知道，自己这一刻尤其需要冷静，但到底是从没有干过坏事，实在有些冷静不下来，简直有一种恐惧。他往树林里走了，一边走一边砍着柴，有气无力地回四狗说，你去转就是，爱转哪转哪儿，要是毒蛇咬了你，别怪我不来救你！

四狗当真就到开矿那边的山上去转了。四狗真像一条狗，稍有些不平的路，他就两手支在地上，把头压得低低的，鼻子就在地上嗅。他的嗅觉灵得出奇，乡派出所曾用他的嗅觉破过好几桩疑案。南瓜和他的哑巴女人偷情那夜里，也是他嗅到有南瓜的气味才发现情况的。四狗往那边走，三喜就坐立不安地担忧。

直到天黑，三喜也不见四狗回头，三喜就猜，四狗是什么都没有找着就走了？或是找着了什么他没有说出来就走了？他不能不严加提防。

果然，过两天胡老板打电话到矿上来了，说，三喜你怎么搞的？矿上死人的事怎么让县里知道了？你跟谁说了？你要是瞒不住这桩事，你就得退那十万元钱！

三喜急蒙了一会儿才说，我没有跟任何人说呀！我怎么会呢！

胡老板说，这事儿天知地知，你知我知，再就只有个聋哑人茄子知。你说，你不说，谁会知道？

三喜突然想起四狗来了。他说，噢，我知道是谁在捣鬼了。

胡老板说，谁啊？

三喜说，一定是我们村里的四狗。

胡老板说，四狗是个什么东西？

三喜说，一个怪人！

胡老板说，他怎么知道？

三喜说，他那天到过矿上。

胡老板说，他看到什么了？

三喜说，什么也没有看到。

胡老板说，那是你跟他说了？

三喜说，就是砍了我的头我也不会说！

胡老板说，那他怎么知道炸死人了？

三喜说，他鼻子很灵，什么东西都能嗅出来。以前乡里的好几桩疑案都是他嗅出来的。

胡老板说，噢，世上还有这种奇人？

三喜急得大汗淋漓，说，胡老板，这事儿怎么办？

胡老板说，上面我已经到各个庙里都烧过香了，封了口，现在只要下面不告了，上面就可装聋作哑；如果下面有人抓住不放，上面就不好不管。到底是人命关天，上面还有上面哪！

三喜说，那个四狗啊，既然知道这件事，要他不告是不可能的。

胡老板说，你怎么和他闹得那么僵呢？

三喜说，原来关系很好的，就是那次抬你们开矿的机械，我没有要他，他就跟我干起来了。病得要死不活的人，脾气特别的不好。

胡老板说，还有别的办法治这个家伙吗？

三喜说，没有！人到了要死不活的程度就真的不好治。

胡老板说，这种人应该有偷鸡摸狗的行为吧？

三喜说，没有！从来没有！

胡老板说，他有没有和人打过架？

三喜说，他哪还有力气打架？上次南瓜和他哑女人睡觉被他抓住了，反倒让南瓜把他打伤了。他现在走路都要四肢落地，体重不过几十斤，打架没有他的份，就是脾气坏！

胡老板想了想说，在你们那样的林区，他又那样困难，难道就不多砍几根树吗？

三喜突然脑里一亮，说，你说砍树啊，村里谁每年不砍几根啊！

胡老板说，那就好办！过几天，我叫人来把他趁早抓进笼子关了。

三喜没有想到胡老板会这样毒辣，他又开始后悔自己刚才说的话。胡老板感到三喜在犹豫，就说，对于这些人，你不下手弄倒他，你就会倒在他手里。只要他把这矿上死人的事一闹开，你就得进笼子。你一进笼子，你儿子买房的事谁负责？你屋里女人，你屋里老父亲谁负责？胡老板句句点中三喜的穴位。三喜不再出声了。胡老板说，就这么办！

刚过两天，就来人调查，说四狗乱砍滥伐。再过几天就把四狗带走了。三喜也不知道四狗被带到哪去了，反正村里人都传说，四狗因为乱砍滥伐被抓去关了。关在乡里或是县里，谁也不清楚。

没有南瓜之后，矿上明显是人手不够。三喜也知道是该另外雇一个人了，但是，他怕雇人来矿上，发现南瓜被炸死的事，就只好自己顶住，和茄子两人每天打洞不止。茄子又聋又哑，炮手就只好三喜自己干了。一天劳累得难受，又是心事重重，身心疲惫不堪，晚上就放开喉咙不断地呻吟，反正茄子听不见。

南瓜在的时候，每天放两次炮，洞里的土石都拖得干干净净；南瓜不在了，三喜每天只放一次炮还拖不完洞里的土石。不是土石方多了，是三喜没有南瓜的劳力好，三喜是个不善于吃苦只善于用智谋的人，在洞子里做事非常累，于是，他做的时候少，歇的时候多。茄子跟着三喜享福，见三喜休息，他也跟着休息，一坐下来就打瞌睡，三喜不喊他，他就不醒，很快就养得白胖起来。

洞子进度显然就慢了下来。胡老板再来矿上时，就极不满意了，骂三喜，你也太对不住我们了吧！这些日子，这洞子几乎就没掘进去多少。

三喜说，胡老板，我天天在这里担惊受怕，要不，你们另外请人来吧。

胡老板说，你想打退堂鼓？

三喜说，洞子打这么深了，还没见一点矿脉，我都提不起神了。

胡老板说，当初你不是信心十足吗？

三喜说，当初是当初，现在是现在。

胡老板说，现在怎么了？

三喜说，现在你应该把矿里石头重新拿去化验一下，看看含锑情况怎么样，如果深处的石头含锑还少些，那就不要浪费钱财了。三喜真是不想在这个矿上待了，一到晚上他就怕，夜一深，他就能听到南瓜的脚步声，听到南瓜在那边打洞子，拖土石，一睡着就听到南瓜在耳边喊冤。

胡老板想想三喜这话也有道理，于是，亲自到洞门口选了块矿石提上，走了。

过了些日子，胡老板果然打电话来说，三喜啊，洞子暂时不要打了，茄子和你的工资都算到今天为止。三喜笑了一下，但他不能显出高兴，他还是说，那这机械都不要守了？

胡老板说，机械当然要守啊！丢失了我要找你算账。

三喜说，你不给我开工资，怎么要我负责呢？

胡老板说，三喜啊，你也太不知足了！这个矿开这么久，简直就是给你开！前前后后你从我这里赚去了十万哪，我们倒亏了几十万，守守机械你还要我们给你开工资？这种话亏你说得出！

三喜说，有账算账，不是个多少的问题，是该不该拿的问题。你说哪一笔钱是我不该拿的？

胡老板说，安置南瓜那十万元你就该拿了？

三喜听这么说，不再说话了。胡老板也不再说。两人就在电话里无声地对立着。

放下电话，三喜就蹲在洞门口想这些事情。这个矿肯定是开不成了。开不成是迟早的事，从一开始他就有这个准备。如果不是工程师帮他，这个矿本来就开不成。那么，现在是胡老板选去的矿石化验出真相了？他心里明白，和胡老板他们打交道，就是同魔鬼打交道，他得做好一切准备。于是，他到县城里转了几天，把自己想弄清楚的问题都弄了个清楚，回来后，他胆子就大了。他不仅不给胡老板守机械，还把那些机械和没有用完的炸药、柴油全都运出山那边卖掉，得了好几千元现金，把茄子的工钱结清后，还奖给茄子一千元，其余的他全都进了自己腰包。茄子不知道三喜到底卖了多少钱，离开矿上回家时，就忙给三喜翘大拇指，说三喜是个大好人。

过些日子，胡老板来了，他要把那些机械运到别处去。但到矿上一看，机械全都不翼而飞。三喜说，都作价处理给山那边开矿的人了。

胡老板大发雷霆，站在矿洞门口指着三喜的鼻梁说，三喜，我一直以为你是个老实可靠的农民，我没有想到你做事会这么毒辣！这么绝情！

三喜蹲在洞门口的土石堆上，搂紧着双膝，非常镇静地说，我哪儿毒辣了？我哪儿绝情了？

胡老板说，你一开始就在骗我们。你送去化验的根本就不是这个地方的矿石？

三喜说，谁告诉你的？

胡老板说，化验室的人说的。

三喜还以为是工程师告诉他的，既是化验室的人说的，那就好办。三喜说，你们不是请工程师来看过吗？

胡老板说，那工程师和你一起骗人！

三喜说，工程师是你们花钱请来的人，怎么会和我一起骗人？

胡老板说，我明白，你们不要这么仇富，不要看不惯别人领着国家工资还这么开矿赚钱就故意捉弄人家。告诉你们，我们还算是凭自己辛苦赚钱的人，要自己投资，自己担风险，比那些坐在家里受贿的人，我们高尚得多，干净得多！比我们肮脏的人你们看不见！

三喜倒觉得胡老板的这些话都是实话，就不再应嘴。胡老板见三喜蔫蔫地不说话就越骂越来劲。胡老板说，你把我们骗到这儿来开矿也就算了，白花了这么多钱，我们也算该倒霉，你怎么能不经我同意就把开矿的机械也卖掉？你说你是不是坏透顶了？

三喜说，我没有坏，更谈不上透顶！

胡老板气得呼呼地出着粗气，想了好一会儿才说，你把钱拿来！

三喜说，什么钱？

胡老板说，你把器材卖了，钱也该你拿了？

三喜说，我不拿钱我卖器材干什么，我空着双手没卵儿搓了？

胡老板说，你简直得寸进丈了！你今天不把卖机械的钱吐出来，我跟你没完！我就不相信整不倒一个老山区农民！哪怕再花一百万，我也要和你打官司出这口气！

三喜说，我可是没有钱跟你们拿工资的人打官司。

胡老板说，那你把钱给我！

三喜说，煮饭要下米，做事要讲理！

胡老板说，你是猪八戒倒打一钉耙！你讲理你把你理摆出来听听！

三喜说，你可惜还是在外抛头露面的人！你一开始就应该和我算账，把账算清了，该我给你们的，我当然要给；该你们给我的，也当然要给嘛。这才叫理。

胡老板说，好啊，难道还是我们欠你的不成？

三喜说，慢点，我把账单念给你听听。三喜就从衣袋里取出一个皱皱褶褶的旧练习本，展开起来，一项一项地念给胡老板听。拉电多少钱，开矿以来的电费多少钱，房子租金多少钱，电话费多少钱，炊事费多少钱，电视安装费和折旧费多少钱……

胡老板就一项一项地拒绝，他说，拉电的钱他不承认。三喜说，不承认没有理由，如果不开矿，他拉电干什么？给老鼠麻雀照灯啊！胡老板没有理由驳倒三喜。

胡老板说，电费他不承认，付了工资，一切消费都应在工资里面开支。三喜说，电费主要是开矿打洞子用的电，照明用的才一颗 15 瓦的灯泡。难道还要我们拿钱给你们打洞子吗？胡老板也驳不倒三喜。

胡老板说，这地方的房子根本就不能收房租。三喜说，这房子是用我的材料建的，建在我的土地上，而矿是你们开的，开矿的人都是你的职工，你的职工住我的房子，我怎么就不能收房租？

胡老板说，你当时根本就没有说租房的事。

三喜说，不租房我们住哪儿？住了房子要付房租，这难道还不在道理吗？难道住了房子不付房租才是理吗？

胡老板也驳不倒三喜。

胡老板说，电话费他不承认。三喜说，电话费就更没有理由不承认，每一个电话都是为矿上的事打的，不信你去打清单。

胡老板也驳不倒三喜。

胡老板说，电视安装费和折旧费无论如何他是不能承认的。三喜说，那就出怪了！我是为矿上职工安装的电视，你怎么不承认呢？我难道坐在家里看电视不好？把电视扛到大山里来和南瓜、茄子一起看才舒服啊？

胡老板也说不出反驳的理由，但仍是不认账。

说到这里，三喜就再说炊事员工资。胡老板简直跳起来了，说，陈三喜，你也太过分了！三喜仍是从从容容地说，我们在矿上总不能不吃饭吧？难道炊事员的工资你也不认账？何况我那么多禾花鱼都拿到矿上吃，也不算高价。

胡老板说，我请你是干什么的？三喜说，你请我是搞矿上的管理，我一个人做了两份工作，这年头哪有做事不要钱的？

胡老板说，我还有金子、钻石给你！

三喜的口气也稍稍硬了一些，说，我早就知道你会这样，所以，我才把机械抢先卖掉。现在不是要你给我金子、钻石，是金子、钻石在我手里捏着，你要把账算清了，该给你的我才给你。

胡老板说，嘿，你那几个当县长、当局长的狗屁老同学拿了我们的钱，还说你如何诚实，如何可靠。我看你就是一个典型的小人！坏东西！

三喜说，这就是你的不是了。士别三日都要刮目相看，何况我们都毕业分别这么多年了！至于我老同学拿不拿你们的钱，那是你们之间关系，与我无关。

胡老板气得翻白眼。

三喜说，现在国家形势好，中央关心老百姓，到处都通电视、通公路，人和人知道的事情都差不多。你们城里人怎么生活，我们乡里人也会怎么生活，你们城里人怎么做事，我们乡里人也会怎么做事！学校的老师知道想方设法在学生头上收钱，吃着皇粮国税的人都要到大山里来开矿捞钱，我们农民就应该蠢得不知道要钱才对吗？我儿子要在城里买房安家，谁能不要钱给我儿子房吗？谁可怜我儿子？我有什么必要为你们这些人白付出？为你们这些人白操心？学雷锋我也不会这么蠢学！

胡老板说，卖机械的钱你真不交出来？

三喜说，不该交我为什么要交？

胡老板说，那好，这个钱不交，处理南瓜的那笔钱你就得交出来。

这回该三喜急红眼了，说，胡老板，你是真的要我交这钱？

胡老板说，要给也得给南瓜，不能给你！

三喜说，胡老板，你现在是要翻脸吧！当初你要我把什么责任都担了，把什么亏心事都做了，现在事情平息下来了，你要当婊子不认人。我也告诉你，钱还在那儿，我没有动用一分，也不敢动用一分。我知道，这个钱不是好咽的。不过你要想好，要我交出这个钱，我就要交到县纪检委去，我不会交给你的！

胡老板说，你用不着拿县纪检委吓人，县纪检委的人我没有不认识的！

三喜说，是的，这吓不倒你。但是，你的同伙我都了解清楚了，有的是县长，有的是主任，有的是局长，这其中还有我那几位老同学。我要是把他们合伙在我这里开矿，提供黑炸药，矿上炸死了人不上报这些情况都捅出去，那你想过他们的后果没有？党纪国法可不是开玩笑的，上面正抓得紧呢！只要把他们的职务一撤，难道还有你的好处不成？难道他们的职务就只值这几万块钱？真把他们弄伤心了，到时候他们不剥你的皮才怪！

胡老板走南闯北，从没有碰到一个乡下佬这么难对付，说的话像枪子，一发一发都打在胸口上。胡老板心里一阵一阵地发痛，不再说话，走到屋子里拨了个电话。三喜想，他一定是要和他的同伙商量到底怎么办才好。胡老板打完电话回到三喜身边不再提卖机械的钱了，眉头皱起了高山大河，说，陈三喜啊陈三喜，我算是被你打败了。

三喜有些难过地笑了笑，说，我从来不想打败别人，只想自己不被别人打败就行！

胡老板怀着希望而来，此刻他提着他的小包，带着失望走了。

三喜望着他的背影，心里有些难过，自己虽然胜算了，但毕竟别人投入了那么多的钱什么也没有得到，而且南瓜还丢了性命。胡老板走去很远了，又突然想起了什么，转过脸来愤愤地嚷道，陈三喜，我一回去就叫人把四狗放出来。我要跟四狗谈谈你这里的情况，我要让你们狗咬狗！

三喜一下子手心沁汗。胡老板他们毕竟是远路人，而四狗是同一个村里住着，早不见晚见，四狗如果知道了内情，回村后可不好对付啊！南瓜的事要是瞒不住，一闹开，胡老板他们已经走了，罪过就会全部落在他三喜头上，他在村里还待得下去？别人不说，老父亲也不会放过他！三喜对着胡老板的背影骂起娘来，狗日的，你比我还难对付！我跟着你们都走上一条什么路了？我以前是这样的人吗？

三喜从矿洞子门口走过来，走进小屋。屋里的东西都已经搬回村了，只剩下那台无线电话还孤零零地像只老蛤蟆趴在那里。三喜把它拆下来，丢在蛇皮口袋里，然后背在肩上走出门，对着南瓜墓地的方向说，南瓜，你安息啊！三喜走了。

路上，他一直在想着，回家遇到父亲时，该保持一种怎样的平静心态，遇到村里人问话时，又该保持一种怎样的平静心态……

七

从矿上撤下来回到村里，一脚又踏进自己本来的情感，三喜看见村外面的田畈上已经是稻子成熟的时节。有雀鸟一群一群地飞落。他去矿上时，还刚刚插完秧，现在弥望的全都一片金黄，稻穗成熟得低着头躲在禾叶里；风来了，稻子才舒展着香香的舞裙，一浪一浪地起伏；路边的稻田还沿着田塍打了木桩，木桩上用藤蔓网成了篱笆，以防稻子的倒伏；吃饱了谷子的鸟雀就蹲在藤蔓上相互谈话。不知是谁在路中间的一块石板上用粉笔写了两句诗：但愿四时常丰稔，不嫌人间鼠雀多。种在田塍上的长豆角沿着高高的寨条爬上了最高处，然后倒挂下来，开了些彩色的花朵，吊满了长长短短的豆角，像晾面杆上的面条，成行成列；种在田塍上的黄豆都黄了荚子，圆圆的豆粒把荚子撑得鼓起一排排小圆球；红蜻蜓、黄蜻蜓像是水里游动的有翅鱼，在稻田上空低低地擦着稻叶浮飞，像是很喜欢闻到稻香的气味；放过了禾花鱼的水渠里还有一些小鱼和蝌蚪在清清的浅水里逆水游动，尾巴摆得如风飘一般。于是，就有白鹭飘落到那里觅食，水渠两边拉满了白白绿绿的粪花，一股浓浓的腥味随风到处飘摇……三喜在这样的田间走着，又回到从前那种平静，那种淳朴，那种亲切和善良，那种真实的生活。但是，当他走到南瓜的稻田时，父亲突然在背后问他，南瓜怎么还不回来打禾？

三喜被吓得跳了起来，他不知道父亲已经跟在他背后。父亲跟着他多久了？父亲该没有发现他有什么异常吧？三喜努力平静了一下自己，然后记起自己该怎么回父亲。三喜说，南瓜跟胡老板到很远很远的地方开矿去了，在那边，他一定很好过日子，要不然，他早就回来了。

父亲说，那他栽下的这丘禾也不收了？

三喜说，胡老板是大老板，跟着他能赚票子，稻谷能值几个钱啊！一百斤谷才一百块钱，抵不上他一天的工钱。

父亲说，没有几个钱，也是自己辛辛苦苦种下的。自己不回来收割，也该托人带个信回家，叫人代收一下，收得一仓谷子在仓里又不要饭养！

三喜说，他是一个人一张嘴，一人吃饱，全家不饿，在外面有好日子过，有没有这些谷子，他不在乎。

父亲说，在村里这么多年，未必这一走就永不回来了？

三喜的心里痛了一下，他只得硬着心说，他和哑巴女人有了那种事情，回来见了四狗也面热，说不定也可能不回来了。

父亲怅然若失地说，南瓜不会不回来，说不定过年时就要回来。你把这丘禾收割了，谷子还是算他的。他也是你带出去开矿的，从前你们是那么好的兄弟。

三喜热泪盈眶了，幸好是背对着父亲。三喜说，爸你回去吧，别老跟在我背后说话。我想一个人在这田畈上走走看看，好长时间没有这么走了。开矿这些日子，心里好乱。

父亲说，那好，我回去把牛赶到溪边吃点夜草吧。

三喜的心境再也好不起来。父亲一走，他仍惶恐不安，虽然，父亲被他这些话应对过去了，但是，四狗还要回来。如果真像胡老板说的，马上就把四狗放回来，又跟四狗说是他三喜用的毒计把他关了的，那四狗还能不找他拼命？

还是怕别人发现问题，三喜在没有收割自己的稻子之前，就把南瓜的稻子抢先收割了，以防不收的稻子在田里惹人显眼；还找人来见了秤，说是代替南瓜把谷子保管起来，待南瓜回来后就交给南瓜。

那天，三喜和余氏正忙着在自己的稻田里收稻子，四狗就神出鬼没地突然来到了三喜的田塍上，一手扯着长豆角往嘴里塞，看样子他很饿，被关的这些日子他没有吃饱饭吗？他津津有味地边嚼边咽边含糊其词地说，三喜，我得感谢你让我见了世面。

如果四狗一来就跟三喜闹，说不定三喜的心里还踏实一些。三喜准备跟四狗干一场硬的，他必须压住他！现在四狗是这种样子，三喜心里就没有底了，心悬得高高的，不知四狗会如何报复他。四狗一定是想好了毒计，不然不会是如此胸有成竹的冷静。

果然，四狗说，要不是你在里面做鬼，哪能有牢让我四狗坐呢！人啊，这一辈子最难得的就是坐牢！

三喜说，是胡老板跟你这么说的？

四狗说，他不说我也清楚。你很聪明，我也不是猪脑子。我和胡老板什么矛盾也没有，我只和你三喜有矛盾。

三喜说，胡老板是什么人，你应该清楚。不过，你既然不敢惹胡老板，决意要和我过不去也可以，好歹是你自己乱砍滥伐犯了法。

四狗说，我也是被别人剥削得残废了的人，我也要吃饭穿衣，我也要养女人！何况多砍几根树的在村里也不是我四狗一人，为什么就单单抓我？我看还是和南瓜失踪有关。

三喜的心猛烈地跳了起来，要跳出嗓子口了，好在他还能控制自己。他说，谁说南瓜失踪了？你坐牢和南瓜有什么关系？南瓜跟胡老板到很远的地方开矿去了，三竹竿也打不到他！

四狗说，那只是你三喜说的，我现在只承认他失踪。我还要继续核实他是不是到很远的地方开矿去了。

三喜说，你不是到矿上都转过了吗？

四喜说，是转过了，还闻到了南瓜的肉味，只是还没有找到南瓜。

三喜心里更紧得难受，这个四狗真是闻到南瓜的肉味了？三喜不能承认！绝不能承认！还得硬着头皮顶住！三喜说，那你再去矿上找就是！

四狗微笑了一下，说，是的，我还要去找。什么时候找到了南瓜，我会来向你汇报的。

四狗走了，顺手又摘了一大把长豆角，抖掉豆角上的蜢子就塞在嘴里嚼。三喜对着四狗的背影，咬着牙狠狠地骂道：我挖你祖宗了！不过没有骂出声，四狗听不见。

四狗丢给三喜这些话，让三喜天天夜里睡不着。三喜三更半夜里抓着余氏的手说，等儿子在城里安好了家，我们就跟他去住；在这村里住下去，我天天做噩梦啊！

收割季节的夜里，已稍稍有了点凉意，三喜还光着脊背蹲在自己晒谷坪里左一巴掌右一巴掌地打那些长脚蚊子，忽然有一股腐臭味飘过来，他正感到有些奇怪时，屁股上被人轻轻地踢了一下，三喜看见一黑影从头顶上盖过来，他转过脸，见是一个背着一包东西的人站在背后，因为是仰视，觉得这个人特高大。这个人说话了，他说，走，到你堂屋去，我给你看个东西。竟然是四狗！三喜的背心凉了一阵，透骨地凉了一阵，但还是站起来，把堂门推开，让四狗跟着进了堂屋。四狗说，把电灯拉亮。三喜把电灯拉亮。四狗说，把堂屋门关上。三喜就把堂屋门关上。四狗这才把背上的那一包东西放下来。东西是用一件旧衣服包裹着，两个衣袖作了背带。东西放下后，四狗笑着说，我给你把南瓜背回来了。

三喜吓得脚一软，瘫坐在地上。

四狗说，三喜你算个卵角色！

三喜说，四狗你别吓我了！

四狗说，你不信？那我打开让你看。

四狗正要打开，三喜吓得大汗淋漓，魂飞魄散，哆嗦着说，四……四狗，你别打开！你要干什么？你要把我送进牢去吗？我上有老下有小，可坐不得牢啊！你应该知道，我也是被逼到这条路上的，我也是骑在老虎背上下不来了才干这些事的啊！……

四狗咳了一阵，咳停了就笑一下说，三喜你也只有这么大个卵胆子呀！你急什么？他南瓜搞了我女人，我难道还要为他报仇不成？

三喜说，那你要干什么？

四狗说，我要点钱。

三喜说，你要多少？

四狗说，处理南瓜的事，胡老板说他给了你十万？是真的吗？

三喜说，是真的。只要你不把南瓜的事说出去，钱，我都给你。

四狗说，你把钱拿来我看看。

三喜就从房里提了个蛇皮袋出来，说，钱都在这里，我一分也没动过。你数数。

四狗把蛇皮袋里的钱一沓一沓地取出来，放在地上数了几遍，说，是十沓。这一沓是一万？

三喜说，是。

四狗拿了四沓，把其余的六沓重又放进蛇皮袋里扎好，递到三喜手里，说，我只拿四万，这六万是你的。四狗把四沓钱揣在衣服里搂紧了，说，老子在城里打工染了病，没人肯赔我，老子女人被人搞了，没人赔我，这回都算是赔了！四狗把那包散发着腐臭味的骨头包好，背在肩上，站起来走出了堂屋门，回头见三喜还蹲在那里呆着，就提醒他说，三喜，没事了！快睡吧！这包里的东西我会处理好的。四狗的咳嗽声就越来越远，远得没有了。

三喜不出声，像一尊木偶。成益老人听到有谁在堂屋里跟三喜神神秘秘地说话，很不正常，就叫了一声三喜，问他在和谁说些什么。三喜站起来，感到有风从很远很远的地方迎面吹过来，吹进了堂屋，赶走了四狗留下的那种腐臭味，让他闻到醇厚的稻谷香。他仿佛是被这稻谷香味吹醒了，于是，他把堂屋门全部拉开，顺手拿起了挂在堂屋中柱上的摩托车钥匙往门外走。已经来到堂屋门口的成益老人问三喜，这么深更半夜你要去哪儿？

三喜说，去县公安局。

成益老人问，去公安局做什么？

三喜说，有件事，我瞒了多日，现在得去说清楚，让他们该抓谁抓谁！

（选自《当代》2011 年第 4 期）

邓宏顺

中国作家协会会员，湖南省作家协会副主席、怀化市文联副主席、作家协会主席。曾在毛泽东文学院作家班和鲁迅文学院高研班专修创作。出版有长篇小说《贫富天平》《红魂灵》和散文集《蔚蓝色的呼唤》等多部。在《收获》《当代》等各大文学期刊上发表中篇小说四十余部，迄今已发表文学作品约三百万字，作品多次获奖。

灰 汉

陈继明

引 言

这个名叫海棠的村庄里，至今还保留着一些旧习惯，比如，麦子、谷子、高粱，大部分庄稼收割时，总会故意留下几束在埂边，赠给过往的蜂虫与鸟雀；苹果、核桃、葡萄、梨子、杏子，甚至花椒、辣椒、茄子，也不会悉数摘走，总要留二三枚在枝头——在最高的枝头，供天地间无所不在的神灵们享用。

万物有灵，没人怀疑这一点。人鬼神，草木鱼虫，自古以来，大家共存于这个世界，你中有我，我中有你，手心手背一样相互依赖，互为表里。一代代祖先，身体虽然死了，鬼魂却随时会回家来看看的。人们相信，鬼魂是最恋旧的一种东西，旧人、旧物、旧家，都会恋恋不舍。鬼魂们唯一要做的事情，可能就是“恋旧”。还有，鬼魂们一般具有和生前一样的习气，如果生前就缺德，死后就一定是缺德鬼，如果生前就捣蛋，死后就一定是捣蛋鬼。村里人，无论男女老少，很多人都承认，曾经“见过鬼”。“见鬼？不难不难，你想见着就能见着。”他们总会这样说，口气平常极了。

如果雨水好，四处的石缝里会长出一种藤状植物，皮是绿色的，剥开薄薄的皮，露出白色的茎，软而细的一根，空芯，里面储满白色的汁液，一头用嘴嘬住，另一头放在火上，一边吸一边烧，就有轻烟又辣又滑地流进喉咙。几口之后身体就开始发飘，轻得像雨后的浮云，抬眼望去，河水倒流，树影匍匐……

这种植物名叫“鬼烟”。

吸鬼烟是见鬼的第一步。接下来，最好是炎热的正午，找一片瓦顶在脑门上，静静地闭上院门，站在院门后面，就看见满院子都是鬼了，飘来飘去，无声无息。通常都是自己的祖先，过世没多久的，一眼就能认出来。

这样的奇风异俗还有很多，再比如，牛、马、驴，这些与人们朝夕相处的家畜，要等到年老体衰时才会杀，切忌由主人亲自动手，最好交给“灰汉”——先把牲口捆绑好，请灰汉来捅上一刀子，要了命，剩下的活，其他人就可以干了。灰汉不过捅了一刀子，却可以得到丰厚的报酬，和宰一头猪差不多。

灰汉，就是专门替别人杀生的人。村里不能没有村长，也不能没有灰汉。自家的牲畜，起早贪黑劳作了一辈子，如今垂垂老矣，该杀掉了，不忍心亲自杀，交给灰汉杀。替人杀生，代人造孽，便是灰汉的唯一使命了。

灰，显然是最讨人嫌的一种颜色。“灰”汉，就是脑子笨、心性瓤的汉子。在海棠话里，瓤，兼有傻、呆、弱、差等意思。有时指某一面，如身体瓤，水平瓤，有时指整个人，如“这娃娃瓤得很”，颇有轻视、嫌弃的意味。村子里，傻人瓤人多了，但是，能做灰汉的傻人瓤人却常是可遇不可求。为什么？做灰汉还有一些必备条件：第一，傻，但傻得有限，不是傻到底、不是白痴，至少知道饭香屁臭，明白基本事理；第二，傻，但傻得可爱，不是“二百五”，不横、不赖、不臊（专指狐臭）、不臭（不脏）、不抢、不偷、不嫖，不令人生厌。就算符合上述所有要求，还不一定有资格做灰汉。因为，一段时期内村子里只需要一个灰汉，而且，还必须经过认真挑选和严格认定。

由上一任灰汉指定谁来接任灰汉，并由村里的若干头人用某种祖传的仪式来正式认定。经过认定后，才可以称为“灰汉”。

做灰汉到底是一件光荣的事情还是耻辱的事情？很难说，如果你的确有点傻，而且傻得可以，那么做灰汉就可能是一大美差了。如果你有正常的智商和正常的性格，你就绝不会同意做灰汉。“不好好学习，长大做灰汉啊？”这是人们警告孩子的话。人们甚至这样吓唬孩子：“灰汉来了！”近似于“狼来了！”

关于灰汉，实在一言难尽。

来听听银锁的故事吧。

银　锁

村里曾经有过多少任灰汉？不可考，也没人能说清。可是，大家众口一词，都认为银锁一定是有史以来最好的一位灰汉了。

其实，小学四年级之前银锁以聪明著称，有一张聪明可爱的小黑脸，所以，人们亲切地称他为“黑宝”。银锁有个哥哥叫金斗，比银锁长一岁。两人却是同一天开始上学的，班里的第一名、第二名长期被哥俩承包了。有趣的是，第一名向来是弟弟。弟弟银锁总拿满分，哥哥金斗却免不了总要丢掉七八分。哥哥丢分的原因永远不变，就是性急、粗心，喜欢第一个交卷。而弟弟总是磨蹭到最后才交卷。

弟弟银锁还有个绝活，一笔下去就能画出一匹马或一头驴，要多像有多像，无论马还是驴，一概是静美斯文、乖顺听话的样子。银锁自己也恰恰是这样的性格，寡言少语，一说话就脸红，总是一个人缩在墙角，伸长脖子向人群里偷看，一个字，就是“瓤”！这很像一个必要的伏笔，令他后来成为灰汉不显得突兀。哥哥金斗则相反，用人们的话说，他是“五伦不人”，从小就是“啃不动的牛筋”。哥哥金斗还经常打骂弟弟银锁,打了骂了还不够,还要用偷来的粉笔在地上画一个圈,让弟弟站在里面,不许"擅自离开"。于是弟弟就会真的乖乖站在圈内,哥哥不发话就绝不出来。

小学四年级的时候,发生了两件小事情,从根本上改变了银锁,使银锁成为另一个人,一个后来有资格被推选为灰汉的人。

哥俩的班主任是个女老师,姓谷,是全校唯一的女老师,也是唯一住校的老师,她喜欢弟弟银锁,反感哥哥金斗,而且毫不掩饰其好恶。于是,哥哥金斗设了一计,让谷老师和弟弟银锁各吃了一点亏。这位谷老师,非常爱干净,因为女老师就她一个,学校就按她的要求,把女厕所里最靠边的一个蹲坑用砖墙隔起来,安上门,成为单间,供她一个人专用。门上挂了一把锁,一把坏锁子,轻轻一拉,锁簧就弹开了。哥哥金斗找机会钻进去,把蹲坑两边踏板下的砖头抽掉,让蹲坑表面看上去好好的,脚一旦踩上去,就会立即陷进满是蛆虫的化粪池里。果然,某一天上午课间,全校师生都听见了谷老师骇人的尖叫。于是,全校停课,追查元凶。有三名同学讲了一样的话:"银锁干的。"从现场找到的鞋印也有力地证明,是银锁,不是别人。银锁本人也承认是自己干的。于是,接下来的三天,银锁每天都站在三十多度的高温下,接受惩罚,用校长的话说:"你狗日的不是黑宝吗,干脆把你晒成黑狗。"连谷老师都不知道心疼他,她从他身旁经过了好几次,冷冰冰的,看都不看他一眼。这之后,银锁的成绩就由第一名滑到第五名,后来干脆滑到了第十名。而全班总共有十一名学生。半年之后的另一件事情,则彻底改变了银锁。时间到了冬季,连续下了几天雪。雪停了,哥哥金斗和弟弟银锁在村头的路边堆雪人。雪人的肌肤是雪,骨架却是一捆玉米秆。随即又把中央的玉米秆点着,外面的雪渐渐化掉了,里面的玉米秆大部分只是烧黑了,于是四处都是雪白的雪人,唯独金斗银锁弟兄俩的雪人是黑色的。当晚,深夜从村外归来的村支书和黑人撞了个满怀,以为是鬼,吓了个半死。次日,哥哥金斗溜之大吉,弟弟银锁被人揪了去,围着黑色雪人和躺在车子里、面容蜡黄的村支书,一遍遍地敲着锣,用令人怜惜的童音给书记叫魂:"书记,回来……书记,回来……书记,回来……"书记后来正常了,遗憾的是,下雪不冷化雪冷,银锁感冒了,高烧不退,随便吃了几颗药,没管用,结果把一半的聪明烧没了,烧成灰了,从此变得半傻不傻,打死也不去念书了,一心要跟着爸爸做羊倌。村里的羊圈不在村里,在距离村子三四里路的山顶上,站在羊圈门口大吼一声,村子里隐约能听见。放羊的好处是有事干,能挣工分,又不和别人打交道。

父子俩在北山顶上放羊,不参加村里的其他农事,倒也清静自在,没多久,银锁的脸更黑了,看上去纯然是一个放羊娃了。

某一天深夜,爸爸把儿子叫醒,说:"我听见泉水结冰了,咱们去看看,明年的庄稼好不好。"银锁问:"明年的庄稼还没影子呢,怎么看?"爸爸说:"走吧,爸爸教你怎么看。"到了离羊圈不远的泉眼旁,看见涝坝里果然结冰了,白银银的一层,爸爸蹲在边上，用石头轻轻一敲，冰就破了，爸爸捞出一块冰，用手在反面摸，说："你来摸摸，摸起来一粒一粒的，明年的庄稼就能长好，摸起来光光的就麻烦。"银锁蹲在爸爸旁边，摩挲那冰的背面，心里就一咯噔，因为背面滑得像娃娃屁股。恰在这时，有个黑影从对面蹦过来，直接扑在银锁的脸上，银锁"啊"了一声，仰翻过去，爸爸看清是一只红色的狐狸，来不及动手，它已经迅速跑远了，不见了踪影。爸爸把儿子拉起来，忙摸儿子的脸，没摸到伤痕，就急忙拉上儿子回羊圈了。进屋后，什么话也没说，就睡下了。紧接着银锁就听出爸爸呼吸不正常，嘴里还咕噜着胡话，试试额头，湿淋淋的。

至今村里人都记得，那天凌晨，天还没亮，平时不说话的银锁，却在山顶上吼叫："快来人啊，快来救命，快来救命啊——"

银锁的爸爸就这样死了。

"是被吓死的。"人们都说。

怎么会被一只狐狸吓死？

人们深信，遇见狐狸没好事。

任 命

一九七九年，年满二十一岁的银锁正式成为灰汉。这一年秋天，粮食收齐后，公社变成了乡，土地分给了私人。接下来，全部牲畜也将分给各家各户。这样的话，就不能没有灰汉，很多人希望恢复中断了十几年的灰汉制度。于是银锁成为新时代的第一任灰汉。银锁具备了成为灰汉的所有条件，更主要的是，银锁没有爸爸，银锁的哥哥金斗也在两年前入伍了。这种情形下，任命银锁为灰汉，就全无顾忌。

按照老习惯，应该首先选出两名候选人，然后在祠堂里烧香供饭，诵经三天，再用银瓶掣签的方式选出正式的灰汉。这样选出的灰汉就有了神示的味道，差不多是人神之间的一个桥梁，杀生之罪，就可以忽略不计。但是，由于"文革"期间毁了祠堂，百废待兴，银锁又是众望所归，就直接由村干部任命了。

获得任命的当天，银锁要当众杀掉一头牲口，启动自己的灰汉生涯。当时三个生产队的牲口正待化整为零分给农户，各队都有一些老牲口注定没人要，于是决定，每个队各挑一头最不中用的牲口，供新任灰汉试手。

一队是一头牛。

二队是一匹马。

三队是一只驴。

那是给鬼神们烧完寒衣的第三天，天气很冷，全村的男女老少早早就聚集在村中央，男人们喉结耸动，说话的声音充满亢奋，女人们端着各式各样的盆子，敲敲打打，等着分肉。连村头巷尾的猫狗都悄悄跟来了。新任灰汉将一次杀倒一头牛一匹马一只驴，一个新时代即将有血有肉地开始。人群的中央便是一头牛、一匹马、一只驴和三块门板、三堆麦柴。牲口们的确是老不中用的架势，鬃毛又脏又乱，说明整日卧在圈里不起来。人们大呼小叫，异常兴奋，手中的盆子发出各种怪响，牛和马似乎在流泪，驴则是木知木觉。不久，有人用旧衣服依次蒙住了马脸、牛脸和驴脸。中间的马脸先被蒙住了，牛拧着脖子瞅了瞅，眼泪大量地流了下来。驴也看见了，冲人群外围的朝阳大吼起来，声音直勾勾的，而且拉出一串黑黑的驴粪蛋子。驴叫声震得天地觳觫，人心不安，于是人们自然加快了节奏，三伙人一致行动，次第用力，将事先套在牲口蹄子上的绳子横向一拉，毫无防备的牲口们就突然轻如鸿毛，腾空摔倒，砸起三片呛鼻的烟尘，烟尘下面，牛、马、驴都是一模一样的姿势，四个蹄子全都可怜地兜在绳索里，鸡爪子一样徒劳地伸向了高空……

“新任灰汉上场!”村长喊。

人们立即就肃静了下来。

银锁穿着一件灰色的长衫，戴着青面獠牙的面具，跟在几位老人身后，款款走来。他的脚步有些凌乱，内八字变得更明显了。大家知道，银锁做灰汉之前连鸡鸭都不敢杀的，现在却要杀一头牛、一匹马、一只驴!

银锁站在牛面前，面具有效地抹去了他平时的愚弱模样，令他显得威猛无比，但是，他把头拧来拧去，在寻找自己的妈妈。

没找见妈妈，银锁心里很慌。

这时，有人把专用的刀子递给了银锁。那刀子接近三尺长，很吓人，刃子刚磨过，细幽幽的，令银锁想起妈妈的头发丝。

银锁把刀子举在手上。

妈妈看见了，心想，应该提着!

银锁举着刀，还在找妈妈。

有人将一根绳子穿入牛鼻子，用力拽绳子，牛嘴就张开了，另有人将一根铁棍塞入牛嘴，整个牛头像铜铸一般稳定了下来。

“灰汉，请动手吧!”村长向银锁鞠了一躬。

银锁也向村长微微鞠了一躬。

之后，银锁把手中的刀子缓缓放下来，用双手握住，指向牛脖子，刀尖先滑出两寸褶皱，令人们感到了牛脖子的良好弹力，接着刀尖便过于猛烈地捅进去了，一边摇晃着，一边陷向深处……那血，热乎乎的，先是急急地喷，再是缓缓地流，有些落在地上了，有些径直漫向刀柄，染红了银锁的手……牛哞声并不高亢，却不屈不挠，给新任灰汉以巨大威胁，直到血流大大减少，刀子的压力骤然减轻……

最后，人们看见银锁脚底下湿漉漉的，冒着缕缕热气。银锁遗尿了！银锁的妈妈也看见了,儿子杀了牛,但是,儿子遗尿了。

哈哈哈……哈哈哈……

有人在喊:“一摊稀屎!”

有人跟着喊:“窝囊废一个!”

有人低语:“这娃太瓤了!”

银锁并不知道人们在笑什么喊什么,敬业地提着红刀子,走向一旁的马,嗒、嗒、嗒,大血滴从刀尖上黏黏地滑下去了。

妈妈本想坚持看完,却突然不想看下去了,迈着小脚跑回近旁的家里,推上院门,回过身,软软地跪在门廊里,泪如雨下。

“他爸,千万别埋怨我!”

“列祖列宗,原谅我们孤儿寡母啊!”

“这娃只有做灰汉的命了!”

几分钟后,银锁的脚步声响回来了。

妈妈急忙站起来,擦去眼泪。

银锁推开门,仍然戴着能吓死人的面具,手上提着红红的刀子。银锁站在妈妈面前,本想取下面具,和她说些话的,却终于没取也没说,快步穿过宽大的院子,推门进了堂屋,然后凶狠地关上双扇门,还关上了窗户。

妈妈跟过来,在门外偷听。

妈妈大声说:“把裤子给我。”

里面没有任何声音。

“听见没有,把裤子给我。”妈妈敲敲门。

里面还是没任何声音。

妈妈想起银锁手上有刀,很害怕,继续敲门。

窗户突然打开了。

银锁的棉裤飞出来,落在台阶上。

妈妈提着棉裤去了厨房。

妈妈找到一根棍子,勾着头在灶膛里搅来搅去,看见灰堆里有小火星明灭闪烁,便找来簸箕,撮出一堆蓬松的细灰,先把明明灭灭的火星拍灭,再把银锁尿湿的棉裤埋进去,果然,很快就闻到了一股子浓浓的尿臊味。

“硬邦人谁愿意做灰汉?”

妈妈半仰着脸自言自语。

瞎马

次年开春时节,生产队要分牲口。牲口少,农户多,只能每两户"合饲"一只牲口。至于谁家和谁家合饲?只好自愿组合了。

没人愿意和银锁家合饲。

分到最后,剩下两户人、一匹马。一匹瞎了一只眼睛的老母马。为什么没人要?不因为瞎也不因为老,而是因为此马身坯魁伟,胃口大,能吃,极费草料,考虑到这一点,一匹马之外还搭了一亩苜蓿地,还是没人要。

另一户,既不想和银锁母子合饲,又不想要瞎马,抢先选了苜蓿地。不要牲口,只要苜蓿地,苜蓿是次要的,关键是地。

银锁家只好牵走瞎马。

这明显是欺负人,妈妈哭着说:"你哥要在,就不一样了。"银锁明白妈妈的意思,自己心里也很愧疚,只好默默"认瓤"。

瞎马和灰汉,很像是天生的"一对"。一高一矮,一重一轻,一个是半瞎的牲口一个是半傻的灰汉,无论怎么看都像"一对"。

瞎马从村中央走过时,脚步声响当当,马蹄子打击着地面,令人振奋,周围的人一听就知道,是灰汉银锁牵着瞎马过去了。

到了夏天,四处的青草长高了,西沟深处的草,更是长得凶巴巴的。忙完农活之后,银锁就牵着瞎马离开村子去放马。

在村子里,银锁从来都是牵着马走路,从来不会骑在马身上,他知道自己是灰汉,灰汉就该是呆头呆脑的样子。可是,离开村子后,银锁就不管那么多了,他会骑在马身上,双腿给瞎马一个信号,身材宽大的瞎马就会立即张开四蹄奔跑起来,飞一样地向前冲去,眨眼之间,就到了一个完全陌生的地方。村里的男人都会骑马,银锁也是生来会骑马,而且也会不由自主地吟唱那么两句祖传的歌谣:

天空在下雪
我们在赶路
……

他记得放羊的时候,爸爸也总是这么哼哼,简单的歌词,舒缓的旋律,往复轮回,不停地唱下去,不在乎天空是否在下雪。

离开村子去放马,令银锁的世界变得无限开阔了。干完农活,他总喜欢骑着马,向西(西沟)或向东(东沟),一口气跑到四顾无人的地方再停下来,听着瞎马咯嘣咯嘣吃草的声音，漫无边际地想着随风流入脑海的人和事，比如死去好多年的爸爸，远走高飞的哥哥以及早就不知调往何处的谷老师……

有一次，瞎马在吃草，银锁光着脚躺在柳树下乘凉，突然脚心凉酥酥的，抬头一看，是一只大黑狗，它垂着红艳艳的舌头站在他的双脚前。他吓了一跳，极为小心地撑住地坐起来。黑狗却没有攻击他的意思，他站起来，它便扬起头看他，仿佛有求于他。他环顾四周，没看到任何人，竟意外想起了自己遗尿的一幕。他的心突然怦怦直跳。他心里冒出一个热望：我不是窝囊废，不信我打死这狗试试！

他一直在寻找这样的机会，而此刻，周围没任何人，这狗是自己找来送死的！他过去解下马辔，提在手上回到黑狗身边，黑狗有些警惕，身子后缩，尾巴低垂，发出混沌的低吠，他试探着蹲下来，抚摸黑狗光滑的脊背，成功地让它的身体松弛下来，它开始摇尾巴了，他把缰绳搭在它脖子上，看它没反映，进而系上扣子，牵着它来到树底下，突然光着脚爬上树去，缰绳的长度不够用了，黑狗开始尖叫，声音迅速变得沙哑起来，他把手中的缰绳搭在树枝上，用力向下拉，黑狗的身体呈现出站立的姿势，后腿乱蹬，紧接着整个身体就悬空了，身子仍在一纵一纵，凶狠地撞向树干……

他拴好绳子跳下去。

他从地上拣起一根棍子，照准弓着腰的狗身子一顿猛抽，一边抽一边念叨："不信我是一摊稀屎！不信我是一个窝囊废！"

黑狗始终哀号不已。

他突然想起来，应该直接砸狗头。前两年，村里经常有人喊："谁反对毛主席，我就砸烂谁的狗头！"说明砸狗头肯定是杀狗的诀窍。嘭、嘭、嘭，一下、两下、三下，三下之后，狗就死了。狗不叫了，身子一颤一颤。

他瘫坐在草丛里，喘着气。

这一次，他没有遗尿！

他笑出了声音和眼泪，哈哈哈……

他看见瞎马在几米外抬头入神地看着他，目光冰冷，他心里突然怕极了，急忙上树解下绳子，丢下狗，一溜烟逃回海棠。

倒是没有任何坏事情发生。

他想，心里藏一个秘密，够了。

可是几天后再去放马的时候，忍不住想带上那把刀子，那把灰汉专用的长刀子。他相信，村里很快会有人用得着灰汉的。他很想把手上的功夫练好，很想做一个硬邦邦的灰汉。他还顺便带上了一根长长的麻绳。

他遇见了另一只狗，一只花狗。和黑狗一样，花狗不咬他，一味地向他摇尾巴，见了他就像亲人一样。听说狗的鼻子灵，嗅见谁身上有杀气就会主动巴结谁，看来真是如此。那么，在狗眼里，我银锁已经是一个标准的灰汉了。哼哼，他心里发出怪笑。这一次他改进了方法，把花狗吊起来后，直接"砸狗头"，然后再改用刀子——像上次杀牛杀马杀驴那样，直接将刀子刺入喉咙。花狗流尽了血，死了。

银锁终于看清了死，比活着简单多了。活着要复杂无数倍，活着有可能遗尿，有可能娶不上媳妇，有可能连灰汉都做不好。而死多简单，简单得像"一"。他压根没体会到做了件事情，花狗就变成一条死狗，他看了看四周，除了他自己，就是树和鸟、太阳和风，所以，他决定剥狗皮，他见过爸爸剥羊皮，把拳头塞进皮和肉之间，左手拽皮，右手攥成拳头一拳一拳捣下去，皮和肉就刺啦刺啦地分开了，那声音好听极了，手上还不沾一滴血……可惜的是，他还没机会试试手，爸爸就走了。

银锁跪在草丛里，开始剥狗皮。把脖子上的那道伤口挑通，越过腹部，直接冲着屁眼而去。用刀子一下子画出一条直线，这是剥皮的第一步，也是最美妙的一步，就像他小时候帮谷老师办黑板报，无论直线曲线，一笔就能画出来。接下来怎么办？他想起来了，接下来应该是"挑四梢"——这是爸爸剥羊皮的说法，"挑四梢"就是再把四个蹄子挑开，一直通向腹部。最后，银锁学着爸爸的样子，把血红的刀子像笛子一样咬在嘴上，开始用手，一边拽一边捣，这两个动作还真的够用了……

这一次，他体会很深。

他甚至担心自己会上瘾。

他带着一条狗腿回了家，妈妈问哪来的？他说，他帮人家杀了狗，人家送他一条狗腿，他让妈妈赶紧做饭煮肉，他饿死了。

狗肉煮熟了，香喷喷的。

他把狗肉啃得干干净净，得意地对妈妈说："你看，我啃过的骨头，狗都不啃。"妈妈一看，笑着说："没你爸爸啃得干净。"银锁听了很不高兴，心想，我就不信我啃骨头也啃不过别人！妈妈把狗骨头扔了，他对她恶狠狠地喊："别扔，我有用。"妈妈问："有啥用？"他说："反正有用。"妈妈就把骨头还给他。

他拿着骨头瞅了瞅，决定用小楷笔在上面画一只狗，要尽可能画得像那只花狗！妈的，以后每动一次刀子都要留一根骨头！

狗骨头里果然就映出一只花狗，卧在草丛里，伤心地看着远方，身上有黑有白，似乎能听到凄凉的秋风从草丛里刮过……

这是一个发现，他的才能并没有完全丢失，他还会画画，他急忙拿去让妈妈看。妈妈却说："二十几的人了，干点儿正事吧！"

妈妈有一脸的恨铁不成钢。

他心里凉了半截子，他后悔让妈妈看了，妈妈的意思他明白，和外人没两样，无非是：你这个人怎么就长不大？你以为你还是十二岁呀，和你一起长大的人都当爸爸了，你呢？你连个灰汉都当不硬邦，你还能干什么？

骡驹

这年春节，瞎马产下一只骡驹。

当时没人愿意要瞎马，除了嫌它胃口大、费草料之外，更是估计，以它的岁口，十有八九怀不上驹了。"算计的算不过不算计的。"事实再一次证明了这一点，同时还证明了：傻人有傻福。清明节前后，栗色的小骡驹就已经满村子乱跑了，银锁每次拉着瞎马去河湾饮马时，小骡驹总是蹦蹦跳跳地跟在旁边，要么就撒着欢跑出去很远，再往回跑，要么躲在后面久久不露面，突然又冲出来，挡在瞎马身前，等妈妈低头舔自己。这个世界的内心是什么，小家伙显然完全不知道，只知道蹦呀跳呀……

如果放在土改那一年，一匹马加一只驴，有资格划成中农，地主、富农，下来就是中农，中农下去还有贫农、雇农等等。

所以，妈妈开始张罗着给银锁说媳妇了。妈妈相信，用一匹老马或一头小骡驹换一个女人应该够了。如果是本村外来户张木头家的傻婆娘小娥就更是绰绰有余。要说傻，小娥那才是真傻，整天连鼻涕都擦不净，看人总是斜着一只眼睛，走起路来像只母鸭，两个奶子抖成那样子，还经常把一张脸画得花红柳绿。全村就这么一个傻女子，前些年还嫁给三皂的一个哑巴了。三年内生了一双儿女，哑巴丈夫出车祸死了。一个只会吃饭不会干活的傻婆娘留在家里没啥用了，就被人家打发回来了。

可是银锁看得上小娥吗？

妈妈知道儿子肯定看不上的。儿子并不承认自己有多傻。儿子一直觉得，自己被选为灰汉是冤枉，是因为家里没有个硬邦人。如果爸爸和哥哥有一个人在家，如果妈妈不是那么没用，都不会把自己选为灰汉。

妈妈终于还是问了银锁。

银锁说："我不结婚。"

妈妈说："你不结婚，我怎么抱孙子？"

银锁说："有我哥呢。"

妈妈说："你哥是你哥，你是你。"

银锁说："别说了，反正我不要，打死也不要！"

妈妈就没敢再说下去。

隔了两天，妈妈自言自语："聪明能干的女子多了，傻女子就眼前这一个。"

银锁听见了，厉声问："你是啥意思？"

妈妈的脸被银锁的声音吓黄了，一个字都不敢再说。妈妈知道，银锁最怕听到

“傻”这个字的，更别说娶个傻媳妇回来了。

转眼又过了两天，中午，妈妈在堂屋小睡了一会儿，梦见了银锁的爸爸，他坐在她旁边一言不发，脸上的愁容像一封信一样明白无误，原来死人和活人愁的事情一模一样！哪个娃娃瓤，心思就总是拴在哪个娃娃身上。妈妈醒来后看见银锁呆坐在院门下，正要说刚才的梦，银锁倒先开口了：“我爸爸刚来过。”

妈妈问：“你咋知道的？”

银锁说：“反正，我知道。”

妈妈看见了银锁脚下的“鬼烟”。

妈妈叹一口气，说：“我刚才也梦见你爸了，他坐在我旁边一声不吭，我问，你有啥心事？你爸说，发愁咱们银锁娶不上媳妇。”

银锁说：“那就随你们便吧。”

说罢，就杳然离去。

妈妈急忙找人摸了两人的属相，一猪一狗，很配，接着请了媒人，带上礼品进了张木头家，张木头一家笑得合不拢嘴，原来张木头同样盯上银锁了，张木头的想法一目了然：银锁背着傻瓜的名，其实并不算傻，再说人家是灰汉，好坏有个身份，从实惠的角度说，一个灰汉相当于一个杀猪匠，时不时能挣一份杀猪钱，还有更重要的，银锁的哥哥金斗当兵两三年了，听说已经是副连长了，有可能爬得更高。再加上瞎马刚下了个小骡驹，如果聘礼真是小骡驹，那实在是天下掉馅饼的事。

当然是一拍即合了。

对方提出的彩礼不是别的，正是小骡驹。小娥可以先嫁过去，小骡驹倒不急，让它继续跟着大马，等满周岁了再接过来。

订过婚之后，妈妈催银锁给哥哥金斗写封信，银锁想了半天，却说：“不知道咋写。”妈妈就说：“那来吧，我说你写。”

金斗我儿：

你好吗？妈妈想你，银锁也想你。银锁最近要结婚了，你要是有空，就回来一趟，要是没空，就寄一张照片回来。

最后这句话原本是要钱的，临时换成了照片。妈妈和银锁百分之百相信，哥哥看到信，人如果回不来，一定会寄钱回来的。

半个月后，金斗回来了。

金斗的口音变了，性格也变了，变得老成稳重了，话少了，笑容也少了，一个过去“五伦不入”的人，这样的变化当然是巨大的，令人难以接受。看见村里人，虽然不失亲切，却是暗含冰冷的一种亲切。人多嘴杂，议论很多，只有个别人切中要害：“任命弟弟银锁为灰汉，其实是没把当哥哥的放在眼里。”

金斗在家里只能待三天，他果断决定，在剩下的两天时间内把弟弟的婚事办了。金斗亲自找阴阳先生看日子，阴阳先生笑着说："日日是吉日。"于是，由阴阳先生本人带上自己三个徒弟，当晚就请来各方神圣——佛祖、观音、玉皇大帝、王母娘娘、土地神、灶神、财神以及列祖列宗，开始供饭、焚香、诵经。同时，宰猪、杀鸡、搭棚子、蒸馒头、借碗筷、写对联、缝制被褥、买烟买酒……各项事务都于当晚开始了。总之，金斗的心意是：弟弟虽然是娶一个傻媳妇，婚事绝不能草率。

村里有讲究，红事用红筷子，白事用白筷子，新媳妇娶进门时，要故意把一双红筷子扔在洞房门口，再由某个男人用脚踩住，等新媳妇弯腰捡。如何顺利从脚底下捡起筷子？能看出新媳妇的应对能力以及气质风度。

小娥的气质风度还用检验吗？妈妈提出取消这一条，主事者说，办喜事要的就是闹，检验气质风度是次要的，闹是主要的。

小娥来了，经过打扮，头上又半遮着红纱巾，还有伴娘暗暗使劲，令小娥看上去竟有几分娇羞迷人的味道。到了洞房门口，伴娘把心急的小娥拉住，指了指脚下，小娥便看见了地上的红筷子，弯下腰正要捡，一双大脚已经结结实实踩上去了！小娥抓住筷子的一端，使劲往外拉，筷子纹丝不动，小娥有些生气，大喊："臭脚拿开！"人家继续踩着不动，小娥急中生智，在那人的脚踝上狠狠掐了一把，那人急忙提起大脚，单腿在院里一跳一跳，哎呀个不停，小娥顺利拿到筷子，交给伴娘。

"掐得好掐得好！"有人起哄。

"快送我上医院啊。"那人还在跳。

哈哈哈，哈哈哈……在人们的笑闹声中，身着军装的金斗转身走了。银锁刚好看见了这一幕，尤其看见了哥哥难过的样子。

当晚，客人散尽后，小娥成了银锁的老师，教银锁完成了那事。小娥叫床的声音很凶猛，妈妈听见了，哥哥金斗也听见了。

早晨起来，银锁觉得，整个世界都变了。阳光还是原来的阳光，但里面好像对了过多的金粉，看上去像画家画出来的。矮墙还是原来的矮墙，但矮墙后面的小树顶上，一只好看的绿蜻蜓在静静地休息，突然又飞起来了，在风里面立即又转了向。天空瓦蓝，那种蓝，又陌生又亲切，非常陌生，又非常亲切，就像他刚刚见识过的某个世界，非常美丽，又非常普通，非常美丽和非常普通竟然可以是同一样东西。他奇怪，自己竟然从那个世界里出来了，他想不通自己为什么舍得出来？他应该一直待在那儿才对，吃喝拉撒睡全在那儿！这时候他才怀疑自己可能是傻了，可能是傻了！

金斗说："我今天要走。"

银锁说："我去送你。"

银锁心里其实很不想送，送到镇子上，一来一回起码半天，他好想待在那个非常美丽又非常普通的世界里，永不出来。

大家来给金斗送行，唯独不见新媳妇小娥，妈妈大声喊："小娥，小娥……"仍然不见小娥的人影，银锁红着脸说："走吧。"

就拖拖拉拉向村口走去。

到了村口，好不容易才把一大堆送行的人劝住了。只剩下兄弟二人了。但是，兄弟二人以前就没多少话说，现在更没话了。

转眼一半路都走过去了。

"结了婚，就真的长大了，把妈妈照顾好。"金斗说，银锁不喜欢这话，却不知道如何回答，就反过来问哥哥："你啥时候把妈妈接出去享享福？"哥哥警惕地问："刚结婚就想把妈妈踢走呀？"弟弟的脸唰地红了，忙说："没有没有，我可没那个意思。"哥哥笑了，说："你没那个意思我相信，你那个傻婆娘可难说。"弟弟心里猛地一沉，差点儿要把哥哥的行李扔下不走了，除非哥哥把"傻"字拿掉，终归没那样的性子，只能是想想而已，接下来便闷声跟在哥哥身后，半句话都不说了。

到了车站，哥哥说："有些事，我对不起你。"

弟弟看着哥哥，表情恍惚。

哥哥又说："陷害谷老师的事是我干的，我专门穿着你的鞋，给你栽赃。那之后你的学习成绩就一落千丈。后来给书记叫魂的应该是我，我跑了，你一个人转来转去给书记叫魂，把人家的魂叫来了，把自己的魂叫丢了。"

弟弟似乎很怕哥哥说这些。

哥哥说："那时候咱们都太小，太贪玩，后来长大了，明白了，却来不及挽回了。我千方百计去当兵，其实是为了逃避。"

弟弟的眼睛有些湿了。

哥哥说："当了兵，又听说你成了狗屁灰汉，我心里就更他妈的难受了，连续几年没回家，就是因为不想看见这帮狗杂种。"

弟弟低下头，踢着脚底下的碎石子。这种时候，他才由衷地相信自己真是傻，需要说几句光堂话的时候，啥屁都放不出一个。

车来了，喇叭像迅雷，劈面而来，银锁的心一下子松开了，金斗却有些紧迫感，从口袋里摸出早就放好的二十块钱，递给银锁。银锁没犹豫，伸手接了。轿子车的车头昂然亮相，接着整个车厢像画轴一样徐徐展开。

哥哥说："给我写信！"

弟弟点头。

哥哥说："自己写，写你自己的话！"

弟弟还是点头。

哥哥说："别光点头，说话呀！"

弟弟又点头。

小 娥

送走哥哥，银锁一转身就想起了小娥。事实上他的身体自动惦记着小娥，一刻也没停，里里外外一径在说话：“怎么那么好！”

是呀，他完全想不到小娥是一个世界。不是一个女人，更不是一个傻女人，而是一个世界。其实他有一个巨大的秘密：他曾经好几次梦见过小娥，梦见他把她领到草垛后面，把她睡了。梦里面的小娥总是很听话，乖得很，要啥给啥。妈妈突然提起小娥，他着实吓了一跳，头上冒出一层汗。他对妈妈说“打死也不要”的时候，心里有个如意算盘：和小娥在梦里面见面就够了，梦里面他已经什么事都干了，用不着娶回家了。娶回家还要背一个傻瓜娶傻瓜的坏名声。在梦里面悄悄睡她，又安全又省事又不失面子。他哪里能想到，和真正的小娥相比，梦里面那是屁，而且是一个小屁。真正的小娥是一个不得了的世界，那里面堆纱叠皱，山高水长，好得不得了！如果梦里面的小娥和昨晚上的小娥，都是一间房子的话，那么，梦里面的房子是空的，是空房子，昨晚上的房子里，藏着太多太多的金银财宝。现在，他的手，他的脚，他的肚子，他身体的每一部分，不能不随时重复着一句话：“怎么那么好！”如果不担心别人说他傻，他真会逢人就问：“她怎么那么好？”或者问天上的飞鸟、地上的爬虫：“你们告诉我，她怎么就那么好？”

他已经认为，小娥只能是自己的老婆。小娥是老天爷看着我银锁的样子专门制造的。别人嫌弃她，唯独我银锁不能嫌弃她。

银锁进了商店，用哥哥给的钱买了一双胶皮底的布鞋，打算送给老丈人张木头，还称了半斤水果糖，心想妈妈和小娥各一半。

回到村子，银锁打算瞒过妈妈，就直接进了村口的老丈人家，说：“姨父，这双鞋给你。”张木头还没反应过来，银锁已经跑掉了。

就这样，这对夫妻在婚后第一天便进行了一次完美的合作，给了大家两个漂亮的理由——说他们是“一对傻夫妻”的理由。

先说小娥，吃过早饭去撒尿，一看茅坑里蹲着个人，回来憋了一会儿再去，又蹲着个人，一想自己家离得不远，就回去了。家里人问：“你怎么现在回来了？第三天回门才能回来！”她闷声说：“我回来上个厕所还不行？”

再说银锁，还没等到回门的一天，就已经烧包得不行了，提着一双新鞋去孝敬老丈人，就差跪在地上给张木头舔鞋底了！

此等例子后来就越来越多。

比如：银锁买回来的半斤水果糖，并没像他计划的那样，妈妈和小娥一人一半，而是只给了妈妈两颗，其余都给小娥了。小娥的糖，小娥舍不得一个人吃，拿出去发给大家了,目的是告诉大家:“银锁对我有多好!”

太疼老婆的男人是没地位的,大家会群起而攻之:“没出息!”这么瓤的男人,女人都不喜欢。可想而知,那半斤水果糖的坏作用有多大。这让大家进一步看清,银锁是一个多么没出息的男人,他也只有做灰汉的命。

而银锁并非不想“有出息”。

几天后,银锁发现,他送给老丈人的那双胶鞋回到自己家了,戳在粮食柜里,他抽出来先问妈妈,妈妈摇头,再问小娥,小娥老实承认:“我拿回来了。”银锁问:“谁让你拿回来的?”小娥还是老实承认:“我自己偷偷拿回来的。”银锁又可笑又可气,故意端着架子大吼一声:“不像话!”小娥勾着头、斜着一只眼睛、衔着涎水说:“我想拿回来让你穿……我……我又不会做鞋!”银锁心里揪了一下,很想把小娥抱在怀里,可是,他实在不想老是“没出息”,再说这双鞋的下落必须有个交代,于是,银锁一把揪住小娥的黑头发,把小娥扯出家门。小娥大哭不止,却不反抗。银锁一个动作把小娥扯到大路上,再扯到小路上,一直扯到张木头的炕头,冲张木头大喊:“看看你养的啥女儿,把我给你买的鞋偷回去了!”张木头不说话,只是嘿嘿笑,笑完了应付着说:“我的女儿我知道,你别生气,你把她放下,我好好熟她的皮。”银锁气咻咻地回到家,意外想起张木头的表情和语气,才明白张木头明明是把他当成傻女婿哄走了,他还在傻乐呵。

但总算当众硬邦了一回!

这之后的某一天,灰汉银锁被人请去杀了一只驴,带回来一块肉。“天上龙肉,地上驴肉。”妈妈做好后,一家三口好好吃了一顿。妈妈还偷偷给儿子留了几疙瘩肉,没想到一夜之间竟没了,肯定不是猫吃了,肯定是又傻又懒又馋的儿媳妇吃了,妈妈想都没想就告诉了银锁。银锁一听就明白,妈妈希望自己把小娥教训一顿。但是,银锁后来有些想通了,无论如何自己是洗不掉“傻瓜”的名声了,还不如由它去,老婆虽然比自己更傻,又的确有点儿懒有点儿馋,不过他不打算再扯她的头发了。

这可怎么办?妈妈的面子又不能不给。哈哈,有了!银锁想起了小时候,哥哥经常在地上画一个圆圈让弟弟站进去,说:“不许擅自离开。”银锁决定借过来一用。银锁把手伸进灶眼里,抓了一大把灶灰出来,再来到院中央,弓下腰撒了一圈,就撒出一个圆圆的圆圈。银锁一笑,心想画圈没人比得上我!

“小娥你给我过来!”

小娥用母鸭的样子跑来了。

“进去,站着别动!”

小娥乖乖走进圈里,双手并齐,站下来。

“好好站着,不许擅自离开!”

小娥问:“站到啥时候?”

银锁想了想，摸摸头说："等我头发长长了再离开。"

当时银锁刚刚剃了光头。

小娥看着银锁的光头，问："要是等不住呢？"

银锁说："等不住也得等！"

银锁狠狠跺着脚，唾沫星子乱溅。

银锁看见妈妈的脸在堂屋窗口闪了一下。

银锁喊："你这个女人，又懒又馋又笨，还傻！你想想你狗日的除了会饮马，会烧炕，还会干啥？会炒菜吗？会烙馍馍吗？"

小娥低头说："我会养娃！"

银锁问："你说啥？"

小娥没有把握地说："我还会养娃呢……"

银锁没声了，的确是呀，小娥给前面的男人养了一儿一女，还都"不傻"，眼下人家的肚子又微微隆起来了，起码三个月了。

小娥听到银锁的声音，有些得意，斜着眼睛偷着看银锁，不由地流下了涎水，银锁正不知该怎么办，妈妈的脸露出窗户。

"这一次饶了她吧！"妈妈说。

"不行，你饶我不饶！"银锁跺着脚。

"你嘴上不饶，心里早饶了。"妈妈一笑。

小娥背对着妈妈，没看见妈妈笑。

被妈妈轻易识破了心思，银锁头上渗出了细汗。

"我没说错吧！"妈妈问。

"我不管了，你看着办吧。"银锁说。

银锁一摔院门，躲出去了。

妈妈一看，小娥站在圈里没挪窝。

"好了，出来吧。"

小娥拧拧屁股，继续站着。

"哎哟，我让你出来你偏要站着？"

小娥还是定定站着。

"你真要等他的头发长长呀？"

小娥不吭声也不离开。

等银锁去洋芋地里转了一趟回来，看见小娥还站在院中央，几只小鸡在她脚底下啄来啄去，早把灶灰踢得到处都是了。

妈妈在厨房里蒸新麦面的馒头，正巧刚刚揭开锅盖，浓浓的雾气喷射出来，带着甜甜的味道，快把屋顶撞开了。银锁假装没看见小娥，进了厨房，悄声问妈妈："怎么还站着？"妈妈同样悄声说："等你头发长长呢！"

母子俩在屋里窃笑起来。

院里的小娥分外伤心地哭了。

小娥站在圈里等银锁头发长长这件事情，经过银锁妈的添油加醋，成为“一对傻夫妻”的新证据，被邻居们广泛传颂开来。

令大家预料不到的是，银锁似乎对画圈罚站有些上瘾了，时不时会命令小娥站在圈里，不许擅自离开！地点已经不止于自家院内，有时候竟然会在田间地头，锄草的时候、割麦的时候、犁地的时候、挖洋芋的时候、掰玉米的时候，小娥稍有闪失，就会被银锁大吼一声，骂一句“日你妈”，然后用锹用铲用棍子用任何现成的工具，就地画一个圈，让小娥“快死进去！”而小娥就像中了邪，或者竟也似有了瘾，你让站我就站，你不说出来我就不出来，一开始会低头抠指甲缝里的垢，翻来覆去，抠得很细，趁银锁不注意，会坐下来，抠脚缝里的垢，抠完了接着站；有时候站得尿急了，四下里看看，如果没人，就脱下裤子，谨慎地蹲在边线内，就像蹲在月亮的边上……

也有人认为人家那哪是罚站？是调情！两个傻子特有的调情！有人亲眼见过，两人一个在圈外一个在圈内，在打山歌：

银锁：
白麻纸糊着窗亮子
风吹着喳哪哪地响呢
说起姑娘的模样儿
眼泪喳哪哪地淌呢

小娥：
爬不上墙的老嫖客
墙根里下了泪了
这一回走了就别来了
难肠着活不过帐了

银锁：
黄铜的烟瓶红铜的罩
当中装着一口水呢
十七十八的惹人爱
心疼着想给个嘴呢

小娥：
有钱的哥哥你来了

油馍馍青茶咱俩吃下睡了
没钱的哥哥你来了
一碗凉菜你吃下去吧
……

儿 子

有一次，银锁撅着屁股正要画圈，小娥用平素罕有的口气说："你不是罚我，是罚你儿子呢！"银锁立即愣住了，回头看着不像小娥的小娥，心里一惊一乍的。"你保证是儿子？"银锁问，小娥嘟着嘴答："肯定是儿子，头一个是儿子，第二个是女子，第三个又该是儿子了。"银锁禁不住笑了，说："有道理！"

一月后银锁就当了爸爸。

果然是一个胖儿子，而且是银锁自己接的生。男人亲自给婆娘接生，这也是这对傻夫妻连续弄出的无数笑话中的一个。

为什么是笑话？

因为，村里有讲究，女人的血是不干净的，男人最好别碰女人的血。男人给自家老婆接生，这种事情更是头一回听说。

怎么不叫你妈妈接生？

银锁如实答："来不及。"

那天银锁的妈妈刚好串门去了，小娥叫唤肚子疼的时候，已经没法子走路了。银锁赶紧把炕上的被子席子扯下来，再将事先准备好的一担白土倒上去，用双手铺开、抹平，再把实在是母鸭模样的小娥扶上炕，帮她脱了裤子，让她仰躺在白土上，没多久一个小黑脑袋就咔嚓一声喷出来了，眨眼间，白土已经血汪汪了，血的味道和土的味道混合起来，几乎硝烟弥漫。"是儿子吧？"满头是汗的小娥问，银锁一边剪脐带一边答："不是！"小娥说："骗人！"银锁把小家伙像兔子一样倒提起来，抖了抖，小娥看了一眼，眼睛就闭上了。银锁顾不上搭理小娥，赶紧用边上的白土清洗儿子的血身子……这是南山上的白土，就像碾碎的药面子，天生有消毒功能，比任何消毒剂都管用……

傻小娥生了个儿子，现在，所有人，包括银锁和小娥自己，开始关心另一个问题了：爸爸半傻、妈妈全傻，儿子有多傻？

于是就给儿子取一个贱名：脏狗。摆出一个低姿态，等他慢慢长大，看他能比"脏狗"好多少，最不济不就是"脏狗"一只吗？

脏狗一天天长大，三翻六坐，还算正常。满一岁时，能扶着墙走路，但显然"话迟"，你教他学任何话，他发出的声音都是"啊啊啊"。话迟有两种可能，一是贵人话迟，二是傻人话迟。按理说，各有一半的可能，可是大家却嘀咕，恐怕只有一种可能。直到接近两岁，脏狗终于勉强会叫妈妈、爸爸了，但怎么听怎么看都和机灵不沾边，不给关心他的人长精神，种种表现都在书写一个字：“瓤”。

“这娃还是瓤啊！”

“可能比银锁差，比小娥强。”

“不够做灰汉！”

这些话对小娥来说像天书，她基本听不懂，她只知道，想生儿子就生了儿子，这个本事除了她小娥有，别人没有。银锁则不一样，他觉得这些话像刀子一样，剐着他的心。他自己不得已做了灰汉，他是绝不想再养出一个灰汉儿子的。要傻就傻到底，千万别像我一个样，半傻不傻，说傻不傻，说不傻，傻！

山　水

一个晴朗无云的午后，南山背后的一场看不见的特大暴雨，酿成百年不遇的山水，沿着狭长的西沟高速流出，拐了一个急弯之后，进入海棠村和北山之间的河湾内，卷走了正在河湾里挑水、饮马、洗衣服，以及偶然经过的七八个人，包括一些牲口和鸡鸭……包括傻婆娘小娥，包括那匹胃口大极了的瞎马……

天空始终晴朗，比任何一天都晴朗，山水的凶蛮却迟迟不见减弱，说明暴雨的范围超出了想象。波光粼粼的山水表面有完整的麦垛缓缓移动，垛顶上要么卧着两三只鸡，要么盘着一两条蛇，都是郁郁寡欢的样子。一具裸尸的尖肚皮上站着一只红嘴乌鸦，抬头看着岸边，像一个孤独的乘客……最多的则是家具、棺材板、树木。有人发了横材，有人失魂落魄地沿河呼叫着亲人的名字，一路寻找下去。

连续两天，银锁早出晚归。妈妈迎上来，焦急地等他说话，他只是摇头。不过，次日傍晚，他带回来两根骨头，一根又粗又长，一根又细又短。粗的长的权当瞎马的，细的短的权当小娥的。吃过饭，银锁捧着油灯，带上小楷笔和墨汁，下到院拐角的洋芋窖里。洋芋窖深一丈有余，窖底的旧洋芋变得又蔫又小，寒气和霉味却肥腻腻的，立即把银锁包围起来。银锁站稳双脚，置好油灯，一抬头便看见了他的杰作——活在各自的一节骨头里的牛、马、骡子、驴，还有几只狗……它们个个都是谦恭柔顺的样子，也都是活灵活现，气息宛然！它们已经可以组成一个大家庭了，银锁便是这个大家庭里的家长。眼下银锁打算再补充两名家庭成员：瞎马和小娥。银锁闭眼想了想，打算先画瞎马，又想了想，打算让瞎马卧下，尽量卧舒坦些。银锁舔了舔狼毫笔的笔尖，再蘸上墨，几笔之后，瞎马就回来了，骨骼伟岸、姿态沉静的瞎马安卧在草地上，显然准备一卧不起，永远不再劳作了，永远不要怀驹了。接下来便是小娥——小娥该是站还是坐？哭还是笑？银锁又舔舔笔尖，舔黑了嘴唇，银锁抿着花嘴唇想了想，就像要得到冥冥中的启示。接着，银锁手中的狼毫笔就跳跃起来！银锁的手法很单一，无非是勾勒而已，勾出了形，也勾出了神。小娥比实际美丽了几分，站在花丛间，乐呵呵笑着，发髻上别着一朵野菊花……

银锁听见小娥在打山歌：

你在山来我在河
树叶堵着看不着
马路上的哥哥好心肠
冰糖放在枕头上
你不吃来我吃上
相思病害在你身上
……

银锁默默和小娥对打着山歌，不知不觉已是泪流满面了。直到妈妈在院里叫他，他才呀呀地应了一声，红着眼睛爬上去了。

第三天早晨，张木头家得到消息，小娥的尸体有了下落。小娥并没有随大流一直向东，在百里之外的县城归入渭河，而是一入东沟就拐了弯，沿着一条不起眼的斜沟漂呀漂，终于在那个名叫三皂的山村前停顿下来。

三皂有她的一双儿女，现在都有五六岁了。自从小娥被赶回娘家，改嫁银锁之后，双方就一直没有见过面。曾有人问小娥："想不想那边的一儿一女？"小娥干脆地说："不想。"可见小娥真是傻得没边没沿。但是，谁也没料到，小娥的尸体竟如此有灵性，没有顺流而去，而是曲曲折折回到了一双儿女面前。

张木头说："我去要人，人家不给。"

银锁问："他们凭啥不给？"

张木头说："人家打算把小娥埋进祖坟。"

银锁问："哼，早是干啥的？"

张木头说："听说坑都挖好了。"

银锁说："他们起码应该先来征求咱们的意见。"

张木头说："是呀，狗日的！"

消息传得很快，几分钟内，海棠村的老老少少都听说了，整个村子受到了莫大震荡，一致感叹，小娥这个傻婆娘，活着时窝窝囊囊，死了，竟上演了如此一幕，这一幕半是倔半是邪，倔得令人揪心，邪得让人动容！

听说三皂那边把小娥的尸体扣下了，已经挖好坑了，准备埋在头一个男人身旁，海棠这边一听就觉得不舒服，越想越不舒服，这里面如果有"疼"，那么，这疼不只是银锁一个人的，而是全村男女老少的，这是一个村子对另一个村子的公然挑战，无异于一个村子对另一个村子下了战书，不能不应啊！

走啊！

快走，把家伙带上！

走走走噢！

眨眼间，任何个人的态度都变得无足轻重了。一个村子有一个村子的大义。大义，并不像吃饭穿衣睡觉那样一刻都不能缺少，但是，总有那么一些关键的时刻，大义就突然浮出水面，变得比吃饭穿衣重要无数倍。大义涉及一个村子的荣誉和尊严，那些头人、那些村干部、那些硬邦人、那些常常出现在大伙前面的人，他们的存在，就是为了在关键的时刻挺身而出，维护大家共有的荣誉和尊严的。

人群黑压压拥向三皂。驼背张木头在前面带路，灰汉银锁被人群裹挟在中央。银锁心怦怦跳，怕得要死。银锁也在自责，我这么个人，实在是不该活着的。不如等会儿见了小娥，一头撞死在她旁边。那样自然是乱上添乱，但是，银锁相信，村里这些人是不怕乱的。越乱越能显出他们的聪明才智。村里每过一段时间就会有这么一两件事情发生，平时和大家一样持家务农的一些人，就一下子冒出来，显示出他们的硬邦、他们的威望、他们的才智，他们处理混乱局面的本事。再乱的事情他们也能处理好。只是，到了那边（成鬼之后）怎么办？小娥，小娥的头一个男人，我，我们三个人怎么办？我好办，我认瓤就得了，小娥怎么办？小娥将多么左右为难啊？那还是不死好！

海棠人没想到，三皂人比海棠人更心齐，他们得到消息后，迅速动员了数十人，候在村口，同样手持锄头、木棍、铁器。

双方形成有模有样的对峙。

适当的静场之后，海棠这边的头人出场了。头人是大个子，很魁梧，银锁这一辈人叫他大爸。大爸其实不老，穿着四个兜的中山装，戴着茶色的眼镜，他一走出去，大家就觉得心里踏实了很多。他把锄头交给身后的一个人，空着手大无畏地走过去。刚走出几步，又回头招手，让张木头和银锁跟在身后。

那边也迎出来几个人。

那边的人大声问："你们想闹事吗？"

大爸说："我们是来讲理的。"

"讲理？海棠人也懂得讲理吗？"

这话让海棠的群众大为不满，手中的工具立即乱舞起来。

大爸回头示意大家安静。

大爸问："道理明摆着，就像今天的天气一样，蓝是蓝绿是绿。"

三皂人哈哈大笑，底气很足。

海棠的群众有些汗颜，认为大爸的文绉绉无异于示弱。

"大爸，别跟他们啰唆！"

海棠人有习武的传统,多半男人小时候在自家院子里练过拳脚,有些男人成年后靠走乡串户教人打拳混光阴,光教人打打拳当然没意思,他们的拳脚已经生锈了,痒痒得厉害!他们大老远赶来当然不是要来讲理的,他们最瞧不上的就是卖嘴皮子,就是文绉绉。他们不要讲道理,他们要的是硬邦,是强大。

那边也不是吃屎的。

然而,两边终究都是有组织无纪律的散兵游勇,一接触就乱作一团,片刻之后便发展为一场标准的乌烟瘴气的民间械斗!

可是,银锁在哪儿?

银锁想起了年迈的妈妈和年幼的儿子,银锁坚定不移地认为,小娥可以死,我银锁不能死!我死了,妈妈怎么办?儿子怎么办?于是,银锁不管三七二十一,趁乱躲远,缩在一棵枝繁叶茂的核桃树后面,抱着头,全身猛烈发抖。后来战火渐渐蔓延到核桃树旁边,银锁干脆爬上树,躲在稠密的树叶后面。

不得了,死人了!

有人脑袋开花了,血喷了一地。

看样子还是海棠人。

"死人啦!"

"死人啦!"

这声音是惊惧,也是庆贺!

死人,至少死一个,这似乎正是双方暗暗期待的结果,现在好了,终于死了一个,该冷静了——两边的人同时冷静下来……

善　后

死者是银锁的一个堂弟,刚出五服,才十七岁。既然械斗是海棠人自己发起的,又实在不知道要命的一击是谁砸下的,派出所的处理意见只能是冷冰冰的四个字:后果自负。至于小娥的尸体,是留在三皂还是运回海棠?派出所的意见同样简明扼要:小娥死前是谁的老婆,谁就有权决定小娥尸体的去留。也就是说,银锁如果同意小娥的尸体留在三皂,那就留在三皂,如果不同意,那就搬回海棠。

该银锁拿主意了!

人人的主意都没银锁的主意重要,派出所的、头人的、村长的、张木头的,任何人都没有发言权,只有银锁一个人有。

全部目光一齐投向银锁。

目光很像无数根铁叉子,同时压在银锁脑门上,压瘪了他的脑袋,令他的两个眼珠子不得不外凸出来,很像鱼的眼睛,旧铜一般的松软头皮以一种可怕的样子上下扯动，似乎他真的有可能一言兴国、一言丧邦。

“喂，你说啊。”

“我？”

“对，就是你。”

“我……”

银锁在一瞬间里意外镇定下来，眼珠子不凸了，头皮不动了，语气像另一个人的：“让我说……还不如让小娥自己说！”

让小娥自己说？

银锁说：“小娥已经说过了，你们都看见了。”

银锁的语气令银锁自己都吃惊。

之后，银锁重新变得紧张起来。

他看见海棠人一致露出了失望的神情。三皂人简直不相信自己的耳朵。派出所的人也在狐疑。老丈人张木头气得浑身发抖。

“你最好说明白点儿！”

“不要含糊其词，把话说明白！”

“说呀，再说一遍！”

银锁的头皮就再一次扯动起来，银锁意识到自己有机会改口，有机会把说出去的话咽回来。但是，不知道怎么搞的，心里有一种蠢笨的坚持的力量，就像有时候骑车子，放着宽宽的路面在一旁，却偏向阴沟里骑。

“你是说，尸体留在三皂？”

“小娥自己找来了，那就留下吧。”

海棠人互换眼神后纷纷离场。

张木头犹豫了一下，也红着脸跟出去了。

现场只剩下银锁一个海棠人。

三皂人，有人向他竖了大拇指。

银锁有一种上当受骗的感觉，心里突然很难过、很生气。自己不小心说出的几句话，眼看着造成了不可更改的严重后果，小娥要永远留在人家的地盘上了。这么大的事情，为什么让我决定？不知道我脑子不够用吗？

银锁没看小娥最后一眼，独自走在回海棠的山路上。天气热极了，地底下的热气比天上的阳光还毒，上烘下烤，银锁觉得全身乏力，眼皮也抬不起来。这才想起连续跑了几天路，连续几晚上没合眼，就想倒头睡一觉。

银锁找了个山洞钻进去，随便躺在曾经躺过人的洞口，马上就睡着了。醒来后已经是半夜了，有月光从洞口照了进来。他想，现在回家最好，没人看见。他相信这次他把全海棠的人都惹了，海棠的每一个人都有可能把他吃了。派出所的人让他表态他就表态，把鸡毛当成令箭了。表态的瞬间他甚至有一个潜在的向往，尽可能让自己显得“不傻”，不给海棠丢人，让外人看到海棠人懂道理、讲感情。结果适得其反，海棠人全部离场，就剩下他一个人的时候，他才多少有些醒悟，却已经来不及了。事实再一次证明，他真是傻，不是脑壳里进屎了，而是脑浆原本就是一摊屎。

“我还能不能做灰汉？”

他突然竟有了这样一个疑问。

“我还能不能做灰汉？”

他真的在问，声音很大，月亮垂着脸看着他，不回答。等待月亮回答的瞬间他滑倒了，就干脆坐下来，坐在自己的影子里。

他呆坐着，耳朵里渺渺然有了哭声，和四处的鸡鸣狗吠合起来，虽然起自乡间，却有高高在上的味道，令他感到冷清极了。

他断定哭声来自海棠。

是呀，海棠该哭。

海棠死了一个十七岁的后生。

三皂那边却他妈的静悄悄，静得像洋芋窖里长了芽的洋芋，散发着寒意和霉味。银锁不由地冲着三皂的方向哀哀哭起来：

“小娥，没人给你哭啊！”

“小娥，你好可怜好可怜啊……”

“小娥呀，我对不起你啊……”

有狼叫声从不远处传过来：嗥——嗥——嗥——银锁立即安静下来，头皮一耸一耸，眼珠子外凸，双手紧紧攀住了地畔。狼叫声越来越近了，银锁发现自己除了拔腿跑掉，没有别的办法，但肯定不能跑，便只好展展地伏下身子，用双手堵住耳朵。这时他自然地想起了自己的灰汉生涯，自己杀了那么多生，到了遭报应的时候了。菩萨保佑，菩萨保佑！不知堵了多久，试探着取下手，周围有一些细微的声音，但那是安静本身发出的声音，连海棠那边的哭声都没了，月亮躲进一抹云影里去了。

多谢菩萨，多谢菩萨！

银锁朝着月亮磕头。

面 具

银锁的担心是多余的，没人不要他做灰汉。大家只是对他更冷淡了，看见他就像看见一摊稀屎。每次从人堆旁经过时，他总能感觉到他们在说什么。他相信，“瓤”和“傻”这两个字已经不够用了，他们现在用的词一定是“吃屎的”、“废物”、“狗不吃的”、“丢先人的”等等。好在几天后就有人请他杀牛。

那天早晨，他穿好灰色的长衫，戴好青面獠牙的面具，提上又窄又长的刀子，出门了。一出门，他就感觉到了神奇的变化，在他的脚底下，整个村子都在有节奏地一起一伏。有人冷不丁看见他，吓得慌忙扭转身子闪在一边。所有的女人都发出了尖叫。有个孩子吓得大哭起来。到了宰牛现场，有人点好香，恭敬地送进他手里，他稳步走向临时搭起的祭台，烧香、作揖、磕头。最后，白刀子进红刀子出。

提着滴血的刀子回家时，他发现，妈妈对自己的态度里也有了一点庄重。儿子脏狗流着鼻涕，咬着手，躲在奶奶身后，不敢走近他。他笑了，向儿子挥挥手，说："儿子，过来，过来。"儿子硬是不过来。他回到屋内，用小娥用过的镜子看自己，左看右看，终究不忍心脱下长衫摘下面具，也不忍心收起刀子。

他心里有一个声音：

没够！他妈的没杀够！

接下来的几天里，他每天都在期待重新穿着长衫，戴上面具，提上刀出门而去。他甚至屡次梦见白刀子进红刀子出的情景。

"老得太慢了！"

有一天他这样念叨。

他说的是村里的牲口。

刚说完这句话，就在河湾里碰见一个邻居，盯着自家的驴，驴站着，人坐着，人手上举着一根细细的长长的柳条，气鼓鼓的样子，驴尾巴上缠了一圈布带子，脖子两边还夹着木板，也是怄气的样子。人在怄驴的气，驴在怄人的气。银锁很好奇，站在驴旁边问："这驴，怎么啦？"邻居用柳条扫了扫驴肚子，说："骟了，骟了三四天了，伤口还没长好，正痒痒呢！"银锁蹲在邻居和驴的中间，打算仔细观察邻居要把驴怎么样。驴的四蹄明显发软，随时准备卧在地上，邻居就用柳条轻抽驴蹄子，不让它卧。"卧下后，会蹭着伤口。"邻居说。于是，驴只好继续站着，因为难受，用蹄子使劲刨土，刨起很大的灰尘。"死啊，站定，别动！"邻居骂。驴真的就站定不动了，要弯过头却弯不过来，用尾巴扫伤口，因为尾巴上缠着布条，尾巴就失去了刷子的作用。银锁看明白了，心想，做驴也不容易。银锁站起来要走，邻居笑着问他："你知道，为啥骟它？"银锁一听很不高兴，心想，太小看人了。银锁走出去好几米，邻居才说："骟了长命，能多活几年。"

银锁还真的不知道：骟了长命，能多活几年。银锁只知道，骟的另一个说法是"去势"。无论马、牛、驴、猪、狗、猫，骟了就去势了，就软了、瓤了、不胡来了。银锁从来不知道，骟的另一个目的是，为了多活几年！

银锁心里咕哝：怪不得！

几天后，这只刚刚长好伤口的驴就死在自家圈里了，被人用刀子捅死的。仅仅是脖子上挨了一刀而已，其他部位完好无缺。

半月后，又死了一匹马。

十天后，又是一头牛。

报案之后，来了几个警察，忙来忙去没给出任何结论。每次的情形都一样，只是杀死而已，并没有砍走一条腿，或者割去一只耳朵。不是为了吃肉又是为了什么？可以肯定是一个家伙干的。但是，这家伙是谁呢？

当然是他，灰汉银锁！有趣的是，没有任何人怀疑过银锁。村里的，邻村的，怀疑了很多人，都和银锁不沾边。这是因为，各种迹象表明，行凶者显然是一个行动敏捷、头脑冷静的家伙，连续杀了三只牲口，并没有留下明显的痕迹，这个人哪可能是傻子银锁？银锁又是灰汉，家家的牲口最终都要死在他手上。

该喜还是该忧？

银锁实在说不清。

恰是秋耕时节，银锁正用花钱雇来的牛，在北山顶上犁地。这牛显然也是看人下菜的，它发觉眼前这个男人没脾气，手上有鞭子，却不怎么用。于是，当银锁不小心把犁尖插得过深时，牛就故意犯浑，昂着头，耸着角，挺住不动。银锁挥鞭子抽牛屁股，牛这才兴奋了，使出蛮力，犁尖就在泥土中疾速潜行几米，接下来又停住了。银锁并不生气，扶着犁远眺山下的村子，看了几眼，不禁大笑起来。

笑完后，心平气和地说：

“事不过三，足了！”

脏狗

银锁的哥哥金斗在部队上干得不错，上了台阶，已经是正营级干部，在部队结了婚，婚后不久，把妈妈接去“享福了”。

家里只剩下银锁父子。

院门顶上钉上了一个黄色的铁皮牌子，写着四个字：革命军属。每隔几个月，银锁都会收到一张汇款单，去镇上取回来，顺便卖几样东西，茶叶、水果糖、橘子、西瓜之类，惹眼地提在手上，一甩一甩地回到村子，很令大家羡慕。很多人种完庄稼没事干，纷纷出门打工了，而银锁始终留在家里，种着自己的几亩地。用牲口的时候花钱雇，省得平时操心牧养。省下来的工夫，都用在儿子脏狗身上了。

脏狗到了十岁，还不能上学。去过几天，被学校退回来了。学校说，脏狗的智商只够四五岁的水平，放在学校，成了同学们欺负嘲笑的对象。银锁了解儿子的情况，没办法，就打算亲自教儿子识几个大字得了。

的确，十岁的人，整天只玩四五岁的游戏。从四五岁玩到十一二岁，仍然兴致不减。比如摔泥碗碗，从河湾里弄一堆泥回来，像揉面一样揉揉揉，揉得韧劲实足，做成一个海碗的样子，碗口朝下摔出去，一声干炸的空响之后，再看泥碗碗，已经破得像地图了，而耳膜里的嗡嗡声久久不散。再看儿子脏狗，浑身是泥，脸上也溅满鸡屎一样的泥点子，一副劳动模范的架势。再比如，把玉米穗子揪下来，贴在嘴角装老人，摇头晃脑，嘴里还诌着一些他自己也听不懂的说辞，自己演给自己看。又比如，把蜻蜓捉回来，关在一个罐头瓶子里，捉几只蚊子放进去。令脏狗始终想不通的是，蜻蜓原本是喜欢吃蚊子的，现在却似乎不认识蚊子了，只知道再三用头撞玻璃瓶子。脏狗就一遍一遍地问蜻蜓："喂，你傻了吗？你怎么不吃蚊子啊？"还常常缠着爸爸，让他解释，银锁高高在上地说："你把它关起来，它哪顾得上吃蚊子？"儿子睁大眼睛，似懂非懂。

也有一些方面，儿子令爸爸自愧不如，比如，把蝴蝶翅膀放在灯上烧焦，用开水把罐头瓶里的蜻蜓烫死，一刀剁掉鸡头……干这些事情，脏狗连眼睛都不眨一下，而银锁从小就是胆小鬼，从小就"瓤得很"。先是胆量瓤，后来智力也瓤了，成了"瓤上加瓤"。而脏狗这小子显然硬邦多了，有股子倔脾气。比如，银锁画个圈，罚脏狗站进去，"不许擅自离开"，脏狗要么不进去，要么迟早会擅自离开。

银锁挖空心思教脏狗画画，加减法，认字，都以失败告终，银锁得出结论，所有需要一点儿灵性的东西，儿子铁定学不会。

"这大概就是傻了。"银锁总是这样自言自语。此话的另一个含义是，我银锁根本不傻的，让我做灰汉，是天大的误会。

小娥被山洪冲走的那一年，银锁其实只有二十六岁，可以再想办法娶个女人，有两次机会，都错过了，一次是因为儿子，对方是一个死了丈夫的婆娘，不傻不呆，开始想来，后来改了主意，原因是："有个傻儿子。"

另一次是因为他的灰汉身份——外村有个女人，丈夫出门打工，七八年没消息，看得上银锁，也不嫌弃脏狗，但对方的条件是，只能做倒插门女婿，银锁自己同意，村里人不同意，因为银锁不是普通人，是灰汉！

"他妈的，狗屁灰汉！"

银锁气得把长衫和面具找出来，摔在院子里，用脚一通乱踩，把面具踩了个稀巴烂，随后又用几天工夫做出一个新面具。

一日清晨，银锁去给玉米地淌水，出门时儿子还在炕上熟睡，就锁了院门，中午回来时看见儿子坐在厨房门口，戴着新做的面具，穿着拖地的长衫，闷声不响，像一个恶鬼，把银锁吓了一跳，站在儿子面前的瞬间，银锁突然很生气，不是一般的生气，而是火冒三丈，银锁默默放下锹，找了根绳子，让儿子跟自己来。儿子不明白是福是祸，老老实实跟去了。空置很久的马厩里仍然有老瞎马留下的味道，银锁用力嗅了嗅，转身让儿子举起双手，儿子不肯，银锁大喊："听见没有？举起来！"儿子还是不举，银锁只好自己动手，把儿子的双手强行抓过来，拴在一起，然后把绳子的另一端吊在漏光的房梁上，便离开了。银锁心里知道，此刻吊在马厩里的，不光是儿子脏狗，还是灰汉银锁，因为，他并没有勒令儿子脱下长衫，取下面具。银锁坐在一块石头上，渐渐有些心虚。儿子狗东西竟一声不吭。银锁突然又跳起来，顺手捡了根柳条，重新冲进马厩。

“你狗日的想当灰汉？”

脏狗乖乖点头。

“好啊，我让你当！当！当！”

说到第二个“当”的时候，柔软的柳条已经抽过去了，左一下右一下，毫不含糊，儿子尽可能扭着身子躲闪着，看不到他的表情，只听见他“哎呀哎呀”叫个不停，直到银锁隐约看见了小娥的影子——小娥不顾死活，用身体护住儿子，他分不清挨打的是小娥还是儿子，终于才停下来，喘着气歪倒在马槽边。

“你真的想当灰汉？”

脏狗又点头了，一脸诚实。

“为啥？为啥想当灰汉？”

“当灰汉，威风！”

他站起来，踮起脚尖，愁眉紧锁，把头顶的绳子解开，帮儿子摘下面具，脱长衫的时候，才发现儿子的右胳膊脱臼了，面条一样晃来晃去。骑着自行车，带着儿子匆匆赶往镇医院的路上，银锁的心里又发痒了，又有了动刀子的愿望。于是，当晚，某家的一匹小马驹离奇死亡，还是老样子，脖子上挨了一刀，尸身完整无缺。人们想起了多年前的那个神秘杀手，家家户户开始暗中提防，准备捉拿凶手。

凶手却不再出现。

雪糕

一九九八年腊月初十的深夜，有人突然砸门，银锁推开堂屋窗子问：“谁啊？”外面的声音很焦急：“快开门，妈妈回来了。”银锁听出是哥哥金斗的声音，急忙跑出去打开门，看见门外停着一辆小车，却没听见妈妈吭一声。“妈妈！”银锁喊。“银……锁……”妈妈的声音明显病恹恹的，只剩下半口气了！银锁把妈妈背起来，一脚跨进院门，心里就踏实了。银锁当然明白，妈妈赶了几千里路，为了在自己家咽气。海棠人，临死的时候心里只有一个念头：回家。在自家门内咽了气，就万事大吉。

银锁把妈妈放倒在炕上最暖和的地方，妈妈说：“这炕热得很！”妈妈的腔调里有由衷的吟叹，“我十年没睡热炕了！”这话是用浅浅的哭腔说出来的，接着又迷糊过去了，金斗给银锁使眼色，银锁急忙跑出去喊阴阳先生。银锁离开后，老婆子又清醒过来了，问：“我的脏狗呢？”这时脏狗才爬在老婆子枕边叫：“奶奶……”老婆子眼睛一亮，看见孙子已经胡子拉碴的，眼泪就流下来了，脏狗抓住奶奶皱巴巴的手，问：“奶奶你不死吧？”透过这句话，奶奶知道这娃只是身体长大了，心眼还嫩。“人家要死呢!”奶奶说,脏狗一听急了,说:“奶奶你别死嘛!”奶奶说:“由不了奶奶。”

老婆子在炕上迷迷糊糊睡了三天,第三天半夜,突然又说话了,仍然是哭腔:“我要吃迎宾楼的雪糕!”只有金斗听懂了,金斗说:“迎宾楼在乌鲁木齐,迎宾楼的雪糕在乌鲁木齐很出名。”大家一听,全都哈哈大笑。

没人发现,脏狗不见了,脏狗正跑向伸手不见五指的河湾,扳了一大块冰,反身往回跑,没跑几步就摔倒了,摔了个狗吃屎,磕掉了一颗门牙,手上的冰还在,跑回家,红着嘴把冰放在奶奶手上,奶奶一下子就醒过来了,伸出舌头舔冰,舔了两三口便推开了,用万分陶醉的语气说:“迎宾楼的雪糕就是香啊!”

又是一阵哈哈大笑。

笑声中,老婆子咽气了。

咽了气就不能继续睡炕了。堂屋地上迅速支好停尸板,大家七手八脚把仍然有体温的老婆子转移过去,脸上掩一张软软的黄纸,头畔点上清油的长明灯,中间用一块布幔隔起来。金斗、银锁弟兄俩在第一时间里跪在布幔外面的麦柴上开始大哭。脏狗一时哭不出声来,被银锁狠狠掐了一把,才勉强哼哼起来。脏狗奇怪的不是奶奶死了,而是人们用一块白布把奶奶隔在了另一边,真是转眼就不认人了!

一阵混乱和悲怆消停之后,脏狗有机会偷偷摸进另一边,看见有一个人孤单单躺在那儿,面朝上,脸上的黄纸令他不相信那就是奶奶,他很想探个究竟,有点儿怕,但也不是很怕,他快步走过去,轻轻揭过黄纸,发现这张脸像奶奶,又和奶奶相差甚远,眼睛和嘴唇有用力闭紧的味道,面部表情像一种叫不上名字的鸟,正在飞翔途中,而且是持续向高空飞的样子,眼睛和嘴唇之所以用力闭紧,和风的摩擦有关!但是——眼角的一颗滴泪痣表明,这个人的确是奶奶,是奶奶,是十年前他吃过奶的奶奶,突然,他想起小时候捧着奶奶的奶头吃奶的情景,他好想知道奶奶的两个奶头还在不在,他好想再摸摸奶奶的奶头,他犹豫了片刻,就真的伸出左手,快速把左手塞进奶奶厚重的老衣下面,艰难地向上摸去,他摸着了,先是右边的,再是左边的,两个奶头,都软耷耷的,软里面还有硬,微微有点扎手,很像风干的葡萄,完全不是他记忆中暖融融甜蜜蜜的模样……

“奶奶呀,奶奶……”脏狗伤心地哭起来。脏狗的本意是默默哭两声,想不到竟完全放开了,声音里充满真切的哀恸。

有人拧住了他的耳朵。

他惊恐地回头,看见是爸爸。

银锁歪着嘴,把儿子揪出去,摁在麦柴上。

银锁又是摇头又是叹气。

金斗小声问:“怎么了?”

银锁小声答:“摸妈妈的奶头呢。”

金斗没生气,倒笑了。

银锁说:“你说怎么办?十六七的人啦!”

金斗说:“等着当灰汉呗!”

银锁心里大惊,想不到哥哥也会说这样的话。因为这句话,银锁觉得哥哥金斗在自己心目中的位置,大大降低。银锁发觉,兄弟俩的情分突然浅了。银锁相信,埋过妈妈之后,自己和哥哥恐怕不会再有多少联系了。

父 子

埋了妈妈,烧过一七纸,哥哥回部队了。家里重新剩下银锁父子。给妈妈烧一年纸、两年纸、三年纸的时候,哥哥金斗都没回来,哥哥来信说,争取五年纸回来,哥哥还告诉弟弟,自己升任副团长了。每过几个月,哥哥仍会寄钱回来。随着物价的上涨,钱的数额也一直在涨,从每次五十涨到每次二百。父子二人过着极为单一和乏味的生活,不结婚、不出外打工、不和人吵架、不害病、不拉债、不盖房……银锁被人请去做灰汉时,总是有意无意把脏狗带在身边,似乎有培养儿子成为继任人的意思。而脏狗,向来都是明确承认,打算将来接爸爸的班做新一代灰汉。大家尽管觉得以脏狗的情形,做灰汉还是欠一点儿,但也无妨,毕竟,脏狗具备了最主要的那些特点:

不横;

不赖;

不臊;

不臭(脏);

不抢;

不偷;

不嫖;

傻得偏多;

还算可爱。

然而,任何人都想不到的是,脏狗这么一个人,竟然能想到自杀,而且真的自杀了,用村里最流行的办法——喝农药。

那天银锁骑车子去镇上取哥哥寄来的钱,称了一斤猪肝、买了一瓶酒回来,准备父子俩好好吃一顿,一进门就闻见敌敌畏的味道,赶紧推开厨房门,再推开堂屋门,看见一个熟悉的人影展展地趴在堂屋地上,光着一只脚,右脸紧贴着地面,像在谛听地底下的声音——是脏狗,不是别人,是他的傻儿子脏狗。

他站住不动,像遭了电击。

他缓缓跪下去摸儿子的额头,已经冷了。

"想不到你也来这一套!"

他朝儿子的左脸重重拍了一巴掌,声音很响。

他再仔细看看自己的手掌。

他举着手掌回到门槛上坐下来。

他这才发现自己始终轻看了儿子。自己把儿子单单看成傻子了,只会吃饭只会放屁的傻子。此时,底下一热,消失了很久的老毛病——遗尿,突然来了。银锁没感到奇怪,不理它,只是定定坐着,软软地盯着儿子。

儿子啊,你就这样跑了?

你跑了,谁管我啊!

银锁想方设法让自己哭,却做不到,心里很疼,疼得难受,却挤不出一滴眼泪,后来换好裤子,摇摇晃晃出了院门。

"我儿子脏狗喝药了。"

"喝药"的意思,谁都明白。

人们拥进银锁家,看见了趴在地上的脏狗。

人们不相信那真是脏狗。

但的确是他:银锁的傻儿子脏狗。

脏狗趴在地上的样子把整个村子轻轻震了一下,远不是晴天霹雳,但真的令很多人心里微微一颤,像是重新发现了一个人。

人们很关心脏狗的死因。

"没骂,也没打。"银锁说。

银锁的话,人们半信半疑。但是,一个傻子因为任何原因自杀,都像一个突兀的教训,令许多人隐隐觉出了活着的轻薄。

包括灰汉银锁。

城　市

从此家里只剩银锁自己了,不过四十五六的年纪,却早早蓄起了胡子,加上脸黑,加上驼背,看上去像一个六七十岁的老人了。不过他并不觉得自己孤单,他知道,爸爸、妈妈、小娥、脏狗,都会随时回家来看看的。

妈妈的五年纸,金斗回来了。

同一年的早些时候,金斗转业到省城一家正处级文化单位,任副职,正团级变成副团级。省城距离海棠只有三百公里,回家方便了。不过,金斗回家的次数并不比以前多。银锁知道,哥哥对家乡海棠并没有多少好感,有一次兄弟二人聊起村里的人和事,哥哥说过一句话:"地方多大,人多大。"大有轻看的意思。

烧完五年纸，银锁随哥哥去省城住过几天。回来后，一直忘不了“城市的好”。很多打工回来的农民，总喜欢站在村路上争先恐后地数落城市的缺点，银锁虽然不会插嘴，心里却有一个相反的声音：还是城市好！

银锁真的忘不了城市的好。

哥哥家那个小区叫阳光花园，那儿的人有各种各样的口音，相互之间并不知道谁是谁，看不出谁富谁穷、谁强谁瓤、谁好谁坏，人人都是擦肩而过，各干各的。在阳光花园里走来走去，银锁第一次感到呼吸平顺，自由自在，因为，没任何人的眼神里写着“你是灰汉”、“你是傻子”这样的字眼。小区里也有个男的，也是四十几的年纪，明显不正常，每天戴着皱歪歪的军帽，提着半瓶可乐，神气活现地转来转去，似乎比正常人还傲气几分，喜欢站在门口的宣传栏前面，歪着脖子大声朗读：

少吃一两口
多动十五分
粮食七八两
油脂减两成

银锁仔细研究过宣传栏，没找到上面这些话，可见那个男的并不识字，智商不见得比儿子脏狗高多少，是一个真正的傻子。

但城里的傻子显然活得很滋润，脸上油光滑亮，出出进进，并不会招来白眼斜眼。在海棠就完全不同，一个傻子，或者一个被认为是傻子的人，一出门就有很多目光强行看扁你，你根本没办法不做出呆头呆脑的样子。

银锁持续观察过那个男的，发现他每天早晨会去排队买煎饼，有家煎饼店生意很好，此人也总是人模人样地站在长长的队列里，一步步靠近窗口，没人在乎他是傻子，他交了钱，同样会得到一张浑圆焦黄的煎饼。每天下午，太阳西斜的时候，他又会走向不远处的公交车站，登上 30 路公交车，不知去了哪里。

有一次，银锁决定跟他上车，看他到底去哪儿了。银锁学他的样子，投币，快速找个座位坐下来，然后就是一副无所谓的样子。银锁发现，30 路公交车，投一块钱的硬币可以坐到终点，也可以在任何一站下车。门口有个红色按钮，你一摁，司机就听见了，宽宽长长的公交车就有可能为你一个人缓缓停下。

哈哈，哈哈！

哈哈哈！够牛的！

真他妈的牛！

注视着远去的公交车，银锁开心地笑了。随后，银锁不再理睬那个男的，自己花一块钱上车，专门找很少有人下车的车站下车。一辆车只为一个人停下！这是何等美妙的感觉啊！银锁极为迷恋这种感觉，眼看上瘾了。

可惜银锁该回海棠了。

哥哥买好火车票，把他送上火车。

哥哥再也没有邀请过他。

他一直在暗暗等待。

有邻居常常问他："啥时候再去省城？"

他只好撒谎："打算最近去。"

撒谎撒多了，不能不去一次了。

某一天，天还没亮，他就锁上院门上路了，先到了火车站，再想办法爬上一辆煤车，顺利混到省城，披着一身煤屑走在省城的路上，忘了阳光花园在哪儿，其实压根没打算去哥哥家的，按照事先的设想，学乞丐的样子，晚上随便找个角落睡下，白天选乘客稀少的时候，坐一两次公交车，够三天再回到海棠。

天空在下雪
我们在赶路
……

坐在公交车上，他默默哼唱着这样的歌谣。他突然觉得，这首歌谣有个特殊的作用，把一代一代的海棠男人送到了路尽头。

他觉得自己也快了。

复　活

五十岁那一年的农历十月初九，银锁在睡梦中死去了。说好早晨去杀一头驴的，时辰到了，却迟迟不见人影。院门推不开，喊叫没反映，大家觉得不寻常，翻墙进去，发现银锁光着身子睡在被窝里，已经没气了。

金斗开着单位的车赶回来，丢下几千元，委托一个堂叔主持所有丧葬事务，自己又回省城了，说好下葬的那天再回来。

刚好是农闲时节，又刚好没有合适的日子，银锁的尸体将在家里停放五个昼夜，这五天里，大伙轮流前来为灰汉守夜。所谓守夜，不过是东一摊西一摊赌博，用各种形式赌博，除了一日三餐，半夜还要加一顿饭的。

堂屋里有两摊子，炕上的一摊子玩扑克牌，地上的一摊子打麻将。第三天晚上，地上打麻将的四个人中，背对房门的那一个，摸了张没用的光板，正要打掉，看见对面的布幔在瑟瑟抖动，接着，布幔的一角竟然被掀起来，露出一张黑脸，不是鬼，而是银锁！这个人悄悄搁下手中的光板，转身跑出去了。

银锁故意咳嗽了一声。

场面立即大乱。用绳子拉起的布幔哐当掉下来了。有人从窗户里跳了出去。有人发出极为可怕的嘶叫。有人吓出了尿。

“别怕啊,我没死!”

银锁的声音干净而冰冷。

身着黑色老衣的银锁像旧时代一个广受爱戴的乡绅,伸出双手,用一种平时没有的气度示意大家不要惊慌、不要惊慌!

可是哪有不惊慌的道理。

人们正纷纷拥出院门。

银锁只好用力拍拍自己的胸脯,嘭嘭响了两声,说:“真的,我没死,还没到死的时候呢,他们弄错了,整整提前了十年。”

“他们是谁?”有人问。

“今天是不是十月初九?”银锁反问。

“今天是十月十一。”有人答。

“我死了三天了?”

“是呀,今天是第三天。”

“我以为才三分钟。”

“到底咋回事嘛?”

“我正睡觉呢,来了两个人,蒙住我的眼睛,一左一右把我驾成土飞机,让我快走,走啊走,我感觉进了一个大衙门,有人问我名字,我说我叫侯银锁,又问我的工作,我说我是海棠村的灰汉,又问我的出生年月,我说我是一九五八年三月初三生的。我听见那个人在翻册子,翻着翻着就停住了,生气地说:‘怎么搞的,抓错人了!这家伙的寿命还有整十年,十年后的十月初九才该死!还不送回去!’”

“银锁,你没编虚吧?”问这话的,是头人大爸。

“大爸,我没编一句虚!”银锁有些发急。

“半扇子猪肉都没了。”

“那就把剩下的半扇子也吃完!”

“你做主?”

“我哥哥在吗?”

“他放下几千块钱,回省城了。”

“他不在,我做主!”

“十年后你再死了,没人掏钱怎么办?”

“那就让狗吃了!”

“狗不吃呢?”

银锁回答不上来了。

哈哈哈,大胆留在屋里和院里的人都笑了,笑声意味着大家相信银锁死了又回来了,这是一场可爱的误会,一场有吃有喝的闹剧,寂寞的乡村时不时需要上演一场闹剧的,时间久了,整个乡村都盼着一场新闹剧发生……

安静下来后,人们最想知道:

“那边”到底是啥样子嘛?

一开始,银锁尽可能实话实说,翻来覆去就那么几句:“有两个人蒙住我的眼,把我驾成土飞机,我啥都看不见,只听着声音……”

“你好好想想,是不是忘了?”

“我想想,我想想……”

银锁这一想,就不由自主顺着大家的念想说了,他说见了阎王爷、玉皇大帝、观音菩萨,他说那个世界只有白天,没有黑夜……

连续几天,银锁家里每天人出人进,像逛庙会一样热闹,不光有本村的,还有外村的,人们不仅提出了各种各样的怪问题,还请银锁做银锁做不到的一些事情,比如捉鬼,有个女的据说被鬼拿住了,请银锁帮忙捉鬼!

银锁成了海棠的骄傲,一个被阴司抓错了的人,一个从阴间光荣归来的人,一个见过大世面的人,无论如何,都令人敬仰,人们几乎想停下手头的任何事情,哪怕是天大的事情,围在银锁身边,听他讲“那边”的见闻。而银锁,真的变成一个值得敬仰的人了,比原来会说话了,一举一动像镀过一层金,眼神和笑容里有了一种让人服膺的东西。一句话,银锁成一个大人物了,一个神奇的大人物。

那么,银锁还是灰汉吗?

是否需要重新选一个灰汉?

大家一致认为,应该!应该另选一个灰汉!

银锁有权指定一个继任者。

全村共有一千三百五十六人,谁可以继任灰汉?

“谁可以继任灰汉呢?”

这个问题令银锁头疼了好几天,他把全村有可能做灰汉的人扒拉了无数遍,够条件的人有若干个,却很难说哪个最合适。

失　踪

某一天早晨,人们发现银锁家的院门锁上了,连续锁了三四天,村里有人和金斗有联系,打电话问金斗,金斗说不知道。

十天之后,银锁没有回来。

一个月之后,银锁还没有回来。

那么，银锁显然“失踪”了。

失踪并不稀奇，村里常有人失踪的，说不见就不见了，几年不回来，一辈子不回来，都不算奇怪，因此，村里自古以来就流传着一种“舀魂术”。所谓舀魂术，其实很简单，家里有人失踪了，就由失踪者的亲人蹲在房檐上，不断地喊叫失踪者的名字，同时用葫芦做成的瓢，连连做出自上而下往回舀东西的动作，每天舀每天舀，每天重复，有可能把失踪者给舀回来。于是，村里的几个头人决定，每天派一个人在银锁家房檐上舀魂，排了一个值班的名单，一人舀三天，每天舀三个小时。

把第二年的春天舀回来了，却没把银锁舀回来。银锁要么走出去很远，回来的路很长很长，要么就是下决心不回家了。

银锁家院门有时是敞开的，有胆大的娃娃常会跑进去捉迷藏，院拐角的洋芋窖又是捉迷藏的最佳去处，于是，窖底下那些奇怪的骨头，被娃娃们带向了四面八方。很多娃娃手上都有这样一根骨头，骨头上都有一幅画，有马有驴有牛有狗，一律是哀哀诺诺的表情。画着小娥的那根骨头，却不知在谁的手里。

第三年春节，某个打完工回到海棠的年轻人，用十分肯定的语气说，他在省城看见过银锁。胡子很长，脸很黑，像七十岁的老人，盘腿坐在天桥上当乞丐，面前放着一只碗，碗旁边斜着一根骨头，骨头上画着一个像小娥的女人。他蹲下来试着叫了声“银锁”，那人眼里明显一惊，没有吱声，他又叫了声“灰汉”，那人眼里又是一惊，还是不吱声，像是没听见。他以为弄错了，站起来走下天桥，过了片刻又回来，发现那人已经不见了。他急忙撵到天桥的另一边，看见他正没命地跑向远处。百分之百是银锁了，一个在异乡乞讨的海棠人，偶遇老乡，通常都会一溜烟跑掉的。

这话传到省城的金斗耳朵里，金斗开着车满街道找过，始终没能找见。随后还四处张贴过寻人启事，至今没有音讯。

（选自《十月》2012年第1期）

陈继明

甘肃天水人，曾任宁夏作家协会副主席。中国作家协会会员。小说集《寂静与芬芳》入选“二十一世纪文学之星丛书”。代表作有长篇小说《一人一个天堂》《堕落诗》，中篇小说《微澜的水》《每一个下午》《北京和尚》，短篇小说《月光下的几十个白瓶子》《寂静与芬芳》《比飞翔更轻》《青铜》等。部分作品被译介至海外。

漫　水

王跃文

一

漫水是个村子，村子在田野中央，田野四周远远近近围着山。村前有栋精致的木房子，六封五间的平房，两头拖着偏厦，壁板刷过桐油，远看黑黑的，走近黑里透红。桐油隔几年刷一次，结着薄薄的壳，炸开细纹，有些像琥珀。

俗话说，木匠看凳脚，瓦匠看瓦角。说的是木匠从凳脚上看手艺，瓦匠从瓦角上看手艺。外乡人从漫水过路，必经这栋大木屋，望见屋上的瓦角，里手的必要赞叹：好瓦角，定是一户好人家！

瓦角扳得这么好看，那瓦匠必是个灵空人。扳得这么好瓦角的瓦匠，就是这屋子的主人，余公公。漫水这地方，公公就是爷爷。余公公的辈分大，村里半数人叫他公公。余公公大名叫有余，漫水人只喊他余公公。余公公是木匠，也会瓦匠，还是画儿匠。画儿匠就是在家具或老屋上画画的，多画吉祥鸟兽和花卉。不只是画，还得会雕。老屋就是棺材，也是漫水的叫法。还叫千年屋，也叫老木，或寿木。如今请木匠做的家具少了，多是去城里买现成的，亦用不上画儿匠。余公公的画儿匠手艺，只好专门画老屋。

漫水的规矩，寿衣寿被要女儿预备，老屋要儿子预备。不叫做老屋，也不叫置老屋，叫割老屋。余公公的老屋是自己割的，他六十岁那年就把老两口的老屋割好了。不是儿女不孝顺，只是儿女太出息。两个儿子都出国了，一个在美国，一个在德国。女儿离得最近，随女婿住在香港。美国那个叫旺坨，德国那个叫发坨。两兄弟在外面必有大号，漫水人只叫他俩旺坨和发坨。女儿名叫巧珍，漫水人叫她巧儿。儿女不当官，不发财，余公公竟很有面子。逢年过节儿女回不来，县里坐小车的会到漫水来，都说是他儿女的朋友。漫水做大人的见着眼红，拿自家儿女开玩笑，说："我屋儿女真孝顺，天天守着爹娘。不像余公公儿女，读书读到外国去了，爹娘都不认了！"做儿女的也会自嘲："有我们这儿女，算您老有福气！要不啊，老屋都得自己割！"

余公公的老屋是樟木料的。他有一偏厦屋的樟木筒子,原来预备给儿女们做家具。儿女们都出去了,余公公就选了粗壮的割老屋。漫水这地方,奶奶,叫作娘娘。余娘娘还没打算自己做寿衣寿被,一场大病下来人就去了。隔壁慧娘娘把自己的寿衣寿被拿出来,先叫余娘娘用了。第二年,慧娘娘的男人家有慧公公死了。有余和有慧,出了五服的同房兄弟。慧娘娘虽把自己二老的寿衣寿被做了,老屋还没有割好。慧娘娘没有女儿,只有个独子强坨。她就自己做了寿衣寿被,等着儿子强坨割老屋。强坨说:"我自己新屋都还没修好,哪有钱割老屋?就这么急着等死?"话传出去,漫水人都说强坨是个畜生。乡里人修屋,就像燕子垒窝,一口泥,一口草。强坨新修的砖屋只有个空壳,门窗家具还得慢慢来。儿子只有这个本事,慧娘娘也不怪他。怪只怪强坨嘴巴说话没人味,叫她做娘的没有脸面。慧公公没有老屋,余公公把强坨叫来:"你把我的老木抬去!"慧公公睡了余公公的樟木老屋,漫水人都说他有福气。

二

漫水地名怎么来的,村里没人说得清。漫水只有余公公跟旁人不太像,他不光是样样在行的匠人,农活也是无所不精。漫水这么多人家,只有余公公栽各色花木,芍药、海棠、栀子、茉莉、玉兰、菊花,屋前屋后,一年四季,花事不断。有人笑话说:"余公公怪哩,菜种得老远,花种在屋前屋后!"

余公公的菜地在屋对门的山坡上,吃菜需得上山去摘。一大早,余公公担着箕,箕里是些猪粪或鸡屎,晃晃悠悠地往山上去。一条大黑狗,欢快地跟在身边跳。黑狗风一样地蹦到前面,忽然停下来,回头望着余公公。黑狗又想等人,又想飞跑,回过头的身子弯得像弓,随时会弹出去。余公公喊道:"你只顾自己疯,你疯啊,你疯啊,不要管我!"黑狗肯定是听懂了,摇摇尾巴,身子一弹,又飞到前面去了。

山上有茂密的枞树,春秋两季树林里会长枞菌。离山脚三丈多的地方,枞树有些稀疏,那里就是余公公的菜地。余公公爬坡时,脚步有些慢。黑狗早上去了,又蹦下来,屁股一撅一撅,往后退着走。黑狗那吃力的样子,就像替余公公使劲。余公公说:"不中用的东西,你还拉得动我?"黑狗肯定又听懂了,摇摇尾巴,脑袋一偏一偏,眼珠子亮亮的。

余公公施肥或锄草的时候,同黑狗说话:"你要是变个人,肯定是个狐狸精!"黑狗是条母狗,身子长长的,像刀豆角,毛色水亮水亮,暗红色的嘴好比女人涂了口红。村里别人的狗都是黄狗、灰狗或麻狗,只有余公公屋里是条黑狗。前年开始,黑狗不再生了。过去八九年,黑狗每年都要做一回娘。不再做娘的黑狗,仍活得像年轻女人,喜欢蹦跳,喜欢撒娇。余公公逗它:"崽都生不出了,还这么疯,不怕丑啊!”

这时节,正是栽白菜的时候。余公公的白菜已栽下半个月,嫩嫩的叶子起着细细的皱。蒜已长得半根筷子高,秆子粗粗地包着红皮。辣子即将过季,改天得把辣子树拔掉,再栽一块白菜。快过季的辣子拌豆豉炒,或做爆辣子,都是很好的菜。

余公公慢慢收拾着菜地,突然想起好久没同黑狗说话了。一回头,见黑狗蹲在菜地边上,一动不动望着山下的村子。二十多年前,县里来人画地图,贴出来一看,漫水人才晓得自己村子的形状像条船。余公公的木屋正在船头上。船头朝北,船的东边是溆水。

溆水要流到东海去,东海在日头出来的地方。溆水流到沅江,沅江流到洞庭,洞庭流到长江,长江流到东海。山千重,水百渡,很远很远。说近也很近,溆水边有座鹿鸣山,山下有个蛤蟆潭,潭底有个无底洞,无底洞直通东海龙宫,钻个猛子就到了。蛤蟆潭在溆水东岸,西岸是平缓沙滩,河水由浅而深。水至最深处,就是蛤蟆潭。

余公公还是伢儿子的时候,常在蛤蟆潭西岸游泳,打死也不敢游到东岸的潭中间去。余公公没听人说过南海、北海或西海,只听说有东海,也只听说过有东海龙王。东海龙宫遍地珍珠玛瑙,有美丽的龙女。漫水人望见太阳雨,总会念那句民谣:边出日头边落雨,东海龙王过满女!漫水人说过女,就是嫁女。遇上件好东西需得夸赞,必会说:龙王老儿的轿杠!

漫水没有人见过海,日子里却离不开海。天干久旱,依旧俗就得求雨,行祭龙王的法事。男女老少,黑色法衣,结成长龙阵,持香往寺庙去。一路且歌且拜,喊声直震龙宫。人过世了,得用龙头杠抬到山上去。孝男孝女们身着白色丧服,又拿连绵几十丈的白布围成船形,拉起十六人抬着的灵棺慢慢前行。已行过了水陆道场,孝子们拉着龙船把亡人超度到极乐世界去。余公公画过很多老屋,年轻时雕过很多人家的窗格子,就是没有雕过龙头杠。漫水这副龙头杠传过很多代了,龙的眼珠子像要喷出火来,龙尾像随时在甩动。余公公常想:这龙头杠怎么不是我雕的呢?那龙头杠是楠木的,不要油,不要漆,千年不腐。

前几年,有个城里人想买这副龙头杠,价钱出到几万块。强坨动了心,想把龙头杠卖掉。龙头杠是全村人的,世世代代都放在强坨屋。他公公,他爹爹,都是保管龙头杠的。漫水很多事都说不清来龙去脉,人人只知守着种种规矩就是了。听说强坨要卖掉龙头杠,余公公把强坨屋门拍得山响:“强坨,你出来!你要好多钱?我给你!”强坨说:“那个城里人是傻子,一个龙头杠他出好几万!信我,由我卖了,我做十副龙头杠赔给大家!”余公公扬起手就要打人,说:“放你的屁!如今是不信迷信了,不然要把你关到祠堂去整家法!”过去祠堂有个木笼子,男人若不孝不义,会被族人绑在里面,屁股露在外头,任人用竹条子抽打,这叫整家法。一个村里只准有一副龙头杠,强坨说赔十副龙头杠,这话很不吉利。强坨这话很多人听见了,都骂他说的不是人话。几个年轻人一声喊,就把龙头杠抬到余公公屋后去了。

龙头杠搭在两个木马上,平时用厚厚的棕蓑衣包着。木马脚上绑了猫儿刺,不怕老鼠爬到龙头杠上去咬。猫儿刺形状像猫,刺头子又多又锋利,老鼠不敢往上面爬,漫水人又叫它老鼠刺。有个大晴天,余公公解开棕蓑衣,细心擦着龙头杠上的灰。心想:楠木真是好料,这龙头杠也不晓得传多少代了,虫不咬,水不腐,随便擦擦,亮堂堂的。慧娘娘望见了过来说:"余哥,龙头杠祖祖辈辈在我屋的,只怪强坨不争气。我想,龙头杠要不要漆一漆?漆钱还是我出,功夫出在你手上。"余公公还是很好的漆匠。余公公摇摇头,笑眯眯地说:"老弟母,我们漫水龙头杠不要漆,永远都不要漆。漆了,可惜了!"慧娘娘不明白,问:"余哥,你是说……我听不懂了!"余公公嘿嘿一笑,说:"前年过年旺坨和发坨回来,我告诉他两兄弟,有个城里人要花几万块钱买我漫水的龙头杠。旺坨和发坨跑到屋后看了半天,说这龙头杠是个宝贝文物,肯定不止这个价钱。两兄弟都说,千万不要去油,去漆,文物越旧越值钱!"慧娘娘听着,吓住了:"你也想把它卖掉?"余公公笑了起来,说:"老弟母,强坨说这话不稀奇,你也这么说我就稀奇了。我是不想弄坏文物!你想想,你我哪天阎王老儿请去了,用几十万块钱的龙头杠抬去,面子天大!"

三

余公公喊了黑狗,说:"你望傻了啊!别望了,我们回去!"余公公扯掉几株辣子树,摘下上面的辣子,差不多有一餐菜了,就说:"回去吃早饭去!"刚想下山,余公公回头望望身后的林子,想:干脆捡几朵枞菌去。人家捡枞菌要满山钻,余公公只去几个地方。每回余公公提着枞菌出来,碰见的都要说:"这山是你屋菜园啊,你捡枞菌就像去菜园掐蒜!"余公公只是笑,也不告诉人家枞菌是哪里来的。这会儿余公公对黑狗说:"你莫要跟脚,我就回来!"黑狗偏一偏脑袋,望着余公公的背影到林子里去了。

余公公径直去了一个山窝堂,那里有个大刺蓬,枞茅铺得满地。针一样的枞树叶,漫水人叫它枞茅。回去二十年,漫水人会把枞茅扒去当柴烧,现在开始烧藕煤。扒枞茅的扒叉,过去家家户户都有好几把,如今看不见了。余公公熟悉山上的每一棵树,每一块石头,晓得哪个山窝堂好长枞菌,哪个山坎坎好长蕨菜。别人扒枞茅也是满山钻,却摸不出捡枞菌的窍门。余公公一路上就想着:那个刺蓬里肯定生了一窝好枞菌!他走到刺蓬前面,拿棍子扒开刺蓬,果然就望见里面生了好多枞菌。大的有半个手掌大,伞一样撑着;小的像扣子,圆溜溜地闪着蓝光。捡大菌子过瘾,吃还是小菌子好吃。就像捉泥鳅,捉喜欢捉大的,吃喜欢吃小的。余公公把一窝枞菌一朵一朵捡好。回头却见黑狗远远地立在那里,就说:"叫你莫跟脚!你想去告诉人家啊！这是我的菜园，不准说！”

下山时，余公公望望田垄中的村子，通通都是两三层的砖屋。白白的墙，黑黑的瓦。只有自家是木屋，远看很不起眼。记得从前，家家都是木屋，高低都差不多，可望见炊烟慢慢升到天上去。旺坨和发坨都说过，想把旧木屋拆了，改修砖房子。余公公不肯，说：“你们人都不回来了，我修新屋做什么？”两兄弟就安慰老爹：“我们也会回来养老的！”余公公不作声，心上想：哪个稀罕砖屋？哪有住木屋舒服！木屋是余公公自己修的，每根柱子，每块椽木，一钉一瓦，都经过他的手。哪怕有人树一幢金屋，他也舍不得换。

余公公屋同慧娘娘屋只隔着菜园子。一边是慧娘屋的菜园，一边是余公公屋的菜园。慧娘娘屋菜园一年四季种各色菜蔬，余公公屋菜园子一年四季栽各色花木。屋场前后的菜园土很肥，慧娘娘屋的菜却没有余公公屋山上的长得好。慧娘娘自己动不得手了，就总骂强坨：“人勤地不懒！你看看余伯爷，人家菜园还是黄土坡上，辣子驼断了树！”强坨说：“我又不是菜农，又不靠卖菜赚钱，有吃就够了！”余公公不会去说强坨，人家毕竟不是他亲侄子。若是他亲侄子，他会说：种地是种脸面，地种得不好，见不得人！余公公是个要脸面的人，他的事就样样做得好。

慧娘娘屋有条黄狗，是余公公那黑狗的儿子。黄狗望见娘回来了，又是蹦跳，又是打转转。黑狗很有母仪，立在地场坪望一望黄狗，慢慢走到自家檐前，抖一抖皮毛，趴下。余公公进屋做早饭，自言自语：“一人吃饱，全家不饿！”每次说过这话，他都会往心上问自己：是不是真的老了？老喜欢说这句话！人开始说冗话，就是老了。余公公的日子过得很慢，家家户户都吃过早饭了，他才开始慢慢地淘米下锅。有回巧儿回家，见老爹慢慢地淘米，就说：“爹，现在城里人都不兴淘米了，工厂出来的大米是不用淘的。您老还是淘米，其实很好。”巧儿是想说，老爹很讲卫生。这年月在城里，吃的用的都不放心。余公公并不晓得城里人的恐惧，他只是把日子过成了习惯。

枞菌很不容易洗干净，粗手粗脚吃着必定有泥沙。余公公细心地洗着枞菌，听见黑狗突然汪汪地叫，同时也听见有人喊着：“收烂铜、烂铁、鸭毛、鹅毛……”他赶紧跑出去看，怕黑狗惹事。他出门晚了一步，黑狗已经惹事了。慧娘娘屋的黄狗已咬了收破烂的外乡人。慧娘娘也跑出来了，嘴里不停地喊道：“怎么得了，怎么得了，咬得重不重？”外乡人卷上裤子，哎哟哎哟的，说：“你看你看，牙齿印这么深！你看你看，开始出血了。”慧娘娘作揖打拱的，说：“真是对不住，我跑都跑不及，就出事了！你是年轻人，多原谅！”外乡人也不算很蛮，只说：“原谅？您老人家是要我原谅人，还是原谅狗？”慧娘娘说：“原谅人，也原谅狗。我养的儿子蠢，养的狗也蠢！只要听见人家的狗叫，它就扑上去咬人！”余公公笑了起来，说：“老弟母，你是说这狗的娘聪明呢？还是说狗的儿子蠢？这个蠢儿子，可是聪明娘养的！”外乡人听着怪怪的，说：“我痛得要死，您二老在说笑话呢。我死是死不了，就怕狂犬病。”慧娘娘忙往屋里走，走几步又慌慌地回头，说："年轻人，我进屋取钱，您去打疫苗，钱我出。"余公公忙喊住慧娘娘，说："老弟母，钱我出，你莫管。祸是我黑狗惹的，它不叫，黄狗不会咬。"慧娘娘不理余公公，进屋去了。没多时，两个老人都从自己屋里出来，手里都拿着钱。余公公笑着说："老弟母，你莫和我争，养不教，母之过。黑狗到底是做娘的，哪个喊它乱叫！"慧娘娘不开脸，也不答话，径直把钱放在外乡人手里，说："价钱我晓得，多几块零星钱你不用找了。"余公公把外乡人手里的钱抢过来，又把自己的钱塞过去，说："年轻人，你不能拿她的钱。"慧娘娘开腔了，冲着余公公说："你钱多，那是你的钱！"外乡人看不明白，瞪大眼睛看热闹，说："今天我碰着两个怪老人了！我该要哪个的钱呢？算了算了，我都不要了，莫耽搁我的生意！"余公公把外乡人一推，说："你快拿了钱走，我不留你吃早饭！"

外乡人推着推车走了，黄狗开始朝天狂叫。慧娘娘骂道："你现在晓得叫了？你叫有人听吗？有人替你咬人吗？"这时候，围过来几个看西洋景的村里人，开始说笑话："慧娘娘，人哪会替狗去咬人？只有狗替人去咬人！"余公公说："你们慧娘娘正在生气，你们还在挑拨！你是说黄狗替我去咬人？我同那个外乡人有仇？"有人又开玩笑，说："黄狗真是个孝子，最听娘的话。娘一声招呼，儿子就扑上去了。""真是这样的娘，那就不是个好娘。""儿子也不是好儿子，哪有好事坏事都听娘的？"慧娘娘听得脸上发青，转身进屋去了。余公公朝那些开玩笑的人歪嘴作脸的，压着嗓子说："你们莫像逗小伢儿！慧娘娘真生气了！幸好强坨不在屋，不然更不得了！"

余公公拖住一个小伢儿，说："你把慧娘娘的钱送去！告诉你，不要放在她手里，放在她枕头底下。"小伢儿不肯，他娘作声道："去不去？余公公叫你做事，你听话！"小伢儿接过钱，晓得这任务神秘，诡里诡气一笑，故意放慢了脚步，悄悄溜进慧娘娘屋去了。大人们都笑了，只道如今小伢儿都是精怪！

余公公回到屋里，又慢慢地做饭吃。心想，今天早饭和点心饭一餐吃了。漫水人不像城里人说吃中饭，他们说吃点心饭。做饭炒菜的时候，余公公老想着自己得罪慧娘娘了。狗惹的祸，你同人计较什么呢？难怪都说老怪物，人是越老越怪了。余公公的菜是罢园辣子烧枞菌，满屋子枞菌的香味。菜里还放了些菊花瓣，漫水只有他老人家把菊花当香料。他的菜园里栽了很多菊花，小的有拳头大，大的有饭碗大。饭快吃完的时候，余公公嚼了一粒沙子，嘴里很不舒服。必定是枞菌洗得不干净。余公公做事最细心，今天是心上有事。

四

慧娘娘屋后也是菜地，菜地里打了一口摇井，摇井四周铺着青石板。慧娘娘洗衣、洗菜，都在摇井边的青石板上。有时强坨惹她生气了，也独自搬了小凳坐到这里来。今天她是生余公公的气。那老的说，蠢儿子，也是聪明娘养的，不是骂我吗？想着强坨不争气，慧娘娘眼泪就出来了。揩干眼泪再想想，强坨也只有这个本事。他书不肯读，只有卖苦力的命。漫水把老婆叫阿娘，强坨阿娘嫌家里穷，走了好多年了。强坨在窑上替人做砖，挣几个辛苦钱。一个孙儿，一个孙女，也都不是读书的料，十五六岁就打工去了。强坨早出晚归，日里只有慧娘娘在屋。

听着菜园里的吱吱虫声，慧娘娘心想：今年是听不见几回虫叫了。她想起前几天余哥说的话：虫老一日，人老一年。人一世，虫一生，都是一回事。日晒雨淋，生儿养女，老了病了，闭眼去了。漫水人都不在意慧娘娘的名字，只依她男人家有慧的辈分，叫她慧娘娘、慧伯娘、慧叔母、慧嫂嫂。慧娘娘年轻时很怕虫子，望见棉花树上肥肥的绿虫，全身皮肉发麻。有一回，慧娘娘望见灶头死去的虫子，问她男人家有慧："夜里吱吱叫的就是它吗？"有慧说："不是它，还有谁？蛐蛐！"有余正好在她屋说话，听见了，说："我看都不要看，就晓得不是蛐蛐，是灶虮子！"有慧是个犟人，说："余哥，你做功夫手巧，我承认！蛐蛐，灶虮子，一回事，我都不晓得？"有余笑着说："有慧，你的眼睛，看马同驴子都差不多。你说的话，只有你阿娘信！"有余这话惹了有慧的心病，两人都不说话了，埋头抽旱烟。有余自己找梯子落地，说："不信，我去捉个蛐蛐来！"蛐蛐叫声四处听得见，想捉个蛐蛐却不是件容易事。

天上好大的日头，有余出门捉蛐蛐。他耳旁尽是蛐蛐叫，就是找不到蛐蛐洞眼。伢儿时，他跪在地上，趴在地上，看各色虫蚁。长到做爹了，再不能趴在地上。他在地头到处翻，心上就在算账。一年有三个月听见蛐蛐叫，人要是活到七八十岁，二十来年都在听蛐蛐叫。听了二十来年蛐蛐叫，一世就过去了。望见过蛐蛐的，又没有几个人。不是望不见，望见了等于没望见。人活在世上有那么多大事，哪有心思在乎蛐蛐呢？有余小伢儿时捉过蛐蛐，他认得蛐蛐。伢儿时捉蛐蛐很里手，多年没捉就手生了。

有余捉了个蛐蛐回去，有慧早把这事忘记了。有慧说："认得蛐蛐算个卵本事！"有余弄得没脸，望望有慧阿娘。蛐蛐停在他手心，一蹦，逃走了。有慧阿娘脸都热了，忙说："余哥，你慧老弟的脾气你是晓得的，莫把他的话当数！"有余笑笑，说："又不是伢儿了！"有慧也笑笑，把烟袋递给有余，叫他自己卷喇叭筒。有余抽着喇叭筒烟，说起小时候抓早禾郎的事。漫水人说的早禾郎就是蝉，抓早禾郎是伢儿子夏天必玩的。听得早禾郎"吱——"地叫，伢儿子躬着腰，循声往树上望。望见了，偷偷爬上去，拿手掌猛捂上去，就抓住了。有余说："我做伢儿子时，才不去爬树哩！我拿长长的竹竿，竹竿头上绑个篾皮圈圈，圈圈上缠满蜘蛛网。望见早禾郎了，把竹竿伸过去一巴，就到手了。"有慧笑得被烟呛了，说："余哥，又不是你一个人玩过！"有余说："那我问你，叫的是公早禾郎呢？还是母早禾郎？"有慧并不感兴趣，只说："你抓早禾郎也要分公母！"有余说："你就不晓得！动物跟人是个反的！人是女人漂亮，动物是公的漂亮。雄鸡比母鸡漂亮，雄孔雀比母孔雀漂亮。早禾郎也是公的会叫，母的不会叫。蛐蛐也是的，公的会叫，母的不会叫。夜里叫的都是公蛐蛐，它在喊母蛐蛐。”有慧嘿嘿一笑，说：“余哥，你夜里吹笛子，也是喊母蛐蛐？”有慧阿娘白了男人家一眼，说：“你嘴巴不上路！”

从那个下午开始，有慧阿娘会留心地里每一个虫子，哪怕是蚂蚁、蜘蛛、蝴蝶。它们也分公母，有家室，养儿女。一生一世，日晒雨淋，好不辛苦！那时候，有余阿娘生了旺坨和发坨，巧儿还没有生。有慧阿娘还没有生强坨，她心想：地上的虫都会生养，自己就不生个一男半女！有余说有慧：你说的话，只有你阿娘信。有慧听着不舒服。他阿娘的来路，漫水人是当故事讲的。有日清早，有慧没事到城里去，天没黑就带了个女人回来。女人十七八岁，穿着缎子旗袍，手里挽个包袱。女人跟在有慧背后，头埋得很低。有人问：“有慧，哪个啊？”有慧说：“管你卵事！”女人进了有慧屋，没有做酒，没有拜堂。有慧爹娘早不在了，就他孤身一人。懒人自有懒人福，有慧是出名的懒人。他不要人保媒拉线，就把阿娘带进屋了，还是漫水最漂亮的阿娘。好多年过去，漫水老辈人还会记得那天的事。有人记得有慧阿娘的旗袍，过去是财主人家小姐穿的。有人记得她的头发，梳了个油光水亮的髻子，髻子上别了个白亮亮的银簪。有人记得她的脸皮，白白的不像乡里人。过了几天，听见她开腔了，讲的是远路话。

漫水人老少都晓得，有慧的漂亮阿娘是他骗来的。世上哪有蠢女人会上有慧的当呢？有慧并不聪明，他阿娘并不蠢。漫水人最觉稀罕的，是有慧阿娘还认得字！有慧阿娘来的时候，漫水认得字的没几个人。有一天，北方干部念报纸，鸭绿江的“绿”字，念成“绿色”的“绿”，有慧阿娘抿了嘴巴，忍住不笑。干部看见了，问：“你笑什么？”有慧阿娘说：“我没有笑。”干部说：“你抿着嘴巴笑！”有慧阿娘只得说：“念鸭‘录’江，不念鸭‘律’江。”干部嘿嘿一笑，说：“绿帽子的绿，我不认得吗？”有慧阿娘脸红了，眼睛在干部脸上瞪了半天，说：“你现在穿的军装是绿色的，你投诚以前是‘录林中人’，不读作‘律林好汉’。你讲志愿军的意思也是错的，志愿不是支援的意思。”曾为绿林的干部并不生气，很傲慢地问：“你说不是支援，那是什么呢？中国人民志愿军，不是去支援朝鲜打美帝国主义吗？”有慧阿娘说：“志愿，就是自觉自愿。”那位干部在漫水就有了个外号：绿干部。漫水人背后叫他绿干部，当面还是叫他的职务。

有慧阿娘平日不太作声，那天当着众人讲了好多话。漫水人像遇了大仙，只道有慧阿娘嘴巴这么会讲！漫水没有女人认得字，她认的字比绿干部还要多！绿干部的兴趣比漫水人更大，散会后就问人：“她是谁的婆姨？”这话漫水人听不明白，他们不晓得“谁”是什么，也不晓得“婆姨”是什么。有慧阿娘告诉漫水人：“谁”，就是漫水人讲的“哪个”，“婆姨”就是“阿娘”。绿干部晓得她是有慧阿娘了，就动员有慧参加志愿军。有慧说：“我阿娘告诉我，志愿就是自觉自愿。我不晓得自觉是什么，只晓得自愿是什么。我不自愿！”

有慧不愿意当志愿军，漫水好几个人也不愿意了。鼓动有慧参军的人很多，他们都在绿干部面前讲烂话。绿干部就对有慧说："你拖了大家的后腿！"有慧听不懂他的话，说："人只有手和脚，哪有后腿？又不是猪，又不是牛！"绿干部说："根子在你阿娘那里，她拖你的后腿！"有慧偏了脑袋，样子像个斗鸡，说："不准你说我阿娘！她晓得人只有手和脚，没有后腿！人和畜生她是分得清的！"绿干部的手朝有慧一点一点的，说："你今天要讲清楚，你说谁是畜生？"有慧吼了起来："巴不得我去参军的人，都是畜生！"有慧的话哪个都听明白了，只是没有人往那上头点破。绿干部却抓住他的辫子不放，硬要他说清楚谁是畜生。有余上来劝架，说："莫为一句话争了。有慧听不懂你北方干部的话，我也听不懂！漫水人自古就没听哪个讲人有后腿，又不是故意和你摆龙门阵！"

有人在背后说：有慧阿娘是堂板行出来的！她认的几个字都是逛堂板行的公子哥儿教的！有一日，绿干部同人摆龙门阵，说："堂板行，我们北方叫窑子，大城市叫妓院。里边的女人，我们老家叫窑姐儿，大城市里叫妓女。你们南方叫啥来着？叫婊子！婊子见过的男人太多了，生不出的。不信你们看吧，生不出的！"绿干部正说得口水直喷，有余过来听见了，锄头往地上一杵，说："哪个畜生在放屁？"围坐在绿干部身边的人忙立了起来，只有绿干部一个人还坐在地上。有余说："你是个男人，讲话就要像个男人！你那天问人家，哪个是畜生。我今日告诉你，背后讲人家妻室儿女，就是畜生！难怪人家背后喊你绿干部！"众人围成一圈，绿干部坐在地上，样子有些狼狈。他只好立起来，拍拍屁股，说："你发啥火？又不是讲你阿娘！"绿干部这话说坏了，有余扛起锄头就要打人。众人忙抱住有余劝架，说："算了算了，莫和北方佬一般见识！"有余推开众人，说："你们都是漫水男人，漫水没有嘴巴像女人的男人！"众人脸有愧色，抓的抓耳朵，摸的摸脑壳。有余指着绿干部，说："不要以为你屁股上挎把枪哪个就怕你了！我们不犯王法，你那家伙就是坨烂铁！告诉你，漫水没有不干不净的女人！你要是乱说，我把你嘴巴撕齐耳朵边！"

事情过去好久，有慧请有余去屋里喝酒。有余说："又不是过年过节的，喝什么酒？"有慧说："余哥，我想请你，你老弟母也想请你。"有余听了这话，不好再推脱。进了有慧屋，饭菜已经摆在桌上，只不见有慧阿娘。有余问："老弟母呢？"有慧说："她在灶屋吃，我两弟兄喝酒。"有余说："那不行，又不是过去了，哪有女人家不上桌的？"有慧说："你老弟母说了，今天让我两弟兄好好说话。"

不晓得有慧要说什么话，有余也不问他。两人只是喝酒，东扯葫芦西扯叶。酒喝得差不多了，有慧说："昨天夜里，老子打了绿干部一餐！"有余愒着了，问："听说绿干部被人扑了黑，你搞的？"有慧嘿嘿笑着，说："他妈的，哪个喊他嘴巴上长了块牛麻牝？"有余说："我就要说你几句了！老弟，男子汉，明人不做暗事。他嘴巴不干净，你堂堂正正找他。夜里扑黑，不算本事！"有慧说："他屁股上有枪！"有余把筷子一放，鼓着眼睛说："我当着他面说过，只要我们不犯王法，你那家伙是坨烂铁！我

当面骂他畜生，他屁都不敢放！"听有余说了这话，有慧眼皮都抬不起了，端了酒杯说："好，不讲这事了。"有余说："慧老弟，这话到这里止。听说，县里来人查案子，说漫水有坏人，想杀害干部。抓到了要坐牢的！你千万莫到外头去吹牛！"

有慧说："余哥，你夜里吹笛子，你老弟母听着，手忍不住打拍子。"

有余说："慧老弟，你马尿喝多了。"

有慧说："我还没有醉！余哥，我阿娘是我从堂板行领回来的。"

有余把筷子往桌上一板，说："有慧，你放什么屁！"

有慧摇摇手，说："余哥，你莫发火。我过去不争气，放排，拉纤，担脚，几个辛苦钱，都花在堂板行了。我阿娘，早几年我就认得了。世道变了，不准有堂板行了。那年我上街，街上碰到她。我喊她，问她到哪里去。她就哭，不晓得到哪里去。我说，我屋就我一个人，你愿意，跟我回去。"

有余猛喝一口酒，说："老弟，你一世只做对一桩事，就是把老弟母引进屋了。她是个好女人家！你样样听她的，跟她学，你会家业兴旺！"

有慧摇头叹气："我人蠢，没有她心上灵空。听你吹笛子，我是个木的，她听得有味道，手不听话就轻轻拍起来了。"

有余说："老弟，你莫讲了，我再不吹笛子了，好吗？"

有慧说："余哥，哪个不要你吹笛子了？她喜欢听你吹笛子，又不犯王法。她认得字，写得出，晓得好多事。她的世界比我大，古人的事，远处的事，她都晓得。我不晓得哪辈子修来的，有她做阿娘。"

有余这回笑了，说"漫水人老少都说，你是懒人自有懒人福。慧老弟，几辈子修来的福，你就好好珍惜吧。漫水有句老话，从良的婊子赛仙女。老弟母自己今后心正人正，没人敢说她半个不字。听我的，今后漫水哪个再敢说那两个字，我打死他！"

从那以后，有余多年没有吹过笛子。夜里没事，他是想吹笛子的。怕有慧阿娘听见，就忍了好多年。他把笛子藏了起来，慢慢就忘记笛子在哪里了。发坨三岁那年，翻箱倒柜找玩的，把笛子翻了出来。发坨把笛子当竹棒棒敲，妈妈看见了，忙抢了过来，说："你爹的笛子，敲炸了不得了！"发坨愒哭了，半天哄不回。有余拿过笛子，逗发坨玩，就吹了起来。发坨听见笛子声，就不哭了。哄好了发坨，有余就不吹了。发坨不依，缠着他爹，叫他不停地吹。有余心上是没有谱的，他不爱吹现成的歌，自己爱怎么吹就怎么吹。吹着吹着，眼睛就闭上了。他就像进了对门的山林，很多的鸟叫，风吹得两耳清凉，溪水流过脚背，鱼虾在脚趾上轻轻地舔。第二日，有余去有慧屋摆龙门阵，说到了蝉和蛐蛐，有慧说："余哥，你夜里吹笛子，也是喊母蛐蛐？"

五

慧娘娘眼睛有些不好了，耳朵很清楚。蛐蛐的叫声，她听得见。余公公的菜园一片金黄，菊花开得热热闹闹。慧公公在的时候，总会笑话："余哥，菊花是炒着吃呢？还是打汤喝？"

有回，余公公请慧公公喝酒，慧公公问："今日是什么日子？"

余公公说："好日子。你叫老弟母也来。"

也是这个季节。菊花开得会黄，山上长着枞菌。余娘娘也还在世，她做了四个菜，一碗枞菌炒肉，一碗黄焖鲤鱼，一碗葱煎豆腐，一碗清炒白菜。

四个老人坐上来，慧公公又问："什么好日子？"

余娘娘说："问你余哥。"

余公公搓脚摸手的，对他阿娘说："还是你说吧。"

余娘娘说："今日是阴历九月初十，你余哥记得，慧老弟把老弟母引进屋五十年了。"

余公公没有抬眼，望着桌上的菜，说："你二老没有拜堂，没有做酒。按电视里说的，五十年算是金婚。金子不得烂，不得锈，好。"

慧娘娘忙把筷子放下，撩起衣襟揩眼泪，说："这日子，你慧老弟是记不得的，我自己也忘记了。余哥，你哪里记得呢？"

余公公说："人老了，年轻时的事记牢了，就忘不了，老了眼前的事，都记不住。那年粮子过路，阴历九月初八到的，在漫水歇了一夜，初九走的。我想参军吃粮去，我娘不准。娘病着，说，余坨，你敢走！你初九走，我初十死！我就没有去。娘这句话我一世都记得。初十，慧老弟把老弟母引回来了。听说慧老弟引了个阿娘回来，我娘说，粮子的衣服变了，世界也变了。娘的话我都记得。"漫水老辈人，军人就叫粮子。

慧娘娘揩干眼泪，说："我搭帮你慧老弟人好，要不我不晓得在哪里落难。"

余娘娘就笑，说："老弟母，好日子，敞口喝酒！"

慧娘娘说："我一世跟着他值得！他人是生得蠢，手脚也不勤快。他不打我，不骂我，不嫌我。跟他五十年，手指头都没在我头上动过。"

慧公公笑道："我把你当菩萨供着，还嫌没有天天烧香哩！"

余公公端了酒杯，说："我们四个老的，今天都要喝酒！慧老弟总问我，菊花是炒着吃还是打汤吃，今日菜里都放了菊花！"果然，四碗菜里都有黄黄的菊花瓣。

慧公公问："余哥，吃得吗？"

慧娘娘不等余公公回答，自己先夹了几片，说："菊花入中药，怎么吃不得？"

余娘娘说："你余哥犟，硬要把菊花当香料放。我晓得，他就是要同慧老弟争，看菊花能吃不能吃。"

慧娘娘望望自己男人家，又望望余公公，说："他两兄弟，一世都在争。不争大事，尽争些小伢儿的事。年轻时为个蛐蛐，两个也要争。"两兄弟你望望我，我望望你，碰碰杯子，笑了起来。

慧娘娘喜欢吃菊花，说："菊花当香料放在菜里是好吃，不晓得净炒菊花好不好吃？"

日头开始偏西，井边的石板地到了阴处，开始变得清冷。慧娘娘仍坐在那里，想起死去的男人，眼泪又出来了。她望着菜园过季的辣子树，说："你是好啊，两脚一伸去了好地方了，留我在世上受苦！你养的儿子蠢，养的孙儿、孙女也蠢。一屋都是不读书的！我是个蠢的，我也认了！我哪样事不会做？我要是再多读几句书，再大的世界都去闯！漫水的伢儿女儿，几个不是我接生的？漫水的人老了，不都是我去妆尸？"

慧娘娘年轻时是漫水的赤脚医生，哪家有人头痛脑热，她背着药箱就跑去。药箱是余公公做的，用的是好樟木料，漆成白色，锁扣下面画了个红十字。哪个的阿娘要生了，慧娘娘更加跑得飞快。背着木箱跑快了，箱子里的药瓶会碰碎。年轻男人只要看见慧娘娘跑，就晓得哪家要生了，会接过她的箱子，跟在她后面跑。年轻人手上有劲，悬空提着箱子跑，不会碰碎药瓶。日子久了，都成了规矩。年轻男人碰上慧娘娘飞跑，他不接过药箱，会落得人家去说。漫水四十岁以上人的生辰八字，慧娘娘个个都记得。糊涂的爹娘，收亲过女对八字，记不准儿女落地的时辰了，就说："问问慧娘娘就晓得了。"慢慢地后来不兴接生婆了，女人都去城里医院生。比慧娘娘老一辈的人讲，从前漫水哪家女人要生了，一边预备着喝喜酒，一边预备着打丧火。自从慧娘娘做了接生婆，漫水没有一个难产死的女人。

慧娘娘进男人家十二年，才生了强坨。巧儿也是那年生的，比强坨小三个月。那年，漫水的接生娘死了，村里几个大肚子，都愁着没人接生。大肚婆都掐着手指算日子，猜哪个先出窑。不晓得哪来的说法，漫水人开玩笑，把女人生产喊作出窑。哪个女人胆子大，帮人家把毛毛接下来了，她就一世都是接生婆。女人肚子越来越大，离生死关越来越近。她们嘴上只把这事当笑话，找信得过的女人说："你来帮我接啊，生死都放在你手里。你要是平日恨我呢，那天就手打发我回去了。"漫水已没有接生婆，没人敢答应人家。有慧阿娘没有同人说，天天挺着大肚子，该做什么照做什么。有日深更半夜，有慧门前突然响起了炮仗声。有余两口子离得最近，惊得在床上坐了起来。有余对阿娘说："你快去看看！"有余很担心，不晓得这炮仗是凶是吉。毛毛落地，马上要放炮仗；人死落气，也要马上放炮仗。炮仗祛邪，生与死都要祛邪。只是死人的时候，又放炮仗，又烧落气纸。

有余阿娘挺着大肚子一步一挪跑了回来，惊喜得喘气都粗重了，说："老弟母生了，生了，生了个儿子！"有余问："哪个接的生？"有余阿娘说："神仙哩，老弟母自己接的生！"有余听得嘴巴都合不上，半天才说："我是不方便去，你快去招呼，有慧是什么都不晓得的。"有余阿娘说："我就去，就去。我是怕你担心，先回来说声。告诉你，我刚才出门，生怕看见落气纸。"有余长叹一声，说："天保佑啊！"

三个月之后，巧儿落地了。巧儿是慧娘娘接的生。漫水过去的接生婆，剪脐带的剪刀就是灶屋的菜剪刀，放在火上燂几下就用了。慧娘娘自己出了月子，就去街上买了医生用的剪刀和纱布，替有余嫂嫂预备着。巧儿要生那天，慧娘娘把接生要用的剪刀放在锅里煮着，把纱布放在蒸笼里蒸着。巧儿是下午生的，帮忙和看热闹的女人多，慧娘娘有条有理地忙着，她们就像看西洋景。

巧儿生下之后，有余阿娘招呼大家喝甜酒。有女人问："慧嫂嫂，你哪里晓得身下要贴一块大纱布呢？你哪里晓得纱布要放在蒸笼里蒸过呢？"

慧嫂嫂笑笑，说："想都想得到。"

有女人问："慧叔母，往日接生婆都把菜剪刀放在火上燂，你哪里晓得剪刀要放在开水里煮呢？"

慧娘娘又笑笑，说："想都想得到。"

又有女人问："慧伯娘，脐带留好长，你哪里学的呢？"

慧娘娘还是笑笑，说："留短了怕伤了毛毛肚子，留长了不方便。我是这样想的。"

有一年，漫水要派人去学赤脚医生。村里人想都没多想，都说这事只有慧娘娘做得了。她认得字，人又聪明，又肯帮忙。接生，她天生就会。女人都是要生的，没有哪个给自己接过生。

强坨同巧儿只隔三个月，一起滚大的。有余做木交椅，做两把，强坨一把，巧儿一把。有余做木车，做两架，强坨一架，巧儿一架。旺坨和发坨穿过的衣服分作两份，强坨一份，巧儿一份。有天夜里，有余阿娘对男人家说："有人背后讲，原先以为他阿娘是不会生的，哪晓得十多年后又生了。不晓得是有慧不能生，还是他阿娘原先生不了？"有余说："生不生，观音娘娘管的，你问我，我问哪个？"有余阿娘说："你还不明白我的话吗？"有余说："我听明白了，只是不想听！告诉你，人家说什么，你不要插嘴。说得过分的，你就说他几句。吃自家饭，管人家事，我最看不得这种人！"有余阿娘说："我是说，强坨算是你侄儿，到底还是隔房的。我们平日对他好，有这样子就行了。"有余听出些名堂来，问阿娘："你到底听到什么了？"有余阿娘说："有人说，强坨只怕不是有慧的，说有慧是个王八脑壳。"有余问老婆："我这回才听明白。你是信了？"有余阿娘问："我信了什么？"有余说："你问自己，有话就说。"有余阿娘说："我相信有什么用呢？嘴巴长在人家身上！"有余说："嘴巴长在人家身上不怕。手脚长在自己身上，最要紧！人正不怕影子歪。"

有年，漫水替人妆尸的人也死了。一个八十多岁的老太太，身子很硬朗的，说去就去了。漫水的接生婆有时会有几个，妆尸的人永远不会有第二个。老的妆尸人死了，总有接脚的顶上来。老辈人想想这事，都觉得很怪。可是这回，妆尸人自己死了，替她的人不晓得在哪里。慧娘娘是赤脚医生，守着老人落气的。没有人给妆尸的老人妆尸，她说："我来吧。"丧家哭得天昏地暗，她招呼村里人赶快烧水，问丧家寿衣寿被在哪里。她得趁老人身子还软和，快把澡洗了，穿上寿衣。慧娘娘已接生过很多毛毛了，但活到三十几岁还没有碰过死人。她是看着老人落气的，心上并不害怕。她替老人妆尸的时候，口罩始终没有取下来。口罩是抢救老人时戴上去的。

老人干干净净躺在案板上了，漫水人才回过神来，朝慧娘娘满口阿弥陀佛，只道她必定好人好报。慧娘娘取下口罩，说："老人家做了一世善事，去得无病无痛。"

从那天起，漫水人不论来到这世上，还是离开这世上，都从慧娘娘手上过。

妆尸虽是积善积德，到底让人有些怕。怕鬼，怕脏，怕邪。往日妆尸的每送走一个亡人，总有几天人家不敢接近她。她的手是刚摸过死人的，人家不敢吃她拿过的东西，不敢同她挨得太近，不敢叫她进屋里去坐。

慧娘娘妆尸，没人怕她脏。只是觉得有些怪，慧娘娘那么爱漂亮，爱干净，怎么敢碰死人呢？她的头发总是梳得那么水亮，她的衣服总是那么干净整齐。哪怕是身上的补巴，她也比人家补得漂亮。

也有那嘴巴讨嫌的，逗有慧说："你那么漂亮的阿娘，去给死人洗澡，不论男女都洗，不论老少都洗，你不怕吗？她做的饭菜，你敢吃？"

有慧在外护阿娘，同人家吵架。回到屋里，也同阿娘吵架，怪她不该学妆尸，又不是讨饭吃的手艺。"你看病有工分，接生还有碗甜酒喝，妆尸得什么呢？"

有慧阿娘说："人都要死的，死人就得有人妆尸。"

有慧说："我只问你，你有什么好处呢？"

有慧阿娘说："做事都要有好处吗？日头照在地上，日头有什么好处呢？雨落在地上，雨有什么好处呢？余哥你是晓得的，他给人家修屋收工钱，做家具收工钱，捡瓦收工钱，只是给人家割老屋不收工钱。他得什么好处呢？"

有慧说："余哥这规矩是他自己定的，别处木匠割老屋也收工钱。漫水又不是他一个木匠，他不收工钱，人家也不好收，都恨他哩！"

有慧阿娘说："你是说，我替人家妆尸，也问人家要钱？人都死了，这钱还能要？你想得出啊！"

有慧忙说："阿娘，你莫冤枉我！我没说这话！我只是不想你去妆尸，不想人家开我的玩笑。"

"哪个开你的玩笑，告诉我！哪天他死了，我不给他妆尸就是了！"说过这话，有慧阿娘很后悔，这话太毒了。

六

有慧阿娘有件医生穿的白褂子，一年四季都白得刺眼睛。平日，白褂子叠得整整齐齐，拿干净布另外包着，放在药箱子上面。有事了，她一手拿着白褂子，一手背着药箱子，飞跑着出门。到了病人屋里，麻利地穿上白褂子，戴上口罩。病人就只看得见她的眼睛和眉毛。她的眼睛很大很亮，眉毛细长细长的像柳叶。她把脉的时候就低着头，病人又看见她的耳朵。她的耳朵粉粉的，像冬瓜上结着薄薄一层绒毛。看完病，打完针，她取下口罩，撩一撩并没弄乱的头发，笑眯眯地说几句安慰的话。这时候，若是夜里，幽暗的灯光下，有慧阿娘就像传说中的夜明珠。若是白天，日头从窗户照进来，她的脸上好像散发着奶白色的光。

白褂子慢慢发黄，强坨就有十岁多了。这年春上，有一日，有慧阿娘背着药箱子刚要出门，公社干部跟在大队书记后面进屋了。有慧阿娘招呼说："稀客啊，有事?"大队书记说："你急吗？不急就说个事。"原来，县里有个女干部，犯了错误，放到漫水来改造。想来想去，住在有慧屋合适。公社干部说："我们晓得你，你有文化，人又好，教育女同志，你很合适。"有慧阿娘说："安排了，我就服从。"大队书记说："你要不要同有慧商量?"有慧阿娘说："他是个直人，没事的。"有余屋前堆了很多杉木，公社干部问："修新屋吗?"有慧阿娘说："隔壁余哥屋的，他屋要树新屋了。"

第二天，漫水来了个女干部。引女干部来的还是那个公社干部，他像领贵客进屋似的，望着有慧阿娘说："慧大姐，人我给你引来了。她姓刘，你叫她小刘就是了。麻烦你啊。"公社干部中饭都没吃，说完话就走了。

小刘立不是，坐不是的。有慧阿娘说："小刘同志，我屋随便，只有我男人、儿子强坨。你随便啊。"

有慧阿娘早给小刘预备了房间，领她进去，说："乡里条件不比你城里，屋里到处稀烂的。也还算干净，你将就着住吧。"

小刘放下行李，跑到厨房取了水桶，问："慧大姐，井在哪里？我去担水。"

有慧阿娘去抢水桶，说："不要你担水，屋里有男人，哪要你担水！"

小刘死活要去担水，有慧阿娘抢了半天，只得由她去了。乡下人看城里女人，头一个就是白不白。小刘担水从村子里走过，路上就净是看热闹的人。

"长得白里，像个白冬瓜！"

"白是白，比不上有慧阿娘白。"

"好看是好看，也比不上有慧阿娘。"

"她犯什么错误?"

"听说是男女关系。"

有个叫秋玉的女人说："搞网绊！"

漫水人说男女私通，叫作搞网绊。谁和谁私通了，就说他们网起了。有慧阿娘见小刘后面有人指指点点，她耳朵根子就发热。好像人家说的不是小刘，说的是她自己。夜里，有慧阿娘去有余屋。有余正在中堂做木匠，晓得有慧阿娘有话说，就放下手里的斧头。有慧阿娘说："余哥，小刘住在我屋，我就要管她。她哪怕犯天大错误，也是来改造的。有人背后说她，不好。"有余阿娘也在中堂忙着，把劈下的木片打成捆，旺坨和发坨给妈妈做帮手。有余阿娘听见是讲大人的事，就说："你两弟兄进去，早把作业做了。"

强坨喜欢在巧儿屋做作业，他俩同班同学，都上小学三年级。强坨在隔壁偷听到了大人的话，跑出来问："什么是搞男女关系呀？"

有余扬手轻轻拍了强坨屁股，说："大人说话，不准听！"

有慧阿娘笑笑，说："一个女的，听男的说，我想去睡觉。女的也说，我也去睡觉。他们俩，就是搞男女关系。"

巧儿也跑了出来，说："慧叔母，我刚才说，作业做完了，我要睡觉了。强坨说，我也要睡觉了。我俩也是搞男女关系呀？"

有余笑得眼泪水都出来了，一把拉过巧儿，说："你乱讲，爸爸打烂你的屁股！快去睡觉了！"

强坨缠着要跟妈妈一起回去，叫他妈妈赶走了。有余说："我明天去说说。最喜欢嚼舌的是秋玉婆，她不起头说，人家不会说的。"

有余阿娘说："秋玉婆嘴巴最烂，你是不好说她的，我去说。"

有慧阿娘走了，有余对自己阿娘说："你嘴巴笨，说不过秋玉婆。我不怕，我去说。"

有余阿娘说："我要你不要去说！"

有余听着有些怪，说："我还怕她？"

有余阿娘把头偏向一边，说："你不怕，我怕！"

有余说："你怕，那你还争着去说？"

有余阿娘说："她要乱说让她说去，说出麻烦了有干部管！"

有余生气了，说："你说的什么话？一个女人家，到漫水来改造，已经是落难的人了。听人家在背后乱说，我们不管？我说，你就没有慧老弟母晓得事！"

有余阿娘也来了气，高着嗓子说："我是没有她晓得事！有她晓得事，也不用秋玉婆在背后说她了！"

"秋玉婆说什么了？慧老弟母有她说的地方吗？那年她自己害病害成那样，不是慧老弟母救她，她早到阎王爷那里去了！"有余嗓子也高了。

有余阿娘说："你朝我叫什么？秋玉婆哪个跟她有仇？她哪个的烂话不说？"

两口子吵半天，有余阿娘就是没点破那层纸。原来，秋玉婆在外头说，强坨是有余的种。有余也听出来了，只是装糊涂。他晓得话说穿了，不好收场。又怕两口子为这事吵起来，传到慧老弟母耳朵里就不好了。

有余不作声了，闷头想了会儿，说："放心，我不会无缘无故找她去说，我自有办法。"

有慧阿娘睡觉前，先去小刘房里看看。小刘正摊开本子写字，望见有慧阿娘进屋了，忙招呼道："慧大姐，你坐啊。"

有慧阿娘说："日子是春上了，夜里还是有些冷。你被子太薄了。"

小刘说："我盖惯了，不冷。慧姐姐，我其实比你大。"

有慧阿娘望望小刘，说："你城里人，天晴在阴处，落雨在干处，就是年轻些。乡里人看城里人，个个都漂亮！"

小刘笑笑，说："慧姐姐其实比城里人还漂亮！城里人漂亮是穿衣服穿出来的，乡里人漂亮是天生的。慧姐姐是天生的漂亮女人。"

有慧阿娘红了脸，说："小刘你说到哪里去了，乡里人哪敢同城里人比！"

小刘问："慧姐姐，听口音，你不是本地人啊！"

有慧阿娘说："我也不晓得自己到底是哪里人。我很小就流落在外，就像水上的浮萍，不晓得哪股风把我吹到漫水来了。"

"你说的也是漫水土话，你的腔调是外地人的，有些字音还是北方话。"小刘好像要从有慧阿娘的口音里替人家找到故乡。她一声不响看了有慧阿娘一会儿，长长地叹了一口气，"慧姐姐也是个苦命人！"

有慧阿娘也跟着她叹了一口气，反过来安慰小刘似的笑笑。有慧阿娘不经意瞟了一眼桌上的本子，赶忙把目光移开了。

小刘问："慧姐姐，你认得字？"

有慧阿娘说："哪敢在你们干部面前说认得字！我认得报纸上的字，晓得不讲反动话。我认得药瓶子上的字，晓得不用错了药。"

小刘合上本子，说："慧姐姐，你晓得我犯的什么错误吗？"

有慧阿娘倒不好意思了，眼睛朝旁边向着，说："不管什么错误，改造就行了。"

小刘叹气说："明天要出工，我哪有面子见人！"

有慧阿娘说："世上哪个人敢保证自己是干净的！你相信，乡里人多半老实，不敢当面不给人面子。你做事做人好好的，日久见人心，没人敢欺负你！"

"我是自己这关过不了。"小刘说着就哭起来了。

有慧阿娘拉了小刘的手，说："你莫哭，哪个敢保自己一世百事都顺？你是一时不顺，改造好了回去，照旧是我们的领导。你明天跟着我去出工，你只贴身跟在我后面，我替你给人家打招呼，告诉你认识人。人都熟了，你就晓得乡里人蛮好的。"

小刘揩揩眼泪，说："慧姐姐，你去睡吧，我还要写认识。"

有慧阿娘立起来，笑笑说："有什么好认识的！人和人，不就是相处得热了，一时管不住自己！吃过亏，今后管住自己就好了！”

第二天清早，生产队长吹了哨子，高声叫喊：“十队全体社员扯秧！”

有慧阿娘担了箢箕，喊小刘：“走，出工去。”

小刘问：“还有箢箕吗？”

有慧阿娘说：“你不要担箢箕，我和我男人家担就行了。”

社员们从各自屋里出门，有担箢箕的，有空手空脚的。走到村外田埂上，前面的人不断地回头，他们都晓得后面有个城里来的女干部。小刘空着手，走路就更不自在。有慧阿娘看出来了，悄悄地说：“小刘，你担着箢箕，显得积极些。”小刘接过箢箕担着，走路的样子果然自在多了。路上有正面碰上的，有慧阿娘就大声招呼，说这是哪个，那是哪个。有的是喊名字，有的是喊外号。有慧阿娘指着秋玉婆的儿子说：“他叫铁炮！”小刘朝那人点头笑笑，说：“铁炮你好！”听见的人都笑了，铁炮很不好意思。小刘问：“慧姐姐，他们笑什么呀？”有慧阿娘说：“他喜欢打屁，屁又很响，就像放铁炮。他是个猛子，胆子大，村里红白喜，放铁炮都是他的事。”说笑着，前面就有人学放炮的样子，喊着：“砰！砰！砰！”

早工是扯秧苗，早饭后再去插秧。来到秧田边上，有慧阿娘一边挽裤脚，一边轻声问小刘：“下过田吗？”

“年年要支农，下过田。”小刘答道。

有慧阿娘就笑了，说：“又不是大姑娘上轿头一回，那就不怕。”

小刘把声音放得很低，说：“我还是怕，怕蚂蟥！”

有慧阿娘说：“不怕，我帮你看着。”

早上田里很冷，社员们下田时，一片哎哟哎哟的笑闹声。今天大家叫得更加欢快，更加放肆。男人叫得癫，女人叫得疯。只有小刘没有叫，咬紧牙齿忍着泥巴里渗骨的冷。有慧阿娘也笑着，她晓得大家都有些人来疯。田里多了一个城里来的女人，一个搞网绊的女干部。

有慧阿娘见小刘扯秧很熟练，也就很放心了。她说：“小刘，要是评工分，你可以评七分！我也是七分。”

小刘说：“我是耐力不行，太累了还会发晕。”

有慧阿娘说：“多半是低血糖，莫要饿着就是了。”

小刘吃惊地望着有慧阿娘，说：“慧姐姐，你当得县医院医生哩！我过去在乡里发过晕，一般赤脚医生只晓得笼统说这是晕病。我就是低血糖。”

“我哪里敢算个医生，半瓶醋都说不上。”有慧阿娘说，“你要是太累了，放心大胆歇歇，没有人会说你偷懒。”

这时，突然听见小刘哇地叫了起来。众人都直了腰，朝小刘望去。原来，她腿上爬了蚂蟥。有慧阿娘忙说：“莫怕莫怕，你立着莫动。”有慧阿娘怕世上所有软软的虫，她扯掉小刘腿上的蚂蟥，用劲往远处摔。蚂蟥被摔到铁炮脚边，铁炮笑道：

“慧叔母你来害我啊!”铁炮把蚂蟥捉起来,爬到田埂上,找一根小柴棍,把蚂蟥翻了过来。里外翻了个的蚂蟥全是红红的血,看着叫人手脚发麻。铁炮却像缴获了战利品的士兵,高高举着那红红的东西,说:“蚂蟥切成好多段,就会变得好多条。只有把它翻过来,晒干了才会死。”铁炮说的不是新鲜话,乡里人都以为蚂蟥是这样的。

铁炮落了田,众人看完把戏,又躬腰开始扯秧。听得秋玉婆说:“一个蚂蟥,也叫成那个样子!听她那叫声,就像个搞网绊的!”

有余立了起来,冷冷瞟着秋玉婆。旁边几个人也立起来了,望望有余,又望望秋玉婆。秋玉婆感觉有些不太对劲,也立起来了。有余见她立起来了,也不望她的脸,只瞟着她的腿脚,轻声道:“好锣不要重敲,好鼓不经重锤!高人莫攀,矮人莫踩!”

秋玉婆自知理亏,红了脸,说:“我又没说什么。”

有余说:“没说什么就好,说了等于放屁!好了,做事!”

有余躬下腰,众人都躬下腰了。秧田很大,田的那头在说什么,有慧阿娘不晓得,小刘更不晓得。

铁炮隐隐感觉到他娘又在那边讲烂话,他猜到肯定是在讲城里来的女干部。铁炮是个老实人,娘的嘴巴常弄得他没有面子。

听得呜的汽笛声,有人喊道:“放喂子了,吃早饭了。”漫水三公里之外有座火电厂,每天定时放两次汽笛,一次是上午八点半,一次是下午两点。漫水人叫它放喂子。漫水没有一个钟,没有一块表,喂子就是大家的时间。

吃过早饭,落雨了。

雨越落越猛,看样子歇不住。有余递过烟袋,叫有慧卷喇叭筒。抽烟的时候,有余望望对面田垄,雨水漫过田坎,满眼尽是小瀑布。千工坝的水也漫出来了,流成几个更大的瀑布。山上必定也有水流下来,只是叫枞树挡住了,又罩着很浓的雾看不见。有余想,漫水这地名,就是这么来的吗?

七

余公公晓得自己得罪慧娘娘了,却并不晓得她正坐在屋后生气。他把早饭和点心一餐吃了,担着箩箕又上山去。木马脚上的猫儿刺太久了,应该剁些新刺回来换上。老鼠爬上去咬烂了龙头杠,他就要遭一世的骂名。

黑狗又跟着他,虎虎地飞到前面,忽又停下来等他。余公公越是笑骂,黑狗蹦跳得越高兴。余公公每次出门,慧娘娘屋黄狗也会跟上半里,路上总会碰到什么稀奇东西,停下来东嗅西嗅,就慢慢跑回去了。余公公就会望着黑狗说:“看你养的好儿子!”

余公公晓得山上哪里有猫儿刺,上山没多久就剁好了。余公公眼尖,下山的时候,看见几处枞菌,顺手摘了回来。路过慧娘娘屋门口,余公公喊道:“在屋吗?”喊了好几声,不见慧娘娘答应,余公公就推开她屋门,把枞菌放在门槛里。

余公公在屋后绑猫儿刺,听得慧娘娘在身后说:“余哥,枞菌我要了,钱退你的。”余公公立起来,回头望望慧娘娘,不像生气的样子,就说:“老弟母,事是黑狗惹的,你莫太认真!”慧娘娘说:“人是黄狗咬的,钱不要你的。”慧娘娘说着,把钱放在龙头杠上。余公公笑笑,说:“你脾气是越来越坏了!”慧娘娘也笑了,说:“哪个脾气坏?《三字经》上明明说,养不教,父之过。你说,养不教,母之过。不是双人吗?”读书人说的含沙射影,漫水人只用一个字:双。余公公又嘿嘿地笑,慧娘娘也笑。两条狗在身边闹,黄狗跳得高高的,黑狗只是应付着,懒得奉陪的样子。余公公说:“黄狗没良心,又懒。每回我出门,它都摇着尾巴跟着,都是半路上跑回来了。它娘好,跟前跟后,赶都赶不走。”慧娘娘说:“毕竟,我是黄狗的主人,你是黑狗的主人。我出门,黄狗是左右不离的。人都像狗这么忠,世上就相安无事了。”听上去,慧娘娘真是在说狗,不是在说人,就晓得她消气了。

余公公把新剁的猫儿刺绑在木马腿上,再揭开棕蓑衣擦龙头杠。慧娘娘凑近嗅嗅,说:“你听听,微微的一股香,不知道几朝几代了。”余公公说:“你鼻孔好,我是听不见了。”漫水人讲话有古韵,声音用听字,气味也用听字。闻气味,说成听气味。慧娘娘说:“我就是鼻孔太好,听不得太香的东西。过去年轻人用花露水,我听见就脑壳晕。你屋种的花,我样样喜欢,就是不喜欢栀子花和茉莉花,太香了。”余公公擦着龙头杠,说:“那你不早讲,早讲我就把它剁了。”慧娘娘忙说:“莫剁莫剁,我不喜欢,人家喜欢。世上的事都依我,那还要得?”余公公说:“那就信你的,不剁。”

慧娘娘拿了抹布,也帮着擦龙头杠。慧娘娘说:“我小时候看过一次舞滚龙,记不清在哪里看的了。漫水龙灯是竹篾皮扎的,糊上皮纸,里头点灯。滚龙全用黄绸子扎,上头画龙纹。漫水龙灯夜里舞,我看见过的滚龙日里舞。我是几岁看的,也忘记了。”慧娘娘从来不讲自己过去的事,从来不讲自己娘屋在哪里。漫水伢儿子都有外婆,强坨没有外婆。晓得慧娘娘不想讲,余公公从来也不问。听慧娘娘讲起小时看过滚龙,他也不往她过去的日子引,只说:“十里不同音,隔山不同俗。漫水正月初二不可以拜年,只拜生灵。对河那边,正月初一不可以拜年,拜生灵。”先年屋里老了人,头年正月要祭拜,叫拜生灵。

慧娘娘问:“余哥,阎王老儿真识货吗?他晓得这龙头杠是文物?强坨说它值几万,你信?”余公公说:“龙头杠是漫水的宝贝,无价!莫说它雕得这么好,莫说它传了多少代,就是这么好的老楠木,如今也找不到了。什么是文物?旧!什么文物最值钱?稀!”慧娘娘笑笑,说:“余哥,看我两人哪个先去。我先去呢?你不要后生家抬着我满村打转转,我要径直上山。八抬八拉,推来推去,吆喝喧天,热闹是热闹，我怕吵。”余公公放下抹布，说：“老弟母，你比我小，身体又好，肯定走在我后面。你看你，七十三了，头发还乌青的！”慧娘娘说：“七十三，八十四，阎王不喊自己去！”两个老人说起生死大事，就像说着走亲戚。日头慢慢偏西，天光由白变红，龙头杠上浮着薄薄的玫瑰色。

慧娘娘是梳着髻子来漫水的，髻子上别着白亮亮的银簪子。她中年时剪过短发，老了又梳着髻子，仍别着那个银簪子。她的头发又黑又浓，从未见过半根白发。她到老都没用过洗发水，常年只用烧碱水洗头发。拿一把干净稻草烧了，把稻草灰放在筲箕里，用热水淋上去，底下拿脸盆接着。滤下的热腾腾的黄水，就是洗头发的烧碱水。慧娘娘每次洗了头发，手心点一点茶油抹匀，往头发上轻轻地揉。烧碱水有股淡淡的清香，像日头晒过干草的香味。余公公只是哑看，从来不对人说，却晓得慧娘娘头发好，就搭帮烧碱水和茶油。看着年轻人用各种香波和乳膏，心上就想：你不如用烧碱水和茶油。他也只是这么哑想，从不说出来。

夜里，余公公去慧娘娘屋里，喊了强坨：“你明天起个早，帮我把筒子盘出来。”强坨问：“余伯爷，你要做什么？”慧娘娘就说强坨：“你一听不就晓得了，还要问！”割老屋的木头叫筒子，漫水人都晓得。

强坨起了大早，帮余公公盘筒子。早就割好的老屋，慧公公先用掉了。余公公有一偏厦屋的樟木料，割得好几副老屋。余公公身子硬朗，原先也不急着割。昨天下午，慧娘娘讲到生死大事，余公公心头一惊，就想：得把老屋先割了。

强坨盘了一大堆筒子出来，问：“余伯爷，差不多了吧？”

余公公说：“全盘出来。”

强坨望望坪里堆的樟木筒子，说：“一副千年屋，差不多了啊！”

余公公说：“你莫管，再盘几筒出来。”

吃过早饭，余公公下锯的时候，慧娘娘问：“余哥，割老屋是好事，要看日子，你看了吗？”

余公公说：“择日不如撞日。虫老一日，人老一年。今年不割，不晓得明年我还割得动吗？”

慧娘娘搬了小凳，坐在余公公前面说话：“余哥，你怎么记得我是阴历九月初十来漫水的呢？你慧老弟是记不得的，我自己也忘记了。”

慧娘娘这话问过千百遍了，余公公每次都回答几句现话，心上却想：女人家老了，就讲冗话。人和动物，真是个反的。动物是公的漂亮，嘴巴也多。公鸡喜欢叫，早禾郎公的也喜欢叫。人是女的漂亮，嘴巴也多，老了讲冗话。慧娘娘耳朵还很尖，头发乌黑的，就是嘴巴老了，喜欢讲冗话。余公公拿斧头剁筒子，说：“我年轻时的事，记牢了就忘不了，老了眼前的事都记不住。那年，粮子从漫水过路，阴历九月初八到的，歇了一夜，初九走的。我想参军吃粮，娘不准。娘身体不好，说，余坨，你初九走，我初十死！我就没有去。娘这句话我一世记得。初十，慧老弟把你引回来了。听说慧老弟引了个阿娘回来，我娘说，粮子的衣服变了，世界也变了。”

“搭帮你慧老弟，要不我不晓得在哪里落难。”慧娘娘每次都说这句话。

斧头剁出的木片子，箭一样地往地上射。余公公说：“老弟母，你人到我后边来，木片子不认人，怕打着你了。”

慧娘娘立起来，笑道：“老了，就拦路了。打死还好些，省得在世上受苦！”

慧娘娘把凳子搬到余公公身后，望着他一斧一斧地剁。心想：余哥也是七十七岁的人了，这么老了还自己割老屋，世上只怕没有第二个这样的木匠。樟木很香，听着这香气心上很安静。

慧娘娘说：“余哥，你说做城里人有什么好呢？死了一把火烧了！不如乡里人，还有个老屋睡！”

余公公说：“人死如灯灭，烧了还是煮了，哪个晓得？国家领导人老了，那么大的官，不说烧就烧了？一把灰，丢在海里！”

慧娘娘啧啧几声，说：“那海里的鱼，人还敢吃？”

也不要余公公句句话都答，慧娘娘只顾自己说话：“迷信你说有没有呢？秋玉婆讲了一世冤枉话，死了还叫雷打脱了下巴。”

漫水人都相信，讲冤枉话会遭雷打。哪里都有嘴巴臭的人，像秋玉婆这么喜欢嚼舌的人少有。那年有余修新屋，忙到秋后打过晚稻，农事就闲了。有余的老屋拆了，住到了有慧屋。有余要在秋月里树好屋，要在新屋里过年。秋玉婆在背后说双双话：“有余和有慧本来就是一屋人，样样都是共着的。又来了个城里专门搞网绊的，样样都搞到一起去了。”

有天，有余正在做屋架子，绿干部突然来了。有余笑着招呼：“绿干部，稀客啊！”绿干部的叫法，漫水人喊了快二十年。绿干部也不生气，他早就习惯了。今天绿干部脸色不太好，很生气的样子。有余以为又有什么运动来了，脸色也正经起来。每逢运动，绿干部总是到漫水蹲点。绿干部问：“人呢？”有余没头没脑，问：“哪个呀？”绿干部说：“我婆姨！”有余更加奇怪，说：“你婆姨？”绿干部脸色铁青，说：“你漫水人有远见，给我起个外号，绿干部！我婆姨给我戴绿帽子，放在你漫水改造。”有余这才明白，说：“小刘原来是你阿娘！”绿干部说：“什么小刘！四十多岁的人了，还搞男女关系！”

有余递上烟袋，请绿干部卷喇叭筒。绿干部摇摇手，自己摸出纸烟，抽出一支敬给有余。点上烟，有余说：“你阿娘出工去了。我是要树屋，请了假。”

绿干部骂骂咧咧，又被烟呛着了，太阳穴上的青筋涨成几根蚯蚓。有余说：“绿干部，小刘来漫水大半年了，没人晓得她是你阿娘。护你的面子，她瞒得天紧。今天你来了，就好言好语。想要离婚，到民政局去就行了，不要到漫水来吵。”

绿干部眼睛红红的，说：“你讲得轻松！要是你老婆偷人呢？”

有余笑笑，说：“绿干部，你对哪个漫水人这么说话都会挨打。我不打你，我要告诉你,你阿娘偷人,只怪你自己。”

绿干部声音比有余还高,说:“放屁,怪我?我儿女都做出了三个!”

有余放下斧头,坐在屋架子上,双手抱胸,望着绿干部,话不高声:“绿干部,做得出儿女,就是男子汉?俗话说,一条鸭公管一江,一条脚猪管一乡。脚猪算男子汉吗?你脾气不改,你不像个好男子汉,你阿娘还会偷人。”

绿干部坐在刨木花里,眼泪一滚出来了。有余递过烟袋,绿干部接了。绿干部卷了喇叭筒,说:“儿女都还没成人,不然我离了算了。”

有余说:“我看小刘是个好人,她来漫水大半年,没人把她当犯错误的人。等她散工回来,你多说几句温暖话。大半年,你没来看过,她也没回去过。你不来,是你不对。她没有回去,是她怕见你。”

绿干部抽旱烟不习惯,一口又呛了。他咳了半天,歇下来,说:“我平日哪有空?今天是星期日。有余,我俩打交道快二十年了。你是第一个敢同我对着干的人,我一直以为你对我有意见。你知道小刘是我老婆,还替她说话,为我夫妻好。你是个好人。”

有余笑道:“漫水没有坏人!你要我讲句直话吗?”

绿干部望着有余不作声,不晓得他要讲什么天大的事。有余说:“你听得进,我就讲。漫水离县里近,不论来什么运动,都先到漫水试点。每回试点,你都是蹲点的。蹲来蹲去,你把漫水的人都得罪光了。人家蹲点越蹲官越大,你是年年雀儿现窠叫,你是上下都不讨好。”

绿干部抬起头,问:“你说漫水没有坏人,那地富反坏右呢?”

有余就不说话了,捡起斧头敲屋架子。木匠树屋都要人打下手,有余只是自己干。他只要树架子那天,再喊乡里乡亲帮忙。盖瓦也要人帮忙。架子树起来了,瓦盖好了,装壁板和门窗,都不要帮手。这个秋月,每日都是日头天。夏秋两季,只要不落雨,漫水的男人多光着上身做事。有余的上身叫日头晒了四十多个夏秋,皮色又黑又亮。长年拿斧头剁来剁去,臂上的肌肉鼓得紧紧的。

有余嘭通嘭通敲了老半天,歇下来,说:“我讲了那么多话,你只晓得问一句,地富反坏右!你官上不去,阿娘犯错误,都怪你自己!抗美援朝你来漫水,屁股上还背着坨烂铁,都没人怕你。今天你屁股上铁都没有了,还有人怕你?记得那年,我慧老弟母说你是绿林吗?”

绿干部说:“我早在四八年就投诚了。”

有余说:“你升不了官,只怕就是你早年做过绿林。绿林就是坏人?未必!你承认自己是坏人吗?漫水往南六十里大山冲里,过去也有绿林,逢赶场的日子,就在那里关羊。拦住的人,交钱就放人。实在没钱,也不害你。其实,他们都是穷人。日子苦,穷人搞穷人。”

绿干部说:“只要到关键时候,有人就抓我历史问题的把柄。我那时候多大?

十四岁！家里没吃的，跟着人家上山了。屁事都不懂。干了不到一年半，我就投诚了。”

有余继续敲屋架子，说：“你晓得自己不是坏人，就莫随便说人家是坏人。我活到四十多岁，漫水老老少少两千多人，我个个都晓得。讨嫌的人有，整人的人有，太坏的人没有。整人，都是跟你们学的。过去，漫水也有整人的，那叫整家法。有那忤逆不孝的，关到祠堂笼子里，笼子外放一根竹条子，哪个都可以去打他的屁股。我长到这么大，只听见过去整过一回家法。你们蹲点蹲来蹲去，整过多少人？”

绿干部听着，望望四周无人，说：“有余，你说的句句都是反动话。相信我，我不会说出去。”

有余笑了，说：“你说我也不怕，有人证明吗？我还会说你造谣诬陷哩！”

绿干部说：“有余，我真的不会说的。”

“你要说就说！”有余笑笑，又忙自己的去了。

绿干部自己抽烟，望望天上的日头。他在等老婆回来。他没有手表，不像别的干部。一只雄鸡叫起来，惹得整个村子的雄鸡都叫了。雄鸡叫过之后，村子更加安静。只剩有余的斧头声，嘭通嘭通寂寞地敲着。天上没有半丝云，日头像停在那里不动了。绿干部无话找话，问：“那个被整家法的人还在吗？”

有余说：“怎么不在？我不想点他的名，他到土改时是最红的人。过去忤逆不孝的人，到你们手上成了宝贝！”

中午收工时，小刘跟在有慧阿娘后面，有说有笑地进屋。看见她男人家坐在屋里，脸色立马就白了。有慧阿娘说：“绿……绿干部，你来了啊！”原来，有慧阿娘早晓得小刘是他阿娘了，她就连有余老大都没有告诉。小刘和有慧阿娘贴心，手指缝缝里的话都说。

“小刘在漫水很好，群众关系也好。你们说话，我去做饭。”有慧阿娘刚出门几步，小刘就跟着出来了。

有慧阿娘说：“小刘，你俩说说话，怎么出来了？”

小刘说：“我要去担水。”

有慧阿娘高声喊她男人：“有慧，你去担水。”

有慧正在有余那里看热闹，很不情愿地过来。自从小刘来了，有慧就没担过几回水了，总是小刘争着担水。没等有慧过去，小刘说：“慧姐，你让我去担水吧。我心上乱，要想想。”

有慧阿娘就朝有慧摇头，叫他莫过来了。有慧又去帮有余搬木头。有慧阿娘把饭煮上，过来对绿干部说：“她不晓得哭过好多回了。她说千错万错，都是她的错。儿女还小，你们都做好的打算。你莫再骂她。她是想着儿女，不然死的心都有。她说你是个好人，就是脾气不好。夫妻间哪有不吵的？笼屉里的碗都有相碰的。她的错误不会再犯，你的脾气也要改改。”

绿干部说:“你余老大也是这么说我的,你们都商量好了?”

有慧阿娘说:“你说的什么话?漫水只有我晓得你俩是两口子!你爱听就听,不进油盐也没办法。你想想吧,我要炒菜去了。”

有余望望日头,说:“发坨,强坨,巧儿,还在哪里疯?”一大早,发坨引着强坨和巧儿,到河边扯猪草去了。余娘娘在屋里听见,猜发坨必定引弟弟和妹妹到河里洗澡去了。她不作声,怕男人家发脾气。有余也猜小的到河里洗澡去了,就担心他们去蛤蟆潭。有余小时候,溆水河里的水更深,他也喜欢去河里洗澡,时常见大船扯着白帆在河里走。看见船家行着船吃饭,真是羡慕极了。

忽听到几个小的在追打,就晓得他们回来了。有余虎了眼睛,望着发坨:“过来!”发坨晓得自己犯事了,一边往爹身边移着身子,一边拿手护着脑袋。有余抓住发坨的手臂,拿指甲一划,一道白白的印子。啪的一掌,发坨被打在地上。有余指着发坨骂道:“这么大的人了,不晓得带个好样,我剥了你的皮!”

有慧阿娘忙跑出来,拉起发坨揽在胸前,朝有余说:“哪兴你这么打伢儿?你手重,哪经得你打?不能只怪发坨,强坨也不小了。强坨,一定是你要哥哥引你去洗澡的!”

强坨说:“蛤蟆潭我不敢去,发哥说不敢去是婊子养的。”

有余手里拿着弓尺,扬手就朝发坨打来。有慧阿娘转身护着发坨,弓尺打在她身上,啪地断了。有余阿娘跑出来,骂她男人家:“你只晓得打人!生儿养女,你没有痛过!你要打从我打起,都是我生得不好!”

发坨躲在慧叔母身子前面辩解:“我没有说!”

巧儿说:“就说了!”

强坨也说:“他发誓愿,说不敢去蛤蟆潭就是……”强坨话没说完,被他娘扇了一巴掌。强坨打哭了,嘴里咿里哇啦不晓得嚷着什么话。有余阿娘过来拉发坨,嘴里嚷着:“蛤蟆潭你也敢去,那里有无底洞,有乌龟精,你是不要命了啊!”发坨怕妈妈也会打人,躲在慧叔母怀里不肯出来。

秋玉婆正好路过,站在那里看把戏。她见有余护着强坨,他的阿娘护着发坨,就说:“侄儿侄儿也是儿,手板手心都是肉。余公公疼侄儿比亲儿子还疼,明理的人就是这样的。漫水哪个不讲余公公好?他是对人家的人比对自家的人好,明理啊!”

一听就是双双话,有余阿娘对她说:“秋玉婆,你是老鼠子偷盐吃,嘴巴咸啊!我屋的事你莫管!”

秋玉婆说:“我哪管得了?又不是打我的儿!我的儿我是舍不得打,我养的狗都舍不得打!人也好,狗也好,我只认亲的,不认野的!”

有慧阿娘拉着发坨往屋里去,回头又喊儿子强坨:“你进自己屋去!人有屋,狗有窝,莫在外头乱叫!”

秋玉婆一听，叫了起来："慧娘娘，你双哪个？"

有余阿娘晓得慧老弟母不会相骂，立马接过腔去："秋玉婆，她骂自己儿子，你管得宽啊！"

秋玉婆更是起了高腔，朝有余阿娘拍手跺脚的："我讲她，你也帮腔？晓得你俩共穿一条裤子！你们样样都是搭伙的，屋搭伙住，儿搭伙养！你屋是共产主义哩，样样共哩！"

有慧蹲在屋前，本来半句话不讲。女人相骂，就让女人骂去。男人插手女人的事，漫水人是会笑话的。可听秋玉婆说得太难听了，他忽地站了起来，径直朝秋玉婆扑去。早围了很多看热闹的，忙拉住有慧说："动不得手，动手就要出大事。"

这时候，绿干部从屋里出来，说秋玉婆："你刚才说啥来着？你诬蔑共产主义！"

秋玉婆没想到绿干部会在这里，反而得了理似的，说："你是县里干部，你评评理！我哪句话错了？有余树屋，有慧天天帮忙拉锯；有慧养儿，有余是帮了忙的。换工抓背，都是活雷锋，我是讲好话！有慧屋里来了个城里专门搞网绊的女干部，我从没讲过半句怪话。"

绿干部突然面上铁青，头往秋玉婆冲着，鼓起眼睛，骂道："我操你妈！"

秋玉婆被骂懵了，绿干部怎么会骂娘呢？她怕干部是有名的，不晓得自己犯了好大的事，掉头就想跑开。四周立了很多人，她就像被围猎的野兽，冲开一个口子跑了。

小刘担水回来，一声不响进屋了。她听见了秋玉婆的话，走过的时候头埋得很低。有慧阿娘立在门口喊："吃饭了！"

有余阿娘过来喊发坨，有慧阿娘说："伢儿不晓得事，嫂嫂莫骂他了。"

有慧屋吃饭时，不见小刘上桌。绿干部从小刘屋里出来，说："她不想吃，我们吃吧。"

吃过中饭，有余蹲在地上抽了会儿烟，又嘭通嘭通做屋架子去了。天气有些闷热，强坨早没事了，他和巧儿并排坐在门槛上，扯着喉咙高声喊着："布谷布谷送风来哪，嗬——嗬——"伢儿们相信只要这么叫喊几声，就会起风。

生产队长的哨子响了："出工了，栽油菜！"九油十麦，阴历九月，正是栽油菜的时候。有慧阿娘站在小刘门外喊："小刘，你快吃点东西吧，你有低血糖，饿不得。"

小刘开了门，眼睛又红又肿，说："慧姐姐，我这样子见不得人，下午你帮我请个假。"

有慧阿娘晓得绿干部在里面，就说："我帮你请假，你两口子好好讲讲话，莫吵。"

夜里，铁炮到有余屋赔礼。他的辈分更小，依漫水的叫法，他叫有余太太，叫有余阿娘太婆。他说："日里的事，我听人讲了。我娘她嘴巴讨嫌，漫水人都晓得。太太和太婆莫把她的话放在心上。"

有余说："我是个直肠子，话说了就说了。说了你娘几句重话，你也莫放在心上。"

有余阿娘说："铁炮，你还要去给慧太婆赔个礼，慧太婆你是晓得的，漫水人哪个在她手上没有恩？"

铁炮忙说："我就去，我就去。我这个娘，讲也讲不变，骂也骂不变。六十多岁的人了，看她哪日到头！"

绿干部到漫水不久，小刘就回城里去了。出门前，小刘在屋里拉着有慧阿娘手，流着眼泪说了半天话："慧姐姐，十多个月，不是你，我熬不过来！你慧哥，你余哥，你余嫂，都是漫水最好的人。"

小刘走后没几日，有余就要树屋架子了。

吃过早饭，有余屋坪前面来了许多男人。有余阿娘特意买了纸烟，笑眯眯地散给大家。有的接了烟马上点燃，有的接过烟夹在耳根上。六封屋架子已摆在屋场上，立屋柱的壤墩岩整整齐齐，像挨地摆着的石鼓。有人留意到了，说："余叔，你没声没气的，就在哪里搞来这么好的壤墩岩？"有余开玩笑说："菩萨送了一个梦，告诉我哪里有现成的壤墩岩，我昨日取回来的。"原来是前几年，有余去山里帮人家树屋，主人家是个岩匠师傅。有余就不收岩匠工钱，岩匠就打了壤墩岩送来。有人说到壤墩岩，大家都来看，都说壤墩岩好，岩料好，打得好，抵得过去财主家的。

巧儿在大人中间钻来钻去，她娘喊道："巧儿，莫疯！要树屋架子了，打着了不得了！"巧儿挨了骂，就跑到有慧屋坪前，邀几个女儿家踢房子。巧儿手脚麻利，捡了一块瓦片，几下就把房子画好了。巧儿正踢得上劲，听得大人们一声高喊，她回头望去，她屋的屋架子已树起来了。女儿家们都不踢房子了，立着不动看热闹。有个女儿家问："巧儿，你是哪间房？"巧儿说："我爹说，等长大了，旺哥把左边这头，他是大房。发哥把右边这头，他是二房。"女儿家又问："你呢？"又有女儿家就开玩笑，说："巧儿就嫁人了，回娘屋住偏厦。"巧儿晓得这不是好话，女儿家们就追打起来。

屋架子树好了，掐准了时辰抛梁。有余怕人讲他迷信，偷偷请风水先生看了时辰，只闷在肚子不讲出来。众人心上都有数，嘴上也都不说。梁早准备好了，是一根樟木梁。看女要看娘，看屋要看梁。梁要选好木料，要粗大，要直。漫水这地方，选根大樟木做梁，众人看着都眼红。梁中间包着红布，红布上钉着铜镜和古钱。古钱容易找到。铜镜很难有了，多用玻璃镜代替。有余把这块铜镜从旧屋梁上取下来，重新磨得亮光亮光的。

有余看看日头，晓得时辰到了。梁的两头套了新棕绳，一声喊："起！"两头立在屋架上的壮汉齐手动作，把梁平平正正地吊上去。梁刚安放妥帖，铁炮就杀了雄鸡，朝梁上抛过去。炮仗就响起来了，在场的人都齐声高喊："好的！好的！好的！"

依规矩，抛梁的雄鸡是要送给木匠师傅的。有余是自己修屋，雄鸡就不用送人。铁炮就开玩笑："余太太，你是肥水不落外人田啊！"有余阿娘笑着接腔："做事

《漫　水》王跃文

的，看热闹的，都来吃中饭！鸡肉大家吃，鸡汤大家喝！山上打野猪，见者有份！”

盖好了瓦，屋样子就出来了。屋两头的瓦角朝天翘起，没人不夸有余的手艺：“漫水第一，漫水第一！”

看有余装壁板，成了男人们的娱乐。从没见过哪个先做好门窗和壁板，再来树屋架子。看了几天，他们信服有余了，果然比别人修屋快。有余说：“我是自己一个人的事，就先把门窗和壁板预备好。只要屋架子一立，瓦一盖，我有空就做，不急不慌。”

天气越来越冷，堂屋壁板还没装好，就在中间烧了一堆大火。每日都有人在堂屋里烤火，摆龙门阵。有个落雨天，队上没有出工，有慧阿娘也坐到火堆边上纳鞋底。她问有余：“余哥，你柱子上写的是什么？像道士画符，我是认不得。”

有余笑着说：“老弟母，你字认得比我多，这几个字只有我认得。这是鲁班祖师传下来的，就是在料上做的记号，标明方位。这个写的是东山，这个写的是西山。左边为东，右边为西。前面喊前山，后面喊后山，前后又喊正地、顺地。”

有慧阿娘左右望望，说：“左边是南方，怎么说是东方呢？”

有余说：“木匠讲的东方、西方是不一样的。木匠以中堂屋为准，左手边是东，右手边是西。东为大，西为次。旺坨成亲了住东头，发坨住西头。”

“你们二老自己住哪头呢？”有慧阿娘笑着。

有余看看有慧阿娘的眼神，就晓得她在开玩笑。不等有余答话，他阿娘就说了：“我们老了，哪头都轮不到了，住外头！儿女养大了不孝，爹娘不就赶出去了？”

有慧阿娘忙说：“嫂嫂你说得好哩！旺坨和发坨这么懂事，哪会不孝？我强坨，我是不敢靠他，他那牛脾气，犟死了。”

有余就专心做事了，听她们两个说话去，忽又听有慧阿娘问：“余哥，我从没看见哪个木匠在板子上写洋文啊！”

有余有些不好意思，说：“旺坨告诉我的英语字母。我把每扇壁板都编了号，做好了就免得乱。六封屋，十几间房，天干地支编起来不方便，就用洋文编。我鲁班祖师没传过这个，嘿嘿！”

有余不要别人打下手，有慧闲着反正没事，就在有余身边递东递西。由你们说天说地，他都不搭腔。有慧阿娘喜欢男人老实，生气时却会嚷他：“哑起个尸身！”

冬月二十，有余进新屋。漫水进屋做酒，亲戚和同房叔侄要挨家去请，村里其他人不需请，愿意喝酒自己来，叫作喝乡酒。亲戚和同房叔侄得备礼，喝乡酒的不拘备不备礼，不备礼的放一块炮仗也行。

有余人缘好，流水席从中午开始，天麻眼了还是炮仗不断。秋玉婆也来喝乡酒，她是跟着儿子铁炮来的。通常喝乡酒的不管备不备礼，一户只来一个人。秋玉婆母子俩都来，只放一块炮仗，有人就在背后讲闲话。有余两口子倒是高高兴兴，不论哪个来了都高声招呼。秋玉婆喊着贺喜，就挨着铁炮坐下了。

秋玉婆眼睛跟着有余打转转，等有余走过身边，她忙立起来，再次招呼："余公公，贺喜啊！"有余拍拍秋玉婆的肩膀，笑道："秋玉婆，您老多吃多喝啊！"秋玉婆拍着肚子，满嘴油光，说："今日是吃大户，我敞开肚皮吃，把自己胀死！"同桌的就开玩笑，说："死个老牛，吃餐好肉！死个小牛，吃餐嫩肉！"有人又说："秋玉婆，你要是死了，我们打丧火吃三日三夜，热热闹闹把你抬到太平垴去！"铁炮端着酒碗，斜眼瞟了他娘，说："她死不上路的，漫水没有几个人喜欢她。她死了没人抬，拿钉耙拖出去！"乡下人只要场合对劲，拿生死大事开玩笑，没人生气。秋玉婆笑着说："俗话说，讨死万人嫌！漫水好多人？要过三四代加起来，才上万人。我要把上万人的嫌都讨尽了才死！"有人就喊了起来，说："好啊，你是千岁不老的老妖精！"

天气很冷，场院里烧了一堆大火，又可取暖，又可照明。男人们高声猜拳，天上飘着薄薄的冰雾，没有人在乎。只剩铁炮这桌还在吃，早来的都散席了。没走的围着火堆说话，伢儿们穿来穿去在坪里疯。旺坨和发坨不时给火堆里加柴，火焰蹿到半天上去了。有人见秋玉婆趴在桌上不动，就喊铁炮："你娘睡着了，还是喝酒了？"铁炮望望娘，说："她没喝酒啊！娘，你回去睡啊！"铁炮推了推趴在身旁的娘，他娘软软地滑到地上去了。桌上的人都笑了，说："铁炮你娘会睡啊，还像小毛毛样的，肯定长命百岁，肯定千岁不老。"

铁炮想把娘拉起来，说："娘，你回去睡啊！"

铁炮发现不对头了，踢开脚边的凳子，把娘抱起来，喊："老娘！妈妈！老娘！"

没想到竟然出事了。铁炮抱着秋玉婆，不停地哭喊着娘。有慧阿娘跑过来，摸摸秋玉婆的脖子，又把耳朵凑到她鼻孔边听听，回头喊："有慧，快把卫生箱拿来。"

有慧阿娘拿出听诊器，听了一会儿，说："老人家过去了。"

铁炮哭着："娘啊，落气纸都没烧，你就去了啊！你话都没有一句啊！"

有余阿娘忙从屋里取来纸钱，堆在秋玉婆身边烧了。遇着这种事，漫水总会有几个头脑清楚的人，一五一十地编条子，你做什么，他做什么。炮仗在铁炮家门口响起来，门口又烧了三堆纸钱。秋玉婆的尸体被人抬了回来，铁炮家老小上下哭声震天。丧事需别人主持，丧家自己不能动手。有人很快烧了水，有慧阿娘替秋玉婆妆尸。

有慧阿娘试试水，说："太凉了，加点热水，这么冷的天。"

旁边好几个帮忙的女人，有人就说："她现在还晓得冷热？"

有慧阿娘轻声说："死者为大！侍奉死的同侍奉活的要一样。"

有慧阿娘果然就像给活人洗澡一样，边洗边同秋玉婆说话："水热热火火的，洗得干干净净，舒舒服服，你好上路啊！先给你洗背，你莫急啊。你有福气，吃得饱饱的走。你是哪辈子修来的好福气？无病无痛，说走就走了。"

有人就问："怎么这么快呢？"

有慧阿娘说："可能是急性胰腺炎，可能是心肌梗塞，也可能是别的急病。我是半桶水，大医院的医生，看一眼就晓得了。”

有人过去喊铁炮：“你娘的寿衣预备了吗?”

铁炮说：“哪里预备？她真以为会千岁不老的。”

女人们就商量，问哪家去借。她们晓得哪几个老人预备寿衣了，就说：“铁炮，借寿衣，要孝子自己出面。你上门去，多说几句好话。这是修阴德的事，人家肯借的。”

铁炮说：“老木也没有。”

有余阿娘说：“老木人家只怕不肯借的，我去和你余太太讲一声，要他赶快割!”

铁炮朝有余阿娘作揖，说：“余太婆，你做得好事，修千年福啊!”

铁炮借寿衣去了，有慧阿娘又喊人加热水，不能叫水凉下来。突然，响起一声炸雷，秋玉婆的下巴掉了下来。死人的下巴往下掉，下眼皮也拉开了，眼睛白白地翻着。女人们都愓得弹，不停地拍着胸口。有人就说：“冤枉话讲多了，遭雷打。这回真是相信了。”

有慧阿娘说：“莫这么讲，人都死了。”她说着，就把秋玉婆的下巴往上扣好，又把她的眼睛合上。有人又想起冬天雷声的不祥，说：“雷打冬，牛栏空。明年只怕是个大灾年啊!”

铁炮借来了寿衣，哭喊道：“娘啊，你到那边去，要好好保佑漫水的人啊！都是好人，都在送你!”

有余锯了自己屋的木料，通宵给秋玉婆割老屋。铁炮跑来，扑通跪在地上，嘭嘭地碰了三个响头，说：“余太太，你修千年福啊！你子孙兴旺，千财万富!”

有余说：“老屋你就莫管了，你去招呼其他事。老人家睡白木去是不好的，要上漆。你问问三道士，看是哪日的日子。日子不就，只漆一道。日子宽，就多漆两道漆，我屋里还有，你莫管。”

“我去问问。我人都木了，事事还得请余太太想着。”铁炮又说，“我娘是又想来喝酒，又没有面子来喝酒。我要她来的。我说，余太太和余太婆不会计较你的，你去吧。没想到，她就去了。”

有余说：“哪个都想不到的事，莫哭了。铁炮，我们好好把你娘送走。”

铁炮临走又说：“余太太，木钱和漆钱，我以后算给你。”

有余摇头说：“快去，不是讲这话的时候。”

铁炮走了不久，又跑回来，说：“余太太，有人回信，说三道士不敢做佛事道场了。这几年，有事就整他，说他搞迷信。三道士那里，你说话他听。”

有余说：“我这里半刻工都停不得，哪有空去找三道士？他整是挨整，道场不照样做？下回哪个斗争他，我就问他家里要不要死人！你把我这话告诉他，就说是我讲的。另外，你捉条鸡送去。”

有余哐当哐当忙到天亮，老屋的粗坯出来了。早饭时，跑到铁炮家吃丧火饭。

铁炮过来说："余太太，三道士说，出丧不准喊过去迷信的号子了。"

有余问："三道士听哪个说的？"

铁炮说："三道士讲，上面干部交代的。"

有余就不作声了，匆匆吃过早饭，又去割老屋。没事的就到有余这里看热闹，陪他说说闲话。有人说："秋玉婆冤枉话讲多了，死了雷公老儿还打掉她的下巴。"

有余说："死者为尊，话就不要这么说了。"

"上山那天，丧佚们只怕要整人的。"

有余又说："铁炮是个孝顺儿，整他做什么呢？"

"整秋玉婆。"

有余刨得刨花四射，说："你们听我一句劝，死人安心，活人才安心。好好的送上山，莫坏了人家的事。"

三道士看了冬月二十五的日子，老屋就只能漆一道了。冬天，漆本来就干得慢。有余只得把底子灰刮得更细致些，秋玉婆的老屋只漆一道也油黑发亮。

出殡那日，地上结着薄冰。丧佚们都穿着草鞋，头上围着白布。抬老屋的丧佚，前面八个，后面八个。前后又各有一个扶杠的。扶杠的丧佚，必是服众的头面人。上山的路上，丧佚们抬着老屋推来推去。铁炮就不停地跪下，哭号道："乡庭叔侄，你们做桩好事，把我娘安心送上山！"

有余把三道士抄好的号子记牢了，沿路喊道："砸烂孔家店啊！"

丧佚们齐声和道："噢！"

有余又喊："林彪是坏蛋啊！"

丧佚们齐和："噢！"

有余喊着号子，心里却在骂娘："人都死了，还要管世上的屁事！"

八

樟木动了刀斧，香气散得老远。慧娘娘夜里睡在床上，仿佛都听得见樟木香。

慧娘娘看见余公公下了两副老屋的料，问："余哥，怎么是两副呢？"余公公削着樟木皮不停手，只说："你把眼睛看，不就晓得了？"慧娘娘早就猜到了，只是不好开口。自己养着儿子，却让人家割老屋，不是件有面子的事。儿子面上也没有光。话既然点破了，她就说："余哥，钱我还是要强坨出。他爹睡了你的老屋，你又帮我割老屋，我哪受得起！两副老木料，钱都要强坨出。"有余就笑了，说："老弟母，我们四个老的活着在一起，到那边去了还要在一起的，你就莫分你我了。"

强坨也晓得了，心上过意不去。做儿子的，爹娘老屋都不割大不孝。爹睡了余伯爷的老屋，强坨也说要出钱的，好多年了都还是一句话。他修新屋亏了账，这几年手头紧。强坨有点儿见不得人，每日大早就跑到余公公家去，想帮着做点事情。木匠的事都是他帮不上手的，余公公晓得他的心思，就故意喊他搬进搬出的。强坨说："余伯爷，工夫出在您老手上，料钱我是要出的。"余公公说："料钱你娘出了，你把钱给你娘吧。"

慧娘娘事后问余公公："余哥，我哪里给你钱了？你怎么告诉强坨，讲我出了钱呢？"余公公说："强坨是个孝儿，他也是要面子的。他刚修新屋，莫逼他。"

不光强坨要面子，慧娘娘也要面子。割老屋的话讲穿了，她面子就没地方放。那老的走得忙，没来得及预备老木，睡了余哥的，还说得过去。晃眼这么多年，借人家的老木没还上，又要人家割老木，橙皮狗脸不算人了！慧娘娘不论在屋里哪个角落，都听见樟木香。她的鼻孔好，耳朵好，只是眼睛有些花。樟木的香气叫她坐立不安，嘭通嘭通的刀斧声就像敲在她的背上。不去陪余公公讲话，她过意不去。要去，心上又不自在。她一世都是余公公照顾着，死了还欠他的！慧娘娘闭眼一想，自己从没替余公公做过半点事。往年她当赤脚医生，余公公壮得像一头牛，喷嚏都没听他打一声。漫水四十岁以上的人，都吃过她捡的药，都叫她打过针。只有余公公，她连脉都没给他摸过一回。

慧娘娘每日早起，先在屋后井边浆洗，再去做早饭吃。她早想喊余公公不要再开火，两个老的一起吃算了，话总讲不出口，一直放在心上。慧娘娘吃过早饭，没事又到屋后磨蹭。她鼻孔里尽是樟木香。往年她每日背着樟木药箱，每日听着樟木香味。别人的药箱都是人造革的，慧娘娘不喜欢听那股怪味道。有个省里来的专家，看见了慧娘娘的药箱，打开看了看，问："用樟木做药箱，很科学！天然樟脑，可以杀菌，防虫。谁做的？"慧娘娘只是笑，脸红到了脖子上。

余公公手脚比原先慢了，嘭通嘭通忙了半个月，终于割好两副老屋。慧娘娘在井边再听不见蛐蛐叫了，她想：真是余哥说的，人老一年，虫老一日。两副白木放在余公公屋檐下，只等着上漆了。慧娘娘从屋里出来，往余公公地场坪去。她走路双脚硬硬的，双手没地方放。很像年轻时走在街上，晓得很多年轻男人望着她。余公公拿砂纸把两副白木打得光光的，老屋两头可看见樟木的年轮。两副老木一大一小，就像人分男女，鸟分公母。慧娘娘突然觉得那不是两副老屋，而是躺着的两个人，一个男的，一个女的。她心上就有说不出的味道，不好意思再往前走。

余公公怕慧娘娘哪里不舒服了，老远就喊："老弟母，你没事吧？"

慧娘娘眼皮都不好抬起来，说："没有事，没有事。"

慧娘娘走近了，余公公就摸着老木，说："要是楠木，漆都不要漆了。"

慧娘娘晓得余公公的心思，就是要她夸夸手艺。她从头到尾摸着老屋，光得就像打了滑石粉。当年做赤脚医生，用过那种奶白色橡胶手套，上面就是打了滑石粉的。那个卫生箱还在她床底下，白色油漆早变成黄色的了。慧娘娘把两副老屋都摸了，说："余哥的手艺世上找不出第二个。我过去那个卫生箱，背到县里开会最有面子。别人都喜欢打开看看。一打开，就是一股樟木香。有个省里的专家说，用樟木做药箱很科学。”

余公公就开玩笑，说：“老弟母，这话你讲过三百遍了！你喜欢，我再给你做个卫生箱，你背到那边去，还给人家打针，还给人家接生。我有一偏厦屋的樟木料，原先预备着给旺坨、发坨和巧儿做家具的，都用不上了。”

慧娘娘笑得像个小女孩，说：“我们这边变了，那边只怕也变了。不再要赤脚医生，也不再要接生婆。余哥，你说我讲冗话，你不也讲？一偏厦屋的樟木料，你也讲过三百遍了。”

今天开始做漆工，头道功夫是刮底子灰。慧娘娘问：“打得这么光了，还要刮底子灰？”

余公公说：“哪道工都不能省。刮过底子灰，还要拿砂纸打光。”

慧娘娘坐在旁边晒日头，说：“人一世，好像做梦，晃眼就过去了。我这几日老想起那个小刘。那个女人家是个善人，叫人家欺负了，还说她男女关系。”

余公公说：“我老想起她男人家。他也是个善人，就是有些傻。上面说什么，他就听什么，不是傻吗？天气老是变，能相信天吗？”

慧娘娘说：“记得那年吗，绿干部又来漫水蹲点。队长开会回来，连夜传达。会没开始，绿干部坐在那里就打瞌睡。那么多人，那么吵，他也睡得着。队长说，金不如锡，哪个相信？金子跟锡哪个贵，我们不晓得？”

余公公想了想，说：“我记起来了。绿干部那是最后一次蹲点，后来再也没有来过。”

慧娘娘说：“后来再也没有干部到漫水蹲点了。绿干部在漫水蹲了一世的点，蹲得自己都不想蹲了。那年，旺坨和发坨高中都毕业了，巧儿和强坨还在读高中。旺坨和发坨都在会上，听说金不如锡，他俩兄弟就笑了。”

余公公说：“你一讲，我全想起来了。绿干部醒了，不晓得出了什么事。队长告诉绿干部，说，我讲金子不如锡子，这是屁话，旺坨和发坨就笑！”

“是的，是的！”慧娘娘说，“绿干部不生气，也不笑，又闭着眼睛。旺坨说，不是金不如锡，是今不如昔。旺坨边说，发坨就拿土坨在墙上写了四个字，抢着说，今，讲的是现在；昔，讲的是过去。今不如昔，就是现在不如过去。”

刮完了底子灰，第二日才可打砂纸。余公公和慧娘娘就坐在地场坪晒日头。村子不像往日热闹，青壮年都出远门挣活钱，老人守在屋里打瞌睡，小伢儿都在学校里。偶尔听得鸡叫，就晓得是什么时辰了。

慧娘娘突然想起余公公的笛子，问：“余哥，你的笛子还在吗？好多年不听你吹笛子了。”

余公公笑笑，说：“你不说，我也忘记了。好多年了，不晓得还会吹吗？”

余公公进屋去，半天才把笛子找了出来，说：“我记性越来越差了，笛子放在箱子底下，我硬记成柜子里了。”

“吹什么呢?”余公公抬头想了想，就呜呜吹了起来。他不再像年轻时由着性子吹，吹的是电视里常听到的曲子。可他吹着吹着，就会从这个曲子吹到那个曲子去，吹到最后自己就笑了起来。慧娘娘也听出名堂来了，嘴上却说：“吹得好，你老了气势还这么长，你要千岁不老。”

慧娘娘早替余公公做好了寿衣寿被，一直想着哪天方便时拿出来。等到余公公替她割了老屋，她就拿不出手了。两套寿衣寿被，抵不上两副老屋。慧娘娘想了半日，说：“余哥，你的寿衣寿被，我去年就做好了。想等你八十岁生日，送你做贺礼。”

余公公嘿嘿一笑，说：“我就晓得你要做的，拿来，我想看看。”

慧娘娘进屋去，取了两人的寿衣寿被，说：“你的，我的。”

余公公接过自己的寿衣寿被，一双寿鞋从包里滚出来，就问：“老弟母，你哪里晓得我的鞋码子?”

慧娘娘说：“我帮你纳过鞋底，鞋样一直压在我床板底下。你和我那老的、旺坨、发坨、强坨、巧儿，几个人的鞋，都是我跟嫂嫂打伙做的。”

余公公就笑，说：“我只管穿，我哪里晓得!”

黑狗突然叫了起来，余公公忙看看屋前，是不是来了生人。没有看见生人。黄狗早窜到地场坪了，脑袋昂得高高的。黄狗也没看见生人。

余公公就骂黑狗：“黄天白日，见鬼了?”

余公公随意的话，却叫慧娘娘不安起来。漫水人相信，阴人来到阳间，人看不见，狗看得见。阴人晚上会出来，听见公鸡叫就飘然上山。夜里，狗若冲着门外叫，又不见门外有人，狗的主人就会害怕，私下检点自己做错什么事了。白日里见鬼，就是更不好的事。

慧娘娘抱了自己的寿衣寿被，回到屋里去。她点了三枝香，插在神龛前的香炉里，作了三个揖，说：“老的，你要保佑余哥。你伸脚就去了，你到好地方，留我在世上。不是余哥，我老屋都没有睡的。你也要保佑强坨，不是儿不孝，他只有这个力量。他年纪轻轻，阿娘跟人家去了，他养一双儿女，不容易。”

慧娘娘祭完了男人，回头吓得双手打战。原来余公公站在门口，不声不响望着她。余公公晓得慧娘娘吓着了，就笑道：“老弟母，你年轻时不信迷信的，怎么越老越信了？你替那么多人妆尸，人家说怕鬼，你说你不怕。”

慧娘娘摸摸胸前，又反手捶捶腰背，说：“余哥你吓得我心跳到喉咙里了！我是不怕鬼！我替人妆尸，那是行善。我活到如今无病无灾，都搭帮过去了的人在保佑。我要我老的保佑你，保佑我。他是个善人，在阎王老儿面前说话算数。”

这几日落雨，砖厂做不了事。强坨不去上工，守在余公公家打下手。老木开始上漆，慧娘娘说：“不得信就落雨了！再多晴几日就好了。”

余公公笑得很得意，说："老弟母，你这就是外行了！老木上漆，落雨还好些！天晴有灰，漆就怕灰。落雨天只是干得慢些，没有灰。干得慢不怕，反正慢工出细活。你的福气好，老天才照顾！"

慧娘娘听了，忙说："哪是我的福气？我是享余哥的福！"

老木漆过三遍，天上还在落雨。余公公说："我上了天，要朝玉皇老儿叩九个头！他老人家太照顾我了！"天空飘着细雨，青黑中似乎映着黄色的光。余公公望着天上，似乎真看见玉皇老儿了。漫水人对于死后的光景，想象得有些逻辑模糊。有说死后见玉皇老儿的，有说死后见阎王老儿的。似乎天上和地下原是连在一起，玉皇老儿和阎王老儿是隔壁邻舍。

余公公在老屋两头画了松柏仙鹤之类，又在两侧画上福禄寿喜和暗八仙。画到何仙姑的荷花，余公公想起强坨跑掉了的阿娘，问："你阿娘走了好多年了？"

强坨说："八年了。"

余公公问："晓得她在哪里吗？"

强坨说："哪个晓得！"

"你访过吗？"余公公问。

强坨说："她心野了，访她做什么呢？不要我也就算了，儿女也不要了？"

慧娘娘说："强坨，莫怪人家，只怪自己过去穷。她有心出去，就保佑她遇好人，过好日子。"

"前几年听说在浙江，又生了两个儿女。"强坨那语气，像说别人家的事。

余公公说："儿女都这么大了，你新屋也修好了。我说，哪日她有心回来，你还得让她进门。"

慧娘娘也说："我常日劝强坨，人家走了不要怨，她有心回来就让她回来。吵啊，闹啊，爱啊，恨啊，都是年轻时候的事。老来一想，跟哪个不是过一世？"

强坨说："我是这样想的，人家是这样想的吗？人家说不定在享清福哩！"

"人家享福，那是她的好事！退万步讲，她也是你儿女的娘，就让她享福去。"慧娘娘不想再说这事了，就问余公公，"余哥，你不声不响，漆啊，金粉啊，都预备着。老话讲得好，吃不穷，用不穷，盘算不到一世穷。你家日子从来过得比人家好，就是你会盘算。"

余公公说："你不也是不声不响，就把我的寿衣寿被做好了吗？"

老屋里面要漆红的。余公公调好红漆，说："老弟母，人家用的是红洋漆，我用的是朱砂漆。如今朱砂不好找，有钱都买不到。你不晓得，我这朱砂藏了六十多年了！"慧娘娘听得满心欢喜。

老屋漆好之后，放置在余公公的偏厦屋。四对木马架起四根柱子，两副老屋并排放在架子上，拿棕垫严严实实盖着。余公公说："樟木有香味，老鼠是最喜欢咬的。"强坨听了这话，飞快上山砍猫儿刺去了。

九

慧娘娘受了寒，病了。自己捡了药，睡在床上不想动。清早，听伢儿在外头喊："二十五，推豆腐；二十六，熏腊肉；二十七，献雄鸡；二十八，打糍粑；二十九，样样有；三十夜，炮仗射！"

快过年了。慧娘娘躺在床上不动，难免就会想些烦躁事。强坨阿娘走了八年，半点音信都没有。听人说她在浙江嫁了人，又生了儿女。那只是听说。这边的儿女就不要了？孙儿孙女在南方打工，晓得他俩过得怎样？说是要回来过年的，又打电话说买不到火车票，不回来了。真买不到票，还是没赚到钱？

腊月间，漫水天天听得杀猪叫。村里只有两三个屠夫，忙得双脚不沾灰。哪家杀了猪，必要拿新鲜猪血、肠油、里脊肉做汤，叫作血汤肉。讲客气的人家，会请亲戚朋友喝血汤。余公公有面子，村里人杀了猪，都会上门来请。余公公总是说："你请慧娘娘，她去我就去。"人家就说："慧娘娘病没好，不肯出门。"余公公就说："大家多请几次，她的病就会好的。"果然，慧娘娘的病就好起来了。余公公去别人家喝血汤，总会说："只有你请我的，没有我请你的，我这老脸没地方放！"余公公好多年没养猪了，年底就买百把斤肉，熏得蜡黄的等儿女们回来。可儿女们难得回漫水过个年。他家的腊肉就老吃不完，每年过了立夏节，就把腊肉送人。请他喝血汤的人家，都是吃过他腊肉的人家。漫水人的礼尚往来，心里都是有数的。

早早就有人家上门来请："余公公，你一个人难得弄，年就在我家过吧。"余公公总是一句话："年还是在自家过。俗话说，叫花子都有个年。"强坨来请，余公公就改了口。强坨说："余伯爷，老娘说，我两家一起过年算了。"余公公问："你娘的主意，还是你的主意？"强坨从没这么灵泛过，居然问道："是我娘的主意又如何呢？是我的主意又如何呢？"余公公笑道："你娘的主意，我乐意去。我同你爹娘做了一世兄弟，就是一屋人。你的主意，我也乐意去，算是你有孝心。我一世待你，不比旺坨、发坨差。"强坨就说："伯爷，是我和娘两个人的主意！"余公公就答应了，又说："给我做道菜。"强坨问："什么菜？"余公公说："你娘喜欢吃枞菌，做道枞菌炒腊肉。"强坨笑得颤，说："余伯爷，寒冬腊月，哪里来的枞菌？"余公公笑道："我说有，就有！"余公公起身，从里屋提了个袋子出来，说："我备了干枞菌，专门留着过年的，你拿去泡了。你先不告诉娘，等泡香了，看她还听得到枞菌香不。"

年三十是个大晴天，日头晒得屋前屋后的橘树叶闪闪发亮。漫水人的年饭弄得早，中午边上就听得家家腊肉香了。余公公的黑狗，慧娘娘的黄狗，叫日头一晒，叫腊肉一熏，变得无比慵懒，长长地打着哈欠。

慧娘娘说："余哥，今天我不动手，你也不动手，让强坨弄去。弄得再好，就是龙肉，你我也只吃得那多了。”

余公公就信慧娘娘的，两个老人坐在地场坪晒日头。闲坐没事，余公公就吹笛子。他新学了几首曲子，不再串来串去了。慧娘娘听得享受，脚在地上轻轻地点着。黑狗和黄狗趴在地上，好像也在听笛子。

若依漫水风俗，过年必要炖财头肉。猪头熏得蜡黄，年三十炖着吃，叫作吃财头肉。财头煮好之后，先拿供盘托着敬家神。所谓家神，就是逝去的先人。

余公公和慧娘娘年纪都大了，不再上山敬家神。强坨是要煮财头肉的，余公公不让他煮，说：“两个老的，一个少的，吃不完。你只选一块好猪腿肉煮了，一样地过年。”强坨煮好了猪腿肉，过来说：“老娘，余伯爷，烧年纸了。”慧娘娘说：“一副祭肉，余伯爷屋先烧年纸。”强坨听了，端着供盘就往余公公屋去。余公公喊住强坨，说：“莫烦琐了！你屋和我屋，一个祖宗的。就放在你屋中堂烧，我来作个揖就是了。”慧娘娘忙说：“端到余伯爷屋里去，我娘俩儿去余伯爷屋里作揖。”

敬过家神回来，慧娘娘突然站住，说：“余哥，你说怪不怪？我怎么听到枞菌香呢？我怕是有毛病了！”

强坨望望余公公，笑了起来。余公公也望着强坨笑，说：“你娘是个老怪物，鼻孔还这么尖！我是鼻孔不行了，香臭都听不见。”

慧娘娘问：“真是枞菌呀？寒冬腊月哪来枞菌呢？”

余公公笑着不作声，强坨说：“余伯爷晓得你喜欢吃枞菌，专门干了留着过年。刚泡开，我看了，乌的，下半年的枞菌！”

漫水山上每年长两届枞菌，阴历四五月间长红枞菌，九十月间长乌枞菌。乌枞菌比红枞菌更好吃。慧娘娘笑出了眼泪水，说：“你余伯爷像土地公公，哪里长什么只有他清楚。年轻时，我们都上山捡枞菌，哪个都捡不赢他。”

吃团年饭时，日头还在西边山上。余公公拿来一瓶茅台，说：“强坨，再好的酒，我都不敢喝了。你喝老酒，我和你娘喝糟酒酿。”两条狗站在门口，偏着脑袋望着。余公公说：“哦，忘记它们俩了！”强坨就去取了狗钵子，往钵子里放了饭和肉。黑狗和黄狗虽是母子，平日吃食是要打架的。今日它俩好像晓得是过年了，也相安无事地吃着团年饭。

正月初一，余公公早早地醒来，细心听外面的鸟叫。他听到喜鹊叫，心上就宽了。今年是个好年成。他怕听到麻雀叫，麻雀叫就是灾年。起了床，推开门，就望见慧娘娘在她自家门口，朝他拱手作揖：“余老大，拜年拜年！你早上听到什么鸟叫？”余公公说：“喜鹊叫，风调雨顺！”慧娘娘笑眯眯的，说：“我也听到喜鹊叫了，大丰年。今年要是还落场雪，那就圆满了。”

余公公刚吃过早饭，他儿女的朋友上门来拜年。昨天夜里，儿女们都打了电话拜年，又告诉老爹哪个会到屋里来。他们都是儿女们的朋友，一年只见一次面，余公公记不住。那些年轻人也有糊涂的，记不清余娘娘早已过世，会把慧娘娘误作余娘娘，往她手里塞红包。慧娘娘丢了红包，忙往自家屋里跑。正月初那几日，慧娘娘听见汽车喇叭叫，就赶忙从余公公屋出去。村里人不晓得来的是什么人，只暗暗数着上门的小车，十分羡慕地议论："来了十几辆车，比去年还多！"

正月初三，余公公醒来，看见窗户纸亮晃晃的。心想，未必落雪了？起床推门一看，果然是落雪了。地上厚厚的铺了一层雪，天上的雪还是棉絮样地飞。他出门就喊慧娘娘："老弟母，你是神仙啊！"慧娘娘听见了，站在门口说："余哥吃早饭了吗？没吃就莫自己弄了，到我屋来吃算了。"余公公爽快地答应了，说："我洗了脸就来。"

漫水正月初三开始舞龙灯，叫作出灯。今天落了雪，男女老少都莫名地兴奋。舞龙灯的人格外起劲，说话都高声大气。他们白天要先试试锣鼓，敲得家家户户门窗发颤。伢儿们踩高脚，放炮仗，满村子疯。女儿家踢毽子，小辫子在后脑壳上一跳一跳的。村里都是同宗，祖上分五房发脉。龙灯必定从大房舞起，依次二房、三房、四房、满房。千百年的规矩，从来没有变过。先舞过自己村里，再舞到外村去。可以外村来请，也可以自己下帖子去。不论外村来请，还是下帖子去，礼数都极是周到。外村会有头人挨户送信，晚上家家都得留人。龙灯来时，全村热闹喧天。过去接龙灯，只需打发糍粑，如今需奉上红包礼金。也都不太过分，只是图个吉庆。家有喜事的，龙灯会在你地场坪多闹几下，多打发几个礼钱就是了。

龙灯越舞得远，村子的名声越大，村里人越有面子。余公公年轻时是村里舞龙灯的头人，远近十乡八里都会来漫水接龙灯。过了六十岁，余公公不再舞龙灯了。他说："人都要老的，不要讨人嫌。年轻人本事大，龙灯会舞得更好。"余公公看龙灯的兴趣却不减，村里舞龙灯他会跟着看，十三收灯他会去河边送。

正月十三，晃眼就到了。雪早融得干干净净，天也晴了好几日，地上很干爽。龙灯舞得再远，正月十三必要回到村里。吃晚饭时，余公公问慧娘娘："去蛤蟆潭收灯，你去吗？"慧娘娘说："我夜里眼睛不好，身上也不太自在，不去。你也莫去，路不好走。"

余公公嘿嘿笑着，夜里仍是去了。正月十三更有趣俗，即是家家户户的菜园子，你都可以去偷别人家的菜吃。遭偷的人家绝不会叫骂。小伢儿喜欢这个游戏，偷人家的白菜、萝卜煮糍粑吃。小伢儿在地里偷菜，大人们在河边送龙。村里人敲锣打鼓，把龙灯送到蛤蟆潭边。点上香，烧上纸，放起炮仗，一把火把龙灯点燃。众人齐声高喊："好的！好的！好的！"火光冲天，龙入东海了。望着最后一串火苗熄灭，总会有人说："唉，又要等明年了！"

回村的路上，年轻人也有童心未改的，就顺路偷菜去了。路上的人越来越少，有人过来问："余公公，看得见吗？"余公公说："看得见，你莫管我。今夜月亮好，地上尽是银子。"余公公故意落在后面，耳旁慢慢就清静了。耳旁越清静，地上越明亮。慧娘娘鼻孔、耳朵都好，就是眼睛有些花。余公公眼睛、耳朵都好，就是鼻孔听不清味道了。小气的怕人家夜里偷菜，白天会往菜地泼大粪。今夜清冷澄明的夜气中，必弥散着一股臭味。余公公心想，鼻子不行了也有好处，只看得见月光，听不见臭气。

强坨在半路上接了余公公，说："老娘打发我到你屋里看了几次，怕你出事了。"余公公笑道："我哪那么容易出事？你娘就爱操心！"回到屋门口，两条狗蹿得老高。慧娘娘站在自家门口，说："我听得狗都叫清寂了，晓得人都回来了，你还没有回来。我怕你是偷菜去了哩！"余公公哈哈笑了起来，说："我还偷得菜，那就好了。"

余公公进屋，门咿呀关上了。整个漫水村，只有余公公屋的门咿呀响，别人屋的都没有咿呀声了。余公公洗了把脸，上床睡下。想起从前，鸡叫三遍过后，家家户户的门就咿呀地响起来。心细的人听得出哪个屋里的门先响，那是户勤快人家。又想栀子花、茉莉花的气味慧娘娘不爱听，明年剁掉算了。多栽些樱花和石榴，好看。石榴多籽，吉祥。又想起屋后的龙头杠，明天得抹抹灰了。

第二天一早，余公公不忙着做早饭吃，想先去屋后抹龙头杠。他才走到屋栋头，就望见棕蓑衣掉在地上。心想昨夜没刮大风呀？未必是小伢儿顽皮？走到屋后一看，余公公双眼发黑。

龙头杠不见了！

两个空空的木马，棕蓑衣丢得乱七八糟。余公公瘫软在地上，耳朵里嗡嗡地叫。地上很凉，余公公全身发寒，慢慢爬了起来。他使劲敲着慧娘娘的门，喊道："老弟母，快开门。"慧娘娘开了门，吓得眼睛睁得箩筐大，问："余哥，出什么事了？"余公公眼泪猛地滚了出来，说："不得了，不得了，龙头杠不见了！"慧娘娘脸色傻了，一屁股坐在地上。

慧娘娘气都出不了，拿手摸着胸脯，也哭了起来，说："强坨，肯定是强坨！"余公公说："怎么就说是强坨呢？他有这么大的胆子？败掉村里的龙头杠，剥皮抽筋都不能叫村里人顺气！我的老天！我怎么向村里人交代！"

没多时，余公公家地场坪就立满了人。

有人说："肯定不是生人，是生人，黑狗要叫，黄狗要咬人！"

强坨就跳脚骂娘，赌咒发誓："我再不是人，敢偷龙头杠？又不是放在我屋了，我不害了余伯爷？"

"肯定是下半夜的事，上半夜外面还有人偷菜，抬龙头杠出去必定有人看见。"

"未必！我好像看见有影子！"

"那你是猪？不晓得喊，只晓得偷菜？"

"他讲鬼话！十三大月亮，哪里只看见影子？"

一地场坪的人，没有哪个说余公公。余公公自己老脸没地方放，低头坐在门槛上。大家说不出个所以然，就各自散去。余公公就说："东西是在我屋偷的，我赔。我赔不起楠木的，我赔个樟木的。"没有人回头搭理余公公，他对着大家的背影说话。

余公公一气,倒床不起了。慧娘娘上年腊月起身子就不好,这回也病了。强坨又要上砖厂做事,又要照顾两个老人,起早摸黑两头跑。余公公说:“你只照顾你娘,我睡几日就好了。”

余公公睡了几日,身上硬朗些了。他出门碰到强坨,问:“你娘好些吗?”

强坨说:“娘不肯吃东西,不想落床。”

“不吃东西,哪有劲落床?”

强坨说:“我每日在床前劝,她只是摇手。”

余公公自己也不想吃饭,胸口有个东西塞得紧紧的。又过了几日,仍不看见慧娘娘出门。余公公喊强坨:“我去看看你娘。”

余公公在慧娘娘床前坐下,说:“老弟母,人是铁,饭是钢。你胃口再怎么不好,霸蛮米汤都要喝几口。龙头杠,你莫着急。我会雕,我雕出来的不会比祖上的差。我再歇几日,手上稍微有劲了,我就去雕。”

慧娘娘不出声,手不抬,头也不摇。余公公又喊:“老弟母,你莫怪强坨。他说不是他,肯定就不是他。我相信,他没有这个胆。”

喊了半日,余公公感觉不对数,拿手摸摸慧娘娘的额头,再摸摸她的鼻孔。“老弟母,你莫愒我啊!”余公公虎地站起来,反手朝强坨扇了一耳光过去:“你娘都冰冷了,你这个畜生!”

强坨忙伏到娘身上去听听,哇哇大哭起来。余公公身子摇晃着,又坐下来,喊着:“老弟母啊,你话都没有一句,就去了啊!”余公公喊了几声,回头朝强坨喊道:“你哭个死!快去烧落气纸!”

听到强坨哭号着烧落气纸,村里人都赶了过来。害怕的就站在地场坪,理事的就进屋去了。进来的都是年长女人,只问哪个时辰走的。没有哪个晓得。余公公说:“拜托你们,快快烧水。慧娘娘一世替人家妆尸,村里如今还有人会妆尸的吗?”有人开始编排,你做哪样,他做哪样,就是没人会妆尸。

余公公没听见人答话,就说:“你们怕鬼,怕脏。我不怕。你们慧娘娘一世善人,她上去以后不是鬼,是仙。她一世干干净净,不脏。你们烧水,我给慧娘娘洗澡。水要热,要洗得她舒服。”余公公吩咐完了,又说:“预备烧碱水,慧娘娘一世只用烧碱水洗头。”

木澡盆里倒好了热水,余公公把慧娘娘抱进去。余公公说:“老弟母,你身上还流软的,哪像过去了的人?你是愒我吧?你是要走,你就放心去,慧老弟在那边等你。你要是不想走,你就说句话。你哪像要走的人?看你还是个笑样子,你是闷着一口气,故意逗我们的吧?”

“老弟母,你是个好人,你是个善人,你到那边去说话算数。你要保佑强坨,他是个孝儿。你要保佑漫水的人,他们都来送你来了。”

听余公公这么说,屋里帮忙的人都哭起来。余公公眼泪也止不住,说:“老弟母,你是个苦命人啊!是人都有娘屋,你没有;是人都有外婆,强坨没有。不是碰到慧老弟,晓得你要落到哪里啊!”

有人就说:“慧娘娘有福气哩!老了,事事有余公公照顾,有余公公割樟木老屋,还让余公公妆尸。哪个老了有这个福气!”

有女人说:“你看慧娘娘,干干净净的!你看她肉皮,又白又细,哪像个老人!”

热腾腾的烧碱水端来了,余公公说:“老弟母,给你洗头啊!你洗了一世烧碱水,头发乌青的,水亮的。”

洗完了头,余公公又说:“来点茶油。”余公公在手心点了点茶油,双手抹匀了,轻轻地揉着慧娘娘的头发。余公公不会梳头,请女人帮慧娘娘梳了个光溜溜的发髻。慧娘娘仍用那个白亮亮的银簪子,别在乌黑的发髻上。

梳洗完了,余公公给慧娘娘穿寿衣,说:“老弟母,你抬手,寿衣是你自己做的,很漂亮。你伸伸脚,给你穿裤子。你的鞋也好看,绣着龙凤。”

熟悉礼数的女人已端着盘子候着,盘子里放着茶杯,茶杯里放着米和茶叶。老了的人嘴里含着米和茶叶去阴间,旧时还会含碎银子。如今银子不好找,有省掉的,也有含硬币的。余公公把米和茶叶放进慧娘娘嘴里,又从口袋里掏出一个细细的银链子,放进慧娘娘嘴里含着,说:“老弟母,银链子是巧儿的,你带去吧。”

老屋早已安放在中堂,慧娘娘穿戴好了,抬进去躺着。老屋睡了人,就喊灵棺了。灵棺四壁是红红的朱砂漆,寿被面子也是红的,映得慧娘娘脸如桃花。余公公伏在灵棺头上看着,心上说:“脸红得这么好看,哪像去了的人?”眼泪就吧嗒吧嗒滴在慧娘娘的脸上。

黑狗和黄狗晓得出事了,低声哀号着,在地场坪乱窜。地场坪的人越来越多,两条狗怕碍事,趴在余公公屋檐下。母子俩趴在一起,望着对门的太平垴,黄狗的脑袋奄在黑狗背上。

余公公叫人抬出一根又粗又长的樟木,他要去雕龙头杠。前几日,余公公害病躺在床上,脑子里尽是雕龙头杠的事。老楠木龙头杠他琢磨过千百回了,闭着眼睛都雕得出来。他还数过龙头杠上的龙鳞,一共九十九片。

慧娘娘屋炮仗声声,念经不断。放铁炮的仍是铁炮,他没事蹲在地场坪吸烟,隔会儿又去点几炮。放铁炮别人怕挨边,只有他是个猛子。铁炮也是快六十岁的人了,哪家死人都是他去放铁炮。他同人家扯闲谈:“慧太婆是个大善人。我娘那嘴巴不好,讲过慧太婆好多坏话,我是晓得的。慧太婆不计较,照样给她治病,死了还给她妆尸,慧太婆这样的善人,世上少有!”

丧事越热闹越吉祥,不光要炮火喧天,还要有人哭丧。余公公最担心没人哭,慧娘娘没有女儿,儿媳妇又走了,又没有几门亲戚。强坨是个男人,不会哭丧。没想到哭丧的人还很多,围着慧娘娘哭的都是受过她恩的女人。

余公公就放心了，安心雕着龙头杠。村里老了人，吊丧的、帮忙的、混饭的、看热闹的都有。很多人围着余公公，看他雕龙头杠。有人看不明白，问："余公公，龙头杠是个整的，你怎么分三节呢？"余公公懒得回答，只说："你用眼睛看吧。"心想，脑子不晓得想事！龙头是翘起的，龙尾往左边摆着，哪有那么粗的木头？樟木都难得那么粗，莫说是楠木了。老楠木龙头杠，也是三节对榫的，没哪个细心看。

做佛事道场的是三道士的儿子，名叫金坨。三道士死了，金坨接了他爹的衣钵。金坨自小顽皮，漫水人不怎么信他的法术。只是找不出别的道士，老人了还得请他。金坨念经念得口渴了，就过来看余公公雕龙头杠，说："余公公，你慢慢雕，时辰依你的。你哪天把龙头杠雕好了，哪天就是好日子。"

余公公拿凿子指着金坨，说："放你娘的狗屁！你好好给慧娘娘看个日子！这是开得玩笑的事？不信，我阉了你！你选了哪天是好日子，我的龙头杠保证误不了事。"

金坨忙双手作揖求饶，说："余公公莫生气，我逗你老人家的。日子早看好了，没人告诉你？阴历二十八，正酉时入土为安。"

余公公勾勾手指，说："够了，足够了。"

金坨见余公公不再理他，又敲钵子去了。这时，过来几个女人，说："余公公，你真是神哩，两天工夫，龙样子就出来了。"

有个女人摸着龙嘴里的珠子转了几下，怎么也弄不明白，问："余公公，这么大个珠子，怎么放进去的呢？"

余公公说："不是说我神吗？我有法术。"

龙头龙尾都雕好了，对榫结在直杠子上。立时围过来很多人，说："阿呀呀，比老龙头杠还威武！"余公公心想，他们真的说对了。老龙头杠的头虽然也是翘起的，那姿势只是往前冲去。新龙头杠的龙头昂得更高，龙颈好像往上拉得长长的，活灵活现一条腾空而起的飞龙。

割老屋正好还剩了朱砂，余公公调好一碗朱砂漆，把龙头杠漆得红红的。龙嘴里的珠子漆成白色，龙的眼珠黑漆点白。漫水人心上想着的龙正是这个样子，老楠木龙头杠过去就是红色的，隔几年都要漆一遍。只是听说成了文物，才没有再上红漆。

余公公雕好了龙头杠，又把慧娘娘的旧卫生箱拿出来，重新漆白了，画上红十字。有人不晓得，余公公就说："慧娘娘说过，她要把卫生箱带到那边去。"

余公公放卫生箱时，他对慧娘娘说："老弟母，我答应过给你做个新的，我做不了啦。做箱子榫太细，我眼睛不尖了。"

余公公又把笛子放在慧娘娘头边，说："老弟母，你再听不见我吹笛子，我也吹不动了。你带去，陪着你。"

出殡那日，天上挂着日头。丧伕们早早地来了，头上围着白布，脚上穿着草鞋。

待丧伕的饭要格外加菜，这是漫水的礼数。余公公过去说："我拜托各位孙侄，你们慧娘娘、慧伯娘说过，她怕吵怕闹，你们好好把她抬上山，莫在路上乱来。强坨很孝顺，你们也不要整他。"

"晓得，晓得！"丧佚们埋头吃饭，嘴上含混着答应。

余公公心上却是明白，他们必定是要整强坨的。强坨平时不会做人，嘴巴说话不过脑子。他待娘心上很好，嘴巴上话难听。人家不晓得的，都当他不孝。

时辰到了，金坨端了一碗酒祭天祭地，又斥退各路野鬼野神，把碗往地上啪地摔碎，只听得"噢"的一声，灵棺就起来了。哭声震天，旁人听着也要落泪。两条狗跳得老高，汪汪地叫。

余公公拄着棍子，追在灵棺背后作揖，哭喊道："老弟母，你走好啊！飞龙拉着你腾云驾雾，你一路莲花上瑶池！"

十几丈白布围着灵棺，强坨和乡亲们圈在白布里面，就像众人拉着老大老大的龙船。黄狗围着灵棺跳上跳下，又像是引路，又像在催人。黑狗跟着余公公，左右不离身。

扶杠的丧佚喊着号子："八抬八拉啊！"

众丧佚齐和："噢！"

"五子登科啊！"

"噢！"

灵棺到了塘边，前后丧佚们开始推棺。前面的往后推，后面的往前送。强坨忙跪到水塘里作揖："拜托叔叔、老弟、侄儿，求你们做桩好事啊，把我娘安心送上山！我有一万个不孝，一万个不好，都做错了！求求你们啊！"阴历二月天气，强坨落到塘里嘴巴就紫了。

余公公也在后面喊道："莫推了，莫推了，出不得事啊！"

推棺再怎么乱来，灵棺不得碰地，落井时辰不得耽搁。余公公喊几声，灵棺又慢慢前行，一路喊着号子，尽是些吉祥的话。

灵棺到了冬水田边，丧佚们又开始推棺。强坨哭喊着，跳到冬水田里，跪在烂泥里作揖："乡庭叔侄啊，你们做桩好事啊！我平日不是人，往后给你们当牛做马都要得啊！"

灵棺抬过田垄，开始往太平垴去。上山的路很陡，空手走路都怕摔着。丧家最担心丧佚们在这条路上推棺，害怕灵棺落地。灵棺行到半山上，前面突然大喊一声，掉转身子就往后面推。后面丧佚们敌不住，飞快地往后退。黑狗和黄狗冲到前面去，咬住扶杠丧佚的裤子往山上拉。强坨吓得魂都没了，爬到灵棺下面趴着，生怕灵棺碰到地上。他嘶哑着声音哀号："求求你们了，你们莫整我了！晓得你们凭什么整我。我承认了，龙头杠是我跟外面人搭伙偷的！我保证把龙头杠找回来，你们把我娘安心送上山啊！"

丧佚们不再推棺，抬着灵棺往上去。强坨满身是泥，趴在地上哭，半天没有爬起来。余公公拿棍子打了他的屁股，说："你这个不孝的东西，娘死了还叫你丢脸！"

强坨哭道："余伯爷，我没有办法，我屋欠你两副老木，我哪有钱？"

余公公骂道："你这个傻儿啊！我白疼你几十年！哪个要你还钱？你还趴在地上装死？快去！"

强坨爬起来，哭号着追上娘的灵棺。余公公腿脚酸酸地发软，人落在了灵棺的后面。他抬头望去，山顶飘起了七彩祥云，火红的飞龙驾起慧娘娘，好像慢慢地升上天。笔陡的山路翻上去，那里就是漫水人老了都要去的太平垴。

（选自《文学界·湖南文学》2012年第1期）

王跃文

湖南省溆浦县人。中国作家协会会员。现供职于湖南省作家协会。出版有长篇小说《国画》《梅次故事》《西州月》《亡魂鸟》《大清相国》《苍黄》及中短篇小说集、散文集多种。

报　恩

刘国强

钱大库是村里唯一的大学生，硕士。

钱大库一脚迈进大狱，谁也没想到，尤其是老家人。老家在辽北，叫恩光村。那里的山，比跑道多多了，大圈套小圈。恩光村被套在最里圈。“里圈”一直穷。穷是穷，可民风淳朴，人实在。谁家有个大事小情，听个信，都往上凑。钱大库也是，实在。可是，到了囚犯这份儿上，情况就不一样了。有人说，这个钱大库啊，生让实在给害了。钱大库不承认。隔着铁栏杆，钱大库说，话可不能这么说，实在还有错吗？

钱大库从小就吃书。背看图识字，背古诗，呱呱的。其实山沟子里书不好淘弄，可他看啥会啥，够厉害的了。

上二年级时，钱大库迷上了字典。这可是个好东西，百事通，啥字都有，啥都明白。老师啊，钱大库管它叫老师。叫也白叫，他买不起。钱大库不怕，抄，就抄。把字典借来，才二十多天，抄完了。抄字典之前，他向老师求情，说，老师请帮个忙吧。老师说，啥事？钱大库说，请帮个忙吧。老师说，你说吧。钱大库说，请帮个忙吧。老师急了，说你不说啥事，我咋个帮？钱大库说，我怕你不帮。高个子老师把腰哈矮了，拍拍他的小脑瓜，说，说吧说吧，我帮，我帮还不行吗？钱大库说，请给我个破教案。原来，钱大库看好了老师的教案。教案是个大本子，上下还有硬纸壳，用这家伙抄字典，能装。新的不敢要，要用过的，旧的。老师知道他要抄字典，这个小小的钱大库，个头还没到他腰呢，这样有志气，惊讶得老师瞪大了眼睛。钱大库立刻哭了。老师说，你哭啥呀？钱大库说，我气老师了。老师这才明白过来，笑了。老师再次哈个大腰，拍拍他的小脑瓜，说，钱大库，你行啊！老师说，小小年纪，你这样爱学习，我怎么能不帮你呢？钱大库说，真的？老师说，真的。钱大库说，你给我本破教案？老师说，不行。钱大库立刻冷了脸。老师说，给你破教案怎么行？老师说，我要给你本新的，嘎嘎新的！

钱大库真的抄完了字典。字典抄完了，钱大库开始背，挺费劲，不少字不认识，钱大库不怕。因为，钱大库已经学会拼音了，一拼就拼会了。钱大库说，字是豆粒，拼音是锅。豆粒放锅里一煮，就能吃了。钱大库一有空就煮豆，煮熟了就往嘴里捡，一个粒儿一个粒儿地捡，一口一个，一口一个，念到四年级时，他吃了太多的豆——厚厚的手抄字典翻烂了，钱大库一说话，满嘴“蹦豆”。从那时起，在恩光村，钱大库就没考过第二名。

一上初中，钱大库就住了校。学校离家太远。每回走，都要从“跑道”一样的大山里转转，一圈圈地转，日出转到日落，总算转出去了，再走十多里山路，才上正道。所说的正道是黄沙路。上了黄沙路，钱大库就开始光脚走，省鞋。鞋磨坏了要花钱，脚磨坏了还能长。

不天天走，一个礼拜走一回，钱大库也不白走，背题。科目多了，不像早先背字典，煮豆粒。背纸片子，叫“下片儿汤”。片儿汤是纸片子。纸片子揣兜里。上面全是题，语文呀，数学呀，物理呀，史地呀，生物呀，等等。一张纸片子全会了，钱大库随手把它一扬，喊，下片儿汤喽！片儿汤有时下在深沟，有时下在树梢，有时下在雪窝子里。回回下片儿汤，都会轰起一帮沙半鸡子，或是鹌鹑。至少，也有几只麻雀，“秃噜噜”飞起来，钱大库就乐。钱大库说，怕啥？我早就不打鸟啦！或者说，还以为我小呢，爱惜野生动物，早就懂啦！

下了三年“片儿汤”，爸不让了。爸说，儿啊，回家来吧，家里实在拿不出钱来了，你妹子再念两年也不能念啦！

钱大库说，爸，再让我念两年吧。我怎么也要念完高中啊！爸，求你了，我跟老师约好的，老师说，连高中都没毕业，哪有能力出去打工挣钱啊？

头一回跟爸说谎，钱大库不得劲儿。钱大库“修改”了女老师的话。女老师说，同学们，你们快毕业了。女老师把眼镜摘下来，擦两下，再戴上，说，你们窝在山里太久了，还没一个人出去看看天下，这太可惜了。书本是学习，见识也是学习，而且是更重要的学习。老师希望你们继续念下去，上完高中，直到考上大学。这样，你们才有能力去看看外面的世界。现在，你们面前有两条路，一是考出去上大学，做个有知识的人，留在你们所向往的地方，或是回来改变家乡的面貌；二是读完中学外出打工，这样也能走出去。不过，作为打工仔，像无根萍一样漂，太难了。

当晚，钱大库失眠了。钱大库想，一定要念下去，考上大学！

对孩子来说，大山像颗卷心菜，把上学的孩子一个个卷回来，越卷越紧，于是念书的孩子越来越少。上完初中就不错了，不少孩子，小学都念不完。钱大库向爸说了想法，爸一声没吭。第二天一大早，爸不见了。钱大库问，爸呢？妈说，你爸刨药材去了，他决定了，要供你上学！

钱大库看见地上一大片烟头，知道爸想了一夜。妈说，快天亮时，你爸一咬牙，才下决心供你的。钱大库把那些烟头一个一个捡起来，小心包好，收起来。看着这些烟头，钱大库哭了。爸抽不起烟卷，全是老旱烟。纸卷的。妈说，你爸这一宿呀，抽老鼻子烟了，一本洋皇历都扯光了。钱大库想，等我将来挣了钱，一定让爸抽最好的烟，一条一条的，条条都带过滤嘴儿。

这个暑假，钱大库天天上山刨药材。在爸的指点下，他认了很多药材，什么柴胡、旁风、地龙骨、细辛、山苞米、当归。他眼尖，找药材快。每找一个，钱大库都乐。就像当年抄字典、蹦豆，背纸片子、下片儿汤一样。不同的是，蹦豆和片汤明摆着呢，只要看紧自己，就行啦。这个不同。这个个都藏在草窠里，个个都会隐身法，人群里抓小偷一样，不容易。所以，每找到一个，钱大库都要笑笑。爸问，笑啥呀？钱大库说，爸，找到一个药材，就是朝学校走一步，一个个药材进筐里，我就离学校越来越近，我能不笑吗？

凑够了学费，钱大库上高中了。

牙缝里抠钱，也只能供一个，妹妹不念了。

上学那天，钱大库带上个布包，里边包着烟头。爸的。

三年后，钱大库果然考上了！

一看信封上印着"北京"二字，钱大库直哆嗦，不敢拆，一个劲儿咽唾沫，嗓葫芦忙坏了，那个尖朝外的包上下滑动，心都快蹦出来了。妹妹一把抢过来，说，开开呀，哥！妹妹把信封又还给他，说，哥，快开呀！

打开了。

那一刻，是钱大库最高兴的时刻！

可是，当钱大库看清了收费栏钱数，烫了一样，一下把那张纸扔了。他哭了，呜呜咽咽的。学费4000块，哪交得起呀？全家一年的收入，不过千儿八百块，上哪儿弄这么多钱？钱大库被早年背的那个词吓着了：天文数字！

爸的腰更弯了。可爸一下挺直了腰板，说，儿啊，别哭，考都考上了，咱得念。爸就是砸锅卖铁也要供你！

话是这么说，动真格，没咒念了。

爸的腰更弯了。早上起来，又是一地烟头。

挨家挨户排排队，前头街排到后头，再排过来。东头数到西头，再数回来，没辙。恩光村太穷啦，家家手头紧，向谁借钱啊？个别人家有钱，欠人家的还没还呢！

内火往外烧，几天工夫，爷儿俩只忙出一件事，起泡。赛着起。钱大库起一个，爸起两个，爸起两个，钱大库起四个。妈没起泡，可右腮像藏个鸡蛋，肿了。钱大库说，爸，我不念了。爸眼一瞪，说，你咋拉松了？钱大库说，我不是拉松，咱念不起呀。爸说，容我再想想办法。

那天早上，星星还没走呢，爸走了。爸进城卖了400cc血。

为了给爸补补，妈拿两个土篮子，翻好几个山冈梁，跟人家说了不少好话，给爸换了几块猪骨头。上顿熬，下顿还熬，熬得连油珠都没了，妈说，再熬一次吧，好歹也是补品呢。

这点钱哪够，差一大截子哟。

正愁呢，戴眼镜的女老师来了。她拍拍钱大库的肩膀，说，大库，好样的，真给我们争气啊！她从口袋里掏出500块钱，递给钱大库，说，我知道你家里太紧巴了，可书一定要读，拿着，这是老师的一点心意。

村长来了。村长后边还跟了好多乡亲。村长说，大库哇，你是咱村第一个考进北京的大学生哪，不简单，不简单。你小子可真行哪，给咱穷山沟争光啦！村长停了停，又说，听说你要不上了？那哪行，我可告诉你，这可不是你一个人说了算，多少年哪，咱这沟眼子里终于飞出个金凤凰，你可是咱村的人才哪！我们大家伙替你骄傲哇！村长一指钱大库，说，你给我记着钱大库，从今儿个起，你不光是你爸你妈的儿子，也是咱恩光父老乡亲的儿子，恩光的长辈，都是你爸你妈！大库啊，儿子有困难了，哪有爸妈不上前帮忙的？你看看，村长指着外边，乡亲们都来了！钱大库一看，窗前黑压压的一片脑瓜，连平时不下地的柳五爷都来了，拄个棍子，头晃，手哆嗦，脸上却笑眯眯的。这些人，大都白了头发。他们都像柳五爷一样，笑眯眯的。这时，村长的手一挥，提高了声音，说，咱村就是穷掉底了，也要让自己的儿子上大学。你们说对不对呀？大伙齐声说，对！

这一刻，钱大库眼睛一热，呜呜地哭起来。村长说，有乡亲们支持你，什么坎过不去？说完，村长拿出一沓子钱，说，这是乡亲们给你凑的钱，一共是2300块，大伙尽力啦。你带上，孩子，别怕，乡亲们在你身后呢！

舅舅说，大库，给！舅舅把钱递过来，说，头晌我把猪卖了，这钱你带上。

爸说，这哪行？爸说，那、那不是大小子的“彩礼”钱吗？舅舅说，哪急用哪嘛！爸说，这可不行。舅舅说，不就是娶个媳妇嘛，大不了晚点呗。见爸疑惑呢，舅舅说，我还有指望。我的头号猪卖了，还有个二号呢。舅舅还幽一默，说，二号壳郎猪也不小啦，我看哪，100斤打不住砣，我让它快点长，嘿嘿，不就长成彩礼了？

亲戚邻里都进来了。你凑点儿，我凑点儿，不大工夫，桌上堆满了大大小小的钱。有100元的，有10块20块的，也有5元的，1元的，还有不少零角和硬币……

爸妈一个劲地流泪。妈说，大库啊，这是大家的心啊，你可永远不能忘啊！爸说，孩子，你能上大学全靠大伙帮衬，将来你出息了，一定要报答大伙啊！

钱大库感动坏了。那一刻，他光顾哭了。鼻子酸。心里热。胸腹里像翻花开的水，直蹿。钱大库明白，大家都穷。这些钱，不知在手里攥多少时日了，舍不得花，这下，全给自己了！

钱大库面向这些恩人，扑通一下跪在地上，说，谢谢！谢谢老师，谢谢村长，谢谢乡亲们！放心吧，我一定好好读书，学成归来，一定报答你们的恩情！

当晚，钱大库找出一张纸，把乡亲们的名字工工整整地写上，编个“花名册”。钱大库要把这个“花名册”带在身上，宝贝一样，就像当年带上那包烟头。

临走那天，村长给钱大库胸前戴朵大红花，噼噼啪啪燃放了鞭炮。要知道，恩光村除了过大年，谁舍得钱放鞭炮？

乡亲们早早来了，围前围后地送他走。钱大库一个劲地向大伙鞠躬，谢谢！谢谢！！谢谢！！！钱大库走了，一步三回头。妈掉泪了。爸掉泪了。舅掉泪了。钱大库一看，大娘、大婶、大嫂、大姐们，村口一面子人，袖头子齐眉，都在擦眼睛。哦，都在掉泪！钱大库心里说，我记住啦，你们是我的再生爸妈，是我的兄弟姐妹！那些男爷们儿，手高高地举，一直在摇啊摇。钱大库实在忍不住，面朝大家，五体投地，连磕三个响头，然后，转身就跑。钱大库想，再不跑，自己就走不了了。这一刻，钱大库还在加固那个念头：下大力气读书，毕业后找个挣钱多的工作，多多报答乡亲们。钱大库的决心，如同一粒种子，种在自己的心田。

钱大库是七年后回来的。

七年不是个短时间。村里的小丫头，出息成水灵灵的大姑娘。当年还踢口袋、玩骨拉哈的小姑娘，变成吃奶孩子妈妈了。而那些正当年的人，老了。

这七年，钱大库吃了多少苦，怎样自己供自己，读完本科读硕士，写部长篇都绰绰有余。七个寒假暑假，他在饭馆打过下手，在站台扛过水泥袋子，在建筑工地当过小工，同时做过三个孩子的家教。白天上课，晚上做钟点工。总之，他没工夫回家，两个盖着鲜红大印的毕业证，就是这么拼来的。唉，不说这个了。这七年，钱大库想爸妈，想妹妹，想舅舅，想每一个恩光村的乡亲。每当这时，他就拿出爸的烟头包，拿出乡亲们那张“花名册”，挨个看。这时，这张花名册就是一片宽广的土地，光长草，不长粮食。为什么？等着自己去下种啊！

这七年，钱大库耳边一直响起爸妈的话，妈说，大库啊，这是大家的心啊，你可永远不能忘啊！爸说，孩子，你能上大学全靠大伙帮衬，将来你出息了，一定要报答大伙啊！钱大库也无数次地回想自己的承诺：谢谢老师，谢谢村长，谢谢乡亲们！放心吧，我一定好好读书，学成归来，一定报答你们的恩情。

研究生毕业后，钱大库可以留在北京。IT 专业很吃香，用人单位看看他的简历，问问情况，一开口，月薪就给了 4000 块。钱大库没吱声。这个数，钱大库想都不敢想。人家以为他嫌少，说，这是试用期的工资。还承诺，以后还会涨。又说，还不算福利呢。钱大库走了。人家喊，他没听见。钱大库一出门，立刻掏出那张“花名册”来，看了又看，乐了。

钱大库选择回家乡，在离家不远的沈阳市找了份工作，月薪 4000 块。

头一个月领工资，钱大库自己都惊讶，4000 块，这么多啊！拿着厚厚一摞钱，他眼窝一阵阵发潮。在恩光村，全家一年到头累死累活，顶多挣千儿八百块呀！他再次拿出“花名册”看看，感慨万千。对了，他已将爸的烟头收起来了。公司总经理一走过他身边，直往鼻子吸气，吸溜吸溜闻闻，说，什么味儿呀？于是钱大库收起了那包烟头，没扔，放在箱子里。

钱大库已经归心似箭了。但，公司忙。公司老总很赏识他，嫩竹扁担挑千斤，让他主持设计一套用于工厂自动化的软件。牛刀小试，却出个大风头，这套软件，成了广州博览会上的抢手货，订单雪片一样飞来，大把大把的票子，塞鼓了公司的钱袋子。老总乐坏了，当即甩给他5万块，说，好好干小钱，看这架门儿，你这个台柱子呀，以后就是“大钱”啦！

钱大库拿着这5万块钱，直抖，要不是使劲往下咽，心都要蹦出来了！钱大库再次拿出那张“花名册”，想，快元旦了，我该拿上这5万块钱，回去报恩。

长途汽车一路向北，向北。高速路换成柏油路，柏油路换成沙土路，再往前开，路细了，弯了，白了，山峦、田野、路上，都覆盖着雪，不好走，坡坡坎坎一个接一个。汽车爬坡很吃力，像有肺气病，呼哧呼哧喘。客车上有人大声说，开开暖风吧，太冷。司机回头瞅一眼，说，这还亏本呢，这么贱的票，没带暖风的份儿！女售票员态度还不错，说，大伙将就点吧，这趟车呀，上头把票价定得这么贱，主要考虑山里人钱紧。开始呀，城里有钱的还坐坐，后来呢，就光剩下山里人啦。女售票员搓搓冻僵的手，呵口热气，说，我不也陪你们挨冻吗？你们哪，年八辈不冻一回，我呀，天天这样呀！女售票员这样一说，没人吱声了，但有人冻得抗不住，嘭嘭跺脚。女售票员说，跺吧，冷就跺跺脚，跺吧。不大工夫，车厢里就响起一片跺脚声，鼓一样。钱大库没跺。售票员的话，让钱大库更冷了。脚尖针扎一样，疼。钱大库的心，早飞走了。七年啦，恩光村怎么样？亲人怎么样？乡亲们怎么样？

汽车停了。铁嘴一张，把钱大库吐出来，继续前行。钱大库四外看看，山如浪，雪如银，太静了。他夹在山缝子里，孤零零的。如果说，通汽车的路是树干的话，山里的路，则是细枝，那个恩光村，就是细枝下一片普普通通的叶子。现在，钱大库就要朝“叶子”走去。小路上雪很厚，没腿肚子。走上去噗噗响，雪末子纷飞。畜力车犁开大雪，刻出两条平行线，平行线中央，有不规则的蹄子印，省略号一样。省略号似乎提醒钱大库：这里呀，还那样！钱大库恨不能一下子回去，连这样的路都不走，上山，抄近。他算了算，抄近道，翻过五个山冈梁，就到了。大山一圈一圈的，跑道一样。但此时，钱大库是裁判员，裁判员找个由头，可以横穿跑道。当他累得呼哧呼哧喘，登上第五个山冈梁时，钱大库心里怦怦跳着，突然笑了笑。自己离开七年了，时光似乎绕开这里，定格了，村子一点没变，“点了穴”一般。那些房子，废弃的破木船一样泊在山根，稀稀拉拉的。整个村子旧旧的，像幅褪色的老照片……

钱大库进了屋，爸猫着腰坐在炕沿上，歪着头瞅这个年轻人：瓜子脸，白白净净的，高鼻梁上架个银边眼镜，斯斯文文的样子。钱大库哈个大腰，叫道，爸！爸愣了一下。钱大库又叫，爸！爸这才跳下地，说，儿呀？儿呀，你回来啦？钱大库哽咽了，说，爸，我回来了。爸连忙把炕上的火盆扯过来，儿呀，快烤火，快烤烤火。钱大库眼泪立刻下来了。爸矮多了。爸才五十多岁，却满头白发，背驼得那样深！眼前这个瘦弱的爸，当年顶着星星上县城卖血，送他上大学！钱大库从兜里拿出两条过滤嘴香烟，希尔顿的，递给爸。爸说，多少钱哪？钱大库笑笑，说，几块钱。爸心疼地说，哎呀，太贵啦！爸翻过来掉过去看了好几遍，说，这扯不扯，我个可身冒灰的土老头，抽这好烟，白瞎啦。钱大库鼻子又有点酸，多亏没说真话。爸找块布，把烟包了一层又一层，说，留过年抽吧。妈进来了。妈一句话都没说，上上下下一个劲地看儿子，乐呀。边乐边擦泪。妹妹也从婆家赶来了。妹妹老多了。年轻轻的，脸上一把褶子。一见妹妹，钱大库顿生愧疚：自己念书，妹妹念不起了。要不，妹妹能这个样子么？妹妹怨自己吗？妹妹没想这个。妹妹对他格外亲呢。钱大库看着妹妹还穿着打补丁的衣裳，非常难过，说，小妹，过得好吗？妹妹流着泪说，好，好！

家里如故。屋里还那样，一对黑乎乎的老木箱子，木箱子上放着被子。最大的变化，房子更破了。斜歪着。要倒。钱大库心里酸酸的，恍如隔世。这，就是自己曾经生活过的家吗？比起大城市林立的高楼大厦，豪华的住宅小区……唉！钱大库说，爸，把房子翻修一下吧。爸瞪大了眼睛，像是问，能行吗？钱大库狠劲点了点头。爸笑了。爸一笑，脸都要埋到腰部了！钱大库拿出一万块钱，递给妹妹。妹妹不要。钱大库硬塞给她。钱大库摇摇头，说，小妹，苦了你了！妹妹问他现在的工作情况，钱大库说了。妹妹乐得直抹眼泪儿。爸妈两个人只问一句话：儿子，这是真的吗？听儿子说得诚恳，爸把头从腰间往上提提，说，儿呀，咱可不要忘本哪。要是没有村里人帮衬，你哪有今天啊！儿呀，老村长家去年着把火，烧得什么都没了。你四婶子老啦，孩子们都不管她，抽空去看看他们吧。

钱大库下意识地摸摸怀里的“花名册”，向爸点点头。

钱大库先去看了他的老师。他万分感激他的老师。她给他指了路，他才有今天。也是她，在他为学费发愁时，送来500块钱，听说，她当时的工资，还不到200元哪！钱大库站在门口，老师盯着他，没认出来。钱大库说，老师，我是钱大库哇。老师歪起脸看，风一吹，白发飘飞。哦，岁月把老师变成这样，老师老了。钱大库眼睛一潮，哽咽了，说，老师。又说，老师。老师扶扶眼镜，认出来了，这个高挑个头的帅小伙，就是她的得意门生钱大库啊！老师激动坏了，一把把他抱住，说，大库，真的是你吗？

离开的时候，钱大库悄悄留下一个信封，内装4000元钱。钱大库想，这头一个月工资，就应该给老师。

他挨门挨户走个遍，看望了全村每一个帮过他的人。

几天工夫，钱大库的5万多块钱光了。

该回了。早早等在来时的路口，半天了，也不见大客车的影。钱大库心里很踏实，很满足，不急。办了最最重要的事，还急什么？

回到沈阳，钱大库一个猛子扎在工作里，啥都不顾。吃年饭了，同事叫他，他说，这就去。同事吃完回来了，叫他，他说，这就去。脸白了，瘦了。公司有个女孩儿，叫惠儿。惠儿看他太累了，再吃饭时，就把盒饭带回来。他就吃。惠儿问，好吃吗？钱大库头都不抬，说，好吃。一边吃着，一边还盯着荧屏，看着他的图，设计图。有时，吃半道，他突然扯过键盘，啪啪啪敲起来。敲了一大气，独自乐一下，再吃。嘴嚼着饭，脸却扭向荧屏。惠儿问，还要吗？他说，还要。惠儿就又买来一盒。钱大库这才反应过来，问，谁让你又买一盒啊？惠儿就笑，笑得眼泪都下来了，钱大库才明白过来，原来自己刚才随口说了"还要"，也笑。那些岁数大点的男人，传说个笑话，说男人最喜欢女人说"要"，最怕女人说"还要"。说完就笑。岁数小的不知道怎回事儿，也跟着学，岁数大的男人就乐，别人也跟着随帮唱影，瞎乐。其实，没几个知道"内幕"的。他俩也是，瞎乐。

好长时间了，惠儿没少照顾钱大库。

这天，惠儿说，我给你做饭吧？钱大库嘴里嚼着饭，说，好啊。惠儿真就做了。炸鱼，红烧肉，鸡蛋汤等几道菜。钱大库问，在哪做的？惠儿答，宿舍呀。钱大库说，好吃，太好吃了。又说，谢谢你。惠儿说，不用谢。钱大库笑笑，说，哪能白吃你的？又笑笑，说，搭了工，还搭钱，这哪行？说完，钱大库掏出一张 100 元面额的票子，给惠儿。惠儿不要。惠儿说，同事一回，做顿饭还给钱，小气鬼！钱大库寻思一会儿，说，那我哪天请你吧。惠儿说，才不稀罕哩！惠儿又问，我天天给你做饭吧？钱大库嘴里嚼着饭，啪啪啪敲着键盘，说好啊。惠儿说，我给你做一辈子饭吧？钱大库说，好啊。说完了，钱大库猛地醒了，忘了嚼饭，呆呆地看惠儿。惠儿却不看他，脸红红的……

惠儿给了他。惠儿生日那天。那天，惠儿说请了不少朋友，让他去。他来到她的宿舍，六道菜，三样酒，就他们俩。惠儿真能喝酒。一杯一杯干。他也干。惠儿喝多了。惠儿喝多了后，蜷在床上，像只猫儿。像只猫的惠儿身体里生出太多的猫爪子，猫爪子要伸出来，伸出来挠钱大库。把他挠得离自己近点，再近点。这工夫，钱大库要走。惠儿不让。惠儿生气了，说，人家都醉成这样了，你不管管啊？他说，管，管啊。惠儿问，怎么管。钱大库问，你说怎么管？惠儿一把扯过他，说，陪我。钱大库还愣呢，已被惠儿扯倒。两个青年人，身贴身在一起，肉贴肉，钱大库受不了了。自己那个东西太淘，一下立了起来，越来越大。钱大库控制着。心想控制，手却不听话，不知怎么，贼一样，先还悄悄地，近了，再近了，突然一下子——攥住了惠儿的乳房。身上立刻通了电，一颤，哎呀，整个身体一下热了！惠儿哼哼着，按住他的手，死死地。哆嗦。他也哆嗦，两人哆嗦一块了。她湿了，大而柔的乳房，直蹦。钱大库那个东西也蹦。他使劲一哆嗦，说，我不行了。惠儿也一哆嗦，说，我不行了。钱大库一下子扑上来，我豁上了！惠儿迎上来，说，豁上了！这一刻，二人仿佛都是易燃气体，两极啪啪一打火，火苗呼地蹿上来，两把火猛地烧在一起……

惠儿说，我们结婚吧。钱大库说，结吧。惠儿知道他没钱，自己买个“按揭”，一室一厅。钱大库照旧忙，惠儿一个人装修新房。图省钱，惠儿无数次跑市场，买材料。两个月后，装完了。惠儿才找钱大库，指着地板说，大库，好吗？钱大库一看，地板锃亮锃亮的，能照人，说，好。钱大库说，惠儿，我欠你的。惠儿说，不欠，不欠。惠儿啪地亲他一下，说，我愿意。惠儿突然想起什么事来，说，你欠我的！现在就还！钱大库愣，惠儿进屋了。从屋里出来，惠儿抱个被子。惠儿把被子“腾”地扔在地板上，红着脸说，你还！钱大库一看，乐了。钱大库一个蹦高过来，好啊，还！我还！几秒钟后，两个白条你来我往，缠一块，越缠越紧……

婚后，他们那事太频。钱大库贪床。惠儿也是。好几回，钱大库没吃上早饭。惠儿说，这不行，要细水长流。钱大库说，好。只有这件事上，钱大库说话不算数。第二天一早，惠儿要起来，他一把扯住她，往被窝里拽。惠儿本来也想，这一拽，惠儿就半推半就了。惠儿叫床叫得响。惠儿一叫，钱大库就更来劲了。惠儿越发叫，钱大库越发来劲。钱大库呼哧呼哧喘，说，你叫！惠儿也呼哧呼哧喘，说，我叫！钱大库来个大动作，说，叫你叫！惠儿也来个大动作，说，我就叫！叫来叫去，耗能太大，两人都没电了，一组白条这才分开，分成两个白条。

后来，扫兴的事一个接一个。这样快活的日子没了。或者说，少了。原因是：钱大库的农村亲戚总来，一来，就住在家里。惠儿不敢再无所顾忌地叫床了。其实也不光亲戚，村子里经常有人来，钱大库告诉惠儿，说，只要是村里人，都当亲戚一样对待。

头一个来的是四婶的儿子。四婶儿子说，哥，我来打工，给我找个活吧。钱大库烦，讨厌他。连自己的妈都不养的人，钱大库看不起。可是，钱大库没说。一来，他不想让惠儿知道，他还有不养妈的亲戚。二来，不管怎样，人家来了，总不能往外撵吧？

找吧。哪那么好找？一个只读过小学二年级的人，又没手艺，谁要啊！找不着，四婶儿子就住下了。屋子小，隔音差，小两口怕人听着，几天没那个了。钱大库一动手，惠儿拨开他，不行啊！钱大库一伸手，惠儿推过他，忍忍吧。那意思，四婶儿子走了，再“那个”。可是，四婶儿子住九天了，没一点走的迹象。馋啊。都馋。馋也不行哪，四婶儿子住在厅里，太近。这晚，他实在受不了了。侧耳听听，厅里已响起鼾声。他的手伸了过来，这一伸，又惊又喜，惠儿光溜溜的，早早等在那儿！开头，还有所顾忌。可弄着弄着，两人都被烧着了。一烧着，柴就变成了火。可想而知，变成火的柴，已不是柴了。不是柴，当然不必坚守柴的职责。他是火。她也是火。他是阳火，她是阴火。阳火烧得大，呼哧呼哧的。阴火叫，也呼哧呼哧的。阳火说，你叫！阴火说，我叫！阳火说，叫你叫！阴火说，我就叫！这堆火越烧越旺，似乎永远都不会熄灭。突然，咣当一下，门开了。四婶儿子站在门口，大喊，别打架呀！一看，傻了……

乡亲们走马灯一样来，家里成了饭馆、旅店，小两口很少“那个”。他憋不住了，悄悄摸过来，说，骑一下。惠儿向外指指，说，怎么骑？有时，钱大库小心翼翼地骑上去，很压抑。不行。扫兴啊。惠儿也是。惠儿怕出声，嘴里咬条毛巾，憋得慌，说，算了吧。钱大库也说，就算了。两个人都很扫兴。

扫兴的还有公司老总。钱大库总给乡亲们跑事，耽误工作，公司老总说，钱大库啊，中国有九亿农民，你家亲戚有七亿吧？

地板遭殃了。早就伤痕累累，大泥脚，钉掌鞋，一个接一个踩。光没了。漆破了。一个坑连一个坑，擦不出来了。起初，钉子鞋踩一下，惠儿的心都要揪一下，就像踩在惠儿的身上。疼啊。可惠儿不能说。家里的东西总也买不够，光旧自行车就买三辆，都没了。行李买11套了，现在就剩下一套。盆子、暖壶、雨伞、电饭锅、炒勺、衣物等，乡亲们不断有来沈阳的，缺边少袖的，都来拿。惠儿不是没想法，可不能说。这还算不错的，来家里住下办事的，就没断过流。钱大库有个不成文的规矩，凡来他家的乡亲，只要到他这儿，起码供顿饭，走了，花钱给买张车票。钱大库早就说过，要善待他们。结婚前，他们有过约定。钱大库说，我农村亲戚多，你别瞧不起。惠儿说，行。钱大库说，我上大学大伙没少帮衬，我要报答。惠儿说，行。钱大库说，我可能搭些钱。惠儿说，行。

这天，钱大库正在编程，手机响了。惠儿说，库，老家来人啦，快回来吧。钱大库快速敲几个键盘，说，我回。钱大库正忙呢，一头钻进去，啥都忘了。惠儿的电话又追过来，说，快回呀，舅舅病得不行了，急着住院呢。一听舅舅病了，钱大库打个冷战，说，我回，这就回。可是，钱大库敲完最后一组数字，本想再算一遍，来不及了，就没算。

真是舅舅。

舅舅病得不轻。舅舅瘦得只剩一把骨头了。钱大库心疼了，问，舅啊，你咋才来找我？舅说，能挺就挺呗。舅舅脸色蜡黄，腰弯着，说话都没了力气。最扎眼是头发，全白了，雪一样。

当年，他交不上学费，舅舅二话不说，把猪卖了。上次回家，爸说了这事儿。爸说，舅舅的猪，是给大儿子预备的“彩礼”。大儿子跟外村一个姑娘好上了，只等彩礼一上，就喝订婚酒。爸叹了一口气，说，儿啊，可惜那姑娘啦，黄啦。大哥倒是没打光棍，可去年才娶上，姑娘倒不错，可腿不一般长，跛脚。原来，舅舅指望的那个“二号”，突然得急病死了。二号猪一没，彩礼钱掏不出来，姑娘一甩袖子，不干了。

大哥也来了。看见大哥，钱大库一肚子话，没法说。钱大库说，哥，放心，你的爸，就是我爸。哥说，你的舅啊。钱大库说，你的爸，就是我爸。哥说，你呀。舅舅说，你呀。钱大库说，晌午了，晌午医院休息。先吃饭。午后，咱上医院。钱大库看看惠儿，说，惠儿，下顿馆子吧，给舅补补。惠儿爽快地把电饭煲插头拔了，说，舅舅走吧。

下午，钱大库领舅舅上了医大。托朋友找了权威大夫，博士导。博士导正号脉，手机响了，钱大库看看，公司的。没接。钱大库想，等会儿这边忙完了再打回去。博士导看完化验单，把钱大库叫过来，告诉他，胃癌。钱大库脑袋嗡的一下，问，重不？博士导说，晚期。钱大库问，还有救吗？博士导说，手术吧。钱大库说，手术吧。哥听了，说，我带了1000块，够不？博士导说，够一天的花销。又说，还不算手术费。钱大库瞅了哥一眼，说，有我呢。钱大库很仗义地拍拍胸脯子，说，怕啥，你放心吧，你的爸，就是我爸。

惠儿早有准备，打开包，说，给，我带来1万。

晚上，公司老总火了。老总狠劲剜了钱大库一眼，说，不想干了你吱一声，也不能这样害人呀？打电话不接，也不回。你的程序出了错，公司一下子损失了好几百万！

扣去当月奖金，把他的项目组长撸了，撸了组长，就等于撅了钱串子。工资降不少，分成没了。对于钱大库来说，比工资和分成更重要的是，一下子威望扫地。沈阳不小，但IT技术尖子，圈子也不太大。挤进来不容易。钱大库挤进来了，现在又出局了。在这个圈子里，搞砸一把就没人敢用了。对个人来说，砸了牌子。对老板来说，砸了钱。一笔巨款。钱大库再三请求老板，再给他一次机会。老板不理。钱大库话说多了，老板仰在椅子上，向上吐个烟圈儿，再吐一个，呼的一下，把一口烟吐过来，喷在钱大库脸上，大开花，说，够啦！老板啪地一拍大班台，说，我的公司为什么清一色的研究生，我宁可多花钱，就是因为，研究生在试验室里已经做了太多试验，在我这该出成品了。可你，还搞试验，那不是害我吗？钱大库啊，我看你人还不错，才留下你。你要再多说，就卷铺盖卷吧！

舅舅术前惠儿拿来的1万块钱，第九天就没了。没等钱大库吱声，惠儿又送来1万。钱大库万分感动，说，惠儿，你真好。惠儿说，这回，咱家没钱啦。钱大库问，一点没啦？惠儿说，就剩点过河钱了。钱大库很豪放的样子，说，惠儿，不怕，咱再挣！

惠儿笑了。

惠儿怀孕了。

惠儿反应得厉害，上不了班了。钱大库在惠儿肚子上听听，说，专心养育后代，也算上班呀！惠儿笑笑，头一歪，靠在钱大库肩头，那样子，亲昵而幸福。虽然没了奖金，没了分成，4000块也不算少，还过得去。有同学帮忙，钱大库班后挣点外快，还不错。起码比惠儿挣得多多了。紧接着，公司老板消了火，又给钱大库涨1000

块，月薪5000块了。日子再次抬起头来。可没多久，抬起的头，又低下了。四婶的二儿子找上门来，还领了三个人：六叔家的老三，村长家的女儿，徐叔的儿子。四个人一堆儿来，让钱大库给找工作。这下，可犯了难。上回，钱大库把四婶的老儿子安排在建筑队看堆儿，费老劲了。但，这些人都不是外人，钱大库不能不管。于是就让他们先住下来。家里住不下，钱大库找家招待所，把三个男人安顿了，让队长姑娘住家里。住了半个月，光宿费就花了三千多，工作还是没着落。这天晚上，惠儿向他报警了，库儿，没钱了。钱大库说，还有多少？光能喝粥了。钱大库说，那就行。钱大库说，有粥喝，咱就不怕。惠儿说，买菜钱都没了。钱大库说，惠儿，我告诉你个绝招，你呀，晚上下行时再买菜，那时的菜呀，论堆卖，五角钱一堆。钱大库又说，下行菜一样吃，啥也不耽误。烂叶子择了，变质的地方削啦，不就得了？对了，蔫巴了也不怕，菜这东西呀，早晚不得蔫巴？不到锅里蔫巴，到肚里也得蔫巴吧？钱大库以为话说得挺幽默哩，惠儿却没反应。惠儿流泪了。惠儿想，我不吃行，肚里的孩子不吃，能行吗？惠儿委屈呀，心里说，我一直在买下行菜呀，还用你多嘴多舌，瞎操心？钱大库以为她撒娇呢，说，熊样，还哭啦。惠儿没理他。钱大库伸出手，要搂她。惠儿背过身去。惠儿掉小脸子了。相识以来，这是惠儿头一回跟他掉小脸子。

钱大库翻了几个烧饼，睡不着。钱大库索性爬起来干活，挣外快。那些日子，钱大库白天给公司干，晚上给个人干，一天只睡两个小时觉。白眼球拉满了红蜘蛛网，血淋淋的。上班时，公司老总对他不满意，说，你怎么熬成这样？整宿赌钱啊，还是泡妞？

求爷爷告奶奶，总算把他们打发了。钱大库干私活的个体老板，路子挺广。东一个西一个，把四个人安排了。男的当小工，女的做饭。钱大库长长出口气，总算卸个包袱。没几天，那个个体老板跟他翻脸了，气呼呼地找到他，不说话，上来就是一拳。眼镜打飞了，钱大库什么也看不清。脸上火辣辣地疼，一摸，一手血。钱大库说，咱们是朋友，你、你怎么打我？个体老板一翻眼睛，说，朋友？你要拿我当朋友，怎么会调理我？钱大库愣了。个体老板拿过几个光盘，说，你看看，你干的什么活？钱大库戴上眼镜，在电脑上一看，说，哦，我装错盘了。个体老板一立眼睛，说，说得轻巧，你装错盘了？可你知道吗？这张盘“快递”给厂家，产品出来了，我损失了30万，怎么办？钱大库一听，傻了，说，对不起。个体老板气得咬牙切齿，说，对不起个屁！咣地打过来一拳，钱大库啊呀叫一声，扑倒在地。个体老板说，这一拳值30万，咱们两清！

钱大库鼻梁骨骨折。医生说，得休息一周。钱大库本不想休息，可脸肿得老大，青紫色，一只眼睛红灯一样，只好歇歇。祸不单行。公司老板不满意他的工作，工资掉了1000块。更麻烦的是，个体老板火了，把安排在建筑工地的那四个人退回来了！没办法，躺在病床上的钱大库，给老同学打电话。老同学一听是他，火气很大,说,你还有脸找我?我好心好意帮你,你弄得我里外不够人,你可拉倒吧!“啪!”摔了电话。

四个人站在床前,步调一致,翻过来掉过去就那一句话:哥,你再想想办法吧。

伤口疼。钱大库咧咧嘴,使劲睁睁眼,没睁开。钱大库一只手扒开肿得嘴唇一样的眼皮,一只手要了招待所电话,要了房间。把刚开的工资拿过来,点出3000块,递给四婶的儿子,说,拿去吧,这是宿费。队长的姑娘,还住在家里。钱大库想,手里这1000块钱,只能买下行菜啦。不想,下行菜也吃不上了。四婶的大儿子刚走,老儿子的工友来了电话,四婶老儿子从脚手架上掉下来,腿摔断了。包工头不拿钱。包工头说,天天提拎耳根子交代,不兴蛮干,谁让他违章干活啦?这钱我哪能掏?不服,咱就打官司!官司打输打赢不说,可总不能等打完官司再治接腿吧?钱大库要惠儿送去1000块钱,队长姑娘说,嫂子身板都这样了,我去吧。队长姑娘一走,惠儿哭了。惠儿说,库儿,我们也对得起你的那些乡亲了吧?可你总这样,我们的日子还过不过?

这晚,他们整宿没睡,“背靠背”。

头上缠着绷带,钱大库还是为四个老乡跑工作。沈阳的民工太多,哪都一堆一堆子的,没点手艺的,活实在难找。可算有点头绪,钱大库给一个物业公司做软件,一提这事,老板答应得挺痛快。说,行。行行。老板哈哈一笑,说,哪天你把他们领来吧。钱大库一怔,说,那可是太好了。我正为这事挠头呢。

这四个不安排出去,宿费天天“跳字”,吸血一样,真够受。钱大库一开门,惠儿跟了过来。惠儿问,钱大库,你上哪去?惠儿头一回这样叫他,还“钱大库”。钱大库觉得刺耳,有点火。一看,惠儿大肚子像个气口袋,出气都费劲,心软了。惠儿说,钱大库,你不为我,也为孩子着想啊,跟你说多少回了,陪我上医院去一趟,你不理我。我这个样子,一个人上医院查胎位,你就放心?

钱大库这才想起来,头两天答应惠儿上医院的,竟忘了。

钱大库勉强挤出一丝笑,说,惠儿,下午吧。又说,我头午约了人,中午前我一定赶回来。行不?惠儿无可奈何地瞅瞅丈夫,说,好吧。

刚出屋,手机响了。四婶的老儿子打来的。四婶的老儿子说,大哥,我的腿能不能长好,就靠你了。原来,四婶老儿子的腿骨接上了,可钱没了。医院让赶紧拿钱来。不拿钱,立马停药。钱大库烦透四婶家的几个儿子了,连亲妈都往外推。可到这份儿上了,不管可不对劲儿。别说还沾亲带故的,就凭“乡亲”这两个字,他也不能不管。可是,钱呢?钱大库硬着头皮找了公司老板。公司老板一听,不冷不热地说,哎呀呀,祖坟都哭不过来,还净哭乱坟岗子!又说,哎呀,你这个人哪,真是的,嘁!老板还算网开一面,告诉财务,借给钱大库3000块钱,打欠条,算预支,开支了扣掉。

把这3000块钱送医院去，顾不上吃饭，钱大库就去了劳务市场。六叔的三儿子说，哥呀，盼星星盼月亮，可算把你给盼来了，啥时候啦，我们都快要饿死了。村长姑娘也接了话把儿，说，哥啊，请我们撮一顿吧。撮一顿，就是下饭店的意思。钱大库掏掏腰包，就有30块钱，说，吃顿小吃吧。六叔儿子一眯眼儿，说，哥，我们可熬苦坏啦，你就破费点，怎么也得整几个炒菜呀！钱大库说，好吧。钱大库领他们去了一个小饭馆。这家饭馆主打盒饭，捎带着有点简易炒菜。小饭馆很小，平房，黑乎乎、烟气哄哄的。钱大库看价钱点菜，怕点冒了，出不去屋。一盘回锅肉，一盘炸黄花鱼，一盘拌拉皮，一个西红柿汤，小盘。算算，24块。六叔儿子还要喝酒，钱大库怕钱不够，说，少喝吧。就一瓶。看看菜谱，点一瓶北京二锅头，正好六块。钱大库不好说钱不够，说，下午咱们还要谈事儿，少喝。点完了，钱大库去找厕所。厕所在外边，人多，他又回来了。这时，四个老乡叨咕上了：

大库哥抠喽，刚开板儿，他不这样啊。

人哪，一进城就抠。

话也不能这样说，咱们住店的钱，不都是人家掏的腰包？

那点钱，还不够人家塞牙缝子的呢！他呀，电脑一开，票子就呼呼来呀！

钱大库听了这话，真不是滋味儿。可他还是装作没听见。沟里眼子的人嘛，不要跟他们一般见识。

吃完饭后，钱大库终于给四个老乡找着活了。那个物业公司老板说，行，行行。就用你给我做的那个软件报酬抵吧。钱大库一愣，不自然地咧咧嘴，说，行。

钱大库没一点准备，物业老板还来这一手，这下子6000块钱报销了。又仔细一想，也值。要是再挺下去，还说不上几个6000块呢。

办妥了这头，一看时间，钱大库傻眼了，快三点啦！

出来前跟惠儿说得好好的，下午陪她上医院查胎位的呀！

打车，可摸摸兜，一分钱都没有，打什么车呀，连公交车都坐不上，镚子儿皆无！没办法，走吧。走到家，日已偏西。

到家一看，惠儿正哭呢。

钱大库知道自己理亏，连忙上前讨好，说，惠儿，告诉你个好消息。惠儿根本不理他。惠儿知道，这个库儿光顾老乡了，把媳妇忘了。不去上医院，倒好，趁这工夫，惠儿有时间想个遍。越想越气，没见过谁这样拿别人的事当日子过，别说见啊，听都没听说过，简直是鬼迷心窍！钱大库知道惠儿心软，刀子嘴豆腐心。遇上事，钱大库一说软乎话，惠儿肚里的气扑哧一下就泄了。这些天挠头事太多，惠儿泄气很慢。不过，钱大库还是有时间让惠儿泄气的。钱大库眨巴眨巴眼儿，一个招子来了，说，惠儿，我刚才让车撞了。惠儿瞪大了眼睛，说，真的？撞哪啦？钱大库也瞪着眼睛说，假的。惠儿却仍然那么认真，说，以后，你不兴开自己这样的玩笑。钱大库说，我就开！惠儿举起粉拳，说，我不许！惠儿说到这里，突然醒悟过来，这个道岔扳的，她把自己今天想一天的话竟忘了说。于是惠儿喀下嗓子，认真地说，我想好了，把这孩子做了。

钱大库没太听明白，说，惠儿，你说什么？

惠儿又说了一遍，钱大库一把抓住惠儿的手，说，惠儿，你糊涂啦？

你才糊涂呢！惠儿说。

惠儿说，我想好了，这是唯一的办法。惠儿说，我不是太咬尖的女人，也不是不重乡情。这些日子，我把你的那个“花名册”看了又看，还有好多人的恩，你还没报呢。这些恩要是一个一个报，你这辈子也报不完。说不定哪，谁谁谁捎封信，谁谁谁托话，谁谁谁还会找上门来。你不忘本，重情义，这没错。可日子总得过。你这样干，日子没法过了。惠儿指指肚子，这孩子生下来，也得遭罪。惠儿哭了。惠儿说不下去了。惠儿说，为了咱的孩子，我特意买个食谱。啥年头啦，人家早就时兴胎教，听音乐，看美人图。可咱的孩子，连营养品都吃不上。惠儿哭得越发伤心，说，我都没脸说这事儿，说出去了，谁信呢？

惠儿突然止住哭，说，我想好了，这孩子肯定营养不良，拿掉算啦。钱大库这下急了，说，惠儿惠儿，你不是要离开我吧？惠儿说，是。钱大库说，你怎么能这样呢？惠儿说，怪我吗？钱大库说，你不爱我了吗？惠儿说，这不是爱不爱的问题。钱大库一把搂过惠儿，哭了。钱大库哭着说，惠儿惠儿，我离不开你呀！惠儿也哭了，说，我也离不开你呀！钱大库想了想，知道自己错了，伤害惠儿了，伤得深。想想惠儿的好，真的很对不住她。钱大库说，惠儿，你知道，我家就我一个儿子，你不能这样，你一定把孩子留下来呀！惠儿实在没招，给钱大库跪下了。惠儿说，库儿，求求你了，你就依了我吧。钱大库火了，说，你不是让我断后吗？惠儿说，不会的。你还年轻，再找吧。钱大库见说不了惠儿，也跪下了。这样，夫妻俩对跪了大半宿，惠儿终于松了口。

日子又恢复了正常。

伤口初愈，身体和心情都格外舒服。手头紧，整日粗茶淡饭，买下行菜吃，小两口却很开心。然而，麻烦还是一个接一个尾随而来。

钱大库干私活的事，被公司老板知道了，说他吃里爬外，有泄密之嫌，炒了他。钱大库跟他争辩起来，说，我用人格保证，我没外泄过一丁点公司机密。老板轻蔑地冷笑一下，说，钱大库啊，你太幼稚了，都火燎腚眼了，你还讲这个，有意义吗？

回来后，钱大库没告诉惠儿打饭碗的事，怕她上火。正琢磨着，在找到工作前，怎么跟惠儿编呢。其实，惠儿已经知道了。惠儿毕竟在公司干过，消息灵通。惠儿说，库儿，不干就不干，咱不怕。手艺在身上带着呢，强盗抢不去，小偷偷不去，怕啥？那一刻，钱大库非常感动。眼窝发潮。钱大库一伸嘴，啪的一下，亲了惠儿的脸蛋儿，说，知心者，惠儿也！

惠儿问，才知道啊？

孩子还是没留住。

几天后，钱大库答应惠儿去医院，惠儿笑笑，开玩笑道：你可整准啊，可不兴半截道开小差啊？

钱大库也笑笑，说，哪能呢，你以为我乐意找二皮脸啊？

然而，钱大库还是食言了。

定好了，上午九点上医院，可九点半都过去了，钱大库还没个影，惠儿急了。肚里的胎儿像是猜出母亲的心思，也跟着急。这边一脚，那边一拳，再来个头球冲顶，不识闲。惠儿想象着，这小家伙是不是大头朝下？是不是横过来了？不胎检，心里没底儿。这个时候，孕妇胆小，爱瞎猜。惠儿也不例外。惠儿想着想着，就下了楼，上大街瞅瞅。大街上人来人往，可哪一个也不是她的库儿。惠儿往前走一段儿，想拐个弯。那个弯一拐，是直道。直道很长，大老远，就能看到库儿。可是，弯还没拐呢，一个骑飞车的冒失鬼，突然拐了过来，惠儿妈呀一叫，晚了，前轱辘狠狠轧在她身上……

此时，钱大库刚从派出所出来。钱大库本来是联系个活，走半道，手机响了。物业公司经理打过来的。物业公司经理说，钱大库你快来，你介绍的叫啥人哪，小头挤脸的，还他妈挺骚呢，让片警给抓起来了！钱大库到那一看，是六叔三儿子。六叔三儿子的手举得挺高，铐在暖气管上。徐三子跟前，还有个脸上起白粉的半大老太太，穿个大红裤子，很扎眼。一搭眼，就知不是个省油的灯，老不着调。警察上上下下打量一下钱大库，问，你是他什么人？六叔三儿子一回头，说，哥呀，你可来啦！警察训斥道，没你事，闭嘴！离物业公司不远，在那个黑咕隆咚的破桥洞子里，六叔三儿子被抓了。事情明摆着呢，老女人一勾，六叔三儿子上钩了。刚一上手，被巡警逮个正着。老女人滑头，怕担事儿，撒个谎，说，他是我亲戚。可是，警察一问，姓啥叫啥，哪的人，啥亲戚，啥啥对不上！露馅了。警察带搭不理地瞅钱大库一眼，说，罚款。钱大库问，多少？警察说，3000。钱大库问，能少点不？警察说，能。钱大库问，多少？警察说，5000。钱大库不敢再问了。警察倒问起钱大库来，怎么？你以为这是卖菜的市场啊，还讲上价了。讲啊？警察手一挥，送走，劳动教养！六叔三儿子大喊，大哥，救救我啊！六叔三儿子想跪下，可手吊着，跪不下，头就咣咣磕墙，边磕边喊，大哥，你不救我，我这辈子就完蛋啦！没招了，钱大库只好出去借钱。

钱大库赶到医院，惠儿刚抢救完，还在打点滴。胎儿已经流产。惠儿一见到丈夫，委屈又愧疚，哭了。惠儿说，库儿，我对不住你。钱大库说，惠儿，你没危险就好。

大夫向钱大库述说了经过。惠儿被那个头像刺猬猬的民工撞倒后，刺猬猬一看撞个大肚子女人，怕沾包，立刻逃了。多亏好心人叫住一辆出租车来医院，再晚来一会儿，惠儿就没命了。

住了几天院，惠儿的身体渐渐恢复，出院了。

回家后，惠儿问钱大库，那天为什么又没按点儿回来。钱大库说了经过，惠儿立刻紧了脸，再也无话可说。无论钱大库怎么问，惠儿就是不说话。惠儿出去了，钱大库问，干啥去？惠儿还是不说话。不大工夫，惠儿回来了，手里拿份离婚协议书，递给钱大库。钱大库说，我不签。惠儿这才开口，说，不签也行。你不签，我就离家出走！

见惠儿已经铁了心，钱大库还是签了。

惠儿走后，很长时间，钱大库没找到活。钱大库不光干砸了公司，还干砸了两个个体老板，得罪了一个老同学。这些都是“活广告”。这样的广告一打出去，钱大库的名声就臭了。原公司损失了好几百万，败伙个体老板 30 万，让人打断了鼻梁骨，圈里人一哄哄的。用范伟的话说：“地球人都知道。”

可现在，原先借的钱，救六叔三儿子，抢救惠儿，钱大库已举债快两万了。其中，欠大头李一人就一万二。

要是干 IT，这点钱还起来也快。可是，干不上了。这阵子，墙倒众人推，没人说他好话。没人信得过他。没办法，钱大库只好上人才公司找活。白费。他是干 IT 的，必然找 IT 活。可是，好容易找个活，干不到一星期，人家就把他辞了。很简单，他有前科。这年头，IT 业消息太快，跳槽的多，兼职的也多，你中有我，我中有你，谁没几个“线人”？

钱大库想过离开沈阳，人不能在一棵树上吊死。可他于心不甘。他算了算，老家人他都安排好几十了，人家都知道他“很厉害”，现在突然蒸发了，很没面子。即使面不面子也不在乎了，算是小事，可那几家债主的话，钱大库倒不得不考虑。债主大头李说，钱大库，你不能一走了之吧？钱大库咧咧嘴，说，放心吧，沈阳在我就在！

沈阳在我就在，这话说得口气太大了，可人活一口气，口气大的话该扔也得扔，不然，也让人太瞧不起了。

口气再硬，也得挣钱，这是非常现实的问题。是硬道理。钱大库在沈阳的路子都堵死了，没什么好办法。再说，他想惠儿。抓心挠肝的，什么也干不下去。打开电脑，上面有惠儿的照片，有惠儿当年写给他的短文。家里更难待。屋子里空落落的，到处都是惠儿的气息，惠儿的痕迹。许多时候，明明就他一个，钱大库也会喊两声，惠儿！惠儿！直到几个屋子都走个遍，他才叹息几下。这两天，他不喊了。但，一回来，他还是挨个屋子看看。连厕所都不放过。钱大库想了太多惠儿的好。钱大库觉得，惠儿只是一时生气，说不定哪天，她还会回来。离婚那天，惠儿哭了一大场，突然硬起来，说，钱大库，你最后帮我个忙，行不？钱大库想都没想，说，行。惠儿伸出右手小拇指,钱大库也伸出右手小拇指,他们拉了勾。那一刻,钱大库甚至抱有幻想,惠儿也就是使使性子吧,不一定真离。可是,惠儿这才紧了脸,说,到民政局后,人家要是问我们为什么离婚,你就这样说,性格不合,没有爱。钱大库哪想到她会求他这个,嘴一张,要说什么。惠儿已经非常严肃了,说,我嫁你一回,没享着福,罪却不少遭,难道——这点小小的忙,你也不肯帮吗?离婚时,钱大库果然这样说。说完,鼻根一酸,眼睛就潮了。那位老大姐看在眼里,回头回脑看这两个人,钱大库啪地打眼眶子一下,说,这蚊子,钻眼睛里了!

离婚第二天,惠儿给钱大库打过电话。惠儿说,钥匙她忘了交了,要给他送来。那工夫钱大库非常想惠儿,真想见她一面。可他心存幻想,说不定哪一天,惠儿会回来,会跟他破镜重圆。有把钥匙在她手,也是一个希望吧?于是他说,放你那儿吧。惠儿说,那我就丢下水道里啦?钱大库心里说,别别别呀!话一出口,却是“随你便”。说完就后悔了。他想把话拉回来,惠儿的手机已是忙音。不过他想,惠儿不会把钥匙丢下水道里的。不会。此后几天,钱大库天天都想给惠儿打电话,几次拨一半号,没打。昨天晚上,钱大库回家后,看见阳台晾不少衣服,再一看,厨房、厅里,都收拾得干干净净。钱大库疯了一样,门摔得噼啪响,挨个屋子找,喊,惠儿!惠儿!没有。再一看,卧室床头柜上放张白纸,白纸上放着那把钥匙。钱大库翻过来掉过去看那张纸,一个字都没有。钱大库连忙打惠儿手机,录音小姐说,您拨打的手机是空号。

那些日子,钱大库天天无精打采的,什么也不想干。钱大库自己早就计划开发个软件,这个软件一旦成了,就什么都有了。可他做不下去了。一打开电脑,脑子就乱。钱大库说,完了,乱码了。真的乱码了。连最基础,最简单的运算,他都做不了了。钱大库想起小时候,才读二年级,就开始抄字典,背字典。脑瓜子真灵啊。脑瓜子像个大口袋,而那个字典,充其量算个小口袋,小口袋倒大口袋里,仿佛没占多点地方。一直读到研究生,他的脑袋没出过问题,现在,出问题了。内存小了。钱大库啪啪啪拍几下脑门子,说,不是他妈的内存小大的问题,而是程序乱套了!

可是,也有不乱套的,债主。债主不时打个电话过来,问问钱大库的情况。钱大库明白,人家想问他啥时候还钱,不好直说罢了。钱大库说,我正在做软件呢。说完,钱大库的脸热了一下。头一回跟人家撒谎,心虚。债主的电话,绳一样扯紧了他的神经,钱大库想,不干不行,一定要找到活干。

在一张报纸分类广告上,钱大库发现火车站急需搬运工。钱大库去了。站台上有两种活,一种是扛沙袋子。把沙袋子从二十多米的地方,扛进车皮。钱大库试了试,不行。扛还扛得动,可他上不去跳板。两根竹跳板搭在车皮上,一个上人,一个下人。钱大库上不去。大胡子包工头上下打量几眼钱大库,说,瘦了巴叽的小白脸,能干得了这活?钱大库故意抻巴两下胳膊,说,能。包工头又打量他几眼,专盯他的腿肚子,说,把裤脚子挽起来我看看。钱大库挽起裤脚子,大胡子包工头弯下腰，拍拍他的腿肚子，说，肉这么松啊，够呛。钱大库不服气。钱大库说，我能行。大胡子包工头说，试试吧。钱大库一走，大胡子包工头又说，你可小心哪，摔着了我可不管。钱大库说，摔着了不怨你。头一袋子，钱大库趔趔巴巴，勉强扛上去了。跳板陡倒不怕，关键是颤啊！头两步还行，上到中间，跳板一颤，沙袋子死沉死沉，腿软了，上身立刻晃起来。扛到第三袋子时，钱大库实在把握不住了，一栽歪，掉了下来，大头朝下。跳板虽然不高，可摔得实惠，门牙掉了两颗。

大胡子包工头怕担责任，立刻叫起来了，说，我说你不行嘛，偏逞强，怎么样，摔坏了吧？钱大库爬起来，抹一把血葫芦一样的脸，说，没关系。实际上，钱大库疼极了。牙掉了两颗，鼻梁子针扎一样疼。钱大库想，被个体老板打骨折的鼻梁子，又塌了吧？

大胡子包工头看见那两颗牙齿，皱皱眉，还算义气，顺兜里掏出500块钱，说，首先，我不让你干，你偏要干，责任在你。你摔了，跟我没任何干系。第二，我是从一个旁观者的角度，给你这500块钱的。大胡子包工头摇了摇头，说，走吧走吧，赶紧走，我胆小，别把我吓出心脏病来。钱大库本想不要这500块钱，可真的分文皆无，别说牙不牙的，晚饭都吃不上了。唉，人穷志短哪，钱大库接过500块钱，向大胡子包工头鞠个大躬，连声道谢。

第二天一早，钱大库又来了。大胡子包工头看他嘴唇肿得老高，门牙没了，说话呼呼漏风，说，你都这样了，活又干不了，还来干啥呀？钱大库指指背水泥的人，说，我运水泥吧。大胡子包工头有点不耐烦，说，你可拉倒吧。你不要命了，我还怕赔钱哪！别干了，我怕沾包。钱大库把事先打好的欠条拿出来，递给大胡子包工头，说，大哥，帮个忙吧。我手头太紧，昨天才收了那500块钱，你放心，我一挣到钱，一定把500块钱还你！大胡子包工头瞅瞅钱大库，心软了，说，你小子还挺仗义呢！

背水泥不用上跳板，钱大库能干。水泥在站台上，可因为路出口放堆木材，车进不来，要把水泥从站台背50米开外的地方。50米不算远，可要翻个土壕楞子。土壕楞子倒不高，不过七八米，可背几次还行，次数多了，也很累。钱大库不怕。土壕楞子又不是跳板，不颤，咬紧牙关，还能坚持。牙床疼，鼻梁子也疼。汗水不断流地淌下来，和着水泥面子，钱大库已成泥人了。可他唯一想的是，加快脚步，多运一袋是一袋，按袋计报酬。放水泥的地方，有个女的，拿着笔和本子，谁扛多少袋，她记数。

扛了一天水泥，累坏了。仿佛每块骨头都疼。要散架子了。回家拿出几个馒头，用水泡软了，吞了下去。牙床疼，不敢嚼。又困又乏，他倒头便睡。可是，牙疼，睡不着，他就开开电脑，想设计程序。白开开了。脑袋浑浆浆的，不好使。再说，还饿。没吃饱。这时候，要是有顿猪肉炖粉条子，呼啦一小盆，多香啊。钱大库吃不起。那500块钱，一点没舍得花。欠人那么多，哪敢花？这钱，只是他替人保管一

下。大胡子包工头心眼还挺好使，说，这钱，让他治伤。治什么治，不就掉两个牙嘛？算得了什么。有钱了再镶。嘴疼。能疼几天？他想起小时候光脚走山道，提溜着鞋。鞋磨坏了要花钱，脚磨坏了还能长嘛！渴了。钱大库开开煤气，烧壶开水。倒一碗，往屋里走。用舌尖试试，不太热。一喝，哎呀妈呀！钱大库疼得一蹦高，半碗水都洒了。水烫在牙床嫩肉上，刀割针扎一样疼！水洒在地上，洒在一封信上。钱大库以为惠儿的信，立刻捡起来，一看，家里来的。噢，好久没给家里通电话啦。惠儿走了，一直没敢告诉家里。钱大库看完信后，脑袋更大了。爸向他要8000块钱。

正愁呢，电话响了。爸的。爸说，儿呀，爸头一回给你打电话。你舅舅的小儿子要结婚，就差8000块钱，钱递不上去，人家媳妇不上车哪！爸咳嗽一阵，又说，你舅舅知道花了你不少钱，没法向你张嘴，可儿呀，舅舅为你上大学，你大哥才娶个瘸媳妇，儿呀，咱欠人家的啊！儿呀，你舅可村摘钱，摘不着啊。儿呀，爸知道你难，可你就是再难，也得帮这个忙啊！

钱大库说，爸，你放心，我就是头拱地，也要把这事给办了！

爸说，儿呀，你咋啦？钱大库说，没咋的呀。爸说，我听你说话声不对，怎么呼哧带喘的？钱大库说，噢，爸，我饿了，我边吃东西边跟你说话呢。爸说，你吃的啥呀？钱大库说，猪肉炖粉条子。

这晚，注定又是无眠之夜。答应完老爸，钱大库没咒念了。能想的关系都想了，也变不出这8000块钱来。这还不算，原先还欠人家将近两万。指望扛水泥袋肯定不行，扛一袋水泥一块钱，头一天，他扛了102袋，二一天，扛了105袋，三一天，扛了103袋。力工们都说，钱眼镜哪，就你那体格，一天扛100袋就不错啦。钱大库急啊，按这个速度，8000块钱得挣两个半月。而爸告诉他，20来天吧，一定要把8000块钱汇到，要快，电汇。

大胡子包工头说，只要有把力气，一个月挣三千四千的倒能，可不是天天有活干呐！大胡子包工头指着水泥堆，说，这些活呀，顶多干一个礼拜。钱大库急了，问，啥时还有活？大胡子包工头把手里的烟头扔地上，使劲碾一脚，说，你问我？我问谁去？话都说透了，扛水泥这活也是朝不保夕。有人接了话把儿，说，要是天天有这活，那赶是了，咱们这些老倒子，还、还发了呢！果然，活儿干了六天，没了。钱大库领了619块钱。钱大库低三下四地跟大胡子包工头商量，说，大哥，我这阵子手头太紧，我欠你那500块钱，你再宽限几天，有了，我肯定还你。大胡子包工头还算不错，说，啥时有啥时给吧。一变脸，他说，其实我也看出来了，你小子就是多骗点活干，那500块钱，你压根就没打算给我。钱大库说，大哥，可别这样说啊，我不是给你打了欠条了吗？大胡子包工头一笑，说，那玩意当啥呀？钱大库说，那上边有我手机号啊。大胡子包工头说，手机号？这年头啥都是假的，手机号算个屁？钱大库说，不信你打一下，我那是真号。大胡子包工头顺手拿过那张条子，三下两下撕个稀巴烂，朝上一扬，说，小子，跟我别来这套，我宁愿看个天女散花。你问问大伙，我可是老江湖了，你这两下子想忽悠我，还他妈嫩点儿！钱大库哪受了这个？钱大库掏出500块钱，往大胡子包工头手上一塞，说，大哥，这世上大忽悠是不少，但我不是！

大胡子包工头看着钱大库的背影，指点着，说，哎嘿？这个愣头青还挺倔哪！

钱大库一赌气还了大胡子包工头500块钱，满打满算，腰里就剩119块钱。这些钱，离8000块可差太远了。别说跟爸已说了，“头拱地也办”，就算没这话，舅舅有难，他也要冲上去。因了自己，大哥才娶了瘸媳妇。这个忙没帮上，小儿子再娶不上媳妇，他钱大库还有啥脸见舅舅？

天擦黑了，钱大库上市场买下行菜。走了一圈儿，什么都贵，只有一堆烂土豆便宜。一块钱一堆。摊主说，没事。别看烂点，削了皮一样吃。就吃土豆吧。钱大库递给摊主一块钱，装了一堆烂土豆。买回来一削皮，个个都是空壳子！钱大库这个气呀，这一块钱，白瞎啦。当然不能全扔，挑肉厚的地方，还能剩点儿，能炒半盘。土豆越削越薄，一滚个儿，刀偏了，削手了。再看，左手食指肚，削去一块肉。血，立刻出来了。钱大库乐了。钱大库顾不得包手，一拍大腿，说，有啦！

当年自己没学费，爸不是顶着星星上县城卖了400cc血吗？

第二天一早，钱大库立刻去了医院。头一回，他卖了500cc。当1500块钱点过来，钱大库笑了。许多天了，钱大库从没笑得这样开心。钱大库问了大夫，职业献血的人，多少天献一回？大夫说，最短也得20天。

20天？20天太长了。

当然，钱还差得多。一次卖500cc，100cc300块，三次能卖4500块。如果下两次卖600cc，还可多卖600元。活人不能叫尿憋死，办法总比困难多。钱大库认为，我不常卖，又年轻，一个礼拜卖一次没问题。如果按20天算，最后那次，得六天。大不了，多吃点补品呗。钱大库问大夫，吃什么补品好。大夫说，鱼肉蛋。钱大库还想问问，可大夫太忙，没工夫理他。旁边的人说，多喝啤酒，多喝水。钱大库想，啤酒就免了，水还不有的是？

钱大库回来后，想上市场。走半道，又回来了。这么早，市场的东西肯定贵。一想，不行，刚抽了血，总不能不补补吧？在市场兜一圈，钱大库只买了鸡肝。鸡肝贱，两块钱一斤。晚上买下行菜，钱大库又发现一样贱东西，猪血。一块钱一斤，钱大库乐了。钱大库自言自语道，嘿嘿，老天爷饿不死瞎家雀哇！以血补血，太好啦。钱大库一堆儿买了四斤猪血。钱大库多个心眼，明儿个要是没了，不就要“赔款”了吗？呵呵，这两天伙食不错，炒鸡肝，吃猪血。钱大库怕吃猪血吃腻了，掉着方儿做，蒸猪血，炒猪血，炖猪血，凉拌猪血。每吃一口猪血，钱大库就想，这些血变成我的血，我的血再变成钱，钱呢，再变成舅舅的儿媳妇……

蛋和鱼也吃了。蛋是碎鸡蛋。碎鸡蛋就是装运时打坏的蛋，散在蛋筐里，蛋黄淌出来了，连着蛋清，不大干净。钱大库想，坏鸡蛋怎么了？好蛋吃前，不也要打坏吗？不大干净的蛋，在大勺里多煎一会嘛，高温消毒。说起鱼，钱大库更乐啦。菜场门口，突然来个摆小摊的，十块钱半水桶！市场不让摆小摊，执法局一见了就没收，可是，那晚就有一个，十年九不遇的事，愣是碰上了。鱼太小，有小鲫鱼瓜子、小穿钉子、小柳根子、小白漂子，还有泥鳅够子。泥鳅鱼可不小，足有大拇指粗哩。这些东西，收拾出来，放冰箱里一冻，多好。收拾完了，装冰箱里了，看着这么一大堆补品，钱大库眼睛一潮，泪就下来了。钱大库想，自己这么年轻，抽点血还吃这么多好东西。当年，爸骨瘦如柴，抽了400cc血，就喝一顿猪骨头汤啊。那是什么汤啊，清汤寡水的，爸挂着他，让他喝几口尝尝。钱大库一喝，问，咋臊了巴叽的？爸说，跑卵子汤，就这样。原来，一个十多年的种猪病死了，妈翻了好几道岗梁，用爸亲手编织的一对土篮子，换了几块猪骨头。

头三天，钱大库头晌休息，下晌鼓捣鼓捣程序，还不错。一坐在电脑前，他就想起今后来。钱大库不止一次地说，这个程序要是弄出来了，哼！或者说，哼，这个程序要是弄出来了，哈哈！高兴时，乐得直搓手。虽然现在这个程序什么都不是，但钱大库相信，总有一天，它会变成钞票，一大堆钞票。那时，他将报答“花名册”上所有的人，不管找不找他，他都要报答。对了，怎么能等人家找呢，应该自己找人家，这才对。因此，目前这个什么都不是的程序，是钱大库的一个念想，一道云层后面的曙光。

先不说这个。还说眼前的事。补的事。因为，补连着身体，身体连着血，血连着钱，钱连着舅舅的小儿媳妇。这很重要。钱大库早上起来，站在阳台上抻巴儿下，伸伸胳膊抻抻腿，哎，别说，没啥感觉。补得好哇。这么一补，一个礼拜后再卖次血，肯定没问题。一天四顿饭，喝六暖壶水，钱大库补得不错。

第四天，钱大库待不住了，他到站台转转，碰碰运气。万一有能干的活呢？另外，钱大库想，这个大胡子包工头还算不错，用得着。

大胡子包工头一看见他，挺热情，大老远就伸出手来，说，你看看你，我那天开个玩笑，你还当真了。他急忙抽出根烟来，说，来，兄弟，抽根烟卷儿。钱大库本来不抽烟，可还是接过来了。大胡子把燃气打火机举过来，一按，啪，火苗子蹿出一寸多高！钱大库吓一跳，往后退了一步，嘿嘿笑着，又凑上来，点了烟。大胡子包工头用下巴朝前指指，说，装沙子，仨人一伙，一车皮300，一人分100块，干不？钱大库没想来干活，一听这个，说，干呀！大哥想着我，怎能不干呢！

不干不知道，一干才知道身子虚，没劲儿。没挥几下，可身汗。手起泡了，胳膊像散了架，连酸带疼。一会儿一喝水，一会儿一喝水，亏了旁边有个自来水龙头，总去。水多，尿就多，耽误事。另两个人不高兴了，说他“耍熊”。大胡子包工头一翻白眼，说，你们两个干不干，不干我找别人啦？那两个人哪敢惹大胡子啊，胖子说，我闹着玩呢。瘦子说，对对，闹着玩呢。

第七天，钱大库准时去了医院，又卖了600cc。

卖完第二回血，钱大库更虚了。装沙子装不动了。但，不干不行。钱大库非常清楚，后两回按600cc算，总共才5100块，再加上手里不到600块，还是不够。他必须坚持装车皮。钱大库跟同伴商量说，我干得少，少要。胖子说，谁敢惹你呀，上眼皮！瘦子说，我知道了，女人抽的，你小子太贪床了吧？

还是大胡子包工头够意思，结算时，一块没少。钱大库不干。钱大库以为，自己干得少，占了伙伴的便宜。不好。大胡子包工头很大度地摆摆手，说，这钱啊，从我的管理费里出的，跟胖子瘦子都没关系。

钱大库连忙给大胡子包工头鞠一躬，说，谢谢大哥！

第三次卖血前，钱大库要个大脸，向大胡子借1400块钱。大胡子愣了愣，说，你又有什么难事？钱大库就把事情说了。大胡子歪着头瞄钱大库一眼，说，看来，你这人倒挺厚道。可这回借1400块，不少呀。大胡子包工头脑袋换个方向歪一下，说，你知道不？这年头，宁可借老婆，都不借钱？钱大库说，我会还你的。大胡子问，你光这么卖苦力，钱也不大好挣啊。钱大库说，我肯定讲信用，上回……大胡子包工头摆摆手，说，哎，你别来这个。你想说上回那500块钱还我了是不？这当啥呀？我跟你说呀，许多人骗钱，就这样，先来小的，说哪办哪，回回准。取得对方信任了，咔嚓，来个大的。人，没了。

不过，大胡子包工头还是把1400块钱借给他了。钱大库为表信任，回家拿来研究生毕业证书，让大胡子看。大胡子只飞了一眼，变了脸，说，哎哎，你少跟我来这套，办假证的满天飞，你小子，拿这个唬我呀？钱大库还举着证件，说，大哥，我没唬呀！大胡子一把拿过证件，说，我宁可把这1400块钱打水漂了，也不听你跟我瞎白话。话毕，一抬手，扔了证件。

从医院出来，钱大库真的不行了。头晕，脚发飘。开始还行，领了18张百元票子，急着走，觉得门框子窄，边款虚。他就当红灯躲。还行，慢点走，就躲过“红灯”了。走着走着，不行了。脚跟儿骨头没了，软。腿也软。光这些软也行，地也软，这可不大好办。踩在地上，像踩在面包上。一踩一陷，一踩一陷。钱大库想，面包当然好啦，可惜不是。哦，好久没吃面包啦。钱大库咂咂嘴儿。这一咂嘴儿，就好像有了面包味儿。看看天，怎么这么多星星呀？一齐闪着，旋转着，刺花一样，向他头上落下来。钱大库躲。其实不是他躲，而是站不稳。钱大库心里明白着呢，自己眼冒金花。钱大库歪着头看看天，天空居然好几个太阳一齐转。钱大库知道是抽血抽的，对血就有了新的认识。从前，只知道血是一种液体，水儿般，立不住。这下才知道，血也是骨，看上去软，实际硬着呢。骨里也有血。骨里要没血就成了骨粉啦。再看楼，楼没一个正的，都歪斜着。转。钱大库觉得好笑，就好像，高楼大厦也抽了血。

钱大库这样歪歪斜斜地走，路人就看他。胆小的，直躲。钱大库明白着呢，想，我又不是明星，又不是醉鬼，看啥？怕啥？但，钱大库也清楚，八成他走道歪得太吓人了。钱大库想正正，挺直身板，挺胸，照直走。他这个样子，早让人瞄上了。跟着他走。果然，在一个十字路口等红灯时，钱大库抬头看看烈日，这一看，目光还没收回来，就晕了。

钱大库醒过来，自己在一个小饭馆里。眼前坐着瘦子。前几天一起装车皮的瘦子。瘦子满脸笑容，说，来，喝点儿吧，我请客。钱大库一看，四道菜，一个清蒸鲤鱼，香味儿直穿鼻子，早就馋得不行了。还有啤酒。都说啤酒补血，可他，连啤酒味儿都忘啦。钱大库拿起筷子，刚要夹菜，又缩了回来，瞅着瘦子，说，唉，对不住啦，头两天，你跟胖子替我挨累了。瘦子说，哪里哪里，都是兄弟，谁没个身体欠佳的时候？瘦子倒上啤酒，说，来来来，喝一杯，完了再唠，完了再唠。钱大库咕咚咚干了一杯，吧嗒吧嗒嘴，说，爽啊！这才想起干什么来，问瘦子，刚才，刚才我晕倒啦？瘦子说，晕倒不算晕，就是迷糊一小会儿。钱大库惊讶了，问，一小会儿？瘦子点点头。钱大库问，那，我迷糊在十字路口了？瘦子说，对。我倒了？瘦子说，对。钱大库猛地想起钱来，一摸兜，没了，一下跳起来，喊，我的钱！我的钱没了！瘦子说，兄弟，在这儿哪。说完，瘦子掏出一沓子钱来，说，1800 块。对不？钱大库说，对，对对对。钱大库万分感激地说，多亏你啦。不瞒你说，那是我卖血的钱，急用。瘦子说，可是，这钱不是你的钱。钱大库仔细一看，全是 50 面额的票子。愣了。瘦子说，现在，它归你了。钱大库瞪大了眼睛，问，到底怎么回事？瘦子说，说怪也怪，说不怪也不怪。瘦子把酒杯同钱大库的杯咔地碰一下，说，你一倒下，第一个扶你的不是我，是另一个人，他是小偷。钱大库问，小偷？瘦子说，对，小偷。不过，我让人给你要回来了。所以，钱还是这些钱，但，票子变了。不过，它总归还是你的钱。钱大库虽然满心疑惑，但还是很感谢瘦子，不管怎样，钱没少。酒喝得差不多了，瘦子说，咱俩谁也别谢谁，我帮你，你帮我，谁也不欠谁，这多好？钱大库为难了。说，可惜呀，我现在都到卖血的份上了，我还能帮你什么？瘦子说，哎，话可不能这样说。你呀，能人哪！钱大库问，你说什么？瘦子不接钱大库的话，说，你忘啦，大胡子包工头扔了你的毕业证，不是我给你捡回来的吗？钱大库点点头。瘦子说，我悄悄记下你毕业证上的学校和毕业年份，往北京打电话一问，人家都知道你！钱大库还是呆呆地看着他，不知道他要抖什么包袱。果然，瘦子说，你有那么多同学关系，正好我表哥倒腾二手车，你帮着卖卖，一辆给你提成一万两万的。钱大库想了想，说，这个可不行。瘦子问，怎么啦？钱大库说，我不懂啊。瘦子笑了。瘦子说，这有什么懂不懂的啊，告诉人家什么牌子，哪产的，车龄几年，多少钱，就完活了。钱大库问，哪来的车？瘦子回答，都是部队下来的。部队干部超员，总减，一减，车没人坐，不卖，还不烂成废铁呀？瘦子又说，我表哥他姨夫是北京的将军，要不，谁能弄到指标啊？

我表哥说，这事是民不举官不究，必须找几个铁哥们儿，稳当，有钱大家赚嘛。瘦子见钱大库半天没说话，乘胜追击道，我可是给你找个挣钱的机会，再说，谁买谁便宜，直接点说，算你帮我个忙，也帮你朋友个忙，还捎带着挣几万。

钱大库没说行，也没说不行。

跟瘦子喝完酒，天都快擦黑了。回来后，钱大库头一件事就是上市场。快七点了，正好赶上下行菜。

晚了。扒堆菜没了。钱大库只买点焐膛的青鱼。青鱼成色不好，发黄。鱼身上浮层黄水，肠肠肚肚冒了。有的，还露出刺来。可贱哪，一块五一斤。买完鱼往回走，又看见瘦子了。瘦子在家门口等他呢。瘦子向他招招手，问，我等你半天了，怎么才回来？钱大库说，我上趟市场。瘦子手里拎个不小的纸壳箱子。瘦子指指箱子，说，这东西我可不是买的，我老婆开个店，这东西有的是，我说了你的事，我老婆说，这么好的人落魄了，咱可不能袖手旁观。非要我把这些东西送来不可，说给你补补。说完，瘦子把东西拎到门口，放下，说，我还有事，走了。

钱大库打开一看，吓一跳，里边全是好东西，有对虾、大刀鱼、鳜鱼和海参。

钱大库想，这下麻烦了，欠挺大个人情哪。可他太馋啦，钱大库把对虾和鳜鱼、海参收冰箱里，把三条肥肥嫩嫩放青光的刀鱼洗巴洗巴，拃几刀，他要解解馋，要好好补一补。收拾鱼的工夫，钱大库想想近段时间的打算。先歇两天再说，身子太虚。歇两天后，他再找大胡子包工头划拉点活干。要是有精力，还要搞他的软件设计。钱大库始终认为，如果有一天，他的这个设计一出来，肯定打炮。这一炮，将奠定他在沈阳，以至于在辽宁的位置。IT 呀，无论如何，这个专业不能扔。瘦子卖车的事，钱大库不打算干。提成倒不少，可自己不懂，不知道买主感不感兴趣。除了这个，还有一个原因，怕手续不全，来路不明，出什么乱子。

鱼下锅里了，点着煤气，炖上了。钱大库觉得还是腿软，想进屋歇歇。捋捋头绪，想，明天一早，就把钱汇去。电汇。钱大库问了，电子汇兑可快了，两个钟头，就收到了。想想这 8000 块钱，好歹凑齐了，舅舅的小儿媳可以上车了，钱大库觉得值。钱大库竟自语一句:值哦。这时嘭嘭嘭有人敲门。钱大库光着脚下地，打开门一看，脑袋嗡的一下。大头李来了。大头李是他最大的债主，欠人家一万二啊！钱大库愣在那儿，大头李说话了。大头李说，怎么？你不让我进屋？钱大库连忙说，噢进！噢进啊！大头李一看钱大库门牙没了，说，咋整的？咋成这个熊样？钱大库就简单说了上跳板摔了的事。钱大库心里怦怦跳个不停，知道大头李是讨债来了。其实，大头李倒不是专门要钱来，路过。可是，他临时碰上几个要好的哥们儿，要到洗浴中心找小姐。洗完了玩完了，一刷卡，卡磁条坏了。走不了账，也提不出来钱。换卡还不行，银行早下班了。几个哥们儿还在洗浴中心等着呢，出不来屋了，这才找钱大库救急。大头李说，就 2000 块。钱大库没说话。大头李急了，说，你欠我一万二，我现在需要“救场”，就2000块，你不至于看我笑话吧？钱大库连忙说，不会！不会不会！怎么会呢？钱大库进屋取出2000块钱，把大头李打发了，大头李一走，钱大库愁了。短了2000块，这钱咋汇？如果汇去6000块，让舅舅跟没进门儿的小儿媳讨价还价，人家能让吗？

拖两天倒行，就说钱汇了，没到。可两天后怎么办？

钱大库屋里屋外来回转，没办法。血当然还要卖，可至少也得养一个礼拜吧？现在看，就是把瘦子给的好东西都划拉肚子里，多喝啤酒，使劲喝水，再抽一次血，能不能晕在医院里，不好说。钱大库有点怕了。但，他还是准备再卖血，早就跟爸表了态，“头拱地也要办”，节骨眼上了，咬住，决不能秃噜扣。

过几天，再跟大胡子包工头要个大脸，也许还能找点活。钱大库这样想着，便要好好做顿晚饭。现在看，每一顿饭，都要重视起来。鱼杀汤了，香味儿都出来了。钱大库迫不及待地尝一口，呵，真香！

钱大库正淘米呢，电话响了。钱大库一听，是高中老师来的，立刻精神了，说，老师，听到您的声音就亲哪，我想您啊！老师说，大库啊，我也想你呀。

老师说，老师这两年倒霉哪，我女儿股骨头坏死，下不了地啦。可哪治啊，存款早就花光了不说，还借了不少外债。钱大库一听，立时“咯噔”一下，心想，老师啊，不是朝我借钱吧？怕啥就来啥，果然，老师提到了钱。老师说，我实在是没办法呀，我这些学生呀，混得好的不多。混得好的呀，也不记得老师啦，连个信都没有。这些人中哪，还就数你不忘本，惦记着我，又有本事。老师向学生借钱，张不开口啊。可也不能眼见女儿瘫巴呀，实在没招啦，大库，你怎么也得给我弄一万块钱哪！

钱大库答应了。

换个人，钱大库说啥也不能答应。但，这是他的老师啊。对他来说，是知识解惑人，也是人生领路人。比作再生父母，也不为过。当年，老师一下就送来500块钱哪！物价呼呼涨，那时的500块钱，赶上现在5000块吧？

可是，一波未平一波又起，钱大库真的愁了。要垮了。钱大库木头人一样，呆呆地看着天花板，脑子啥都想，又啥都没想。突然，一股炝人的煳味儿飘进来，钱大库连忙跑向厨房，一开门，厨房里烟气袅袅。完了，锅烧干了。刚才那些泛青光的上好刀鱼，成了黑焦炭。

第二天一早，钱大库勉强支撑起来，吃完饭奔站台去了。

瘦子尾随他一段路，喊，钱老弟！钱大库停下等他，瘦子走过来，也不说话，把手里一个材料袋递给他。钱大库问，什么？瘦子嘻嘻一笑，说，又不是炸药包，你打开看看呀！钱大库打开一看，全是证件。有瘦子的身份证。更多的，是一辆车的全套证件：卖家介绍信、牌照、行车证、厂家、出厂时间。一台长春产的奥迪车，八成新，要价12万。钱大库惊讶了，问，这么便宜？瘦子笑了。笑得很牛气。瘦子拿出一盒烟来，抽出一支点上，说，你以为多少呀？贵了谁买呀？钱大库眼睛一亮活心了。钱大库也想过把不把握的问题，一看人家手续证件这么全，就没多想。手续这么全的车，能说来路不明吗？再说，也不能像大胡子包工头那样，谁也信不着。哪来那么多坏人？这年头，好人还是多数。就拿自己来说吧，不是坏人，可大胡子包工头，不也是"满脑子乌云"？瘦子见钱大库活心了，说，你以为我只会装车皮呀？告诉你呀，我是给你送个金砖来！钱老弟呀，咱俩好好配合一把，我找货，你找销路，谁买谁便宜。关于钱的事，我说了就算，销一辆给你提成一万。瘦子还说，要不是我表哥他姨夫是个军区头头，上哪找这好事？这个价，你就是挖门子盗洞，也找不着哟！瘦子又说，我看你呀，人实在，手头又紧，才帮你找钱，别人呀，我还信不过呢！

就凭瘦子亮出这么多证件，钱大库不怀疑了。钱大库再一次想起大胡子包工头扔自己的研究生证件的事，还是瘦子帮他捡回来。将心比心，钱大库相信瘦子。

其实，瘦子这时即使不说这么多，钱大库也要干了。反正也不搭啥。也就是动动嘴，花几个电话费呗。

这天下午，钱大库头一个电话，就销出去一辆。钱大库找了物业公司经理。物业公司经理一听八成新的奥迪车，长春产的，才12万，问，你弄错了吧？能这么贱？钱大库说，你知道我是学IT的，总算数，一算算一大堆。一大堆数字我都算得分毫不差，还弄不懂这两位数？物业公司经理当然知道，钱大库脑子好使，在沈阳的IT界，也是个拔尖人物。就是几把活没上心，搞砸了。头些日子，他收钱大库四个老乡，白白捡个大便宜，钱大库做的那个软件，他让手下人改改名称，狠狠捞了一把！不，是几把。他卖了好几个地方哩。买的那几家还说，软件做得这样好，这个价钱不贵。想到这儿，物业经理问，手续全不全？钱大库说，一样不少。物业经理问，车在哪？钱大库说，你要有心买，我给你个电话，你找我的朋友直接看车，看好了就开走。然后，钱大库把瘦子的电话号码说了。

几个小时后，瘦子给钱大库打了电话。瘦子说，我没看错老弟呀，挺能干。打几个电话，一万块就到手了，这回呀，你可得大方点，可得请我喝酒啊？钱大库说，请，请，一定请。钱大库又说，我请你喝好酒，听装的，蓝带！钱大库也暗暗庆幸，天无绝人之路，就这么一个电话，啥劲儿没费，老师的钱解决啦。钱大库想问，什么时候给我提成，我爸的钱，还没汇呢。最晚，三两天内也得汇了。话到嘴边，没好意思张口。不等他问，瘦子说话了。瘦子说，老弟啊，我忘了跟你说了，一般来说，干业务员也有规定，拿押金。我跟头头说了，你特殊，就没拿押金。可头头说了，一把押一把。瘦子又解释一下，这个一把押一把，就是第二回卖了车，领头一回的提成，以此类推。钱大库一听，没辙了。不过，钱大库想，实在不行，跟瘦子再要个大脸，借两千，先把爸的钱汇了。钱大库觉得，处到这份上了，只要自己张口，瘦子不会不借的。

这回,钱大库沉闷的心,开了一扇窗。翻箱子倒柜,找出从来没用过的"同学录"。这一找钱大库乐了。光本科同学录、研究生同学录就有100多人。再加上高中同学录,还有他在北京打工、大学老师认识的人,200人都不止。如果十个人中有一个买车的,就是20多人。卖20辆车,就提成20万哪!少点算,再打五折,也是10万块啊!哈哈,有了这10万块,钱大库想,我一定回恩光村看看,报答一下"花名册"的乡亲们。对了,还要到老师家看看,一万块钱治她姑娘股骨头坏死,肯定不够。不过,钱大库又担起心来,要是他销多了,有那么多车吗?钱大库给瘦子打个电话,说了他的担心。瘦子乐了,瘦子说,你能卖多少,我就供应你多少。钱大库说,部队哪有那么多闲车啊?瘦子说,我表哥他姨夫可不是简单人。实话跟你说吧,我表哥他姨夫建个修车厂,买了大量二手车,整巴整巴一出手,准赚。瘦子说,你知道我表哥他姨夫早先是干啥的不?钱大库说,不是军区首长吗?瘦子说,不是一般的首长啊,我表哥他姨夫过去是军工厂的头号汽车专家,有一套啊。别说二手车啦,就是苏联的飞机病了,都得找他。这么说吧,我表哥他姨夫在汽车界,就是神医华佗。这下,钱大库才放了心。

两天后,钱大库又卖了一辆。卖完后,钱大库说了提成的事。钱大库说,不是我抠,钉着挠着要提成,我急用。钱大库说了给爸汇钱的事。瘦子说,我操,还没汇呀?瘦子又说,这样吧,晚上你在家等我,我给你送去。

钱大库一听,这才放心。原来,早上爸来了电话。爸问了钱的事。钱大库怕爸上火,说,爸,放心吧,钱没问题的,明天就汇。电汇。钱大库还说,爸,现在的电汇可快啦,两个小时就到。爸说,那就不用汇啦,你舅的老儿子今天上沈阳买结婚的东西。晚上就到。你就直接给他吧。钱大库一听,立刻就慌了。唉,钱还没凑够呢!钱大库心里乱乱的。又急又愧。那年,因为自己,舅的大儿子好好的媳妇黄了,后来娶个瘸子。舅的小儿子再给耽误,这……这可怎么得了啊?可是,自己现在真的没有来钱道啊!现在唯一的指望,就是瘦子了。这下好了。这下,瘦子终于答应啦。瘦子晚上送钱来,舅的小儿子晚上来取,嗳,正好。正好啊!钱大库乐坏啦。钱大库想对瘦子说,晚上,你可一定要把钱送来呀!要不,我去取也行。可钱大库不好意思这样说。这样,太小心眼儿了。人家都说晚上送来了。钱大库一张口,说,要不,晚上咱俩上饭店吧。我请你。瘦子说,哎呀呀,现在哪有空喝酒啊,以后你再请吧。再说啦,我拿那么多钱上饭店,也不安全哪。钱大库还挺感动。钱大库向瘦子竖起大拇指,说,行,行啊,你真行。

吃完饭后,瘦子还没到,钱大库索性打开电脑。一下子就钻了进去。兴奋呀。人一兴奋,脑瓜就转得快。灵,噼里啪啦一阵敲,再噼里啪啦一阵敲,钱大库一个高蹦起来,大喊,太好啦!原来,他这些日子久攻不下的一个难题,开了。这个难题一开,后边的难题就迎刃而解了。这就像,打仗时一个堡垒拼了好久,双方对峙,就是拿不下来。可是,一旦把敌方老帅擒了,立刻"旗倒兵散"一样。刚才,钱大库就擒了“敌帅”。钱大库立刻上冰箱取酒。没有酒。钱大库倒杯凉开水，对着镜子，说，来，钱大库，我敬你一杯。又说，来，钱大库，我再敬你一杯。这样，连干了两杯水。他还要干，门嘭嘭嘭地响了。

钱大库知道是瘦子来了。当然，也可能是舅的小儿子来了。咳，不管谁来，都是亲近的人。钱大库连跑带颠地过去开门。门一打开，愣住了，进来两个陌生人。警察。警察穿了便衣，钱大库没认出他们是警察。钱大库很客气。钱大库指着门厅的沙发说，来，坐，坐。警察不坐，问，你是钱大库吗？钱大库说，是，我是。警察正上上下下打量着钱大库，钱大库回转身，奔水壶去了。背向警察，钱大库非常客气地说，来了就是朋友，先喝杯凉开水吧。其中一个警察掏出拘捕证，要亮出来——这时，嘭嘭嘭，有人敲门。

（选自《北京文学·精彩阅读》2008 年第 7 期）

刘国强

辽宁大学中文系毕业，曾在鲁迅文学院作家班进修。在《当代》《中国作家》《人民文学》《散文》《散文天地》等数十家刊物发表文学作品数百篇。部分作品曾被数家选刊转载。多篇作品入选年度选本。已出版散文集、小说集、长篇小说、长篇报告文学、长篇传记等 11 部。辽宁省作家协会第三届签约作家。

造房记

罗尔豪

一

商羊站在太阳底下闷了一阵，看着村主任马甫仁，突然把手里的茶杯一摔，说，日他妈，找不来人，我就自己一个人盖房！我就不信离了他们这个夜壶我就尿不成尿了！

茶杯摔在地上，只是沾了一层灰。商羊心疼地把茶杯捡起来，像抚摸着豆丁的脑袋一样抚摸着茶杯。这个茶杯跟着他没有十年也有八年了，里面的茶垢积得比茅坑里的污垢还要厚。老婆秋枝曾想给它刷刷，可商羊不让，说积在那里面的才是精华，就跟烂在锅里的肉一样，好东西都沉到下面了。十年了，石头蛋子都捂出感情了，何况这个每天都给他送来甘露的茶杯，看来商羊真是气急了。

商羊是在跑了第三个有壮劳力的人家被拒绝后做出这个决定的。在仙女村，盖房子基本上还是沿用过去的做法，谁家要盖房子，全村的壮劳力都会过来帮忙。这些年，虽然附近也出现了一些建筑队，农村盖房也逐渐专业化，但在仙女村还行不通，没有人请外面的建筑队，都是自家找村里人帮忙盖，至多请一两个大工，就算奢侈了。至于原因，说不太清楚，可能是传统习惯，也可能是建筑队盖房花费太大。

可这规矩到商羊这儿咋就行不通了呢！商羊要盖房子的消息很早就放出去了。按商羊的想法，早点说出去，让村里人有个准备，把手头该忙的事忙完，免得到时候活都挤到一起，忙乎不过来。再过一个月就要农忙了，商羊找来风水先生选定了一个日子，然后把盖房用的砖、水泥和石灰都备齐整，才揣了两条烟一家一户去请人。到了张蚂蚱家，商羊就感觉有些不对头。张蚂蚱的媳妇桂花说蚂蚱出门了。商羊不知就里，说，出门了？早上我还看见他在老驴家茶馆打牌呢。桂花脸红了下，说，可不是，在那接了一个电话，就走了。商羊“哦”了一声，也没想太多，也许张蚂蚱确实有事出去了，这样的事情也是常有的。商羊把一包烟放到张蚂蚱家的桌子上，说，那我走了，蚂蚱回来就跟他说一声我来过了。可桂花突然的举动却把商羊吓了一跳，桂花把桌子上的烟抓起来，重新塞给了商羊说，回来我跟他说就是了，烟你就拿着吧。商羊开始有些犯愣，在仙女村历史上，好像从没有把留下的烟再退还给主人的。百年不遇的事让商羊给遇上了，商羊就有些不知所措。但桂花更坚决，坚持把烟塞到商羊怀里，然后半推半送把商羊弄出院子。商羊傻愣愣地站在院外，好一阵子醒不过来劲，不知是哪根筋搭错了。商羊摇了摇头，往第二家走去。

第二家是马绿头，村主任马甫仁的堂兄弟。马绿头正在院子里给晒太阳的老母猪挠痒痒，顺便把猪身上的虱子捉下来杀掉。看见商羊进来，马绿头只是欠下身，兀自去忙自己的事。他把捕获的虱子放在两个拇指之间，用力一挤，只听“咔吧”一声，一小股血从指甲盖间流出来，马绿头的指甲就跟染丹蔻似的，鲜艳得耀人的眼。商羊吭哧一声，给马绿头发烟。马绿头摆摆手，示意自己正忙着。商羊看看马绿头，又看了看马绿头身边躺着的猪，手不知是该缩回来还是就那样伸着。两个人都没有说话，院子里只有老母猪被马绿头挠得舒服地发出“哼哼唧唧”的声音。最后还是商羊忍不住，把请马绿头帮忙的事说出来。马绿头不说话，也不知道是听见了还是没听见。商羊想说第二遍，马绿头却突然说话了。马绿头说，这几天实在没空，家里就我一个人，老母猪又要下猪崽了，这猪崽金贵得很，比人娃子都金贵，一步都离不开。商羊有些结巴了，说，那，那去不成了？马绿头说，去不成了。

商羊揣着满满一条烟趔趄着出了马绿头的院子，有些茫然起来，不知道还该不该继续走下去。他眨巴了几下眼睛，看见隔壁刘天道在自家的院子里走动。刘天道是个光棍，应该没啥事吧。商羊就走了过去。刘天道看见他，急忙往屋子里钻。商羊心里“咯噔”一下，但迈出去的脚步已经收不回来。他钻到刘天道的黑屋子里，把请他帮忙盖房子的事跟匿在角落里的刘天道说了。刘天道吭哧了一阵，却说，马主任让我住养老院呢，让我今天收拾收拾就走。真的，马主任说过了这个村就没这个店了。

商羊看着刘天道，刘天道的眼睛跟个小偷似的躲闪着。商羊往外走，却感觉有人在拉他的袖子。商羊转身，看见刘天道一双被眼屎糊住的眼睛正看着自己。刘天道说，我知道商代表这些年为我好，给我争取了低保金，可村主任说了，我不听不行。顿了顿，刘天道悄声说，村主任好像跟每家都打过招呼了，你还是上外村去找人吧。

商羊的心忽悠了几下。商羊从刘天道家出来，村主任马甫仁正在前面的路口走来走去，似乎是在等他。商羊想绕过去，可马甫仁却说话了。马甫仁说，商代表起房子了？这是在找人哪？商羊站住了，可没有说话。

马甫仁说，人都找得咋样了，要不要我帮忙？

商羊说，用不着。

马甫仁说，现在村里的人，隔得很。不像过去了，一家有事，都会过来帮忙。现在的人都在想着挣钱，年轻人都出门了。即使待在家里的，闲下来也想着到“工上”干一天挣个三十几块钱呢。村里找不来就到外村去找吧。活人能叫尿憋死，是不！

商羊看着马甫仁,还是不说话。

商羊不说话,还低眉顺眼的,马甫仁就有点误判形势了。他以为商羊被困难给吓倒了,忽地一下就把话题给转过来。马甫仁说,我知道你不想去外面找,咱仙女村的房子一直是这样盖下来的,到咱这儿破了规矩,房子盖成盖不成是小事,这脸面上多难看,何况你还是村民代表呢,是不是?不过,这事也算不上大事,马甫仁直起身子,我再去跟村里人做做工作。你呢,也不要太拗性,跟着村委走,把建洗煤厂合同的章子盖了,不就结了。我看,村里人这次不响应你,恐怕就是大家对你有意见呢。你想想看,大家都同意的事,对咱村只有好处没有坏处的事,你为啥就是压着不盖呢!

商羊的眼睛闭了闭,再睁开时就带了光,是激光。商羊说,全村人都同意?未必吧,起码我商羊不同意,商羊的老婆不同意,商羊的儿子不同意!

马甫仁看着商羊的脸色,变色龙似的,立刻恢复了原先的神色,说,这样说,你还是不同意?

商羊说,不同意。

马甫仁说,不同意你就到外面找人吧,在仙女村你就死了这条心吧!

商羊火了,摔了手里的茶杯,说了自己一个人盖房的那番话。

马甫仁夸张地张大了嘴巴,你说你要一个人盖一座房子?

商羊赌气地说,我就是要一个人盖一座房子!

马甫仁说,你说你不找一个人帮忙,自己盖一座房子?然后不等商羊回答,立刻大声说,有气魄,咱们仙女村就缺乏这种有气魄的人,一个人盖一座房子!都像你这样,咱这新农村早就建成了。

马甫仁的话引来了很多村民,他们围在边上听马甫仁说话,眼睛却看着商羊。也有人悄声对商羊说,你真的要一个人盖一座房子?那可不是说着玩的。更多的人像马甫仁一样用怀疑和嘲讽的目光看着商羊,商羊又羞又急,一转身回家了。

二

回到家里,躺在床上的秋枝说,你真的要一个人盖一座房子?

商羊说,马甫仁是在借机整我呢!

秋枝说,村里人都被马甫仁收买了,你去外面找人去。我就不信他马甫仁管得了仙女村,还能管到外面去。

商羊就开始后悔刚才不该当着那么多人的面把话说满了。商羊硬着头皮说,我不找人,我谁也不找,即使不盖房子,我也不找人。

秋枝说商羊你疯了,咱这砖、沙、石灰都弄齐整了,日子也定好了,咋能说不盖就不盖了，拗那个劲干啥！秋枝说着撑起身子想坐起来，可侧歪了一下又躺下去了。

商羊说，那我就自己盖！

秋枝动下身子，说话就带了哭腔，你看我这样子，也帮不了你，就你一个人咋能盖一座房子。都是我拖累你，我还不如死了算了。说着捂住脸哭起来。

秋枝去年遭了车祸，下半身瘫了，每天只能躺在床上，田里屋里不但帮不上一点忙，还要商羊整天伺候她。为了这秋枝整天以泪洗面，多次说她不如死了算了，免得连累商羊。又说要跟商羊离婚，让他再去找一个，就找开小饭店的朱吉子。商羊呵斥她，秋枝就哭，一下一下地捶着那条没知觉的腿。商羊就把她搂到怀里，直到她平静下来。

商羊低着头，吧嗒吧嗒地抽烟。秋枝看着商羊，突然说，不找就不找吧。还是你说得对，就不信咱自己盖不了一座房子。明天，我就给老大和老二打电话，不打工了，让他们回来帮你，有他们帮着也差不多了。

商羊忽一下站起来，说，不找，谁都不找，我就是要一个人盖一座房子。我是村民代表，我说过的话是算数的。

吃过午饭，商羊踩着刚冒了头的狗尾草往村外走，在村口碰见了村会计马拐子。马拐子胳膊弯里夹着他形影不离的破皮包，看上去像是在等他。马拐子说，下田间苗呵。商羊“哦”了一声，撇过身子就想从马拐子身边绕过去，可被马拐子喊住了。马拐子说，急啥，来，吃支烟。

商羊接过烟点上，抬脚又要走，却又被马拐子喊住了。马拐子说，急啥，来，唠唠！

商羊只好停下脚步，拄着锄头，看着马拐子，听他想说点啥。马拐子却只是一个劲地笑，笑够了，才说，今儿这天气够好啊，好得连狗子都出来“打圈”了。商羊被烟呛了一下，好一阵子喘不过气来，眼泪鼻涕的，想着马拐子今天这是咋的了，跑来跟他说狗“打圈”的事，拿眼去看马拐子。马拐子也后悔刚才说出的话，像是补救似的紧紧闭住了嘴巴。商羊意识到，马拐子一定是有话跟他说。两个人又站了一会儿，扯了几句闲篇。商羊忍不住了，说马会计你没事我就走了，地里的草长得都盖住麦苗了。

马拐子急忙说，别急，别急。说着话，一只手伸过来，身子向前倾，想搭住商羊的肩膀，但腿脚不灵便，跟不上手和身子的节奏，差一点歪倒了。马拐子说，是有事，就是上次给你的那些票，你们村民小组看好了没。另外，马拐子在口袋里摸了一阵，摸出几张纸片，说，我这里还有几张票，你也一并给看了吧。

商羊反身往回走，马拐子捏着票一拐一拐地跟在后面。到了家里，商羊从一个小枕盒里拿出一些票据。票据被分成了两沓，商羊拿出其中的一张，说，这张票是咋回事，美国国防部部长啥时候来咱村了？

马拐子歪过身子去看，是一张白条，上面写着“招待美国国防部部长”，下面是金额二百二十五元。马拐子接过条子，左看右看，想了一阵，才说，可能是写错了，应该是招待市委副书记的。上个月市委副书记来咱这调研村民代表制度，市委副书记还表扬你，说是个创新，这你知道的。

商羊说，市委副书记是来过了，可尿泡尿就走了，咱村跟得上去招待吗！

马拐子搔搔头，这可就说不清了。不过也不是不可能，现在上面招待的一些费用报销不了，就弄到下面，这张票说不定就是这样来的。

商羊说，那不成，村民小组不同意，这张票不能报。商羊说着把一沓子票扔到马拐子面前，这些都是审下来的。把票给了马拐子，商羊起身往外走，看马拐子仍立在原地，就说，还有事吗？

马拐子期期艾艾地说，这还有两张票，你也看一下。说着把攥在手里的票递给商羊。

商羊把票接过来。是两张餐票，共二百多元钱，经手人是马拐子。马拐子脸上堆着笑，有些讨好地说，这个，这个其实也不瞒你，是我孙子过岁置了两桌席，也不多，你看能不能给报了。

商羊把票扔到马拐子手里，说，你说能报不能报，都拿着私票让村里报，还要我这个村民代表干球用！

马拐子的脸有些红，可仍堆着笑说，商代表就通融一下。以前村里报了恁多乱七八糟的票，也不在乎这二百多元钱，是不？

不行，商羊皱着眉头，以前报乱七八糟的票我管不着，现在有村民代表了，就要按规矩办。

马拐子收起了笑脸，把票塞回兜里，然后指着面前没有签字的那些票说，那这些票？

不能报！商羊说着往外走，马拐子拉着条坏腿跟在后面。马拐子呼呼喘着气，脸色很难看，说，还有一个事。

啥事？商羊停住脚步。

就是和盛大公司签合同的事。马主任让我再问问你的意思。这都是村班子研究过的，大家都认为是个好事，可你偏偏不盖那半截章子，连镇长都知道了。你说咋办？

商羊说，好事？谁的好事，是马甫仁的好事，还是仙女村百姓的好事？要我说，我还是不同意！

马拐子说，你老这样跟村委作对，也不是个事儿，听说你盖房子都没人去帮忙了。

一句话戳到商羊的痛处，他说，这和我履行职责有啥关系？

马拐子翻了翻眼，你也不是傻子，还用我来说。

商羊说，他马甫仁别想用这一招治我。这房子我一个人盖定了。想让我跟着他们屁股后面跑，干那些坏良心的事，门都没有！

马拐子撇撇嘴，你还真把这代表当根葱了。你没看看你这个代表还能当几天，连找人帮忙都找不来，谁还会让你当代表。年底就要选新代表，下台也是早晚的事。

像是有股冷风吹过来，商羊猛然感觉身子有些冷，他夹了夹肩膀，往地里走去。地紧靠着东山，就是盛大公司想承包的那座山。商羊站在地头，举着锄头却落不下去，脑子乱得像小孩子打群架。他索性放下锄头，围着东山转起来。东山是大别山的一个余脉，但中间却断了一截。就像是受了袭击的蜥蜴，把尾巴咬断，身子跑掉，尾巴丢在了仙女村。三十年前，来了一个地质考察队，在这里住了一个月，说是发现这座山底下有煤。接着来了工人和设备，在东山前开了两个很大的井，但折腾了一年多，人和设备又不声不响地走了。留下两个深不见底的井。一些小孩子喜欢在井前玩，弄不好就掉下去，捞上来时孩子已经没命了。东山也成了仙女村村民心中的痛。后来村里出面，弄了些水泥石板把洞口封住，才没有再发生类似的事。所以，在仙女村人眼里，东山不是个吉祥和能带来希望的地方。前几年村里搞林权改革，分给全村人承包，一年也就是象征性地出几个钱。直到这几年，地金贵了，山林也金贵了，人们才把目光盯住了这座荒山。

除了村民，盯着东山的还有外地人。盛大公司就是一个，他们的人很早就在东山附近敲敲打打，就跟三十年前的那些地质勘探人员一样。然后，盛大公司提出要在东山附近建一个洗煤厂，一个全省最大的洗煤厂，投资上千万。镇上和村上都同意了。开始商羊也觉得这是个好事，但等设计结果出来，发现盛大公司不但要包这座山，还要连山体附近的几十亩地一同承包。这还不是最要紧的，商羊突然想到一个问题，东山在仙女村的东南方向，相距也就是二里地，地势还高，煤场建成后，刮风下雨这煤灰还不把仙女村给淹了。商羊就以村民代表的身份提出了疑义。加上开初盛大公司给的承包费低，村民不愿意，这事就放下了。可从今年初，盛大公司的人来过几次，镇上也下了命令，要仙女村村委抓紧和盛大公司签合同，马甫仁也从后台走到了前台，承诺把承包费往上提，村民已开始动摇了。商羊跟大家说土地珍贵的事，说污染的事，可已经没人听他的了。

这几天，马甫仁直接或间接地多次跟他说起承包东山的事。看来已经到了关键时候，商羊感觉压力越来越大。

三

商羊和村干部不和，还得从“商代表”这个称呼说起。

前些年，国家号召退耕还林，对退耕还林有补贴。仙女村响应号召。在东山和附近地里种植蜜枣，一亩地一年补助一百五十元钱，大家的兴致很高，山很快就绿了。但枣树长成后，该到的林补村民并没有拿到手。村民们就有些躁动，其中商羊反应最为强烈。商羊去了一趟县上，县上说林补早就发下去了，你们到镇上去问问。商羊拐回到镇上，镇上干部说，这林补早已发到村里了，说着还给他看发放记录，上面有村主任马甫仁的签名。

商羊就找到了马甫仁，马甫仁承认村里领回来了，但早已用光。问都用到哪儿了，说是用到村干部的工资上，村里的吃喝招待上，还有还贷等，反正都用在了正处，没有乱花一分钱。说着也让会计马拐子拿出一大堆票据让商羊看。商羊看那些和白条混在一起的票据，上面都签着马甫仁蚂蚁爬似的大名，还有村委的章子。商羊说不行，这林补款是专款专用，不能挪用的。马甫仁也没把商羊当一回事，说，已经用了，你说咋办。商羊说，用了你们再把它吐出来。马甫仁有些不耐烦地摆着手说，有本事你去告吧，告赢了村里就把这笔钱吐出来。

商羊没有去告，他想出一个更好的办法，让马甫仁始料不及。他联合了一些年轻人，召集村里人开会，要罢免村主任，解散村委。乱花林补钱，毕竟是惹众怒的事，也是关系到每一家的切身利益。连马家一族的人都不愿意了。仙女村避开村委召开村民大会，重新选举商羊为村主任，然后把选举结果和摁有村民指头印的材料送到镇上。镇上觉得这是一件大事，村民咋能自己说罢免就罢免村主任呢，一个村子咋能有两个村委呢。就下来了调查组，把情况了解清了，批评了马甫仁他们，决定由村委尽快把挪用的林补款还给村民。但对于解散原村委，镇上持不同意见，毕竟马甫仁是干了几十年的老村主任，镇上用着也很顺手。何况这一届村委还是刚选举产生的，镇上亲自监督的，现在说解散就解散，镇上的脸面搁不住。再说，开了这个头，以后都要这样来，还不乱了套。就转过来做商羊的工作。开始商羊不同意，商羊说，今天你们来了，把问题解决了，明天你们走了，他们还是胡来。镇干部也哑了口。

僵持了几天，在镇领导的劝说下，商羊勉强同意不解散原村委。商羊妥协有自己的原因，除了镇上不同意，还有马家一族在重新选举村主任的事上已经出现分歧。在仙女村，马家是大族，很有势力，遇事很抱团，开始的生气已经过去，他们也不想仙女村的主任由外姓人担任，便不再说重新选举村主任的事了。但商羊提出一个条件，就是要建立一套制度来约束村委干部的权力，村上除了村委，另外成立村民小组，设一个村民代表，村子里有啥事要和村民代表商议，做出的决定必须征得村民代表同意，就跟外国的国会议院似的。

镇领导开始不敢答应，一下子把外国的东西都弄来了，这可不是闹着玩的，就汇报了上级。上级部门说行，就当一个试点吧。镇领导就给商羊说，这个村民代表就由你来担任。商羊说，光这样还不行，说是村民代表，他们不跟我商量我有啥办法，他们要吃要喝要花钱我能拦住他？他们把村里的章子往上一摁，就停当了，还不行！在座的马甫仁听得有些不高兴了，说，商羊，你不要蹬鼻子上脸的。领导都这样说了，你还乱嚼个啥。你不是真想当村主任吗，老早就盯着这个章子吗？你就来当村主任，这个章子就交给你。说着就把章子在商羊的面前晃。商羊不客气，伸手去拿。马甫仁急忙缩手，动作太快，手里的章子掉在地上，摔成了三半。一圈子人都傻傻地看着摔成三半的章子，满脸的茫然。

商羊却突然拍了下巴掌，说，有了，干脆这样办。章子一分三块，由村主任、村民代表和会计各执一块。遇到村里重大决定和花钱的事，必须三块章子合到一起签字盖章才能生效，否则就是违规。

商羊成了仙女村第一任村民代表。从此人们不再叫他商羊，改叫他商代表。商代表上任后，给村里干了不少好事。把村里扣光棍汉刘天道的低保金重新给了他，村民交了两年的修路钱也给了说法，路也修通了。村里临街的十几间房子也对外进行了公开招标承包，承包费全部进入村财务。村里推行了财务公开，不合理的花销减少了许多，等等。村民们都说好，可马甫仁却感觉不好，手脚像是被绳子捆住了，横竖伸展不开。马甫仁对商羊有意见，可这是镇上订下的规矩，半截章子也在商羊手里，虽然有气，但暂时也没有别的办法。

从那时起，商羊就和马甫仁掰起了手腕子，踩起了跷跷板，一会儿这个在上，一会儿那个在下，跟舞台上的木偶似的，眼花缭乱得让村民们头晕。

四

商羊的工程开工了。商羊在开工之前放了一挂鞭炮。他还不知道从哪里弄来了一面小红旗，拴在一个木杆子上。这天风很大，风把旗子吹得呼啦啦直响，看上去很雄壮，也很威武。

有人端着饭碗晃过来，看见商羊迎风招展的旗子，就说，商羊，你这是搞啥工程，你真要一个人盖一座房子？商羊正在做工程的准备工作，他说，我就是在搞工程，我就不信我一个人盖不了一座房子。搭话的人似乎感受到了商羊胸中的闷气，几乎要把人推个趔趄，便也觉得不好意思，搭讪着又说两句话就离开了。

商羊给自己泡了浓浓的一杯茶，还有一包烟，然后扔了外套，脱了鞋子，迎着太阳舒展舒展身子，就像运动员上场时一样，做了几个准备动作。做完后就开始清理根基。白线是早已打好的，打根基就是沿线挖出一道两尺的沟壕，然后在里面铺上石头，再用水泥砌好。没多少技术含量，要的是力气，但这对商羊来说算不上什么，商羊觉得自己豪情万丈，身子里有用不完的劲。甩开臂膀，不到一天三间房的地基已经被他刨开了大半。

王合作过来给商羊还锄头，看见商羊净赤着上身，挥舞着挖镢，跟个疯子似的。王合作就说，商羊，你这是在玩命啊。这盖房子可不是一早一晚的事，你得悠着点。王合作和商羊关系不错，岁数比商羊大一轮。两个人都喜欢喝茶，能说到一起，没事了就聚在一起，一边唠闲嗑，一边抱着茶杯子往肚里灌茶。商羊抱起茶杯子咕咚咕咚灌一气，点了支烟，说，没啥大不了的，愚公把山都给搬走了，我难道一座房子还盖不好。他们想用这来卡我，门都没有。王合作说，人家愚公是领着一家大小在搬山，你却是一个光杆司令。商羊说，光杆司令也照样把房子盖了。我就不信这个邪！

话虽是这样说，商羊也知道造座房子不是闹着玩的。商羊把他的工程进行了战术分析，分成三个组成部分。第一部分是打根基，就是现在正着手搞的，第二部分是垒墙，第三部分是浇铸水泥。第一二部分可以忽略不计，不就是打根基、垒垒墙吗？商羊当过包工头，在城里给人家盖过大楼，盖的楼房都上过报纸的，砌个墙自然不在话下。就是第三道程序有些复杂，主要是一个人浇铸水泥人手用不过来，困难要大一点。但也吓不住商羊，俗话说车到山前必有路，船到桥头自然直。这样一想，商羊就释然了，信心也足了。

午饭是在街上朱吉子的小饭店吃的。秋枝让娘家接回去了，家里只剩下商羊一个，也不想做饭，就到朱吉子的饭店吃了。

朱吉子是个寡妇，命苦。她是被人从四川骗来的，卖给三柱子做媳妇。前些年三柱子跟着人去山西下煤窑，煤矿发生瓦斯爆炸，再也没有回来。留下朱吉子拉扯着孩子，日子过得很艰难，就在村街上开了个小饭店，维持生活。商羊喜欢到朱吉子这儿吃饭，啥原因也说不上来。是朱吉子那苦苦的眼神，还是每次来，不用交代，朱吉子就会把一大碗浇着鲜红辣椒的捞面条端上来，走时把他的茶杯子灌得满满的！

商羊吃得满头大汗，额头上长出一颗颗亮晶晶的红点子，星星一样在闪烁。朱吉子看着商羊吃饭，说，你真的要盖房子，一个人盖房子？村上的人这几天都在说这事。

商羊抹了抹嘴唇，说，我就是要一个人盖房子。

朱吉子说，我都听说了，现在这人势利得很。不知道马甫仁私下给村里人许下啥好处，人都往一边倒了。

商羊把碗放下，迎着了朱吉子的目光，心里紧了一下，像是被针刺着了。

朱吉子说，你一个人可要当心呢！想了想又说，等两天我到你那去，看看能不能帮上忙。

商羊说，你还是忙自己的事吧。你一个人拉扯个孩子挺不容易的。再说，马甫仁有啥事还把客往你这儿领，让人家知道了就断了这个客源了。

朱吉子说，我不稀罕他的客，我也不稀罕他来我这儿，他来一次我心里就要不舒服几天。

商羊叹口气，起身往外走，跨门槛时，忍不住回过头说，有啥事就忍忍吧，你一个女人家不容易，能忍就忍一下，过日子不就得忍吗！说着话去看朱吉子，朱吉子的眼角已经红了，双手也捂在了脸上，已有抽噎的声音从指头缝里传出来。商羊就有些黯然，手在脸上摸一把，竟也有些湿湿的东西在上面。

下午，商羊正在自己的工地上忙着，看见一个影子随着自己不断移动，鬼似的，商羊以为又是谁来看热闹的，就头也不抬。这几天，总有一些人跑过来，像是来参观。商羊又干了会儿活，发现那影子仍在追着他，就有些生气，抬起头想说几句难听的话，却发现是马绿头。马绿头有些讨好又有些高傲地看着商羊，由于两种表情没有很好地糅合在一起，使他的面部表情很难看。

商羊又低下头干活。

马绿头傲视了一阵，还是说话了。马绿头说，商代表，哦，商兄弟，想跟你商量个事儿。

商羊没好气地说，你跟我商量个啥，有啥事你找马甫仁去。

马绿头说，这事还真得找你。

商羊抬起头，看着马绿头。马绿头说，是这样，年前我都跟村委说了，想弄片宅基地。我家老二已经大了，对象都定下了，可人家那边说没房子不行。村委已经同意，给批片宅基地，现在就缺那半拉章子，你给盖了吧。

商羊停下手里的活，说，你的房子不都盖好了吗，还要盖啥房子？

马绿头说，那是老大的，现在这是给老二的。

商羊说，那恐怕不行，你现在有自己的宅子，要盖也只能在自己的老宅子上盖，这是村里和镇上早已定下的，要再新宅子，这在村里还没有先例。

马绿头讨好地给商羊发了根烟，说，我跟村里都说好了，村委也都同意，只要你那半拉章子往上一摁就行了。

商羊把瓦刀在砖上磕得“叮当”直响，说，你这样村里人肯定不会同意，有你这想法的不止你一家。以前有人提过，都被村里否决了，这你也不是不知道。

马绿头搓着双手，看了看商羊，就下手帮商羊搬砖头，一边搬一边说，那几天我确实很忙，这几天就有空了，我来帮你。

商羊感觉嗓子像是被痰堵住了，出气都有些艰难。连着咳了几声，才把痰吐出来。他按住马绿头的手说，你不用这样，你说的事肯定弄不成的。

马绿头住了手，看着商羊，小声说，你就不能抬抬手让我过去？

商羊说，这又不是我一个人的事，得村民小组同意才行。

马绿头说，那半截章子就在你手里，你把那半截章子拿出来一摁就行了。

商羊说，那不行，村民小组不同意，我就不能摁章子。

马绿头站起来，讨好的表情没有了，傲慢重新回到脸上。他围着商羊转了几圈,用劲踢着脚下的砖块,说,你不要以为你掌握了那半拉章子就觉得了不起,我跟你说,我那房子还真盖定了。说着话怒气冲冲地从商羊身边走过,顺手把发给商羊的烟给打掉了。

五

惊蛰过后,就开始忙了,要犁春地,种烟种辣椒的还要趁早下烟田、辣田育苗。还有玉米、花生种子以及化肥这些东西都要提前准备好,一场春雨一下,就要开始春播了。

商羊种了二十多亩地,除了已经种上麦子和油菜的,光春地还有十几亩,今年打算烟叶、辣椒、花生和玉米都种一些。种庄稼跟干其他不一样,啥都不能少,除了靠天吃饭外,就是谁也说不上来年究竟啥值钱。农村人在这上面吃过很多亏。就拿去年来说,人们看前年辣椒价高,就一窝蜂去种辣椒,结果去年才两元多一斤,比不上玉米的收益。商羊是个老庄稼人了,这点道理自然是明白的。

可现在商羊熬煎的不是种啥庄稼,而是盖房子的事。他扳着指头算了算时间,农活一忙起来,他的工程就要停工,待到农忙后就进入雨季,盖房子就很麻烦。现在,他要抓紧赶工期,在春忙之前,把地基筑好,墙起码要砌一米来高,这样,才能赶在年底之前把房子造好。

早上,商羊早早就赶到工地,却感觉有些不对劲,挖镢和瓦刀咋也找不着了。仔细看,不但是瓦刀,连堆在地上的部分砖头、钢筋都没了影。不单如此,还有一些东西被弄得乱七八糟,像水泥袋子被划开了,水泥撒得满地都是,有些袋子上还被泼上了水。很明显,工地上的东西被人偷了,看样子是装在拉车上拉走的,地上还留着拉车碾压的车辙。商羊顺着车辙往前找,但到了大道上就啥也看不到了。商羊站在路上,想着村里谁会干这样的事,一个个在脑子里过电影似的过一遍,似乎谁都会。商羊想得脑子疼,也没把这案子给想出来。

想着去报案,可想想,放下了。

商羊不得不重新去买砖头、水泥和钢筋,花了一千多元。晚上,商羊就把床搬到工地上。

一千多块钱,实在不是个小数目,商羊有些心疼,一边干活一边就忍不住想,到底是谁做的,把水泥袋子泼上水,这已经不是单纯的偷盗了,明显是在报复他,可谁和他商羊有这么大的仇恨。商羊想着不由停下手,就注意到那个明显的车辙。商羊的脑子呼啦一闪,现在村民都用上了“螳螂头”,拉车都成文物了,只有少数几家还在用拉车。商羊把几个有拉车的人家摸排了一遍,注意力就集中到一个人身上,没错,可能就是他。

商羊正高兴着，却看见马拐子从村东边一拉一拉跑过来，边跑边喊，商代表，村主任让你去开会。

商羊没有应声，马拐子跑到商羊的身边，上气不接下气地说，真的，马主任让你去开会。

商羊说，开啥会？

马拐子说，镇长来了，镇长来检查烟叶种植，顺便到咱村了解一些情况。你是村代表，镇长专门点了你的名。

镇长点名有请，还是首例。商羊拍拍手上的灰，披上衣服，跟在马拐子后面，去了村部。

村部就设在马甫仁家里。镇长余为民坐在马甫仁家宽大的沙发上，边上坐着副镇长和秘书，还有仙女村的大小干部。张蚂蚱坐在最边上，张蚂蚱现在是村主任助理兼治保主任，是马甫仁一手提起来的，听说还要被委以重任，张蚂蚱就像个小跟班似的跟得非常紧。马甫仁正在跟余镇长说什么事，仿佛挺好笑的，逗得余镇长一个劲地笑。看见商羊进来，镇长止住笑，坐直身子，顺手把脖子上的领带拉了一下。

余镇长深深看了一眼商羊，目光里似乎有些说不出的东西，让商羊很不自在。

余镇长说了几句开场白后，马甫仁就开始汇报工作，就是玉米种多少，花生种多少，烟叶种多少等，马甫仁嘴里跟拌面疙瘩似的，东拉西扯说了一通，才把这几个简单的数字说完。余镇长很高兴，夸奖马主任的工作做得好，做得细，说，如果吴镇所有的村主任都能像马甫仁这样干工作，他余为民就可以放心去干几件招商引资的大事了。

说到招商引资，余镇长就问起了仙女村建洗煤厂的事。马甫仁就住了口，把目光看向商羊。

余镇长说，怎么回事？

马甫仁吞吞吐吐，一个劲地看商羊。商羊有些生气，对马甫仁说，你看我干啥？

马甫仁说，还不是在你这儿出了问题，不就缺你那一半章子吗？

余镇长大幅度摆摆手，对马甫仁说，到底是咋回事，说清楚点。

马甫仁就把事情经过拣对商羊不利的说了一通。说主要是村民小组不同意对外承包东山和附近的地，合同还没有签，引资处于停顿状态等等，添油加醋。然后又仿佛很理解地说，仙女村现在实行的是“三权分立”，村委必须听村民代表的，就跟美国的国会一样，甚至比他们的还要独立。咱村的代表有章子，可没听说过美国的国会还掌握着章子。这样也好，我这个村主任就可以少操好多心了。马甫仁把话说得很阴险，话里话外都把商羊捎带着。商羊听出来了，马甫仁的意思就是，这个事弄不成就是商羊不同意，商羊把持着村里的那半截章子，把章子当成他自己的私有财产了。

商羊脸有些红,因生气说话有些结巴,他说,马甫仁你不要胡说八道!

马甫仁说,我咋是胡说,问问在座的村干部,看是不是胡说,如果你们村民小组同意摁章子,这洗煤厂早就建成了。

余镇长有些不高兴了,对马甫仁说,你们吵吵什么,然后转向商羊,说,这章子为啥没有盖?

商羊喘着气说,部分村民不同意。那片地早分给各家各户,退耕还林都种上了枣树和果树,现在都挂果了。承包人给的赔偿太低,一亩地才几十块钱。还有一个原因,就是污染。洗煤厂建在仙女村的上风口,大风一吹,煤灰飘过来,脏得不能住人。

余镇长说,有这么严重,是你的想法还是村民的想法?

商羊说,是我的想法,也是部分村民的想法。

就是你说的那些个原因,余镇长有些生气了,挥舞着手说,你知道你们在干啥?你们在让机会白白从身边溜掉。别的地方,上外面找项目,找资金,跑疯了都找不回来。可你们倒好,人家外商送上门来,上千万的资金,你们却不要。你们这工作是咋干的,村委是干啥的。说好听点,叫不负责任,说严重点,是在犯罪,是对你们自己犯罪,是对仙女村犯罪。我跟你们说过多少次了,要有大局意识,要有牺牲精神。可你们都做些什么,这样好的项目你们竟然拒之门外,你说你们是不是在犯罪!

说到这里,余镇长把目光转向了商羊,说,你们村实行村民代表制,让村民代表介入村委工作是一个创新,但你们要切实记住一条,要民主,也要统一。尤其是不能把村里给村民代表的权利,当作自己的权利肆意使用,为自己谋私利,或和村委对着干,这都是不允许的。如果真要这样,我们就没必要设这个村民代表了。

屋里的人都把目光投向商羊,商羊的脸涨得通红,毛孔也一个个张开来,热气呼呼地从嘴巴里面往外冒。他想对余镇长说点啥,可一时竟啥也说不出来,只是牛一样喘着粗气。

余镇长又跟马甫仁他们说些啥,他一句话也没听清楚,脑袋像是被重锤敲了,嗡嗡直响。直到有人拉他,才发现屋里早已没了人。拉他的是马拐子,马拐子说,马主任让我喊你去吃饭呢。

商羊抬头看,余镇长他们已经走出很远,马甫仁跟在边上,跟个螃蟹似的指手画脚说些什么。商羊知道他们是去"帝王"酒家,村里来了贵重客人都在"帝王"酒家招待。

走吧,不能让人家领导等咱们。马拐子的脸上浸出油光,因为能跟着领导吃一顿,眉眼里都堆出了幸福和快活。

商羊站起身,跟着马拐子出了院门,可他却往另一个街道走去。马拐子都快走到了,才发现把人给带丢了。马拐子要回身去找,却被马甫仁拦住,爱来不来,反正咱话说到了，他不来是他的事。

马拐子有些忧虑地说，票要签字盖章的呵！

马甫仁瞪马拐子一眼，不要跟我提章子不章子的，我就不信他连招待镇长的单子都不签。真惹我恼了，我重新去刻个章子，让他拿着那一截章子显摆去。

马拐子急忙说，那可不行，这都是村里定下的规矩，新刻的章子没用的。

余镇长看他们叽叽咕咕的，就说，你们在说些啥，那个商代表呢？

马甫仁说，不管球他，那是个死脑壳，来了只会给领导添烦，还是我们吃吧。

余镇长“哦”了一声，说，那个商代表好像挺有意思的，我听说他一个人在盖一座房子。他为什么不找人帮忙，要一个人盖一座房子！

球，还不是他人缘差，弄得人们都不愿意帮他的忙，他才不得已自己去盖房子的。

余镇长说，是吗？如果是这样，那就值得考虑了。咱们设村民代表，是要让他代表村民说话的。如果他的人缘这么差，还咋替村民说话，那就该考虑重新换一个了。

马甫仁忙说，那可不是，早就该把他换了。正好年底他这一届代表到期，到时候重选村民代表，就把他换球了。

六

商羊新房子的地基做好了，前后花了几乎一个月时间。

商羊的地基做得和村里人盖房子做的地基不一样。商羊是盖过大房子的，也去过很多地方。像南方，那里农村的房子就很有意思，一般都是两层，二层是屋架，一层设计成三室一厅的形状，楼梯从屋里走，偏房为平房。商羊心目中的房子就是这样的，他要盖的就是这样的一座房子，一座和别的民房不一样的房子。朱吉子过来的时候，他正把地基往前延伸。

朱吉子诧异地看着他，说，你这是盖的啥房子？

商羊抬头看着朱吉子。

朱吉子今天穿一件窄腰衣服，把腰身束得很好看，脸也像是搽了粉的，收拾得很干净利落。朱吉子迎着商羊的目光说，你咋这样看着我，话里却没有一点怪罪的意味。

商羊闭上眼睛，仿佛眼睛被太阳刺着了。

朱吉子说，你这地基咋这样做，这里又多出一段，你这是啥房子，咋看上去怪怪的。

商羊说，我就是要盖一座怪怪的房子。知道吧，这是城里人住的房子。咱村里的房子太丑了，我要盖一座漂亮的房子，一座全村都没有的房子。

朱吉子说，就你们两个人，住得了那么大的房子！

商羊随口说，那你也来住吧。

朱吉子说，真的，你让我来住？

商羊愣了愣，去看朱吉子有些红的脸，暗暗在自己手心掐一把，想自己今天这是咋的了，连这样的话都说出来了。

朱吉子看商羊发愣，就转了话题，说，这些天咋没见你去吃饭了。

商羊说，这不要伺候你嫂子嘛，她刚回来，这几天身体又有些不舒服。

朱吉子说，嫂子也是命苦，可是遇着你，她也真有福气。

商羊看看朱吉子，说，你还是快点走吧，村里现在很少有人往我这来，让他们看见你在我这对你不好的。

朱吉子说，我才不怕呢！

商羊叹口气，你在这片地上讨生活，咋能不当心呢，一个人想一辈子不求人，难哩！

那你还不是做到了，你不求人现在不也把房子盖了。朱吉子说着，帮商羊运砖块。

商羊说，你以为是我自己想独自一人盖座房子？商羊摇头，不是我不求人，是咱求不来。

朱吉子突然说，那就不求他们，明儿起我来帮你的忙，没有他们就不信起不了一座房子。

商羊急忙摆手，别，千万别，你还要忙自己的事。再说，这样做对你没啥好处。

朱吉子说，我知道没啥好处，我就是不怕！

商羊轻轻叹口气，用有些爱怜的口气说，傻瓜，咋能不怕呢。说句“不怕”好说，那句话后面要受的磨难可不是谁都能承受的。

朱吉子坚持说，我真的不怕！

商羊坚决地摆摆手，用有些决绝的话说，你不怕，我还怕呢。你还是快点回去吧，这都是为你好！

朱吉子的眼里起了泪花，她说，我是真的想帮你呢，我不怕人们咋样说。

商羊说，我知道，可我不能让你掺进这事里面，会把你毁了的。你的日子还长，你还有小豆丁要养活呢。

朱吉子抹着眼睛，又站一会儿，才说，不赶顿时就去我那里吃吧，油泼辣子我给你准备好着呢。说完，放下一条烟转身走了。

这一切，都让马拐子看到了。马拐子是来喊商羊开会的。镇长走后，马甫仁觉得应该借镇长讲话的东风，快点把跟盛大公司签合同的事定了。就说，开村委会，去叫商羊过来。马拐子就看到了两人腻腻磨磨的事。马拐子嘟哝了一句，自言自语地说，以前只是听人家传言，看来两个人真有一手。转而又想到马甫仁总黏着朱吉子不放，就有些头大，这村里的事恐怕是越来越复杂了。

商羊只得又跟着到马甫仁家里。马甫仁对跨进门的商羊说，你老商就是不给面子，那天请镇长吃饭你咋不去，你不给我面子我没啥说，可你连镇长的面子都不给。商羊知道马甫仁是"得了便宜又卖乖"，就说，镇长又没叫我陪他，我咋不给他面子！马甫仁嘴头上没有讨得便宜，就说开会，扯七扯八地把这个会的重要性讲了一遍，然后就说到东山的承包问题。把余镇长指示要快办的旨意添油加醋说一遍，最后把球踢给了商羊。马甫仁说，村委就这事已经统一了意见，现在能不能落实就看你商羊了。

商羊没好气地说，你不要总是把屎盆子往我头上扣，不同意的又不是我商羊一个人，承包东山的那几户都不同意。如果你跟他们都说好，我就给你把章子盖上。

马甫仁说，那好，就按你说的，村民的工作由村委来做，村民都同意了你就把章子给盖上。

商羊说，你把他们都说通了，我当然没屁放。不过，有一家不同意，这章子我就不能给你盖。

马甫仁说，好，我就不信还有猫不吃腥的。

话都说明白了，商羊起身往外走，却被马拐子喊住了。

马拐子说，这又到月底，该结账了，拖得时间长就记不住了，当会计是最忌拖的。马拐子一边说一边当着马甫仁的面把他的破皮包打开，拿出一沓子票据，说，这是这个月的开销，共两千多块，马主任都签了字的。

商羊看眼马甫仁。马甫仁闭着眼睛，"过阴"一样。商羊接过票据看了看。这个月白条少了，而且每张票上都写明了花销的原因。其中就有前一天镇长来招待的，花了八百多，商羊就心疼，说，一顿饭就花那么多！

马拐子说，可不，现在的东西都贼贵，物价一个劲地上涨。一瓶酒都二百多，还不是好酒，好酒就更贵了，像茅台、剑南春。听说镇长从不喝别的酒，在咱村还是破例了。

商羊说，票先放我这儿，要村民小组议的。

马拐子说，就不要恁复杂吧，盖个章子就行了。马拐子一边说一边看着马甫仁。

商羊说，那这个村民小组干脆不要算了。

马拐子嘟着嘴不说话了。

七

单月的十五号，是仙女村村民小组的议事日。商羊早早就通知下去了，可到了开会时间，只来了个马拐子，张蚂蚱一直没见影，另两个出门打工暂不说。商羊又去张蚂蚱家说了，张蚂蚱说有事来不了。商羊不是个木头人，心里也明白了差不多。但会还是要开的，反正村规上也没说几个代表到会表决议事结果才有效。

商羊看着马拐子，马拐子也在看着他，说，咋办？

商羊说，他们不来算了，咱们开。

就我们两个？马拐子张大了嘴巴。

就我们两个！

商羊咳嗽了一下，面对着空空的屋子说，现在咱们开会，今儿个的议事主要有两个，一个是村里上月的开支，另一个是东山的对外承包，咱们挨个说。商羊说着把马拐子要盖章的票据拿出来，一张一张地念。有几张票据数目大，像招待镇长的花费，商羊虽然心里不快，还是把那半截章子拿出来，马拐子早已把另两瓣章子准备好了，合在一起，就是一个完整的章子，“啪”地在票据上盖了。马拐子把被商羊拨拉到一边的在“帝王”酒家消费的票据拿过来，说，这是镇上农综办领导来了，这是镇党委王秘书来检查工作，还有这是，这是，大概是李副镇长的爱人来咱村——马拐子还要说，却被商羊接住了。商羊说，王秘书来咱村检查啥球工作，谁不知道他的相好是街上王驴子的闺女，他过来睡女人还要咱给他报销，这算啥事。还有李副镇长的老婆，来街上串亲戚，却让咱村请客，这算啥球事，给他报个球，不能报！

马拐子把那些票据重新拨拉到一边，又从兜里掏出一些条子。商羊看了看，都是村里在朱吉子小店消费的白条，也就是几百块钱。马拐子看着商羊说，那这些条子呢？

商羊看着马拐子，觉得他话里有话，就说，该报的就报，说着把章子在上面摁了。

马拐子不疼不痒地说了句，这可都不是正规发票。

商羊说，她一个小店，上哪弄正规发票？说完又看了一眼马拐子，马拐子也在看着他。商羊就说，你不用这样阴阳怪气，话里有话，你说这些条子哪些是不正当消费的，你说出来。是这一张吧，商羊说着抽出一张六十多元的白条，上面的字迹明显和其他条子的字迹不一样，商羊知道这一定是马拐子自己弄的空白条子，可他没有戳穿他。

马拐子脸红红的，忙说，没有，没有。

条子弄完后，接下来说东山承包的事，商羊想了想说，这个事暂不说了，下来我去那几家问问，看他们啥意思。

马拐子突然说，你就不用去问他们了！

商羊说，啥意思？

马拐子说，没啥意思，我只是随便说说。

马拐子走后，秋枝在里间说，马拐子的意思你还不明白，那几户恐怕已经被马甫仁做通工作，现在不同意的恐怕就剩咱家了。

商羊说，我不信他们都同意。

有啥不信的，你这个村民代表现在都成了孤家寡人。恐怕也是兔子的尾巴不长了。听人说马甫仁现在就在筹划年底选代表的事，准备让张蚂蚱干，就你还蒙在鼓里。

商羊说，你听谁说的？

谁说的，都在说，恐怕就你不知道。

不过，这样也好，一个烂代表有啥干头，得不来一点好处，还操的不少心，结果还没人承情，不干就不干了。

商羊有些烦躁地在屋里走来走去，说，即使我干不成，我也不会让他们把洗煤场建在咱这里。可我就是不明白，乡亲们这是咋了，一下子就把马甫仁当爷了，真他妈的臊得慌！

还能是咋了，秋枝叹口气，还不是个钱，听说承包费涨了，人家大老板都拎着钱箱子来发钱，有钱了啥事干不成。

商羊咬着牙说，他就是再有钱，也把我搞不定。

八

接连下了几天雨，是那种淅沥的春雨，正好对墒情有利。这雨下得村民们个个高兴，唯独商羊苦着个脸，下雨干不成活，已经停工几天了。他掐着手指头算，这春雨一下，天晴就要种地，烟叶、芝麻、花生、辣椒，身后的娃娃们似的，一个连一个，都跟着来，而且是不能等的。这忙起来就是一个多月，小半年的时间就要过去了，年内要把房子建成的计划就有可能落空。商羊就有些急。

中午，商羊在工地上转了转，把水泥等重新用塑料裹好。这些东西进了水就用不成，都是钱呢。商羊一边收拾，嘴里还嘟哝着。这风也太大了，昨天晚上盖得好好的，现在都让风给吹开了。收拾好，商羊看了看时间，就去了朱吉子那儿，他又想吃那油汪汪的辣椒拌面条了。

照例是捞面条，但今天的臊子变成了肉臊子，肉丁小指头一样在面条上面厚厚铺了一层，油亮亮、香喷喷的。饭都快吃完了，商羊才发现了变化，说，我要的是鸡蛋面！

朱吉子瞥了他一眼，说，我不会多收你钱的。

商羊说，我不是那个意思，我是说——

说啥呢，快吃吧，都晌午偏了。

商羊就扒拉着面条吃。朱吉子坐在边上，手里拿着豆丁的毛衣在织，眼睛时不时往这边看一眼，又低头去弄手上的毛衣。

商羊也看着朱吉子，吃着吃着就住了口，嘴巴张得老大，筷子上挑起的面条也不知道往嘴里送。

朱吉子就说，看啥呢，面条都让鸡子叼了。商羊拨楞拨楞脑袋，看见一只母鸡正盯着他筷子上的面条，母鸡的身前身后围着一群小鸡子，叽叽喳喳地叫得欢。

商羊把面条扔到地上，母鸡急忙叼住了，却不吃，弄碎了，喂给身旁的小鸡子。

朱吉子看得眼红，眼泪都要流下来了。

朱吉子说，谢谢你，我已经从马拐子那儿把钱拿回来了。马拐子说，他拿去的一沓票，只有我这全报销了。

商羊说，这都是小头，也就是几百块钱，抵不住他们一顿饭钱。

朱吉子说，听马拐子说话的语气，好像对你意见很大。

商羊说，我不给他盖章他入不了账，他们那里面有很多都是空票，想揩公家油水，我不给他们报，他们肯定有意见。

朱吉子说，马拐子嘟哝着发牢骚，说还能蹦跶几天，我听着那话肯定是说你来着。

商羊把最后一根面条扒拉到嘴里，抹了抹嘴巴，说，我知道他们想弄掉我，不过我不信咱村人都恁听他的话。说到这里，他叹了口气，有些伤感地说，我也弄不明白村民为啥一下子就跟了马甫仁呢，这东山承包的事，原来大家都不同意，现在听说大部分都同意了，真他妈的闷心。

朱吉子往外面看了看，然后凑近了商羊，我听他们说过这事。上个星期，马甫仁他们在我这吃饭，我给他们送菜，他们正在说东山承包的事。马甫仁说，他已经说通了盛大公司老板，给每家的补偿再增加一倍，由原来的每亩一百涨到二百，二百可真不是个小数目呢。还听马甫仁说，再不听话，就让镇上派出所来抓他们。

商羊说，我说呢，村民都跟中了邪似的。

朱吉子把毛线用牙咬断，抬头看了眼商羊，说，事情好像并不是这样简单，我看这涨的一百元钱，主要是收拢民心，为年底村民代表选举做准备，马甫仁这是一箭双雕呢。

商羊感觉有些吊不住气，娘那个脚，一个村民代表就让他们费这么大心思。

朱吉子说，问题是你挡了人家的财路，你手里拿着半截章子，他们啥都做不成。

商羊说，就是我不拿那半截章子，还总会有人拿的。

朱吉子说，那可不一样，新选出来的人和马甫仁一条心，那不就等于还是马甫仁说了算。

商羊说，我日他妈个马甫仁！

朱吉子说，你要当心呢！

商羊说，有个屁可当心的，我就不信全村人都让他马甫仁那一百块钱把眼给糊住了。再说，村里人也不是不知道马甫仁是个啥鸟人。说到这里，商羊看了看朱吉子，说，马甫仁他还经常来你这儿吃饭？

朱吉子看了看商羊，说，你是想叫他来还是不想叫他来！

商羊垂下头，嗫嚅说，我只是随便问问。

朱吉子说，我也是随便问问，你是想叫他来还是不想叫他来！

商羊的双手搓着脸，脸都搓红了。

朱吉子突然就捂了脸，轻声啜泣起来，哽咽着说，你连一句囫囵话都不敢跟我说，你不是个男人。你就跟我说了，我也没念想了。你不知道，我这心里有多乱。马甫仁整天跟个狗似的黏在我门前，还有个马绿头，也想占我的便宜。可我一直守着，我也在等着。我知道你心里有我，你就给我个囫囵话。

商羊看着门外，雨仍淅沥下着，整个街道和房屋被雨包裹着，雾蒙蒙的。商羊突然觉得，自己的心情也跟这雨雾包裹的天一样，混沌不清。

朱吉子把脸擦干了，重新织起毛衣，她说，嫂子现在咋样？

商羊说，又回去了，怕影响我干活。

朱吉子说，嫂子命好，摊上你这样的男人。

商羊说，她命苦，日子刚好过一点，她却遇上这样的祸事。

朱吉子说，以后日子长着呢，你要有长远打算。

商羊说，我知道。他看着朱吉子，突然就捉住她的手，捂在自己脸上，我早就想了，可我不知道该咋办！

朱吉子说，如果你同意，我就去照顾嫂子，住娘家也不是长久的事，这样你就能腾下手干自己的事了。

商羊说，我想过，可我不知道她会咋想，村里人会咋想，还有孩子们，想着这些，我头皮都发麻。

朱吉子说，好好跟他们说说，他们会同意的。

商羊说，那我去试试。

商羊回到家里，却意外看见屋里坐着一个人，是“帝王”酒家的老板张大嘴巴。张大嘴巴属于社会上黑白两道都混得很滋润的人，和镇上的一个主要领导还是亲戚。前些年因诈骗犯事进过牢子，出来后就在仙女村开了这家酒店，很豪华，里面不但有吃的，有喝的，还有玩的。他从外面找些不明来历的女子，引得很多有钱人开着车来玩，街上被弄得乌烟瘴气，可村里人敢怒不敢言。这其中还有一个原因，张大嘴巴和马甫仁好得几乎要穿一条裤子，马甫仁的大半时间都住在“帝王”酒家，听说张大嘴巴专门给马甫仁开了一个单间。马甫仁当然啥都向着张大嘴巴，村里一年大的消费都在“帝王”酒家，每年都是上十万。商羊曾跟村委提过这事，但仙女村街上除了“帝王”外，再没有别的上点档次的酒店，上面来了贵宾总不能让人家去朱吉子的小店。商羊只好住了口。

张大嘴巴跟个江湖好汉似的对商羊抱了抱拳，说，商代表打扰了。

商羊诧异地说，你咋在我家？

张大嘴巴说，我就不能来商代表家反映问题？

商羊看着张大嘴巴，想自己和他平时基本上没啥交往，他今天咋会来了，就说，张老板恁忙，一定不是来串门的，是吧？

张大嘴巴说，是有点事，想让商代表给帮帮忙。

商羊笑了，说，你是大老板，我一个种地的，有啥能耐帮你，你这是在笑我呢。

张大嘴巴说，真的是找你帮忙。说着从随身带的包里拿出一沓子票，放在商羊面前。你看看，还是把章子给摁了吧，现在做个生意也不容易。

商羊翻了翻那些票，都是自己退回给马拐子的票，商羊就明白了。马拐子他们看自己报不了，就把票给了张大嘴巴，让他来找商羊。

商羊说，这些票不在报销范围，再说报这些票是村里人集体决定，我一个人做不了主的。

张大嘴巴看着商羊说，我知道你能做主，仙女村的事只有你和马甫仁能做主，你就把这些票给摁了吧，说着把票重新推到商羊面前。

商羊又把票推回去，说，这真的不是我一个人能说了算的。想了想，不软不硬地说，这报销票据应该由马拐子拿来才对！

张大嘴巴脸黑下来，看着商羊，一字一句地说，你就给我盖个章吧！

商羊的手有些抖，可他还是把票又推回来，说，我真的做不了这个主。

张大嘴巴的拳头在桌子上砸了一下，说，你真的不给我盖章，你这是在逼我呢。你们村里在我那儿吃饭，却不给我报，你们这是在逼我犯法呢。张大嘴巴眼睛盯着商羊，说，你为啥不给我报，你信不信我揍死你。

商羊的倔劲也上来了，他迎着张大嘴巴的目光，说，你找我干球，谁在你那吃你找谁！那些票不是我一个人说了算的。你说你想揍我，那就来，好歹也当过几年兵，练过几下拳脚的，咱们就比画比画。

张大嘴巴嘘了口气，盯着商羊看了足有五分钟，然后说，算你有种！说罢摔门而去。

九

天刚晴开一点，鸟还没在太阳下晒干翅膀，商羊就迫不及待开始了他的工作。工地上汪着一洼洼的水，和泥灰倒是省了劲，就是泥太大，黏脚。商羊索性赤了脚，拎着灰桶青蛙似的在工地上跳来跳去。

这天，商羊正欢快地跳着，看见马甫仁领着两个人往这边来。商羊认出来，来人就是要承包东山的盛大公司老板张广州。马甫仁他们在工地上转，商羊的工地秩序井然，水泥、砖块、钢筋等都沿着墙分布，士兵似的。再看砌好的墙，严丝合缝，油光水滑，房子轮廓已经初现。马甫仁看得脑门子出汗，这个商羊，还真他娘的能鼓捣！

马甫仁站在下面喊，老商有人来看你了。

商羊站在架子上，看他们一眼，没有吱声，自顾自地往砖上抹灰。

马甫仁有些难堪地搓搓手，又喊，老商，这是张总，听说你盖房子，就专门来看你。

商羊的泥灰用完了，他提着灰桶往下走，到了他们面前，"咣"地扔下灰桶，看着他们。

马甫仁忙堆着笑说，你看你忙的，张总刚从广州那边过来，听说你在盖房，就一定要来看你。

张广州没有说话，看着房子的外形，说，你这人脑子不错，有点想法。想想又说，这房子是谁设计的？

商羊说，我设计的。

张广州有些不相信似的看着商羊，真的吗，你的图纸呢，让我看看！

啥图纸，我没图纸，想到哪干到哪。

张广州张大嘴巴，你说你是想到哪干到哪？

他的样子倒让商羊有些奇怪了，说，咋了？

站在边上的马甫仁忙说，老商脑子好使，以前专门在城里给人造房子，盖的房子听说还得过啥"人居"奖呢。回到村里，又创新了村民代表制度，省、市、县领导都来调研过，可是个宝！可惜生在咱仙女村，在城里恐怕省长都干上了。

张广州摆摆手，马甫仁住了口。

张广州围着房子转了一圈，说，你这个人有想法，我喜欢，说不定将来我盖房子也找你去盖。说着对后面的人一努嘴，跟班立刻走过来，对商羊说，盖房子是大事，张总一直记挂着，这是张总的一点心意，按咱这儿的规矩，叫随个份子，祝贺祝贺，说着把一个鼓囊囊的信封塞到商羊手里。

商羊下意识地捏捏信封，凭感觉，至少有五千元钱，商羊吓一跳，明白了他们的意思，拿眼去看马甫仁。马甫仁正笑笑地看着他，商羊脑子激灵一下，就说，我起这房子没请任何人，村里人都没请，再说，乡下人盖房子咋能惊动张总呢，说着把信封重新塞给了跟班。

跟班说，你就收下吧，这是张总的心意，张总可是一直把咱仙女村的乡亲们当朋友看待的，这次来就是为了咱仙女村致富的，你可不能冷张总的心。

商羊说，张总的心意我领了，但这是万万不能收的，乡亲们的份子我一分都没收，咋能收你张总的份子呢，这可不行！跟班回头看了看张总，张总的脸色有些难看，甩了甩手，扭头走了。

马甫仁急忙跟上去，走了几步，又转了回来，跟商羊说，你这个人，你这个人让我咋说你呢，说你死脑筋吧，看你把这房子盖的，说你脑子活吧看你把这事弄的。人家张总不过当你是朋友，给你随个份子钱，你以为人家是在贿赂你，你有鸡巴贿赂头儿。你是镇长，是县长，还是市长？看你那架子拿的，跟国家总理似的，你这人咋这样呵！

商羊站在架子上，说，我就是一个村民，我凭啥收人家的东西。我不收人家的东西，我就不用担心干坏良心的事。

马甫仁说，老商你这话是啥意思，谁收人家东西，谁干坏良心的事了？

商羊说，我谁也没说。

马甫仁不乐意了，说，商羊，你下来，你今天得把话跟我说清楚，你意思是我收人家东西了，我干坏良心的事了？

商羊说，那可是你自己说的，我没这样说。

马甫仁说，你意思就是这样，你以为你是谁，你以为你那“代表”多了不起，蹬鼻子上脸的，我看你还能蹦跶到几时！

这话就有些伤人了，有些挑衅了。商羊右手拎着一块砖头，左手提着灰桶下来了，径直朝马甫仁这边走来。马甫仁有些紧张，说，老商，你这是干啥，你这是想干啥！

商羊走到马甫仁面前，马甫仁两手抱住头，就要蹲下去，额头上的汗亮晶晶地浮了一层。

商羊看看马甫仁，又看了看手里的砖，忍不住笑了，把手里的砖扔了，推开马甫仁，重新把灰桶装满，爬上脚手架。

马甫仁擦擦额头上的汗，转身就跑。马甫仁边跑边说，村里那些人村委都说好了，就剩下你了，跟你实话实说，你同意也得同意，不同意也得同意。这合同马上就签了，你看着办吧。

商羊对着马甫仁的后背说，没有我那半截章子看你咋签合同。

看看没啥危险了，马甫仁停下脚步，说，咱骑驴看唱本，走着瞧。我就不信少了你那半截章子咱这村就不开展工作了。

十

农活忙起来后，商羊不得不停下自己的工程，忙着种花生、辣椒等庄稼去了。

商羊的庄稼做得好，每年都有两三万的收入，再养几头大牲畜，一年的收入也不比出门打工差，这是商羊不再出门的原因。当然，秋枝瘫痪，就是让他走也走不开。秋枝为这整天哭，跟商羊说，你让我去死了吧，去弄包老鼠药让我吃了，就不连累你了。商羊训秋枝，说，说啥死啊活的，现在这日子多好，有吃有喝的，过去饿着肚子也没听你说死呀死的，日子好了，你倒想这些乱七八糟的事了。秋枝捂住脸，说，我不能连累你，地里的活恁忙，你还要盖房子，还要照顾我，看把你劳累成啥样子。商羊就说，没事，累一点好，人闲了容易生外心。

晚上睡觉，商羊翻来翻去睡不着，躺在边上的秋枝伸手摸了摸商羊，说，想那事了？

商羊扭过身子，说，想啥啊，我只是有点累，一时半会睡不着。

秋枝说，你肯定是想那事了，以前你干活，越累越想那事，哪晚都要折腾几下，可我成个废人了，不能给你解闷了。

商羊说，睡吧，明天还要早起呢，东边那二亩地我今年想腾茬，改种花生，估计明天得忙活一整天。

秋枝睡不着，她把手伸到商羊的身下，抓住他的下身，头抵在他的背上，轻声哭起来。

商羊把秋枝的手拿开，拍了拍她的脸，也不知道说啥好。秋枝又啜泣了一阵，突然说，让朱吉子来吧。商羊吓一跳，转身看着秋枝。

秋枝说，我知道你的心思，也知道她的心思。这些年我让你受累了。现在我啥都不能帮你做，你反而得伺候我。这屋里屋外的，确实要一个女人来撑着。朱吉子那女人我知底，身世苦，心肠好，我们以前就是好姐妹。她来了，你的日子就好过了。

商羊看着秋枝，又说胡话呢，我咋能丢下你不管呢。

秋枝说，你没弄懂我的意思，我意思是让她到咱家来，我们就是一家人了。

商羊说，那咋成呢，一个屋子里两个女人，让外边人看着算咋回事。秋枝说，还是过日子要紧，就不要让人家再等了，如果人家真走了，你可要后悔一辈子。商羊说，你容我再想想。

四月眼看就要过去，下种早的，花生已经露出了两瓣月牙。玉米地里已是一片葱绿。再过几天，地里的活就弄完了，商羊站在地头，估摸着秋天的收入，如果雨水对劲的话，应该不会差的。正寻思着，却看见豆丁向他这边跑来，豆丁边跑边喊，不好了，不好了，我妈，我妈——

商羊拉住豆丁的手，说，啥不好了，你妈咋了，慢慢说。

豆丁说，不是我妈，是我妈让我来告诉你，你家房子的墙倒了，你快回去看看。

墙倒了，商羊吓一跳，撒腿就往家里跑，边跑边问跟在后面的豆丁，那你秋枝姨呢，她有事吗？

豆丁说，是新房子，不是老房子。

商羊嘘了口气，转而向新房子那边跑。

商羊跑到工地上，一堵墙确实倒了，沾了泥灰的砖块散乱跌落在地上，露出嵌在里面的钢筋。商羊围着墙转了一圈，所幸倒塌的只是一堵墙。他把目光重新投在断墙上，在断墙上发现了一些血迹，他猜想一定是推墙的人不小心，手被划破了。这时，工地上已聚了很多人，都看着商羊。商羊就说，偷偷摸摸的算啥能耐，有本事就明着对我来呀！

站在边上的人都没有说话，一会儿就散了。

商羊正犹豫着是不是把这事报告给派出所时，又发生了一件事。这天，商羊回家，发现屋子有些乱，好像是招贼了，急忙打开抽屉，发现自己一直放在抽屉里的那半截章子不见了。商羊的心就“咯噔”一下，果然出这事了。商羊没有犹豫，找到住村的派出所民警小梁，把案给报了。

小梁是警校刚毕业的大学生，刚毕业的学生都分在基层锻炼，小梁分到了仙女村驻村。乡村荒凉，没有年轻人愿意待，小梁整天都在想着破一桩案子，回到县里，哪怕是镇上也行。听了商羊的诉说，立刻戴上帽子，穿上制服，还拿了些仪器，往商羊的家去。后边跟着很多人，大多数人都知道，村民代表的那半截章子让人给偷了。

小梁的勘察还没结束，商羊就被马甫仁叫去了。马甫仁说，你把章子都给弄丢了！

商羊没有承认也没有否认。

马甫仁显得很激动，你看你弄的啥球事，做官的连印把子都弄丢了，你这官是咋做的！

商羊说，我会把章子找回来的。

马甫仁说，这是大印哪，村里这么多事，哪一天离得了这印把子。你把印章弄丢了，咱这工作还开展不开展。

商羊这时仿佛才想起来，纠正说，章子不是我弄丢的，是被人偷走的。

马甫仁摆手，我不管你章子是被人偷走的还是弄丢的，总之现在章子不见了，咱这工作都没法开展。你得想办法，我给你半个月时间，你快点把章子找回来，不然——

商羊看着马甫仁。马甫仁吭哧了一阵，不然，你就得给全村一个说法。把章子都弄丢了，这算是啥事，真保管不了就不要管了！

商羊突然笑了，他们把章子偷走恐怕就是不想让我管了！

马甫仁愣了愣，说，你这话是啥意思？

商羊说，没啥意思。

两个人正掐着，小梁警官进来了，梁警官对商羊说，你过来，我还有些事问你呢，在这吵吵个啥！

商羊抬头看了眼马甫仁，跟着梁警官出去了。

十一

盛大公司大张旗鼓发承包费这天，商羊一边忙着工地的活，一边忙着破案。商羊手提着瓦刀，脑子里却想着这几天发生的事。想着想着，眉目就清晰起来，像一句话里说的，拨开云雾见青天。为了验证自己的想法，商羊留神观察村里的每一个人，果然看到一个人的手用布包着，跟自己猜测的一点都不错。

眉目一清，商羊反而不急了，他在工地上忙忙碌碌，青蛙似的跳来跳去，就像是在跳舞，嘴里还唱着歌。他的歌唱得不太好听，但还是引来了一群麻雀。它们看着这个跟自己一样上蹿下跳的人，疑为同类，也跟着商羊一起唱起来。

商羊的歌唱，使村里人以为他疯了。王合作拎着茶杯过来，说，商羊，你这是咋了？说着就把手放到商羊的脑门上。商羊把脑门上的手拿掉，说，不咋样，挺好的。王合作就说，真的没事？商羊说，没事，我会有啥事。王合作又看了看商羊，说，没事你咋唱呀跳呀，一个人盖房子，够操心的了，你还有精神唱。商羊说，我有啥愁的，看我这房子不也快盖起来了吗。王合作看着商羊的房子，确实快盖起来了，就剩下起二层了。王合作说，商羊，你这房子，盖起来可是咱仙女村第一房啊！

商羊说，我就是要盖仙女村第一房。你等着瞧，我这楼板浇好后，在上面再起一个屋架，全部用琉璃瓦做坡，屋檐飞得高高的，到时候你再来看吧！

看来你真没事，王合作说着走开了。

晚上，马甫仁来了，他是来问公章的事的。商羊说，就快找到了，梁警官说快破案了。马甫仁说，真的？当然是真的。商羊破天荒给马甫仁发根烟，一脸轻松的表情。梁警官说，他已经查到偷章子的人，现在就等着他投案自首呢，说是给他一个机会。我想着梁警官这样做也对，都是一个村子，低头不见抬头见的，弄出来了以后还咋在村子里做人，你说是不！

马甫仁的脸无端有些红，他说，这样说偷章子的真是咱村的人。商羊说，肯定是咱村的人，外地人要那半截章子干球，只有能用得上的人才会偷章子。马甫仁说,也是,也是。可是很快就感觉出商羊话里的意思,把嘴里的烟甩了,说,商羊,你这是话里有话呢,现在谁用这章子,还不是咱村委用。哦,你意思是咱村委偷章子了?

商羊说,马主任你多虑了,咱这章子用处大得很,很多人都在惦着咱这章子呢。

一切果然如商羊所料。

过了一个星期,商羊正在工地上干活,看见马绿头的新宅基地动工了。商羊抽空去了一趟镇土地所,看到了村里出具的证明,上面盖着村里的印章,商羊的心有底了。

晚上,商羊请马绿头在朱吉子的小店喝酒。喝到差不多时,商羊说,你的宅基地批了?马绿头乜斜着商羊,村里同意的。商羊垮下了脸子,说,马绿头,你撒谎,我商羊啥时同意你新占宅基地的。马绿头涎着脸说,商代表,你这是贵人多忘事啊。我那天给你送了几条烟几瓶酒,你就把章子给我摁上,你现在咋就不承认了。不过,不承认也没关系,反正你是摁过章子的。商羊在口袋里摸了摸,摸出了那份证明复印件,说,是这份吧。马绿头看着证明吃了一惊,说,证明咋会在你手里呢。商羊把证明重新塞回口袋,说,马绿头,你把那半截章子给我拿出来!

马绿头仿佛被烧红的铁片烙着了,一下子蹦起来,你胡说。商羊说,你把章子还给我,我就放你一条生路,不把你揭发出来。你如果顽抗到底,就是死路一条,我这就去跟梁警官说,他现在正愁抓不住一个案子呢。慌乱了一阵的马绿头镇定下来,说,我还说是你偷的呢,你凭啥说是我偷的。商羊说,你是不见棺材不掉泪。说着重新把那个证明拿出来,你马绿头也不是作案的料,你就没想想,你在我丢章子时出的这个证明,不就证明这章子在你手里吗。马绿头说,你以为我是傻瓜啊,我刚才不是跟你说了,是你以前给我盖的章子呀。商羊说,可你这上面的日期却是才不久的事,你咋解释。马绿头的脸真的绿了。

商羊说,我实话告诉你。我的章子根本就没有丢,你拿走的是个假章子,你就没看看那上面的字比马拐子那半截章子上的字要小一些吗!

马绿头急忙去看那张证明,这一看,还真看出问题了,一边的字确实小一些。

商羊说,我就估摸着有人要打章子的主意,才在外面放了个假的。没想到,还真让我猜中了。现在你说,那章子是不是你偷的,我那墙是不是你推倒的。你推墙时把手弄破了,那几天全村就你手上缠着绷带,这些我早都弄清了。还有,偷我建筑材料是不是也是你干的,全村就你和驴子家还用着拉车。你说这几件事是不是你干的。今儿跟你算总账,你说这事咋办。是我去告官,判你个三年五载,还是咱们私下里解决。

马绿头"扑通"一声跪下了,说,商代表,商大哥,你就饶过我吧。都是我一时糊涂,才干出这事。我就是想盖房子,你不给我盖章子,我心里有气,才干出这傻事的。

商羊说，那好，这事我先不报官，你先把章子给我，再给我写个字据。可这事不算完，咋处理看你以后的表现，再跟我胡来可别怪我不客气。

马绿头唯唯诺诺地走了。

马绿头走后，朱吉子走出来，要收拾桌子上的东西，商羊拉住朱吉子的手，说，你坐下，陪我喝几杯。

朱吉子说，看你今天的精神好像格外高兴。

商羊说，总算把这个王八蛋给收拾了。

朱吉子说，那我重新去炒两个菜，陪你好好喝几盅。

朱吉子重新炒了菜，两个人坐下喝酒，朱吉子说，这事恐怕没那么简单，马绿头后面说不定有人呢。

商羊说，我就是要敲打敲打他们，不要以为我商羊好欺负。

可破案的高兴劲很快就被盛大公司和马甫仁给弄没了。这天早上，商羊刚上到脚手架上，就听见村里很久没响的大喇叭嘶啦嘶啦响了，马甫仁在喇叭里说，今儿个盛大公司给全村人发钱，要全村人速来领。

盛大公司的发钱搞得很隆重，镇上来了一个副镇长，搞了一个小仪式。先是副镇长讲话，接下来是盛大公司老板张广州，最后是马甫仁。马甫仁大呼小叫说了一通，大意就是，村里能得到这个工程，村民们能吃到这个“天上掉下来的馅饼”，都是他马甫仁的功劳。说话中，不免夹枪带棒把商羊和一些不太听话的村民捎带一通。村民们都听明白了，这钱虽说是盛大公司发的，也是他马甫仁发的，以后不跟着他马甫仁，啥好事都别想。

然后发承包费，根据承包地的多少，村民都领到了五百到一千的承包费。但不是真钱，是盛大公司的一张凭证。马甫仁说了，等协议签了，村民就可以拿着凭条去公司兑付现金。即使这样，村民们也很高兴，捏着纸条喜笑颜开。发完了，马甫仁说，好事还没完呢，我再给大家宣布个好消息，经过村里和盛大公司协商，盛大公司同意，洗煤厂建成后，给全村人入股，咋样！

村民们都拍手。马甫仁的脸因激动而涨得通红，螃蟹似的挥舞着手臂，张老板还说了，以后公司的生意好了，也有大家的好处。马甫仁说得两嘴流白沫，学着电视上一个做广告的样子，说，跟着我马甫仁干，没错的！

这天，商羊自然没去，他坐在朱吉子的小店里，闷着头抽烟。

朱吉子说，你也不能怪乡亲们，农村人就是这样，只看眼前利益。现在承包方把承包费加到两百元，这样一个数目，谁都会同意的。煤场建成后还有干股，一户每年也有上百元，这么优惠的条件谁不愿意。

商羊说，我就不懂，建一个洗煤厂就有那么多利润。还给干股，那地方真能屙金尿银？我觉得这事有些邪门，里面有些咱不知道的事。

朱吉子说，那倒是，我倒听说这个场子是马甫仁和盛大公司老板合伙开的，马甫仁占的股份还不小呢。

商羊一下子站起来，我说这王八蛋咋会恁积极呢，原来也有他的份呢。可他建这个煤场子干球用，马甫仁可是贼精，吃亏上当的事他决不会干，这里面肯定有啥咱不知道的秘密。说着，抓住了朱吉子的手，朱吉子把脸埋在商羊的手里，轻轻摩挲着。

那你准备咋办？

我要弄清楚这里面究竟有啥猫腻。商羊说。

我说咱们的事呢。朱吉子看着商羊说。

商羊说，我也想通了，我他妈的想通了，我商羊要干一件惊天动地的大事了！

十二

商羊的工程进入攻坚阶段，整个房架已经搭起来。外墙贴了瓷砖，金光闪闪，就像小姑娘穿了一件漂亮的丝绸衣裳。下一步就是浇筑楼板。这个工作比较复杂，但这难不倒商羊。他先把钢筋扎好，然后一段一段浇筑，虽然慢了点，但效果一点也不比别人的差。他认为古人说的话就是对，只要功夫深，铁杵磨成针，现在他商羊却是反其道而行之，在把一根小针变成一个大棒槌。

秋老虎还很厉害，商羊只穿一个短裤头，猴子似的架上架下跑，把人们的眼都看花了。他们站在自家门前的树荫下，看着商羊忙碌，心里是五味杂陈，说不上来是个啥感觉。

引起这种感觉除了商羊，还为了一个人，是朱吉子。这个女人已经公开出现在工地上。开始还躲躲藏藏，后来就直起了胸。又过了几天，朱吉子就把家搬到了商羊家里。搬家的那天，商羊开着他的"螳螂头"，把朱吉子的日常生活用品装到车上，两家就合到了一起。

朱吉子还在照护她的小店，但大多数时间总会拎着茶瓶到商羊的工地上，给商羊满上茶，然后，或是给商羊打打下手，或是就那样站在下面，温情脉脉地看着在上面干活的商羊。仙女村人惊奇地看着这情景，便私下里说，怪不得商羊有这么大的精神呢，原来是有精神支柱呢。男人说，如果我有一个相好，我也能盖座房子，男人的话立刻招来女人的笑骂。有些人则说，这下马甫仁恐怕是没戏了。

这事对马甫仁打击很大，有一个星期仙女村人没有见到马甫仁。一个星期后马甫仁再次出现在商羊的工地上。朱吉子正跟商羊说笑，看见马甫仁，两人就住了口，朱吉子把脸扭到了一边。

商羊说，主任找我有事？马甫仁说，有事，是东山承包的事。镇上催得紧，村委已经跟那些户做通了工作，现在就剩下你一家，你准备咋办？商羊说，我不同意。

马甫仁说,我也没指望你同意,但你得把章子盖了,承包不算你那一份。

商羊说,那不成,咱们说过了,有一家不同意,这章子就不能盖。

马甫仁脸黑下来,马甫仁说,你要弄清楚,你不能因为你不同意就代表大家不同意,你不能因为掌握了那半截章子就把它当成自己的。你知道不知道,你把持着不盖章子就是侵害全村人的利益。

商羊张了张嘴,用力咳嗽几声,才说,那也未必,我就不信全村人都同意这事。

马甫仁说,你就不用瞎操心了。说着从兜里掏出一沓子纸片,这都是村里跟他们写的协议,他们都在上面签了字。

商羊接过那些协议看,白纸黑字的,确实都签着村民的名字。

咋样,你没啥说了吧。

商羊看着马甫仁,马甫仁也正看着他。马甫仁一脸胜利者的姿态,说,如果没有啥问题,就带着章子到村部,把协议签了吧。

商羊被逼到了墙角,可他脑子里突然闪过一个念头,他对马甫仁说,章子不是弄丢了吗,等章子找着再说。

马甫仁说,你的章子不是没丢吗?

商羊看着马甫仁,谁说我的章子没丢,你咋知道我的章子没丢?

马甫仁目光躲闪了几下,我也只是听别人说,说你丢的章子是个假的。

商羊一本正经地说,那可不是瞎说,我那半截章子丢了,都报过案的,梁警官也到现场做了勘察的。马甫仁有些急了,说,那咋办,不中咱们重新刻个章子。商羊摇头说,刻章可不是闹着玩的事,听说要到公安局申报,审批,程序很麻烦的。我听梁警官说,那案子很快就能破,没必要费那事了。

马甫仁在原地兜了几个圈子,然后站在商羊面前,盯着商羊的眼睛说,你不要跟我耍心眼,我看你还能拖几天。说完,扭头看了一眼朱吉子,气呼呼地走了。

商羊暂时把房子停下来,想再去做做那些户的工作。丢章子不可能阻挡马甫仁承包的步伐。现在唯一的办法就是,说服几家不同意承包,那他马甫仁就没话说了。

可商羊找了几家,当家的都避而不见,见到的,也只是木木地看着商羊,说,一亩山坡地每年承包费两百块,抵得上一亩上好地的承包价了!

商羊垂头丧气往回走,不觉就来到村东的那座小山边。那里,几个人正在地上画线、打桩子,快成熟的玉米都被毁掉了。商羊看看那些人,都不认识,就问,你们在干啥?一个中年人说,没看见我们在打桩吗?商羊说,打桩干啥?那人看了一眼商羊,说,你说打桩干啥,盖房子呗,建煤场呗。商羊就有些急了,说,谁让你们毁庄稼的,谁让你们盖房子的!那人说,是你们村主任马甫仁。商羊说,不可能,你们先把工停下,等我把情况弄清楚再说。说着把身子挡在那些干活的人面前。那些人不耐烦地推开他,说,我们只是干活的,有啥事找你们主任说去。商羊说,不行,我就是不让你们盖，我是村民代表，我不同意你们就不能盖房子。中年人看着商羊，“哦”了一声，说，知道了，你就是商羊，听说你一个人都能盖一座房子，真了不起，你来跟我干，我一个月给你开两千。商羊说，开一万我都不会让你们在这儿盖房子。中年人就有些不高兴了，说，你这人真是死脑筋，关你蛋事，快闪开，不要影响我们干活。可商羊紧紧把身子挡在桩前。中年人一招手，过来几个人，把商羊往外拉。撕扯间，商羊倒在地上，头正好磕在钢钎上，血汩汩地流了出来。

十三

东山洗煤厂是八月份正式开工的。开工这天，县镇领导专门来剪了彩，县电视台记者也进行了采访。当晚的本县新闻中，就有“盛大洗煤厂落户仙女村，外资助推地方经济发展”的新闻。画面上，马甫仁的腰弯得跟虾米似的，跟一个又一个领导握手。没有手握的时候，就挺直了腰，跟在领导身后，一脸的严肃。画面的背景，是一大群村民，还有仙女村小学的学生。小学生的手里拿着一面小红旗，摇来摇去，瘦弱的身子在炙热的太阳底下变成了一个个小麻花。

开工这天，村里人都去了。本来，人家盛大公司请的是外面的啦啦队，但马甫仁执意要马拐子给仙女村每家每户说。马拐子知道这是在做给商羊看，就拐里拐外地满村跑，对村民说，盛大公司请老少爷们去捧捧场，中午盛大公司置席管饭。

有饭吃，似乎就没有不去的道理。这天上午，有壮劳力的人家都去了，没有壮劳力的，妇女们也领着孩子跟在后面。马拐子清点一下来的这些人，让大家排好队，然后说，一会儿领导要讲话，电视台要录像，看见我鼓掌你们就跟着鼓掌，我不鼓掌你们就不要鼓，听见没有。村民都说，听见了。马拐子想了想，把马绿头几个人叫到前面，随手从学生手里拽了几把小旗子，让他们每人拿一把，说，你们没事就把旗子摇摇，会吧。几个人都说会，不就跟电视上看到的明星唱歌下面摇着小旗子摇头晃脑的年轻人一样吗。马拐子忙说，是的，就跟那差不多。这时，一个人过来给马拐子一条烟，马拐子背下身，往兜里装了两盒。然后才把剩下的烟拆开，一个一个地散，没有散完的，就又揣进了兜里。

剪彩结束，头面人物都去了“帝王”酒家。马拐子让大家在原地等着，老半天，才颠颠跑回来，后面跟着“帝王”酒家的两个伙计，每人肩上担着两个饭桶。到了跟前，马拐子招手要大家过来，说，开饭了，开饭了，说过请大家吃饭的，就一定会请大家吃饭。村民围过去看，是捞面条、米饭、大锅菜。马拐子就说，吃吧，吃吧，管吃饱。村民们嘟哝着说，球，他们去坐桌子，让我们在这儿吃面条。马拐子听见了，就说，人家是啥，是领导，咱是啥，是百姓，想跟人家一起吃大席，你咋不混到人家那个位置上呢。说着端起一碗面就吃，村民就不吭声了。但也有几个年轻人把碗给扔了,他们是刚打工回来的,在外面见了些世面,就有些不习惯这些做派了。

这天,商羊自然不会去,他甚至都不知道究竟发生了什么事。鞭炮响的时候他还躺在床上,头上裹着绷带,脸色蜡黄,动一下头还有些晕,看来那天血肯定流得不少。鞭炮绵延不绝的响声吓了他一跳,他问守在床边的朱吉子。朱吉子说,可能是谁家有喜事了。

不是的,商羊支起耳朵听听,有礼炮的声音,到底是啥事?

朱吉子看瞒不过他,还是说了,是盛大洗煤厂正式动工了。

商羊一下子从床上坐起来,说,动啥工,村里跟他们的承包协议都没签,他们咋能动工!

朱吉子说,你真的以为那半截章子能卡住人家吗?不签协议人家照样干。

商羊说,那不行,他们不能这样搞。说着就要起来,可是头晕得厉害,一下子坐倒了。

朱吉子急忙把商羊按住,说,你千万不能去,今天县上镇上领导都在,你去不是找晦气吗!

商羊说,不行,我就是要去跟他们说,他们这是胡来。说着又要起来,但被朱吉子按住了。

几天后,商羊出现在东山工地上。工地上机声隆隆,人来人往,房子根基都扎好了。那些割倒的玉米已经枯干,但在一些空隙里,没有被割倒的玉米仍旺盛地生长着,红缨子已经冒出老高,青枝绿叶,耀人的眼。商羊把枯干的玉米秆抱在怀里,就像搂着自己的孩子,眼泪就下来了,嘴里一个劲地说,作孽呀,作孽呀!

马甫仁正在监工,老远就看到了商羊,就过来了,满嘴的酒气,说,商代表来视察工作,也不提前打个招呼。又说,听说你受伤了,严重不严重?本来要去看你的,可村委的事太忙,就搁下了,没事吧?

商羊脸色铁青,说,死不了,这事还没完呢,咋能死呢!

马甫仁讪笑着说,看你说哪儿了。

商羊说,这协议没签他们咋就动工了?

马甫仁装出一脸的委屈,苦着脸说,可不是,我也是这样想的,可镇上不同意。镇长说,不能再拖下去了,不能因为半截章子毁掉一个好项目。镇长把我好一顿训,我都恨不得钻地缝了。

商羊说,马甫仁你少他妈的在这充当好人,这都是你在中间捣鬼,你要把仙女村害苦了。

马甫仁脸色也变了,说,商羊,你说话得当心点。这事是镇上定的,村里人除了你都同意的。到底是谁害人?你把持个章子,是你坏大家的好事。白白给村民几百块钱是好事还是坏事?活恁大岁数了,话都不知道该咋说。

商羊说,马甫仁你个王八蛋,说着抡起手里的棍子朝马甫仁打去。马甫仁闪了下身子，没打着，可吓得够呛，忙退着说，你干啥？商羊说，干你娘那个脚，老子今天豁出去了，打死你这个王八蛋，让你以后少害人。说着举棍子又打了过来。

马甫仁沿着地边跑，一边跑一边喊，商羊疯了，商羊打人了。工地上有很多人，还有村里人，可是没有人劝架。马甫仁就朝着他们喊，你们看啥，还不拦下那疯子。可边上的人只是笑，并不动身。马甫仁又喊了几遍，看没有人来帮他，挥舞的棍子又跟得紧，只好往村里跑。到了村边，正好碰见张蚂蚱，张蚂蚱说主任你跑啥哩。马甫仁说，要杀人了，快，快把他拦住。张蚂蚱往马甫仁身后看了看，有些奇怪地看着马甫仁，说，没有人啊，谁要杀你。马甫仁还在跑，说，是商羊，他要杀我。张蚂蚱一把拉住马甫仁，说主任你别跑了，这哪有商羊，你是不是喝酒喝多了。马甫仁止住脚步，往后看，哪还有商羊的影子。马甫仁站直身子，把衣服上的灰尘弹了弹，腰也挺直了，说，这个刁民，看我以后咋收拾他！

商羊的伤稍好后，就开始跑镇进县，反映盛大公司违规征地建设问题。跑了半个月，进了很多门，人家都把材料接了，说下来调查，可就是不见人来。朱吉子说，算了吧，马甫仁和上边都穿着连裆裤，你咋能告得赢呢。商羊说，告不赢我也要告，我就不信他们能一手遮天。

朱吉子叹口气，收拾碗筷去了。

十四

商羊的工程，这一段进展得还算顺利。商羊房子落成的这一天，正好是元旦，是商羊特意选定的日子。商羊买了一挂大鞭炮，一万响的，足足响了半个钟头。村民围过来看热闹。商羊的桌子上放着烟，可他一个人都没给散，只是自己吸。朱吉子则笑着从兜里掏出糖和瓜子，散给围在身边的孩子和妇女。有的推辞几下，还是接住了，便都说些房子如何漂亮的话，说了几句，似乎也觉得这个话题不太合适，就张着嘴，一脸傻笑的样子，有些尴尬。

商羊的房子造得真是漂亮，主房二层架构，琉璃飞檐，挑起很高，就跟展翅欲飞的大雁似的。墙壁镶了瓷砖，太阳光下，闪闪发光。商羊在铺好最后一片瓦时，一下子瘫坐在屋顶上，抽噎着哭起来。为了掩饰自己的哭声，他把身子伏在琉璃瓦上，一趴就是半个上午，泪水把面前的红瓦都湿透了。朱吉子送饭上来，问他咋了。商羊才抬起身子，揉着红肿的眼睛，说，没事，高兴，就是高兴，房子终于盖好了，这顿饭咱们不用再在房上吃，咱下去吃，消停吃。朱吉子看了看房子，又看了看商羊，说，你稍等一下，我马上就来。

朱吉子再过来的时候，提了一个篮子，篮子里盛了四个菜，两荤两素，还有一瓶二锅头。商羊把饭菜放在砖头上，朱吉子把酒给商羊斟上。商羊喝一杯，眼泪又要下来了。朱吉子说，今天是我们的好日子呢。商羊把脸一抹说，他娘的，盖大半年的房子，没流过一滴眼泪，这房子盖好了，却流球的眼泪。朱吉子也抹了抹眼，说，这是高兴，高兴的泪！

房子落成后，除了王合作晚上过来说几句话外，再没有其他人过来。就连老喜欢跟在他屁股后面转悠的马拐子这月来也没见了踪影。商羊有些不明白，他马拐子难道不要章子了，这章子还在他商羊手里呢！

还是王合作的一句话提醒了他。王合作说，马拐子他肯定不会来找你了，他在等着新代表呢。

商羊"哦"了一声，心里也明白了大半。马上就要选举，也就是说这半截章子马上就要易人了。如果是马甫仁举荐的张蚂蚱当选，他马拐子就不用整天像个影子似的跟在商羊身后了。商羊的身子瑟缩了几下，觉得有些冷。

王合作说，你也不要太在意，这农村就是这样，都说选举好，可真选举了，他们又不把手里的选票当回事，只认眼前的那点利益，谁给的好处多就选谁，有钱有势的人就能选得上，这选举又能起个球作用。再说，马家在村里是大族，有些马家人虽然和马甫仁不和，可遇到事上，还是向着马甫仁，这你清楚的。

商羊说，他这是在搞贿选。

王合作说，马甫仁想得周到呢，他借的是盛大公司的手，可村里人谁不知道好处是人家马甫仁给争取来的，你能说人家是贿选？玩心眼你玩不过人家马甫仁。说句实在话，现在形势都一边倒了。如果真不成，就放手算了，免得到时候丢人。

商羊看着王合作，神经质地去摸烟，摸到一支，衔到嘴里，手哆嗦着却点不着。商羊摔了手里的火机，说，我不会放手，我就是要看看村民们的眼睛是不是都让钱屎给糊住了。

王合作叹口气，你能一个人盖座房子，不过，这个事可不是你一个人能弄得了的。

王合作说完就走了。

商羊站在门外，风吹得他连打几个寒战。他用力揉搓着脸，往新房子那边走去。直到看到他那在月光下闪着光的房子，他的心才稍微好受一点。

商羊又去了一趟县上。回来的路上，遇到两个小青年。说商羊撞着他们，要商羊赔医药费。商羊不干，两个青年就把商羊打了。商羊回到家时，头上还流着血，冲得脸上的灰尘一道一道的。衣服也跟在土里揉过似的，辨不清颜色。朱吉子一看见就哭了，说，咱不当这个代表了，人家愿咋干就咋干，咱们不当了，好吗？

商羊擦着脸上的血，说，不行，他们越是不想让我当村代表，我还越要蹚这浑水，今儿跟他们耗上了。我看他们还有啥花招，还能把我商羊给剁剁喂猪了。

朱吉子拿来止血绷带，给商羊裹上，说，你就不要管了，你这代表连番五次挨打，图个啥！

商羊说，挨打说明咱触动那些人的利益了，让他们不舒服了，说明这个代表当成了。

朱吉子叹口气，说，反正就要重选代表，你也干不了几天了。

商羊一下子站起来，把朱吉子推了个趔趄，气呼呼地冲着朱吉子说，连你也说我选不上代表！

朱吉子惊惧地看着商羊，这是半年来商羊第一次对她发脾气。朱吉子哭了，抽抽噎噎地说，这事不是明摆着吗，大家都这样看，都这样说，你咋就不面对现实呢。

商羊过来，拭掉朱吉子脸上的泪。朱吉子把商羊抱住了，说，我不是不想让你选上。我只是想，一直这样下去他们会毁了你，还有这个家。我丢了一个丈夫，一个家，我不想再失去你！

商羊说，不用怕，他们也就是使个小动作，我知道他们，把咱咋不了的。

朱吉子说，那你还要参加选举？

商羊说，我当然要参加，即使选不上我也要参加！

十五

元旦过后，人们闲下来，也到了村民代表选举的时间，村里就开始筹划准备第二次村民代表选举，时间初步定在元月十五日。

因为仙女村的村民代表制在全县乃至全国都是首创，上过电视和报纸的，也来人参观过的，县上、镇上对这次村民代表选举很重视。村里早早就挂上了标语，县上派了民政局一个副局长来指导监督，规格高得很。

也许是受气氛的感染，这些天村里的气氛就有些不一样。人们见了面不再跟以前一样有说有笑，只是点下头就过去了。一定要说句话的，也是东拉西扯不着边际，显得莫测高深。有些耐不住性子的会问，这次选谁呀，被问者就会说，那你选谁呢？问者才发觉自己的唐突，笑笑走了。

按照仙女村村民代表选举办法和程序，要想当村民代表，首先要有人推荐，没有人推荐，也就没了当代表的资格。举荐的这天，村民都集中到马甫仁家前的空地上。首先是马拐子推荐的马绿头，台上坐着的李副镇长问，同意的请举手，稀疏的有几个人举手。工作人员在身边的小黑板上写上“票数”。然后又有几名村民推荐了几个，得票都不多。接下来就轮到了马甫仁举荐的张蚂蚱，张蚂蚱今天穿了一身西服，正襟危坐，跟个成功人士似的。李副镇长把举荐的人说了，然后看着下面说，同意的请举手。开始时，举手的不多。李副镇长又重复了两遍，马甫仁也往下面看，目光就像锥子一样，一个脸上一个脸上剜，举手的就多起来。李副镇长让清点举手人数，二百八十票，让工作人员在黑板上写了。李副镇长接着问，还有谁举荐代表,连问了三声,下面没有人吭声。大家都把头扭到边上,那里蹲着商羊。商羊低着头,现在连举荐他的人都没有了,他觉得有些羞愧,仿佛是自己真做了对不起人的事了。

李副镇长连喊三遍,然后说,如果没有人举荐,今天的预选就结束了,明天开始正式选举。这时,下面突然有人喊了一声,是个女声,女声说,我举荐,我举荐商羊!

大家都往发出声音的地方看去,是朱吉子,她站在人群的最后面,谁也没有注意她。朱吉子的脸有些红,嘴角微微牵动,眼里似乎还有泪花,手紧紧攥着衣角。

马甫仁看看朱吉子,悄声对李副镇长说了几句话,然后说,一家人不能举荐一家人,你的举荐无效。

朱吉子说,为啥无效,我还没嫁给他商羊呢,还不能算是一家人。

马甫仁笑了,说,你没跟商羊结婚,你住到人家屋里算啥子。

人群里有笑声传出来。

朱吉子抬起头说,这是我的私事,和选代表无关。

咋能无关,马甫仁说,仙女村历史上可没出现过这样的事,没结婚就住到人家屋子里,何况人家屋里还有一个女人,这算啥。

朱吉子说,那你马甫仁半夜摸到人家屋子里,让人家男人打出来,又算啥!

你胡说,马甫仁脸红脖子粗。

谁胡说,仙女村谁不知道,还有,你整天腻在酒店找小姐,连派出所都抓过,谁不知道!

场面有些乱,大家交头接耳,嬉笑不断。李副镇长拍了桌子,示意大家安静下来。然后说,既然这样,这位大姐的举荐符合选举程序。再说,商代表是仙女村的老代表,是村民代表的创始人,当然应该参加这次选举,下面同意的请举手。

场上鸦雀无声,村民们相互看看,然后又往台上看。除朱吉子外没有人举手。

李副镇长连问两遍,就要让工作人员把票数写到黑板上,可朱吉子说话了。她说,等一下,我想说几句。朱吉子的眼里噙着泪水,她看着乡亲们,说,商羊不是一定要当这个代表,是大家要讲点良心。这几年,商羊为村里,为大家办了多少好事,大家现在咋就忘了。为办这些事,他跑东跑西,受过多少气?可他没有怨言。大家都是一个村子的,都是低头不见抬头见的老少爷们,他做这些图的啥,他得过大家一丁点好处没?可等到他盖房子,村里没有一个人来帮他的忙。多寒心哪,人心都是肉长的,那些得过好处的人,晚上回家就睡得着吗?再说这次建洗煤厂的事,还不是为了村民的利益着想,他是没有钱,没有钱给大家,可他给大家的是心哪!

朱吉子说着哭了起来,抽噎得说不成话,在场的人都低下头。

台上的马甫仁忙对着全场说,别听她胡说,今天的预选就结束了,稍后进行正式选举。

下面的人有些躁动,更多的人低着头不说话,默默往外走。

十六

年前的这一天，是商羊交手续的日子。手续呢，也就是那半截章子。商羊拿出那半截章子，轻轻在手里摩挲，内心隐隐作痛。

新代表是张蚂蚱。张蚂蚱站在一边，稍稍有些不自在，没话找话说，商羊，不，商代表，这章子我先替你管着，有啥事你尽管跟我说，我一定会给你盖的。

商羊没有应声，正要把章子递给张蚂蚱，突然脚底下传来一阵地动天摇的响声，房子都在摇晃，人也跟着东倒西晃。张蚂蚱从地上爬起来，章子也不要了，转身就往外跑，说，地震了，地震了。到了外面，看见大家都在往外跑，都是惊慌不已的表情，相互打问着，是不是地震了？

到了下午，传过来消息，是盛大公司发生爆炸。接下来，仙女村人得到一个令人震惊的消息，盛大公司是在开矿，他们打着建洗煤场的幌子，在下面采煤。发生的爆炸就是从煤井里发出的，有十多个人没有出来。

在这次爆炸中，仙女村的房子不同程度受到了损害，一些房子已成了危房。唯独商羊的房子纹丝不动，一点受伤的痕迹都没有。

至于那半截章子，现在仍躺在商羊的抽屉里。

（选自《长江文艺》2012年第1期）

罗尔豪

1969年生，河南省淅川县人，1992年毕业于南阳理工学院。20世纪90年代末开始文学创作，短篇小说《迎春花》获2007年《工人日报》职工优秀作品奖；中篇小说《空中花园》荣获2002年“张衡”文学奖；《奔逃的螳螂头》获2008年南阳市政府文学艺术优秀作品奖。现任淅川县作协副主席。

谁被推倒于地

杨少衡

一

他们挑了个好日子，于中秋节当天上访。凌晨六点，天色刚亮之际，队伍就集结出发了，一共近二十辆车组成一支杂牌车队，其中有小面包车、小货车、轿车和皮卡。车况参差不齐，有的已破烂不堪，搭载人员大约二百余名，浩浩荡荡上路。他们精心选择路线，不走高速公路，避开可能碰到麻烦的收费站，从村道到县道，再走省道。车队没有受阻，两个多小时后轰隆轰隆进入市区，到达市政府机关大院。二十余部风尘仆仆的杂牌车辆在大院门外一字排开，乱哄哄大群人员下车聚集，一幕别开生面的中秋风景就此展开。

这件事后来被称为“中秋节群体性事件”，为一起突发上访事件，上访者来自石门镇莲塘村，主体是8·24尾矿坝垮塌事件死难人员亲属。上访过程中，部分死者亲属披麻戴孝，拉起“还我亲人”、“枪毙黑心矿主”、“惩治贪官”等条幅，情绪十分冲动。时逢中秋佳节，笼罩在上访人群中的激愤之情与传统的赏月吃饼、幸福团圆喜庆氛围颇显不谐。正当假期，上访村民所在的石门镇管理部门人员比较松懈，村民准备上访，他们毫无察觉，凌晨村民集中上路，镇政府值班人员都在睡觉，村民离村半小时之后，值班人员才听到风声，打电话到值班副镇长家中报告情况。该副镇长怀疑，因为中秋佳节貌似不宜上访，于是赶紧打电话到村中核实，上下折腾一番，确定事发时，上访村民的车队早已开出县境奔市区而去。

县长宋凌在县城接到告急电话，一时满头大汗。

“人在哪里?”他追问。

县政府办主任报告：上访车队已经进入市区地界。

“快快快!”

几分钟后轿车开到楼下，宋凌匆匆上车赶往市区。宋凌是下派官员，家在省城，自己单身赴任，住县领导公用楼，中秋节他没有返回省城与夫人孩子共度佳节，留在县里值班，不料碰上意外。紧急动身之际，宋凌的肚子咕噜不止，因为腹中无物，时间不及，顾不上给自己煮方便面当早餐，饿着肚子尾随上访村民而去。

此刻充饥是小事，赶赴现场要紧。中秋节期间宋凌是在家的最高首长，天塌下来都算他的，吃不了自己兜着走。

县政府办主任随同宋凌赶往现场。轿车刚开出县城，宋凌的手机尖声叫唤，一看屏幕上显示“柳和平”三字，宋凌赶紧按接听键，不料手指头一滑，按了拒接。宋凌着急，赶紧回拨过去，对方忙音，显然柳和平在不停地追打。果然，几秒钟后铃声再起，这一次接通了。

柳和平是县委书记，此刻在北京。节前柳到京开在京乡亲恳谈会，而后利用节日跑项目，安排宋凌在县里管家。虽然远在首都，毕竟是第一把手，本县任何要紧动态都必须在第一时间向他报告，石门镇村民上访事件当然不能例外。

柳和平问：“你电话怎么了？”

“没事，忙中出错。”

“情况怎么样？”

情况相当严重。村民挑了这么个节日上访，弄得措手不及，找个人都难。宋凌在电话里对柳和平说，节前林华提出工作组这一段搞得很辛苦，过节放两天假吧，他同意了。没想到突然就出了事。

“现在不说那个。”柳和平问，“都怎么安排的？”

类似事件都有处置预案，此刻已按规定向市委急报情况，石门镇主要领导和县信访局的人已经快到市区，县公安局调派警力前去协助维持秩序，人员正在途中。副县长林华家在市区，已经通知林先到市政府就地应急指挥，等宋凌到后一起商量安排。

“通知游胜国没有？”柳和平问。

“已经让市委办通知他。”

“你直接给他挂电话，叫他赶紧先过去。”

“好好。”

“把事态控制住，要快，靠你了。”

宋凌发喘，柳和平问他怎么回事？宋苦笑：“可能是低血糖。”

“没吃饭？”

“顾不上。”

“让他们给你弄两块饼干。”

“车上有。”

“快吃。”

顾不上吃。柳和平的电话一挂，宋凌就找游胜国。游胜国的手机一挂就通，但是没人接，铃声一遍遍响，直到语音通知：“您所拨打的电话无人接听。”

游胜国是县委副书记，同时兼副县长，是本县仅次于书记、县长的一线负责官员。游胜国家在市区，中秋节没有安排他到县里值班，此刻应该在家中。但是宋凌一挂再挂，手机始终联系不上，改挂家庭电话也一样无人接听。有几次电话里是忙音，提示为“您所拨打的电话正在通话中”，再挂则又无人，显然机器判断有误，游胜国并没有跟谁通话，只是另有人也在追打游，顶在宋凌之前。

快到市区时，柳和平的电话再至。

“找到游胜国没有？”柳和平问。

“始终没人接。”

“该死。”

原来柳和平也给游胜国挂了几个电话，同样没人接听。柳和平习惯大小总揽，事必躬亲，此刻远在北京，也是既下指令，又拿自己当通信员，穷追不舍游胜国。游胜国毫无反应，他挺恼火，他给宋凌打电话，让宋凌集中精力应对上访群众，别管游胜国了，他安排其他人去找。

“这家伙到底怎么回事？关键时刻指靠他，他没个人影！”

宋凌说不出话。柳和平又追问：“吃东西没有？”

宋凌已经抽空吃了两块饼干。

“怎么还喘？”

“是，是啊。”

“再吃。”

而后宋凌又给游胜国挂了几次电话，没有任何变化。轿车一路急奔，开上了市区大道。林华从市政府大院报来动态：市信访局领导到现场，请上访村民派代表到信访局反映情况，协商解决，未得村民响应。上访村民情绪激动，但是也有分寸，他们没有拥进大院，也没有完全堵塞大门，留有一条通道供进出大院的车辆行驶。还好是假日，如果是在平日，上班时间车辆人员来来去去，那一条通道哪里够用。

“你在哪个位置？大门口吗？”宋凌问。

林华在市信访局二楼会议室。此刻张北辰副市长亲自赶到，于信访局坐镇指挥，召集市、县相关部门领导碰头，了解情况，研究对策。

“张副市长要跟你说。”林华道。

电话转到张北辰手上。张是常务副市长，市政府第二号首长，他很干脆，张嘴开批：“宋县长你们太有才了，搞得中秋节这么快乐。”

“对不起，给领导添麻烦。”宋凌无奈。

张北辰让宋凌抓紧，先到信访局商量办法，他在那里热烈欢迎。他交代宋凌进大院时小心一点，现场里三层外三层，人山人海，夹道鼓掌，欢迎宋县长驾到，肯定比他热烈。堂堂市政府大门变得跟地雷阵一样，这是怎么搞的？

宋凌无言以对。

这个电话把宋凌匆匆忙忙逼上了地雷阵。这里边当然存有偶然，如果当时上访村民已经把大门围个水泄不通，没给各级领导留下一条尚可进出的通道，宋凌不需要试图进入大院，事情可能会是另外一个样子。

十几分钟后宋凌的车驶近市政府，远远看到大门外车辆、人群黑压压一片，司机下意识刹车。宋凌立刻叫唤：“别停，开进去。”

司机顿时口吃：“怕、怕是……”

恰好有一辆轿车从道路对面拐过来，往市政府里开，是辆别克车，跟宋凌这辆一样，只是车身颜色为白色。宋凌一见白色别克迎着“热烈欢迎”人群而去，让司机赶紧跟上，隔开一点距离，随前车行进。司机遵命行事。

不料功亏一篑。前方的白色别克开进大门，速度缓慢，但顺利通过，有警察在上访群众留下的通道两侧维持秩序，引导指挥车辆前进，上访村民没有阻拦。轮到宋凌这辆黑色别克时，人群中突然有人指着车喊：“县长！县长！”顿时风云突变。

宋凌给认了出来，不是因为他得到上访者热爱，粉丝随处都有，原因只在车牌，上访村民认出的不是他，是他的车牌号。宋凌车牌的后四位号码为0002，这叫作二号车，归本县第二号人物使用。本县惯例，县委书记坐一号车，县长坐二号，有如主席台上排座次，车牌也参照执行，随职务变动而变。柳和平当书记前是本县县长，当时坐二号车，后来当了书记，排名第一，他的车坐得顺，不想换，就让交警部门走个手续，把原一号车的车牌卸下来装到自己的车上，叫作变号不变车。类似情况并非本县独有，其他地方差不多，无论到哪里，二号车里坐的都是老二，八九不离十。这种惯例有利有弊，好处是便于权力延伸，坏处则是过于醒目，不利隐蔽行踪，容易引起注意。比较而言利大于弊，所以相沿成习。

这一天却是车牌坏事，在上访现场暴露了宋凌身份。上访人员以村民为主体，村民不是机关干部，不是交通警察，不知道二号车怎么回事，即使上访到了市政府也还搞不明白。但是如今信息这般发达，城乡交流这般广泛，上访人员中总会潜伏若干见多识广者，宋凌被认出于现场在所难免。

有几个年轻上访者反应很快，一听说县长来了，不顾身边警察劝阻，挤过来要看一看，现场顿时显出乱象，人群中的窄窄通道眨眼间乱不成型，梗阻堵塞，哪里还通得过。司机踩了刹车，在上访村民拥到之前把车停住。宋凌扭头一看，不好：两侧上访人员似有反应，跟着开始动弹。这时候只要有人发一声喊，大家一拥而上把车围住，那就动弹不得了，接下来谁知道还会发生什么。情急之下宋凌大喊：“快退！”司机反应敏捷，当即倒车。恰好当时后边无车挡路，加之上访人员组织散乱，指挥缺失，未能有效协调行动，没来得及包抄后路，二号车迅速倒出来，转弯，以警匪影视片里常见的飞车闪避动作，紧张抢行，抢先了几秒钟，在被包围前及时逃脱。

几分钟后，二号车停在三百米外一家街边鸭面馆前的小空地上，宋凌和随同的政府办主任下车进了鸭面馆。时为上午十点来钟，鸭面馆刚刚开门，生意清淡，食客通常要等午餐时分才会上门，宋凌一行成了该店当天上午的第一批顾客。

他在店里发抖，脸色发白，一路上吃下的饼干未能有效发挥作用。

这时来了一个电话，却是游胜国。

“宋县长，喂，县长大人。”

宋凌抓着手机，好一阵才说出话来。

“你，你在哪里？”宋凌问。

游胜国答：“在老窝。”

“怎么不接电话？”

“昨晚大战一场，搞到十点多，差一点牺牲哈……”

宋凌反应过来了，不错，游胜国似乎还没完全醒，话里还有几分醉意，几乎可以从电话里感觉到他身上的酒气。

这还能指靠他吗？

这时候无法管太多，宋凌没再多问，让游胜国赶紧过来商量。

“莲塘村那些苦主吗？没事，我对付。”游胜国大大咧咧。

“你快点。”

游胜国笑：“可我走不动。”

“什么？”

“宋县长的十三、十四到底是真是假？”

宋凌不禁发急：“游副你还没醒啊！”

他大笑：“没醒我能打电话？”

游胜国所谓“走不动”并不是因为昨晚大战伤了脚，是指没有车。游胜国私宅在市区，工作单位在县里，两地相距七八十公里，一个小时左右路程。游胜国节假日回家，如果没有特殊情况，通常让司机返回县城，过完节假再到市里接他返县。眼下他的车和司机都不在身边，行动不便。

“你赶紧打个出租车过来吧。”宋凌说。

“那不行，人民群众会怀疑的。出租车下来一个领导，这家伙真的假的？”

“老游！现在不开玩笑！”

游胜国坚决开玩笑：“宋县长太小气，二号车舍不得给我用一回？”

宋凌当即表态：“马上去接你。”

“这就对了。谁都知道我惦记县长两个数，一个二号，一个十三。”他笑。

宋凌让游胜国赶紧准备，车一到就来。如果还没吃饭，克服一下，别吃，先赶过来，事情很急。

“劳驾，拜托了，辛苦了。”宋凌说。

游胜国笑：“县长客气什么，咱们就是这个命。‘喝酒记得敬领导，命苦不能怪政府’，不是吗？”

说也奇怪，游胜国的电话一到，宋凌气喘立时消失，饼干起了作用。他吩咐身边的政府办主任带着司机立刻出发，以最快速度赶到游家接人，到鸭面馆商量对策。

游胜国住城西鸿程花园，离市政府这边不算远，节日上午车辆少，路上不多耽误，二号车赶到游家楼下只用了不到十分钟时间，时游胜国已经在楼下守候，穿戴齐整，与平时无异，只是身上还冒着酒气。

他对政府办主任说："我让柳书记逮住了，所以赶紧给宋县长打电话。"

他居然是被柳和平从北京弄起来的。柳和平远在首都，心系本县，百般牵挂，非把游胜国弄到市政府大门前去会见上访群众不可。宋凌一个个电话没捞到游胜国，柳和平自己抓，柳有办法，曲线找人，打通了游胜国妻子的手机，知道游妻陪着女儿在老师家学钢琴，游胜国独自在家，昨晚喝多了，此刻可能还在睡觉。柳和平让游妻给小区门房下达指令，要门房去敲门、按门铃，直到把游胜国弄醒。醒来后游胜国才发觉手机上有数十个未接电话，因为手机被设置成振动，所以没听到铃声。游家的座机则被游妻拔了插头，因为想让丈夫多睡一会儿。

游胜国被叫醒后，先给柳和平回了电话。柳和平问他酒醒没有？他称没有问题，柳书记指到哪里，他就喝到哪里，保证战无不胜。柳和平命他不讲酒话，立刻联络宋凌，参与处置突发事件。于是他携一身酒气闯了进来。

从鸿程花园赶到鸭面馆，途经市政府大院，二号车司机拐进一条岔路绕着走，游胜国诧异，问这是干什么？车上的政府办主任解释不能走大路，上访群众认得二号车，刚才被拦了，没能进大门。游胜国一听情况，即要求司机掉头，直奔市政府。

主任大惊："宋县长让你先到鸭面馆商议。"

游胜国说："不用商议，反正是我的。"

"只怕、只怕。"

"没事，乡亲们嘛，我认识。"

事实上如其所言，这件事反正是游胜国的。上访百姓已经在市政府大门外聚集近一个小时，不能再拖了，此刻需要有足够分量的负责领导赶紧出场听取反映，了解诉求，劝说化解，以避免怨气加速集结、抵触情绪进一步升级，这才能尽快转化形势平息事态。宋凌要跟游胜国商量的就是谁去办这个。宋凌自己上吗？他已经试过一次，仓促撤离。他是县长，目前本县最高领导，他要弄不好就没有退路，此刻他非常需要游胜国在前边先顶一顶。游胜国负责处理过 8·24 尾矿坝事件，熟悉情况，上访群众中有不少人见过他，直接打过交道，此刻没有谁比游胜国更适合去踩地雷。

几分钟后，游胜国坐着二号车到了市政府大门口。上访村民已经封锁了最后的通道，车辆不再能够进出。游胜国让司机一直往前，赶到人群边才停下车来。

"是县长的车！"

"快围住！"

眨眼间上访村民从各个方向围了上来,轿车近旁被围个水泄不通。车里的司机和政府办主任两人的脸一下子白了,游胜国却很镇定,他从车里用力推门,把堵在门边的几个年轻人挤开,他自己从车里钻了出来。

"是我!"他大喊,"有话跟我说!"

没待他站直身子,轿车旁突起混乱:包围过来的人多,外围的人看不到里边的情况,只顾乱哄哄往前挤,把围在车边的人推挤到轿车车身上。游胜国从车里出来,立脚未稳,身边两个年轻人被后边人挤靠上前,压得游胜国站不直身,急切中他伸手抓住其中一个年轻人的胳膊,试图稳住身子,那人突然挥起拳头往他脸上用力一击,游胜国眼睛一黑摔倒在车边,身边其他上访人员彼此挤拥,立脚不稳,其中一个跟着摔倒,身子砸在游胜国腿上,另有几个脚掌七踩八踏,杂乱无章地从游胜国身上踏过。

他大声痛叫。

警察赶上前来,也就十几秒钟时间,上访人员从轿车边撤离,游胜国被从地上扶起来,已经满头是血,身上衬衫扯成几片。

现场指挥警官大喊:"快送医院!"

游胜国伤得不轻,但是人很清醒。他拒绝上车离开,也不让人检查伤情,只是拿右手捂住头上的伤口,血渗出他的指缝流淌而下。身边人员过来扶他,他把他们的手打开,甩着破袖子,淌着血往前走,一直走到上访人员面前。

"这是谁?"他指着自己大喊,"哪个看不见?"

现场无人回应。上访村民、围观者和工作人员的表情几乎完全一样,都显出惊讶和紧张,甚至害怕,没有谁料想到猝不及防间会出现如此场景。

"我是游副书记!不认识了?"

还是没人回答。

游胜国指着停在大门外的上访车队,要求上访人员全都上车,原路撤退,回石门镇去。县镇两级领导会在那里跟大家协商,研究解决问题。他跟大家一起回去,到那边去谈,天下事没有解决不了的,坐下来商量总能找到办法。闹事不解决问题,打人更不行,国法不容。今天要是打死他能解决问题,那就来吧,继续打,他不怕。不敢打就听他的,快走。事情闹大了,流血伤人了,不能再闹了。

张副市长得知大门外发生意外,命林华带工作人员立刻跑步前来配合。林华到了现场,一见游胜国头上身上到处是血,大惊失色,立刻喊人送游胜国去医院。游胜国低声回应,说不能走,此刻上访村民开始松动,趁热打铁,赶紧做工作。

他坚持在现场,近二十分钟之后村民陆续上车。

游胜国没能再撑下去,突然当众倒地,不省人事。

二

石门镇莲塘村村民上访，起因是8·24尾矿坝事件，这个事件后果惨痛。

石门镇位于本县西北山区，辖区群山起伏，优质花岗岩储量丰富。近十几年来，该镇利用本地资源，引进资金和技术大力开发，石产业迅速成为当地一大支柱。石门镇石业龙头老大是龙腾石业集团，该集团拥有几个大采石场和当地最大的一个石料加工场，同时拥有最大的一个尾矿处理场。数年里该集团快速扩张，却没有相应投放资金提升其尾矿场处理能力，问题年年积累，留下重大隐患。今年八月二十四日，本市遭遇强降雨，石门镇一带雨量集中，山洪暴发，龙腾集团的尾矿坝在洪水中突然崩溃，一时泥石滚滚，扫荡下游。离尾矿坝最近的莲塘村在两公里外，该村有两百余户人家，人口上千。尾矿坝垮坝，泥石流冲击莲塘，沿溪民居尽遭灭顶，三十余幢农舍被毁，荡然无存，有九位村民逃避不及，死于尾矿坝崩溃造成的泥石流灾害。这就是震惊一时的8·24尾矿坝事件。

尾矿坝事件发生后一小时，县委书记柳和平赶到现场，亲自组织救援，短时间内大批救援力量和相关部门负责官员集中莲塘，龙腾石业集团总经理在第一时间被警察控制，事故调查即刻开始。为了掌控局面，柳和平在救援组和调查组之外加设一支特别小组，配合开展工作。该小组成员清一色，都是莲塘村相关外出干部，本县县直机关和各乡镇机关事业单位中的莲塘籍干部被全部抽调出来，无论是县政府的局长，还是机关幼儿园的女老师，只要是从县财政拿工资的，无一例外统统征用到工作小组，返村配合事件处理。这些人的任务是承包各自的家人及亲属，掌握动态，化解情绪，帮助说服动员。为确保各项善后工作顺利开展，需要有一个负责领导坐镇莲塘指挥协调，柳和平在常委会亲自点将，要游胜国负责。

“这件事归游副书记，包生包死，不能出任何问题。”

游胜国讲怪话：“我有这么该死吗？”

“你该活，这里边谁该死？”柳和平问。

游胜国表态：“命苦不能怪政府。柳书记指到哪里就喝到哪里。”

游胜国是副书记副县长，以他的身份，管什么都可以，但是毕竟还有分工之别。按照分工安排，他为主负责三农，农业农村农民，8·24事件成因主要与矿业开发相关，救援和灾后重建主要属于民政工作范围，它们都不归游胜国分管，但是柳和平不拘泥于日常分工，钦定游胜国去坐镇。所谓包生包死也就是责任到人，这件事处理过程中有任何失误，发生任何问题，都算游胜国的账。

这个任务很艰巨。尾矿坝事件在外界引发了巨大震动，媒体高度关注，网络上一片质疑。灾难给死难者亲属造成的伤害，无论如何难以弥补，灾难中荡然无存的农家房屋,毁坏的田园,受到彻底破坏的溪流河滩,都让当事村民难以接受,无法承担,村民的愤怒和不满可想而知,事件处理的各方面各环节都充满变数,潜藏危机。

游胜国用尽浑身解数办理后事。半个月后,事件中九位死者的亲属代表与相关部门签了文书,确定了抚恤赔偿方案。死者身后抚恤历来是同类事件的处置难点,这一问题得以解决,其他问题就相应顺当。

那一天上午,县、镇民政部门在莲塘村为死难者举行集体悼念仪式,而后各死者家属分别办理各自亲人葬礼,游胜国以县委副书记之尊亲自到场,参加完集体悼念之后,坚持到各家各户的灵棚走一下,给每位死者遗像三鞠躬。整个过程基本顺利,只有一户死者家人有所刁难:这家人最惨,家破人亡,一户两命,死了一个七十岁老妇和一个二十一岁姑娘,是祖母和孙女俩。游胜国站到死者遗像前,刚要鞠躬,其家人发话阻拦。

"老人死得冤,鞠躬算个屁。"

游胜国问:"你们要什么?"

"要叩头。"

游胜国没有丝毫犹豫,当场下跪,当众给死者叩了头。

8·24尾矿坝事件的全体死难者就此走完人间最后行程,入土为安。

隔天下午,游胜国在莲塘村接到县委办通知:柳和平书记要他下午五点半前赶到县宾馆会客室,有重要任务。

游胜国道:"重要任务天天有,叩了这头叩那头。"

他询问是什么事?对方回答不清楚,但是是柳书记亲自交代。

"我猜得出来,八九不离十。"他说。

柳和平匆匆动身,按时赶到县宾馆。他进会客室时,里边只有县接待科长在,一问情况,明白了,原来是陈副省长驾到,下午视察本县开发区,晚上县里宴请。宋县长是省上下来的,知道该领导酒量好,跟来的随员都是高手,只怕今晚不好对付。因此柳书记下令调兵遣将,把游胜国弄回来喝酒。

游胜国很高兴:"不错。你给咱们弄什么好酒?"

准备了茅台。宋县长说领导喜欢那个。

"你那些假货可别上来。"游胜国说。

科长争辩:"我们都是从特供弄的,假不了。"

"我说假,你就是假的。"

在几个县领导里,要论酒量,县长宋凌可忽略不计,如游胜国所笑,该领导一杯脸红,两杯倒地,太对不起观众,与游胜国不是一个档次。但是游胜国的酒量也不算最大,跟书记柳和平不能比。柳和平日常不喝,需要时一鸣惊人,一杯接着一杯,深不可测,没有谁见他喝倒过。相比而言游胜国只能算半桶水,而且淌得很。时下游胜国这类基层官员喝酒任务很重,大官来了要接,大款邀了要去,同僚有事要喝,自己办事要请，经常苦战于酒桌，久了不免谈酒色变。游胜国不一样，他不光能喝，而且好喝，见了好酒两眼放光，兴奋度陡然提升。他自称从小爱酒，酒龄与年龄相当，得益于他的祖父。游胜国出自市郊农村，祖上世代务农，其祖父好喝一口，游胜国还在自家农宅爬进爬出的时候，祖父就用筷子头蘸家酿米酒，教小孙子品尝。祖父虽是农人，却能高瞻远瞩，声称让孙子喜欢上酒，自己老来不愁没地方喝。可惜他虽有远见，去世却早，没赶上孙子当领导，弄得游胜国不时在酒桌上想念，说除了自己喝，他还得替祖父喝上几口，难得祖父预知他会当个小领导，预先培养了他的酒量与酒感，让他得以鏖战当下，给各级领导留下深刻印象。游胜国酒量虽不特别惊人，却有一好，他不把喝酒当苦差，有热爱之心，而且关键时候敢把自己往死里喝，因此每遇重大战役，柳和平总要把他推上阵去。前段时间游胜国全力处置尾矿坝事件善后，柳和平没有动他，此刻事态趋向平稳，书记免不了又想起他来。

那天下午柳和平和宋凌陪同领导参观，将近六点才回到宾馆。领导先进房间小憩一下，书记县长来到会客室，游胜国已在那里恭候多时。

柳和平吩咐："今晚游副要当主力。"

游胜国谦虚："我打下手，书记县长两巨头在前。"

宋凌说："我不行，靠你了。"

柳和平批评："县长不能说不行，不行也行。"

两巨头都很高兴，因为下午参观效果不错，一路上陈副省长数次表扬。游胜国也很高兴，因为有茅台酒喝。借那点时间，游胜国汇报工作。其实不用他说，柳和平对8·24尾矿坝事件处理进展了如指掌，他表扬游胜国难能可贵，叩了那头叩这头，还特意要求县长宋凌晚上敬游胜国两杯，代表县委县政府表示犒劳。游胜国抗议两巨头挂羊头卖狗肉，今晚是接待上级，不能算犒劳下级，桥归桥路归路，书记县长不能太小气。宋凌当场表示今晚可以不算，另找机会专题犒劳，酒没有问题，他负责，不需要财政付款，他从家里拿，别看他不能喝，家里却有几瓶好酒。

游胜国取笑："最好不过青岛啤酒吧？"

宋凌说："路易十三，游副听说过没有？"

游胜国的眼睛即刻放光，但是嘴上却要贬损。他说自己不仅听说过，而且亲自用过，是在省城，一个大款从车屁股后边拿出一瓶，号称就是路易十三十四什么的。

宋凌说："游副你不懂，法国皇帝有十三也有十四，名酒嘛没有，称路易的只有十三，是洋酒中最高档次，极品。"

柳和平说："游胜国装老农，其实他懂。"

游胜国笑，称自己其实不太喜欢洋酒，无论十三十四，最高档次也罢，一般档次也罢，喝起来都有股怪味，说不清那种感觉，没法形容，有点像茶杯里的水喝起来有股怪味，喝光了才发现杯底泡着几颗蟑螂屎，就是那种味道。

宋凌说："让你说得不像话了。"

游胜国知道路易十三堪称极品，陈化时间要达五十年，叫价数万十数万。据说这种酒每年产量最多几百上千，但是近年中国市场每年消费量少说上万瓶，因此他怀疑，估计自己有幸用过的车屁股路易十三当在百把瓶之外，是国产假货。宋凌比他职务高，跟过大领导，见多识广，宋家私藏的路易十三肯定比较可靠。因此尽管味比蟑螂屎水，他还是非常愿意欣赏，也许人家好就好在那个味。

"宋县长不能反悔，得说到做到。"游胜国紧逼不放。

宋凌表示绝无问题。到时候不要其他人，就他们三个，书记县长游胜国，三巨头同饮一瓶，每人三分之一，他那三分之一指标可以无偿转让给游胜国，保证游喝够。

游胜国拿指头挠喉咙，做个夸张动作："我这里记住了。"

无论是书记柳和平挂羊头卖狗肉以示犒劳，或者县长宋凌愿意无偿提供路易十三，两人都是开玩笑，说的却也不尽是笑话。此刻两巨头和游胜国情况相同，8·24事件稳妥善后非常重要，牵动全县工作，对他们的个人上升也有重大影响。

县长宋凌半年多前才从省里下派到本县交流任职，此前履历比较单纯：大学毕业进了省行政学院，以后调到省政府办公厅搞综合文字，后来当了一位省领导的秘书，步步上升，三十三四岁就当了处长。去年底，他跟随的省领导退居二线，他被安排下派交流，补上基层任职这一经历，以利今后发展。与宋凌同批下来的省直处长有十位，凡有过基层工作经历的，都直接安排到县里当书记，宋凌在这方面是一张白纸，被安排到本县当县长，看似安排得低些，其实是考虑长远。当时本县书记柳和平已经考核了，拟提任市政府副市长，把宋凌安排到本县，明摆的就是过渡一下，等着接柳和平的班，而且履历中能有一段政府主官的记录，短时间后马上又可转任书记。

不料情况意外有变，柳和平没能如愿上升，原因是本省省委书记突然荣调，新书记从外省调入，原市级干部调整方案暂时放下，柳和平和宋凌双双原地踏步，未能如原议顺利接转。所谓势比人强，如游胜国嘴上玩笑："命苦不能怪政府"，碰上了真是一点办法都没有。

游胜国本人也在受影响之列。游胜国比柳和平小几岁，年纪与宋凌相仿，早在宋凌之前就被广泛看好，认为是本县县长的热门人选。游胜国大学学农，毕业后来到本县，从农业技术员干起，在基层乡镇摸爬滚打多年，当过乡长、书记，进入县领导班子后，从副县长到常务再到副书记，逐步上升。本县前任县长年龄偏大，身体不好，在任最后一段时间，已经把政府主要工作任务交给游胜国。书记柳和平对游也很看重，几番推荐游接任县长，当时谁也没想到忽然有个宋凌下派而来，挡在游胜国面前。游胜国那种性情的人，免不了会借酒发泄讲几句怪话，什么"干活的不如跳伞的"之类，影射宋凌是"空降兵"，他自己则是"扫雷兵"，只能在地雷阵里挖一个地雷走一步。但是他也不失分寸，工作并没有松懈，与宋凌也能配合，毕竟宋的到来是上级安排，并非人家有意跟游胜国过不去，而且大家都清楚宋县长只是过渡，不要几天就是宋书记了，游胜国的机会还在，并没有走失，大可留有耐心。

8・24尾矿坝事件发生当天，柳和平迅速赶到现场组织救援，极其重视，除了职责所需，也因为省里又开始启动人事，柳和平这一批原拟提拔人员可能会重新提请研究，这种时候不能出事，特别不能出大事。尾矿坝垮塌，死了九人，这是大事，发生的时机非常不好，对柳和平肯定有不利影响，但是只要处置得当，不引发其他问题，还是有望控制影响，寻求转机。柳和平把游胜国派到莲塘坐镇指挥，除了因为游胜国有经验也有胆量，可以胜任，还因为游胜国无论如何不会掉以轻心，肯定要千方百计把事情办好，因为大家的目标是一致的，柳和平上了才轮到宋凌，宋凌上了游胜国才有机会，这都有赖于游胜国在现场包生包死。

那时候他们都没想到8・24之后还有个中秋节，尾矿坝垮塌还引来个群体事件。

说来也是运气。本来尾矿坝事件的善后工作在游胜国掌握下进展顺利，媒体和外界的关注度大大降低，事情似乎已经过去。恰在这个时候，中央一家新闻单位采访省国土资源厅，得到一份检查资料，从中披露本省七个违规用地事件，其中有一个就在本县。省领导对媒体报道非常重视，批示严查，柳和平立刻把游胜国从石门镇召回来，责成他带一个工作组负责处理，因为土地这块工作归游胜国分管。

游胜国问："石门镇怎么办？死的我包完了，生的让林华？"

柳和平同意让林华副县长接手8・24事件善后处理，林华分管工矿业，尾矿坝出事后也到了石门镇，与游胜国搭档联手处理善后，此刻接手也算轻车熟路。但是柳和平也没有完全松口放游胜国走人，柳和平只说土地违规这个事眼下更要紧，让游胜国先办，完了再说。

中秋节前，柳和平动身前往北京，行前还过问了石门镇的情况。林华向柳和平报告莲塘村灾后重建进展顺利，没有大事。不料话音刚落，大事即出。

事情的直接起因居然只是一起意外车祸：莲塘村一辆拖拉机运石头，在山路上与一辆货柜车相撞，拖拉机摔下山坡，驾驶员被车斗掉下来的石条压到脑袋，当场身亡。这辆拖拉机所拉石条为莲塘灾民重建房舍所需石料，把拖拉机撞下坡的货柜车则属于龙腾石业集团，8・24造成莲塘村九人死亡的垮塌尾矿坝就属于这家企业。

车祸发生之际，8・24事件的善后工作远未结束，事故原因的调查结论还没有最后拿出，龙腾石业集团需要承担的垮坝赔偿还在谈判，灾民要求得到高额赔偿，与企业答应拿出的数额有较大差距，灾民对企业老板非常气愤，部分灾民认为居间做工作的政府相关人员偏袒企业老板，牺牲村民利益，为此十分不满。这时车祸忽起，龙腾石业派出的车祸处理人员极力为自己人开脱，反指责运石拖拉机违规，事故责任在死者自己，现场调查事故的交警态度也倾向对方。车祸死者家人不服，到镇政府告状,镇领导无一在岗,接访的年轻值班员口气很大,态度不好,一言不合,与死者家人发生口角,竟声称要通知派出所过来抓人。死者家人认定龙腾石业已经上下打点过,欺人太甚,其他村民得知情况,怒火勃然爆发,决定大闹一场,终于酿成大事。

这里边还有一个特殊因素,就是节日。车祸处置中的问题,村民的激奋情绪和可能采取的过激举动,通常情况下应当被及时察觉,引起乡镇及县有关部门重视,迅速做工作加以化解。不巧事发于节假,县委书记柳和平去北京,游胜国、林华等县领导回家度假,只有宋凌留在县里管家。镇里情况更甚,车祸死者家人到镇政府告状时,镇主要领导都不在,回家过节了,值班表上安排的带班领导有事离开,镇政府只留一个年轻值班员,此人不知天高地厚,激怒了车祸死者家人,点燃了导火线。莲塘村本来还有一支柳和平亲自组建的,由本村外出干部组成的特别工作组,该组于节前放假,人员各自回城过节,关键时候未能发挥作用,中秋节群体性事件未能在最后一刻避免。

群众上访早已不是什么新鲜事,但是人们所闻所见的上访基本还属理性。上访中发生拳击踩踏,一位县级负责官员浑身是血倒在市政府大门外,却是罕见情况。

这事情大了。

三

柳和平从北京回来,立刻与宋凌一起赶到市医院慰问游胜国,随行干部为他们准备了果篮和花篮。两巨头到达时,游胜国满头满身缠着纱布,躺在特护病房的病床上,病床边的柜子上已经摆满果篮,地上摆着花篮,一篮一篮几乎把病床包围。游胜国自嘲这个景象电视新闻里常见,某位德高望重的老领导逝世,遗体躺在鲜花丛中。

他有多处外伤,分布在脸部、腹部和小腿,脸部一道伤口缝了十针,医生断定为硬物撕裂伤,估计产生于某个上访者的硬鞋底。这些皮外伤导致他在现场鲜血直流,看上去非常骇人,却不是最严重的,这场灾难给他的伤害主要在左手手臂、胸部和头部,都伤到骨头里:左臂骨裂,两根肋骨骨折,脑震荡。入院检查时,主治医生听说他受伤后还在现场坚持二十分钟,觉得不可思议。

"打成这个样子,还能站得住?"医生质疑。

游胜国说:"是挤倒,脚踩,让一群猛牛踩了一身牛蹄子。"

公开场合他不说自己被人家打了,因为有失脸面。

但是柳和平不客气,对柳和平来说,游副书记的脸面不是主要问题。柳和平与宋凌到来时，恰游胜国的妻子不在病房，回家为丈夫做吃的，病房里只有县里派来的两个照顾人员，柳和平一进病房就是一张臭脸。秘书把花篮果篮拎进病房摆好，柳和平指着门让部下都出去，病房里只留下他和宋凌，还有伤员本人。

"怎么会搞成这样！"他张嘴就批。

游胜国不服："柳书记这是慰问啊？"

宋凌在一旁打圆场："柳书记是从机场直接赶来看你。"

柳和平却不依不饶："不看生气，看了更生气。"

游胜国不吭声了。

"太不应该！"柳和平发火，"晕晕乎乎就撞上去！"

游胜国即分辩："当时我清醒得很。"

"要是没昏头，你会出这种事？"

"情况特殊。"

"怎么特殊？你说。"

游胜国不吭声。宋凌在一旁帮腔："也不能怪游副。"

"那么怪谁？"

宋凌也不吭声。

医院院长带着医生赶过来。当着他们的面，柳和平把脸色缓和下来，主治医生谈了游胜国的伤情，夸奖他真撑得住。柳和平也说："确实不容易，堪称楷模。"

游胜国说："柳书记不必表扬，少批就行。"

柳和平说："该表扬要表扬，该批要批。"

院长告诉柳和平，游胜国伤得不轻，院里已经组织医生会诊，确定了治疗方案，重点是治疗肋骨和左臂两处骨伤，皮外伤问题相对好办。头部除了一些脑震荡症状，没有发现颅内出血，这是好消息。胸部腹部各主要器官看来基本正常，这也是万幸。以目前检查情况分析，治疗有把握，不会有大问题。这是初步判断，还不敢打包票，不能掉以轻心。类似病例，有时候伤及深处，隔一段时间才会突然发作，表现出凶险症状，他们会密切注意。

柳和平说："请院长和医生尽力，我们帮着阿弥陀佛。"

宋凌问游胜国："你感觉怎么样？"

游胜国感觉浑身上下都疼。乡亲们真没跟他客气。

两巨头离开时，柳和平问游胜国："外头情况他们告诉你了吧？"

游胜国说："听说了。"

"你什么想法？"

游胜国表示确有想法，态度很明确。柳书记要求喝一瓶，他不喝半斤。

柳和平没再吭声，与宋凌起身离去。

十几分钟后，游胜国在病床上接到宋凌的电话，时宋凌在返回县城的路上，在自己的二号车里。

“难为游副了。”宋凌说。

游胜国回答：“没什么。”

宋凌替游胜国抱不平：“柳书记也真是的，别往心里去。”

“没事。他就那样。”

“也不能只考虑那个。”

“谢谢县长。”

“我要谢你。”宋凌说，“是心里话。”

宋凌在自己车里打的电话，这就是说，他没跟柳和平在一块，可以在电话里略微表示不满，替游胜国吐一口气。宋凌说的是由衷之言，他应当感谢游胜国，除了游胜国中秋节替他顶上去，还有游胜国刚才的不吭声。

此刻游胜国不吭声很不容易，因为“外头”大有情况，一般人很难撑住。所谓“外头”是什么地方？医院之外，县领导会议室之外，或者不如说就是社会上。游胜国“躺在鲜花丛中”的这个时候，“外头”已经沸沸扬扬，他算得上是暴得大名了。

中秋节当晚，游胜国满脸是血的照片就被人发了微博，以惊人速度广泛传播。照片上的游胜国一手按着脑袋，一手指着前边上访人员，脸上表情生动，血还从指间往下淌，视觉效果非常强烈，极具冲击力。上访事件本来就抢眼球，上访中的打斗情节更具刺激，被推打踩踏的居然是个负责官员，这就更显奇特。所谓“狗咬人不是新闻，人咬狗才是新闻”，游胜国这张照片加上所配“县委副书记被上访群众暴打”之题，不在网络上走红才叫奇怪。照片显然出自现场围观人员，是用手机相机抓拍的，专业水准较低，画面质量一般，但是内容胜于形式。

游胜国一打名传天下，其直接后果就是中秋节上访事件引发广泛注意，网民追问群众为何上访打人？8·24尾矿坝事件又被翻上台面。当今世界纷繁多样，各种事件层出不穷，与人们所闻所见的大事相比，无论是8·24尾矿坝垮塌，还是中秋节莲塘村民上访，两件事都不算特别巨大，不至于引发太多关注，却不料忽然跑出一个游胜国，钻到上访人员拳脚之下，弄个头破血流，恰又有好事者拿手机拍下传到网上，让许多人看得兴味盎然，事情被复制放大，当事者的麻烦自然接踵而至。

所以难怪柳和平恼火，一边慰问一边生气。本已渐渐消退的8·24事件不利影响死灰复燃，熊熊而起，谁知道会烧成什么样子？村民上访弄到这种程度，究竟为什么？作为县委书记，第一责任人，柳和平身处风口浪尖，必须面对质疑，解决相关问题，拿出一个说法，对上对下对外界做出交代。此时此刻，广泛的关注往往潜藏着危机，对本县各位领导，特别是书记柳和平相当不利。

柳和平是强势领导，远在北京接到紧急报告时就迅速反应。上访群众被游胜国等人劝离市政府，刚回到石门镇时，该镇已经开了杀戒。石门镇党政办那个年轻值班人员被宣布开除，当天带班副镇长因缺位，没能负起领导责任被宣布停职追究，镇党政办主任以及另两个相关干部也先行停职，等候处理。决定由柳和平从北京电话下达，柳书记杀鸡儆猴，小试牛刀，相关干部却已全面胆寒。

柳和平从北京赶回，与宋凌一起到医院看望游胜国的隔日，于县城主持召开常委会，追究力度再次加大：石门镇的书记、镇长，以及两位分管镇领导被就地免职，同时免职的还有一个下派工作组组长，该组长原为县财政局副局长。

柳和平把电话打到特护病房，询问游胜国对处理这些人有何意见？游胜国表示赞同，同时开了句玩笑："柳书记的官再大一点，恐怕把我也砍了。"

"我够不着你吗？"柳和平问。

"现在我只怕柳书记惦记。"

按照干部管理权限，县里能处分的干部在科级以下，游胜国这种县级官员是市管，任免由市委决定，柳和平确实还够不着，因此他痛下杀手，迅速追究中秋节上访事件中表现不得力的责任人，目前还只能止于下层官员。但是游胜国所谓害怕惦记只是笑谈，尽管游胜国挨打，大名远扬，细究起来责任并不在他。他负责处置 8·24 尾矿坝事件时，事态基本平稳，而后那一摊子已经交给副县长林华接手。柳和平够得着的话，只能去砍林华，砍不到游胜国头上。中秋节事件也一样，尽管游胜国在医院里一声不吭，不说宋凌如何，细论起来毕竟县长要负主要责任，游胜国只是替宋凌挨了打。

柳和平告诉游胜国，按照医生提供的型号，他交代人从北京买来一个护胸带，是美国进口的，质量很好。东西很快将送到医院，游胜国用得上，可以保护肋骨，游胜国的那两根肋骨还有用。

游胜国问："柳书记要我干什么？"

"要你包生包死。"

柳和平居然还想派游胜国去莲塘，老账新账一起理，死的生的继续包。

"我住院呢！"

"你先养几天伤，可以了就出来。"

"伤筋动骨一百天啊。"

"给你一百天，你骨头好了，人死了。"

"非得我吗？"

"除了你还有谁？宋县长行吗？"

游胜国不吭声。

"你给我推荐。谁？"

游胜国说不出话。眼下县里几大班子加起来二三十号领导，开起会主席台上几大排，身份头衔不说显赫，本县地面也算个个掷地有声，但是到了特别时候要找出个把人却不容易。不是说这么多人都是酒囊饭袋上不了阵，毕竟平日里分管不一，情况熟悉程度不同，经历经验各异，个人特点行事风格有别，得到柳和平信任的程度也不尽一样，哪怕有谁什么都合适，仓促之间不一定接得上手。眼下柳和平需要有一个人顶在前边，替他迅速把事情摆平，这个人不仅要有处理能力，还应有足够动力，愿意为之费尽心力，忍辱负重，吃苦耐劳，这个人哪里找？现成有一个，躺在鲜花丛中。

但是此刻游胜国自己深陷麻烦，岌岌可危，他可以吗？网络上大出其名，对游胜国非常不利，无数转发和跟帖者都在询问这个被打得头破血流的小官怎么回事？得治下百姓如此热爱，他有哪些丰功伟绩？没有巨大的不满与愤怒，平日里驯服得像绵羊一样的百姓怎么会如此冲动？这个姓游的是贪官、淫官、恶官还是狗官？“外头”议论纷纷，必定牵动上头，已经有几位省领导在相关材料上批示，要求认真了解情况，发现问题要严肃追究。无论游胜国冤不冤，他肯定要面对一场调查。

柳和平说：“越是这样越不能躺着。你明白吧？”

如柳和平警告，游胜国要是真的躺上一百天，只怕果真是骨头好了，人死了，其前途或称政治生命就此终结。此刻游胜国哪怕只为自己考虑，也应该应召上阵，能喝八两喝一斤，这个干部可放心。

“我个人不是问题。”游胜国表态，“但是那几个人怎么办？让我去抓？”

“这个事你怎么看？”柳和平反问。

“把我推倒，给一身牛蹄，个人丢面子事小，日后影响事大。游副书记怎么说是个基层领导，可以说推就推，打了白打吗？”

“这个我强调了，绝对不能允许。”柳和平表态。

游胜国提到的事情比较敏感。游胜国在市政府门外被上访人员推打脚踩，无论背后有何因素，事件中的暴力行为已涉嫌违法，公安部门正在依法追查打人者。中秋节后，莲塘村有七八个年轻人失踪，跑得不见人影。估计市政府大门外的“一群猛牛”就是这几位，他们于激愤之际在游副书记的身上留下了自己的拳头和脚印。游胜国是当天被打者，为当事人，他躺在医院养伤，让警察去追查打人者，并不显得有何不妥。如果他重返莲塘负责指挥处置，包括追查打他的人，这种情况下，即使不被外界说是利用权力打击报复，客观上至少也涉嫌当事人没有回避，有失公正。

柳和平清楚这件事很敏感，却坚持让游胜国出马。对柳和平而言，此刻能否摆平最重要，其他都是次要问题。

两天之后，游胜国离开医院，坐上他的轿车去了石门镇。

他还是医院特护病房的住院病人，在接受治疗之中，属于未经请假擅自外出。离开医院时他全副武装，头上缠着纱布，左臂打着石膏，上身穿着护胸。他没有稍事整理美化，原汁原味出现在会场，效果非常强烈，所有人都给当场镇住。

那一天，工作组与镇、村干部在镇政府开会，研究讨论事件中各棘手事项。8·24之后派到石门镇的工作组人员已经全数返回到位，力量大大加强，包括柳和平紧急征用的,以莲塘村外出干部为主的特别小组都回到现场配合工作。县委办通知说游副书记今天也将赶来参加会议,与会者无不感觉诧异。游胜国住院后被严加看管,有警察专事保卫,以防再出意外,石门镇这边的干部被要求坚持在岗加班加点处理事件,对游副书记的慰问心意一律由县委办转告,不安排到医院探望,因此本镇没有几人有幸亲睹游胜国“躺在鲜花丛中”。但是游胜国在现场头破血流的模样大家都看到了,住院后也有不少传闻,听说骨头断了、脑震荡了,情况相当严重。所以忽然通知游胜国要来,大家都很吃惊,难道传闻有误,游副书记好着呢?待到游胜国在若干随员护送下走进会场,一看他惨不忍睹确实就是个伤兵,大家无不震惊。

游胜国自嘲:“样子很精神,是不是?大家看了不要怕。我是唱哪一出戏?苦肉计,我这块苦肉就是用在这种地方。”

他说自己要一边治疗,一边掌握工作。现在麻烦一堆,尾矿坝重大安全事故、交通伤害事故、上访事件绞在一起,涉及千余村民,处理起来非常复杂,方方面面,千头万绪。好在上级非常重视,省、市领导一个批示接一个批示,县里抽调精兵强将,死活要把事情办好。眼下的重点是帮助受灾村民迅速重建家园,让大家来谋新房建新房,从灾难的痛苦中走出来,也有助于化解一腔怒气。事件的调查与追究不能放松,尾矿坝垮塌死了九人,拖拉机车祸死了一人,上访事件中打伤一人,统统要查,依法追究,该是什么就是什么,该承担责任的都要承担。

会议结束后,郑金提出要向游胜国汇报一个情况。郑金是县政协提案委副主任,五十出头,身份比较特殊,本人是石门镇人,母亲娘家在莲塘村,他是莲塘村的外甥,小时候读书时曾寄在外婆家,与莲塘村民关系千丝万缕,因此被抽调到工作组驻于村中。郑金找游胜国汇报的事情比较敏感,涉及莲塘村跑掉的那几个人。

“亲属都说,他们不会跟你过不去,当时他们不知道车上是你。”郑金说。

游胜国问:“他们跟谁过不去呢?”

“是、是宋县长。”

“宋县长就可以打吗?”

“他们没想打人。当时人多拥挤,都收不住脚,所以才意外把你挤倒。”

“不对。”

游胜国指着自己的左侧太阳穴,说那里挨了一拳头。重重一拳,破皮流血,伤口不算特别大,但是特别严重,因为他给突然打蒙,瞬间失去反应能力。如果不是那一拳,估计他还能撑住,不会倒在地上任人踩踏,弄得这么精神。对此他特别不满。8·24尾矿坝事件后,他在莲塘费尽九牛二虎之力处理善后,鞠躬叩头什么都做,怎么可以这么打他?打手到底是谁?为什么?他要问个明白。

郑金不敢再多说。游胜国让他去做说服工作,让跑掉的人统统回来自首。

郑金支支吾吾,欲言又止。

“还有什么事？不要藏，说。”游胜国追问。

郑金这才表达出他的一个担心。县公安局一组刑警在莲塘村办案，追查打人者，村里跑掉的人是重点对象。这里边有几个属于8·24尾矿坝垮塌受灾家庭，现在村里正在分宅基地，救济款和第一笔建房补助也在分发，办案警察提出这几家先扣住，让家人通知跑掉的人回来说清楚，然后该发再发。这么做恐怕不妥，毕竟桥归桥路归路，灾民就是灾民，即使家中有人犯法，只要是灾民，该给什么还得给。

游胜国当即表态：“说得对。要是那么搞，人家不再用拳头，会拿刀子跟我拼命。”

他立刻给公安局负责人打了电话。

四

县委办通知游胜国返县城开会，主任亲自挂电话，要他中午赶回县里，会议下午三点开始，可能要一下午，如果开不完，晚饭后继续。

“你给咱们准备什么好酒？”游胜国问。

主任跟着开玩笑：“咱们有一百年的窖藏茅台。”

“肯定是假的，不要。”

游胜国提出不回县城参加会议，请假，因为酒有问题，同时他这边走不开，上午慰问困难灾民，下午研究救灾房建设，都是大事。

当时游胜国确实正在村里走动，慰问困难灾民，郑金等几人随行，身后跟着几个年轻人，扛着米袋，拎着桶装调和油。游胜国的头部已经卸装，再不用纱布一层层包裹，但是手臂的石膏和护胸带依然还在。

主任很为难：“柳书记说了，这次会议你一定要到。”

下午会议很特殊，是讨论通过几张纸：《关于中秋节突发群体性事件处理情况的报告》。中秋节上访事件影响极大，省、市多位领导批示查处，要求严格，用词严厉，县里必须及时向上级正式汇报反馈。事件调查处理还在进行中，远不到画句号的时候，汇报却需要尽快，否则就有反应迟缓之嫌，因此只能把当前调查处置情况先行报告。这个报告非常难弄，难在涉及县领导自身应负的责任，怎么提，提到什么程度需要小心把握。为了这份报告，县里几大笔杆伤透脑筋，书记柳和平自己也几夜加班，字字推敲，现在瓜熟蒂落，程序上还需要领导们开一次会，正式讨论通过。

“材料初稿前天让人送去审阅，游副看过了吧？”主任问。

游胜国说：“看了。‘不慎挤倒，意外踩踏’，就这么说吧。表示理解，没有意见。你可以在会上帮我转达。”

游胜国讲的是报告初稿里关于他的表述。中秋节上访事件最抢眼之处是县委副书记的挨打受伤，报告不能回避。但是经过反复斟酌，报告只说游胜国是“拥挤中不慎被挤倒，受到意外踩踏”。没有提及他一下车就被上访村民猛击一拳，因之倒地。

“游副还是回来吧，这个会议没你在场恐怕不行。”主任请求。

“我算老几？没问题。”

游胜国坚持请假，不回县城开会。除了因公请假，他还有因私理由：昨晚左臂和肋骨剧痛，彻夜难眠。虽说是“不慎挤倒，意外踩踏”，毕竟伤得不轻，臂裂肋断。眼下他带伤坚守岗位，忍受不了奔波劳累。

主任没有办法：“游副，我得向柳书记报告。”

“尽管说。”

放下手机，郑金在一旁问：“县里开会？”

游胜国说：“躲一躲，只怕躲不掉。”

他们进了村旁山坡上一户灾民的临时棚屋，是在空地上用竹柱竹席简易搭盖的，棚屋外蒙着塑料布，棚屋地面也铺着塑料布，塑料布上再铺草席，草席上堆着被褥，棚内空空荡荡，桌椅东倒西歪，缺胳膊少腿，都不是完整家具。一个老人裹着大衣靠在一张破藤椅上，旁边一个十来岁男孩坐在地上玩小石子。游胜国一行进门，男孩头都不抬，无动于衷，只顾自己玩，老人却突然从藤椅上起身，一晃扑在地上。

郑金大叫：“小心！”赶紧上前扶老人，不料老人不起来，趴在地上叩头。原来人家不是手脚不灵摔倒，是在对游副书记一行行大礼。

游胜国赶紧上前扶人，生拉硬拽，把老人按回藤椅上。

郑金问：“家里人呢，都在哪里？”

老人耳聋，他听不见。小孩不懂事，充耳不闻。一行人在棚屋里待了一小会儿，放下慰问品，抽身离开。出门后游胜国问郑金：“老郑，这家人什么情况？”

郑金说，地上玩的男孩是个“憨子”，就是弱智。老汉没问题，智力健全，可能是看到领导来关心，还有米和油，无以表达感激，情不自禁跪地叩头。这家人原本是村中贫困户，除了种地，没有其他经济来源。老夫妻生了三个孩子，全是女的，两个出嫁，一个招了上门女婿，生了两个小的，长女次男。小男孙得过一场病，而后就“憨”了，大孙女高中没读完，辍学回家劳作，养家糊口。两年前搞新农村建设，靠大家帮助，这家人好不容易盖了一座新房，在小溪边。8·24尾矿坝垮塌，这家人的房屋、家产、田地一扫而光。泥石流冲到之前，一家人逃出家门，女儿、女婿带着憨子，把老汉拖上山坡，孙女扶奶奶走在后边，差了一步，逃命不及，双双死在泥石流中。

游胜国不禁吃惊：“一门两命，就是这一家？”

“是。”

“一叩还一叩啊。”

8·24死难者出殡那一天，在灵棚要游胜国叩头的就是这一家人。今天反过来了，轮到人家老人还游胜国一个大礼。

还没走到下一户困难灾民家，游胜国的手机铃响，是柳和平电话。

“给你派了一辆救护车。”柳和平说，“让他们用担架抬你回来开会。”

游胜国发牢骚：“书记，这里的地雷我踩，那边就算了吧。”

“快回来。”柳和平下令，“你是踩地雷专业户，踩了那边踩这边。”

果然躲不掉。没有办法，命苦不能怪政府，游胜国于当天中午赶回县城。

当天下午的会议并没有地雷爆炸，但是发生了分歧，县长宋凌在讨论时向县委办主任发难：“节日安排为什么还是这样表述？”

宋凌来自省政府大机关，为人细致，对文字材料十分较真。以往他在省里给领导写讲话稿，动辄几千上万字，下来当县长后，轮到别人写讲话稿让他念，感觉总不满意，嫌这个表述不完整，那个标点不准确，需要一改再改。政府办几支小笔杆跟他不在一个档次，都怕给他写材料。但是这一次宋凌在会议上发难与文字表述等技术性问题无关，涉及到的是具体内容。

让宋凌过不去的那句话其实很不起眼，干巴巴缺乏色彩，是关于中秋节时县里主要领导情况的叙述：“县委书记柳和平节前因公到京召开在京乡亲恳谈会，并利用节日在京跑项目，县委副书记、县长宋凌在家主持工作，负责节日安排。”

应该说这段文字相当客观，与事实基本吻合，并无太大出入，但是却可以解读出一些特殊意味：县委书记是第一把手，是所谓“第一责任人”，中秋节这起突发事件的主要责任人本该是他，这一次情况有些特别，似可商榷，因为柳和平去北京公干而宋凌在家主持工作，处理是否得当，宋凌的责任似乎要更大一些。

上会之前，材料初稿已经发给各位县领导审阅，当时宋凌即提出意见，对这一表述直接表示反对。由于事涉自身，讲白了有可能被指为推卸责任，宋凌避实就虚，不谈责任到底该谁，只说这样表述不完整，与其说得不清不楚，不如删除这段文字。不料提交到会议上讨论的材料依然还有这段话，县委办主任没有听宋凌的，因此宋凌在会上发难，追问主任怎么回事？怎么可以不顾县长明确反对，置若罔闻？

但是情况绝对不是那么简单，面对如此敏感事项，县委办主任哪有那么大胆？县长的意见他肯定不敢私吞，必然要汇报转达，本县有谁比县长还大？只有县委书记柳和平。这句话还保留在材料里，肯定是柳和平亲自决定的，也许从一开始就是柳和平要求这么写。分析这个不需要太高智商，会场上的人个个心知肚明，宋凌本人肯定也是心明如镜，但是他坚持发难，表面上是对办公室主任，实际是对隐身在后的柳和平。

面对县长的追究，县委办主任支支吾吾，不说缘由。他不能把底细兜出来，把县委书记推到前边，只能自己硬着头皮听训。

“你们非要这样写吗？”宋凌追问。

"也不是非要怎么的,讨论稿嘛,听取意见。"主任含糊以对。

结果柳和平自己出来说话。此刻如果缩着头不出面,他就不是柳和平了。

"宋县长觉得这样写有什么不对?"柳和平问。

相对于宋凌避实就虚,柳和平反其道而行,避虚就实,他不纠缠材料上那句话为什么还保留着,只问其不对在哪里。

宋凌说:"这样表述不完整。"

"哪里不完整?"

就是关于"宋凌在家主持工作,负责节日安排"。节日安排并不是他一个人的事。节日之前县领导开过一次会,会上有一个议程,由县委办汇报中秋放假期间的工作安排,领导们还讨论了一下。因此节日工作安排是县委领导集体研究确定的。

"没关系,咱们把它弄完整。宋县长改一个写法,办公室同志做好记录,大家一起研究。"柳和平不动声色。

宋凌自己不改:"大家说吧。"

尽管并无激烈抗辩,两巨头在会议上如此相对,情况很不寻常。如果宋凌没感觉到威胁,他不会就此在会议上发难。柳和平明知宋凌可能作何反应,却坚持把那句话留着,显然有其需要。两个人在会议上相抵了。

这时候需要有个人出来扭转,游胜国是场上第三号人物,占着茅坑得拉屎。两巨头为中秋节上访纠结,游胜国本人恰是事件的主要当事人,此刻他不能不出面掺和。

游胜国说:"这个材料不好写,建议县委办继续斟酌,认真考虑。"

县委办主任叹气:"市里催得很紧,不能久拖。"

"那就赶紧想个办法。"

游胜国的办法是喝酒。他让办公室主任去弄一瓶好酒,顶级蟑螂屎水,十三十四什么的,下次开会讨论本材料前积极创造条件,设法把两巨头同时灌倒。宋县长比较好办,只要两杯,保证他看不清报告里怎么安排中秋节,柳书记酒量深不可测,得准备牺牲几个人,不能保证灌倒,必须保证让柳书记一心考虑国际国内重大形势,不跟文字材料较真。这样的话,在座领导皆大欢喜。

大家都笑,柳和平板起脸当场批评:"这是讲喝酒的时候吗?"

游胜国笑:"不是时候,我马上整改。"

于是当场整改,不讲喝酒讲工作,游胜国汇报了自己在莲塘处理善后的情况,包括车祸处理、灾后重建等事项,任务都很艰巨。柳书记要他重返莲塘唱苦肉计,看来有效。再不好说话的老百姓,一看他被他们打得全副武装,还要前来替他们张罗,多少会心平气和一些。工作组的干部也一样,有他这副武装在场,大家都得卖力。总的看各个项目进展基本顺利,但是隐患依然存在。

柳和平指令:"重点谈这个。"

目前的一大隐患是8·24尾矿坝垮塌事件的追究。事故结论已经做出，龙腾石业集团对这一重大安全事故负有主要责任。现在必须尽快对相关责任人进行法律制裁，表明公正，对人们有个交代。受害者、当地百姓和外界对此相当关注，这件事不能拖太久，否则还会酿出事端。

柳和平问："已经抓了两个人，乡亲们有什么反应？"

游胜国说："嫌少了，小了，只是替死鬼。"

柳和平感叹："替死鬼也得够磅。"

8·24事件的责任方龙腾石业集团是本地石料龙头企业，该企业之所以能够迅速扩张，几年间跃为本地老大，得益于其背景：这个集团其实只是一家子公司，其母公司是龙腾矿业集团，总部在省城，是一家实力雄厚的矿业大公司，旗下有铝、铜、铁等矿业企业，经营区域跨越数省，本县石门镇的龙腾石业只是大集团中的小兄弟。8·24事件后，负有直接责任的石业集团总经理和一个副总经理立刻被公安部门控制，而后正式宣布逮捕，将接受审判。但是外界一直存有疑问，认为该公司的决策权在母公司手上，两个被抓的子公司头头只是替死鬼。龙腾石业需要为这次事件支付足够的赔偿金，但是只拿钱肯定是不够的，只抓两个替死鬼也是不够的。

"垮了一座尾矿坝，死了九条人命，冲了半个村庄，毁了一条溪流，坏了几百亩土地，不重重处理不足以平民愤。"游胜国说。

有领导半真半假夸奖："游副一心为民请命。"

游胜国也为自己请命。如果该企业老板有良心，尾矿坝不至于这么快垮塌，那就没有8·24事故，没有中秋节上访，游胜国本人可以少挨一顿拳脚，可以一边愉快地喝点小酒，一边保持领导干部的光辉形象，不必像眼下一样满头是血突然蹿红于网络，伤及日后。作为一个受害者，他对他妈的龙腾矿业集团老板充满气愤。

柳和平当场指示："这句话不必记录。"

事实上这种话无论如何不会往纪要里写，柳和平发话只是意在提醒。

游胜国还提到另一个隐患，就是莲塘村失踪人员。上访事件发生后，该村有七八个人销声匿迹，不知去向，都是年轻人，与上访期间发生的推打踩踏行为有关，事后害怕，逃之夭夭。事实上当时现场很乱，除了一旁围观者拿手机拍了几段视频，警察手中根本没有完整录像，如果不是那些人自行逃跑，还真不知道当场有谁。这一段时间，经过工作组和家人的说服动员，已经有几个年轻人听从劝告，回村向办案民警自首。这几个年轻人其实都没什么，不外是现场推挤踩踏有一份，据了解他们都不是有意施暴，更多的还真是"不慎挤倒，意外踩踏"，只不过他们不是被挤倒的那位。除了自首的这几个人，还有几个人依旧藏匿不出，没有踪迹。说来警察也笨，这么长时间了，怎么就找不出几个毛头小子？这几个人中有的有前科，有的有暴力倾向，所以是隐患，不给他们一点教训，让他们逍遥法外，迟早还会惹出乱子。

柳和平表态："这件事必须抓紧，责成公安局领导督办。"

这时来了个电话，柳和平起身去接，过后即宣布休会。

县委办主任问："这个报告怎么办？"

柳和平不动声色："大家没提什么大问题，原则通过吧。"

宋凌这时不含糊："我已经说了。"

柳和平表态："节日安排怎么表述请县委办再斟酌。"

场内再没有一人吱声。

会议结束，游胜国站起身准备离开，会议室外一个年轻人把他拦住，却是书记柳和平的秘书小张。

"柳书记让你去。"小张说。

游胜国折转身子，进了柳和平的办公室，柳已经在里边等他。

"问你两个情况。"柳和平说。

两个情况都与"中秋节突发群体性事件"有关。首先是关于放假，中秋节前，派驻莲塘村的工作组全数放羊，回家过节，连个值班人员都没留，以至于信息失灵，群众酝酿上访，县、镇相关部门毫不知晓。这一放假决定是怎么做的？游胜国知道吗？

游胜国不清楚，当时他已经脱身，没管那边的事情，负责这一块的是林华，具体过程问一问林华就知道。

"问过了，是宋凌。"柳和平说。

节前，林华以 8·24 善后工作进展基本顺利，莲塘村民情绪已经基本平稳为由找到宋凌，反映手下工作组的干部在莲塘很努力，大家很辛苦，中秋节放两天假吧。宋凌没跟任何人商量，随口同意。

"林华没脑子，宋凌是愚蠢。"柳和平骂。

"宋县长这个人一杯脸红，酒精经验不足。"游胜国打哈哈。

"不说酒话。"

柳和平又问中秋节当天上午，群众聚集市政府大门外，游胜国打电话给宋凌时，宋是不是上气不接下气？"低血糖"？

游胜国说："他没跟我讲低血糖，我想他应当是比较紧张。也难怪，宋县长两杯倒地，没料理过那种阵势，不喝也晕。"

柳和平恼火："别扯喝酒。"

游胜国自嘲："柳书记太严肃，弄得我很紧张。"

柳和平板着脸，说事情很严重，所以要严肃。宋凌这个人不行，不称职。中秋节上访事件主要责任在宋凌，宋节前松懈，决策失误，事到临头惊惶失措，应对失当。游胜国挨打，责任其实也在宋凌，此前宋凌曾打算把车开进大门，看到群众围上来，一时慌张，倒车逃跑，惹恼上访群众。待到游胜国赶来，上访群众认得车，误以为是宋凌回头，怕他再跑，一拥而上，意外因此发生。游胜国替宋挨打，当了一回冤大头。

游胜国说:“感谢书记理解。别人以为我多坏,百姓恨之入骨,所以一上来就拳打脚踢。真是冤死了。我虽然缺点不少,自认为基本上还是好人。”

“现在不说你,说他。”

“那些事情都过去了。”

“没有过去。现在更严重。”

柳和平所谓“严重”指的是宋凌没有勇气承担责任,一味推卸,今天会上已经表现出来。什么“表述不完整”,什么“县领导集体研究”,都是推脱,不敢承担。虽然宋凌应负主要责任,柳和平本来还想保一保,县里上送的这份报告里,宋的问题基本不提,工作组放羊,现场惊惶失措,都不涉及。宋在家主持的那一段文字是柳和平决定保留的,因为是事实,不提可能会引起其他问题。宋居然连这个也不能接受。

游胜国说:“柳书记我很担心。”

“你说。”

游胜国担心宋凌。宋一杯脸红,两杯倒地,不仅是酒量,他的气量也不够,承受能力尤其不足,人比较放不开,不像柳书记大人有大量,实在也不如他游胜国能扛。如果中秋节那天是宋凌挨打,而后被爆炒于网络,宋可能会去跳楼,不可能像他这样还能到处踩地雷。因此宋对报告里的一段文字斤斤计较,看得非常严重,也是可以理解的。毕竟只是县里自己的报告,自说自话,最终要由上级来认定其中责任,眼下为了一段话把宋逼急,似乎没有必要。柳书记高瞻远瞩,不妨酒杯一端,和谐平安。

“三句不离酒话。”柳和平批评。

游胜国点到为止,意思已经表达清楚,其他不宜多说。离开书记办公室后,他饭都不吃,直接上路返回莲塘。

所谓躲得过初一躲不过十五,游胜国急急忙忙离开,也没躲得过去:他前脚刚到,后脚有人跟过来了,却是宋凌。宋县长以重视灾后重建工作,深入现场视察为由驾临莲塘,当晚住在村部。

宋县长为柳和平的态度耿耿于怀,他对游胜国说:“我不当他的牺牲品。”

游胜国说:“县长言重了。”

“你不清楚。”

宋凌从上边渠道听到了一些消息。中秋节群众上访,官员挨打,到处议论纷纷,影响非常不好,省主要领导极不高兴,近期接连发话,责成省里相关部门和本市严肃追究。县里发生类似重大事件,第一把手应当承担责任,柳和平却企图自己脱身,用该报告暗示责任在县长宋凌。柳一心想当副市长,不惜为此牺牲别人,很不应当。中秋节柳和平固然不在场,事件的发生却有其前因,是柳以往决策引来的严重后果,柳当然要负主要责任,怎么可以往别人身上推?

游胜国说:"柳书记不至于吧,宋县长不必过虑。"

宋凌说:"其实你明白。"

宋凌认定柳和平要牺牲他,书记不愿负责,要谁去顶?只能是县长,其他副职领导分量不够,承担不了。

游胜国即开玩笑:"早点把二号车让给我不就得了,这种时候我去。"

宋凌说:"不开玩笑。"

对宋凌而言这个问题生死攸关,所以他要在会议上发难,坚持不让。如果柳和平一意孤行,宋凌不惜为此摊牌,他从省里下来的,他在上边有渠道。

游胜国说:"县长,这个办法不好。"

"你有什么建议?"

游胜国还是那个建议,下午会议上已经提过,那不尽是开玩笑。宋凌在省城家中暗藏一瓶顶级洋酒,路易什么的,号称十三,喝来像蟑螂屎水。把它贡献出来,两巨头共饮,他作陪,一人三分之一,宋县长喝不完的他包。眼下这种时候,一起喝酒,共同承担,比互相疑虑要好。

宋凌摇头:"有可能吗?"

游胜国认为事在人为。他虽然挨了一顿推打踩踏,一时声名狼藉,却没有放弃希望,仍然听命于柳书记,坚持四处踩地雷,看到二号车依然十分眼热。相信一切都会过去,酒还是有的,他还在等着书记上了县长接,县长上了轮到他。大家本来就在同一条战壕,各占一个坑,中秋节老百姓闹了一场,大家也没跑到其他战壕里去啊。

宋凌感叹:"你以为都像你。"

他把一个被列为高度机密的情况告诉游胜国:中秋节上午对游胜国挥拳施暴的人已被公安部门锁定,这个人姓黄,人称黄大脚,是莲塘村一个小痞子,以往有不少劣迹,出事后离乡逃跑。其实这个人并没有跑远,就藏在本县一个朋友处,捕住他不需要费太大劲,为什么警察不动手?也不向游胜国报告?这是柳和平决定的。因为抓人可能引发不稳,宁可先放着。对柳和平而言,游副书记挨顿打不算什么,一切以是否对自己有利为首要考虑。

游胜国骂:"妈的。我还说警察这么笨。"

五

谈话人员到了莲塘村,在救灾房工地现场找到了游胜国。谈话人员一共三名,两名来自省里,游胜国不认识,第三位是熟人,市纪委一个室主任,姓范,跟游胜国级别相当。他们坐一部轿车前来，轿车挂的是省直机关车牌。

范主任给游胜国介绍省里来客，是两位处长，分别来自省纪委和省委组织部，两位处长奉上级领导之命前来了解有关情况，市委领导派范主任带下来找游胜国谈话，他们特别说明：只是个别了解情况，不是办案。

游胜国说："我明白。"

他们想了解县委书记柳和平与龙腾矿业集团老板间存在什么交往？

"这个企业是我们县的石业老大，每年春节县委县政府搞企业家联欢，吃顿饭，柳书记跟龙腾石业的王总一起喝一杯，肯定是有的。"游胜国说。

"不是问这个。"范主任提醒。

人家问的是龙腾矿业集团，省城那个母公司，不是本县这家子公司。有反映说，柳和平与该母公司大老板邱镇东关系密切，柳在本县当县长时把邱引进来搞龙腾石业，柳给了邱很多优惠和关照，所以龙腾石业才会在石门镇迅速扩张，搞垮许多竞争对手，兼并大批小型石料厂，几年内成为龙头老大。龙腾石业尾矿坝存有严重隐患，县里早就有议论，柳和平却置若罔闻，不予查核，企业因为柳的庇护，有恃无恐，置安全于不顾，最终导致8·24灾难。

"这家企业的具体情况我不是太了解。"游胜国说明，"我在县里主管农业，工业和招商引资这一块是其他领导管。"

"龙腾石业尾矿坝存在隐患，事前你是不是听说过？"

游胜国承认有所耳闻。他管农业，处理农田水利等等事情，确实触及过龙腾尾矿坝。曾经有人向他反映那个坝不安全，他在下乡检查时还特地上坝看过，但是毕竟是外行，看不出名堂，当时他给镇里和县矿管部门打过招呼，两个单位都说会认真对待，而后他没再管这个事。

"中秋节期间，柳和平在北京干什么？"

"他去开恳谈会，而后跑项目。"

"是什么项目？"

游胜国再次说明，由于分管不同，他对招商这一块的项目确实不了解。

"有没有听说他在北京与邱镇东一起活动？"

游胜国吃惊："不会吧？"

有人举报，中秋节柳和平在北京根本不是跑项目，是陪着龙腾矿业集团老总邱镇东办事。邱的子公司龙腾石业尾矿坝出事，总经理被抓，邱镇东请柳和平一起到京，找上层关系施加影响，防止8·24事故追究升级，火烧到邱镇东那里。游胜国跟邱镇东关系特殊，两人互有需要，互相利用，因为邱有天线，跟上头大人物有来往，可以帮柳和平上进。当年把邱引进石门镇，两人间就有交易，8·24事件之后，游设法控制当地局面，压低受灾群众要求，减少企业赔偿，邱则设法让柳的提拔不受影响。两人间的秘密交易很隐蔽，知道的人很少，柳的爱将游胜国可能了解一些内情。

“这是要我死啊。”游胜国感叹，“真是命苦不能怪政府。”

游胜国否认自己知情，举报信里讲到的这些事，他觉得不太可能。

“你本人跟邱镇东有什么交往吗？”

游胜国认识这个老板，本县办过一次经贸节庆活动，邀请嘉宾包括这位老板。后来有一次游胜国随柳和平书记到省里办事，邱知道了，提出请两位领导吃饭，当晚柳和平临时有事，让游胜国去抵挡，游胜国跟邱老板喝了一次酒，仅此交往。

“但是印象很深。”游胜国说，“当时邱老板从轿车屁股后边拿出一瓶洋酒，说是路易什么的，吓死人。后来想想不太可能，估计是假酒。”

“一起吃饭的还有谁？”

“省里一些部门的人，处长而已，跟我差不多，都不是大人物。”游胜国说，“到现在还很后悔喝那次酒。”

“为什么？”

“假的嘛。”

三位调查人员没再多问，告辞返回。

他们走后，游胜国几经斟酌，给柳和平挂了一个电话。

柳和平问：“有什么情况？”

游胜国汇报救灾房建设进展。两天前他刚到县里找柳和平专题汇报过，现在还汇报个啥？做个由头而已。

“我把他们接见了。”末了游胜国报告。

“我知道。”

“要求守口如瓶，很严重啊。”游胜国打哈哈，“这是闹什么鬼？柳书记？”

“内鬼。先推责，再诬告，恶劣。”

游胜国说：“这几年跟随柳书记在酒桌上战斗，我有体会。一上阵不怕对方能喝，只怕旁边小人恶意起哄，乡下人叫作唤狗相咬。”

柳和平说：“这一次恐怕不是旁人起哄。我去北京那一天，邱镇东也在。他跟宋通过一个电话。就这么个事，追风捕影。”

“这个可以搞清楚，不难。”游胜国说，“哪一天柳书记召集一下，我灌宋县长一杯不够，两杯用不着，包他举手投降，坦白交代。”

柳和平说：“你啊。我知道你的意思。”

没再多说，事情就此交代。这个电话游胜国不能不打，柳和平是顶头上司，以柳的掌控能力，上级调查人员来干什么，找谁问什么，柳不会不知道。游胜国“把他们接见”后主动打这个电话，表示坦然，有利于消除猜疑。但是游胜国也不能做具体报告，因为必须守口如瓶。那么就喝酒吧，酒这种东西值得热爱。

几天之后，县城再起风波。

那天晚间接近午夜时分，县公安局刑警大队接到一个报警电话，报警者称城北大十字附近发生一起凶杀案，一出租车被坏人劫持，司机被杀，车被弃于十字路口西侧省道路边。值班警察接警后马上向局领导报告，恰当时本市其他地方接连发生数起劫车凶杀案件，局领导一听居然劫杀到本县来了，案情挺严重，下令迅速行动，县刑警几乎出动了半个大队，开出七八辆警车，以最快的速度直奔大十字。

这是个假案，根本没有劫车凶案，没有什么凶手和死者。但是报案者所称大十字西侧省道边确实停着一辆车，不是出租车，是一辆白色尼桑，私家车。

刑警包围了那辆车，拿手电筒往里一照，车里有人，活着，举手遮着脸。警察敲车门，要车里人下来接受问询，车里人却不下，也不开门，跟警察磨蹭了几分钟。末了磨蹭不下去了，轿车后排右侧车门打开，有一个男子走下车，说了句："干什么？"

这男子说话气喘，低血糖，居然是县长宋凌。

车上还有个人，是位年轻女子，留披肩长发。

那天带队行动的是县刑警大队副大队长，宋凌不认识他，他却认识县长。一发现自己把县长逮住了，副大队长心知不好，当即表示是误会，带着手下警察迅速撤退，停止骚扰，将县长及白色尼桑车上女子弃于路旁不顾。堂堂一县之长，午夜时分与一年轻女子躲在一辆私家车中，停泊于城郊僻静地点，说来绝对不正常。但是只要不是涉嫌凶杀劫持，刑警还不好多管。如果车上下来的男子獐头鼠目是个陌生人，尽管没有凶杀劫持迹象，警察还是有必要查问一下究竟，以防坏人坏事，碰上大权在握的本县县长就不一样，最好赶紧走人以免彼此尴尬。

半个刑警大队刚回到县公安局，局长的电话到了，追问怎么回事？副大队长报告了情况，局长下令："交代大家不要乱说。"

副大队长说："已经交代了。"

事涉县长，影响不好，确实不宜外传。但是这种事情哪里捂得住？参加行动的警察那么多，哪怕个个都能守口如瓶，也还有报警者的那张嘴巴捂不住。这个报警者不一般，报一个假案把警察骗到大十字，把县长抓个正着。毫无疑问报警者知道谁在那个私家车里，他要让警察把县长和年轻女子当场逮住，让人们知道这件事，他当然不会自行封口。

一小时后县城内外沸沸扬扬，天还黑着，本县境内各通讯机站就异乎寻常地忙碌，有关宋凌县长大十字风流韵事的特大花边新闻通过电话和短信迅速传播。第二天上午恰好有一个表彰大会，宋凌无以逃避，必须衣冠楚楚，"着正装"登场。结果在他步上主席台之际，台下"嗡"的一下，遍地窃笑，宋凌的脸顿时通红。该领导如游胜国所形容："一杯脸红"，到了这种时候不需要酒，已经色彩嫣然。

几天后，市里派员悄悄来到本县调查了解。经查，当晚与宋凌待在车里的女子为市一中一位音乐老师，已婚，其夫为同校教员，两人生有一女，已经五岁。女老师有一辆尼桑轿车，就是当晚停在大十字西侧的那辆。前段时间女老师与县长在一次联欢晚会上跳过一次舞，相识后不时发发短信，通通电话。宋县长的夫人孩子都在省城，自己孤身就任，生活多有不便，加上政务繁忙，工作负担重，女老师很同情，多方关心帮助。近来宋县长工作压力很大，身心俱乏，女老师为之着急，当天晚上用自己的车拉着他在县城周边转转，说说话散散心，帮助县长排解。交谈中忘了时间，不知道已近午夜，引出了当晚故事。

这是当事人对调查人员提供的说法，其中似有破绽。本县上下，几乎全体成年男女都认为宋县长与女老师有一腿，若不是警察认出县长，草草收兵撤退，不用费多少劲，肯定会从轿车里翻出若干物证，例如卫生纸、安全套之类。俗话说“捉奸捉双”，县长这一对儿虽然给捉了双，却未能证明其奸，至少他被警察叫下车时，身上并非一丝不挂，这还算不算呢？根据时下流行的“无罪推定”规则，没有确凿证据的男女行为，目前只能先以从无。

但是女老师的丈夫男老师不接受从无规则，人家宁信其有。尼桑事件一出，男老师咽不下一口气，即提出离婚。这位男士还被怀疑为当晚报假案的匿名者，也许他早已发现老婆红杏出墙，并实施跟踪，一直追到大十字，召来警察棒打了野鸳鸯？

宋凌却说：“不是他。”

“那么是谁？”

宋凌说：“你猜得出来。”

游胜国说：“瞎猜猜出醉蛤蟆。”

游胜国三句不离酒话，他经常转战于酒桌，有经验。以他观察，有的人在酒桌上很霸道，让谁上就得上，牺牲谁都不在乎。通常这种人自己的酒杯倒是可靠的，没必要偷偷摸摸给自己倒矿泉水，或者把自己喝过的酒倒在旁人的杯子里。小动作小勾当多半是身边小把戏干的。

宋凌却不接受：“无论是谁，根子在他。”

宋凌一向“避实就虚”，他与游胜国谈及大十字风流韵事，并不触及自己与同案女老师究竟在车里干什么，只追究谁在就此发难，并归咎于柳和平。那一天宋县长与游副书记相会于一个剪彩仪式，仪式是为石门镇一座8·24冲毁公路桥重建通车而办，宋凌赶来参加，时大十字风流事件调查了解已告结束，宋凌从省里他的渠道得知调查结论对自己没有大碍，他向游胜国做了通报。

“我直接找省领导反映。”宋凌说，“领导听说下边这么搞，非常恼火。”

游胜国说：“看县长火冒三丈，我要说一句：这样喝不行。”

“什么喝？”

说的是酒桌恶斗。游胜国有过经历见识，结果都一样：无一幸存。

宋凌不吭声，话题一转：“老游，实话说我很感激。”

他提及上次开会讨论的“负责节日安排”。经过再三斟酌，最后上送的报告把涉及宋凌的那段话删除了。宋凌听到情况，知道游胜国劝了柳和平。

“谁该受追究很快会有结果。”宋凌说，“他跑不掉。”

游胜国直言不讳：“宋县长的腿比柳书记长吗？”

宋凌又气喘，说不出话。

他们去了尾矿坝现场，时过境迁，这里依旧一片狼藉，满目凄凉，坝里有几辆挖掘机在开挖泄水通道。

游胜国告诉宋凌，这段时间里，有事没事他常会到这里看一看，说是关心整修工程进度，认真检查以防隐患，其实是心里非常懊恼，到这里后悔一番。这一切本来都不会发生，这座尾矿坝本应该坚固如初，九个死者本该活着，房屋溪流和田野不会被冲毁，中秋节不会有人上访，他本人不会被踩踏，两巨头始终亲密合作，二号车终于轮他使用。事情本来应当是这样的，只要他能抓住不放，防患于事前。当初他已经走到这座坝上了，为什么拍拍屁股又走开了呢？一朝决口，无以挽回。眼下心里过不去，叩了这头叩那头，踩了这边踩那边，已经迟了，悔之莫及。

“酒桌上也差不多。小心弄成这样。”游胜国指着坝内狼藉，直言警告。

宋凌没吭声。

离开时宋凌问：“事到如今，游副有什么建议？”

游胜国说：“用你的酒。”

宋凌离开后，县委书记柳和平给游胜国挂来一个电话。

“宋凌去莲塘干什么？”柳和平问。

游胜国说：“宋县长虽然有时候低血糖，能量并不差，否则到不了这个高度。”

“你什么意思？”

“柳书记大人大量，高瞻远瞩。”

其实并不需要游胜国提醒，柳和平自己清楚。宋凌来自省城，“空降兵”背靠大树，柳和平不会不考虑这个因素。但是柳和平也不会因此受制，需要的时候他不会畏首畏尾，柳和平自己也是有根基的，能当到书记，不会没有后盾与支持。

两天后，本县召开创建文明县城表彰会，书记县长两巨头原拟隆重出席，却不料会议召开前夕，市里突然来了通知，要柳和平和宋凌两位立刻赶到市里，市主要领导要与他们谈话。两人匆匆动身，于表彰会上隆重缺席，情况很不寻常，消息迅速传遍全县，一时议论纷起。有人说可能是邱老板事发，柳书记栽了，也有人担心县长，不会是某一条短裤让人发现了吧？

那天上午游胜国不在县城，躲在石门镇开协调会，讨论 8·24 水毁村道的整修事宜，上午十时许，镇派出所所长忽然打电话报告：“大脚落网了。”

“哪个脚？”

“黄大脚，中秋节打人嫌犯。”

几分钟后游胜国赶到了派出所。

黄大脚在中秋节后离村不归，行踪不定，流窜于本县及周边几个山区地方，可能以为风声平息，近日悄悄潜回莲塘。其实办案人员是明松暗紧，始终关注他的动向，在掌握了确凿情况之后，今晨突然搜查，把黄从藏匿处搜出，带到派出所来。游副书记曾交代这个人抓到后要立刻报告，因此所长打了电话。

游胜国问："他把脚藏在什么地方？"

"在村后山坡灾民临时棚屋里。"

"哪一家？"

居然是憨子，跟游副书记"一叩还一叩"的那一家人。

游胜国吃惊："他跟他们有关系？"

黄大脚本是外村人，其父早死，其母改嫁莲塘，他拖油瓶拖到本村。由于缺乏管教，黄大脚从小惹是生非，打架滋事，偷鸡摸狗，从问题少年长成问题青年。黄的家境和口碑都差，没人愿把女儿嫁给他，村中同龄青年大都婚配，只有他找不到老婆。憨子的姐姐从镇上中学辍学回村后，被黄大脚看上了，神魂颠倒，百般纠缠。起初憨子家人坚决反对，却不料黄千方百计讨好，女孩竟有些意思。憨子父母考虑自家贫困，提出如果黄大脚愿意入赘，跟女儿一起照料老人，他们死后替他们照料憨子，他们可以同意。黄大脚一口应允，彼此商定待新房盖好后才讲婚配。黄大脚为了当上门女婿，也为了自己将来有个家，不惜出钱、卖力，帮着憨子家盖房。却不料好梦未圆，8·24 一场泥石流把什么都毁了，新房不存片瓦，未来的新娘死于非命，黄大脚人财两空。

"明白了。"游胜国说，"是这么回事。"

黄大脚向领导要叩头以及中秋节的老拳相向，是因为没了老婆，满腔怨恨，作为一个光棍痞子，他怕个屁。憨子家的老人还游胜国一个叩头，那其实不是回报是求情，虽然鸡飞蛋打，孙女已亡，这家人可能还在指望未遂上门女婿，盼望他们以及憨孙子还能得黄大脚照料，因此只怕领导和警察追踪不止。

黄大脚被带到游胜国面前，头发老长，表情慌乱，手上戴着手铐。

游胜国指示："把铐子开了。"

他认定中秋节打他的不是这个黄大脚。所长不禁口吃："他、他已经供认。"

"我说不是就不是。"

这一点无可争辩。游胜国既是领导，又是受害当事人，他有权指认。

黄大脚被当场释放。

当天下午继续开会，晚饭在镇政府食堂吃，正吃着，电话铃响，游胜国从口袋里掏出手机一看，显示是柳和平，他赶紧接听。两巨头被突然叫到市里谈话，游胜国虽然远在乡下，也在第一时间听到消息，免不了要关心下文如何。

"柳书记回来了？"游胜国问，"没事吧？"

"没事。"

"有重要精神？"

“有。”

柳和平要游胜国立刻返县城，听取上级领导重要精神传达。

“连夜开会?”游胜国问。

“不开会，到宾馆贵一。”

“吃饭?”

“对。”

“有酒?”

“有。”

游胜国笑:“看来情况不错。怎么不早说? 让我留个肚子。”

柳和平说:“不怕撑，赶紧来，等你。”

游胜国立刻叫车往回，镇食堂已经用过晚餐，此刻吃不重要，重要的是“重要精神”。柳和平从市里一回来就打电话召唤游胜国，情况似乎不容乐观，但是又有吃又有酒，不像过于沉重，想来有些奇怪。

不到一个小时，游胜国赶到县宾馆。贵一即一号贵宾包厢，空间大，装修好，是县领导接待晕点客人的地方。一脚迈进包厢，游胜国脸上即露惊讶:偌大一张大桌边只有两个人，却是两巨头，柳和平与宋凌相向坐在包厢沙发上。

游胜国问:“还有谁?”

没有其他人，两巨头加上他，三人一聚。大餐桌上摆着一瓶酒，水晶酒瓶精巧别致，里边的液体闪着光泽，人头马路易十三。

游胜国笑:“这是真的吧?”

宋凌担保:“酒是真的。”

“感觉挺突然。”

柳和平说:“那么就不喝?”

游胜国说:“当然要喝。这个十三惦记久了。”

于是入席，上菜，开瓶，斟酒。

干第一杯时，游胜国凝神静气不说话，宋凌在一旁看着，表情有些紧张，气喘。

“好像跟邱老板的不一样。”游胜国终于表态。

宋凌再次声明:“酒肯定是真的。”

“重要精神呢? 领导什么要求?”游胜国问。

柳和平指着桌上的酒瓶:“这是落实领导要求。”

上级领导对本县班子目前状态很了解，很关注，谈话中点了一些问题，做了若干强调。柳和平与宋凌都表了态，决心加强整改，团结奋进，现在重在落实。游胜国曾一再建议喝酒，其意不在酒，是领导间加强沟通协调，共同面对困难，该重要建议与上级领导的重要精神相吻合，因此柳和平与宋凌商量，回县后立刻把游胜国叫来喝，以示行动迅速，认真抓落实。

游胜国评价:“有蟑螂屎味,可能是真的。”

他又提起省城邱老板的那瓶酒,味道很重,至今想来满嘴蟑螂屎。

当晚喝得尽兴。宋凌破例干了两杯,脸红了,但是没有倒地。柳和平比往常放开,喝到最后还是深不可测。游胜国一如既往,不把自己喝倒不算完成任务。

“酒桌上没有我怎么行呢?”他自夸。

柳和平说:“游副很难得。”

游胜国说:“难得不一定好。”

他是说酒,路易十三。游胜国好酒,白酒黄酒红酒都喜欢,洋酒却不擅长,只是碍于这个酒名气大,怎么不喜欢都得试试。上一次在省城让邱老板灌了几杯,至今嘴里不舒服,心存疑问,所以才会一直惦记宋县长手上这瓶,以求一试真假。

柳和平说:“邱镇东有可能作假。”

游胜国说不仅酒假,那桌菜也让他至今难受。当时他交代几个部门注意石门镇尾矿坝,有心要深入查查,惊动邱老板了。结果邱备了盛宴,上了极品,叫来一桌贵客,柳和平没有出场,他替书记上阵,抵挡一番。事后心里掂量一下,顾忌那么多贵人,感觉自己酒量有限,对付不了,知难而退,没再过问尾矿坝的事情。8·24垮坝,灾难触目惊心,不能说是他的责任,却因为有过邱老板的酒,自觉难辞其咎,对灾民有愧,心里总是过不去。之所以愿意叩了这头叩那头,踩了这边踩那边,皆因其起。

柳和平说:“事情都过去了。”

游胜国说:“十三喝了,接下来只惦记二号车。怎么样?还有希望吗?”

柳和平没有直接回答,从身边公文袋里掏出一份材料,递给游胜国。

游胜国自言自语:“妈的,我还认得字?”

其实还认得,酒劲没到那个程度。这是一份内参文章的复印件,出自一家中央主流媒体,复印件里的文章标题很醒目:《谁被推倒于地?》

“是我呀。”游胜国说,“难道还有谁?”

这是一则短评文章,通过本县尾矿坝事件和中秋节上访事件,论及基层官员中存在的严重问题,提出须从严整治。文章旁边有几排手写文字,为省上一位重要领导的批示,批示语气极为严厉。

原来市主要领导与本县两巨头的谈话,主要还是围绕这篇文章和批示。市里需要迅速反应,有一个明确态度,柳和平与宋凌被叫去汇报情况,研究如何处置。

游胜国说:“明白了,这里有地雷。”

柳和平说:“游副喝。”

宋凌说:“再干一杯。”

后来的事情记不太清楚了,游胜国记住的最后一个细节是宋凌把他扶上车,手中抓着一个空酒瓶,就是当晚的十三,宋凌留给他作纪念,连同极品洋酒的精美包装盒。分别时宋凌说了一句“对不起”。

“什么?”

“对不起。”

事后想来,游胜国觉得就此而言宋凌还可以,至少有所表示,于心不忍。柳和平安排这场战斗也算一个表示,尽管他不吭不声,莫测高深。两巨头因谁该承担责任而产生分歧,经牛刀小试后审时度势,互相掂量,终究接受上级领导批评,听从了游胜国的建议,共饮一杯,同舟共济,中止了彼此间事态的恶性发展。

但是他们依然需要推荐个人去为之承相。

六

游胜国被立案审查。

8·24尾矿坝事件发生前,水利部门向游反映该坝隐患,游曾视察过现场,随后却没再过问。如果他能重视,垮塌事件有可能防止。灾难发生后,游胜国负责善后工作,“包生包死”,却未能预先察觉不稳迹象,以致突发群众上访。上访事件发生时游未能在第一时间赶到现场,醉于家中,匆忙赶到时一身酒气,被上访人员推挤踩踏,引发广泛不良影响。是谁被推倒于地?游胜国无以逃避。

游胜国以种种理由为自己辩解,终因事实俱在,无以推卸,负有直接领导责任,受到严肃追究。处理决定形成后,材料送游胜国过目,他问:“这干什么?”

“需要签字。”

游胜国拒绝签字,不必多此一举。

“你知道的,这是规矩。”

“我说过命苦不能怪政府。”

无论签不签字,决定迅速执行,几天后他被宣布免职,调离本县。

离开前游胜国去了石门镇,独自前往尾矿坝垮毁现场。他把那天晚上的空酒瓶带上山,在尾矿坝口将酒瓶敲碎。

果然称得上极品,空酒瓶的碎玻璃里依然有着淡淡的蟑螂屎味。

游胜国自我排解说,与灾难中倾家荡产,死于非命的灾民相比,他承受的又算什么?出了这么大的事情,不能都去躲避,确实应当有人出来承担,他本人也确有责任。

他被降级使用,调任市农办主任科员。

(选自《中国作家》2012年第2期)

杨少衡

祖籍河南省林州市,1953年生于福建省漳州市,西北大学中文系毕业,现供职于福建省文联。中国作家协会会员。1979年开始发表小说。出版有《海峡之痛》《党校同学》《底层官员》《两代官》《地下党》等长篇小说,《林老板的枪》《县长故事》《市级领导》等中篇小说集。近年作品多次入选各选刊、选本,获多种奖项。《尼古丁》《昨日的枪声》获《中篇小说选刊》优秀中篇小说奖。

家燕

杨小凡

一

马长胜的媳妇手里拎着刀，马大虎的媳妇手里也拎着刀。

这两个女人，一个从村东头向西，一个从村西头向东，疯子一样在村里来回地骂着。她们在村街的中间碰在了一起，就突然都提高了声音，像比赛一样，一个比一个声音高亢而尖厉。

村里一下子安静了下来，只有麻雀和燕子在树的枝头叽叽喳喳地叫着。家家都关着门，没有人再出来走动。她们俩的男人都被关起来了，确实是村里人举报的。这个时候，谁要是出来搭腔，那谁就有举报的嫌疑，这两个女人真会跟他拼命的。多一事不如少一事，没有人惹这闲事。

但水亮不管不行。村委会，现在只有他这个村主任助理和电工兼会计马锋了。马锋是本村人，蹿得比枪口下的兔子都快，躲起来不管不问。而水亮不能再不吭声了，他得给管理区领导汇报。

管理区书记黄效举这几天也头疼：马园村拆迁推不动，就是因为村书记马长胜和村主任马大虎。现在，抓住这两个人在董园的拆迁中假报死人户口私分补偿款的错，把他们关起来了。本想以此推动拆迁工作，可村里却没有了能硬起来的头儿。他本想从村里再选两个领头人，但让村主任助理水亮这小子走访了几天，竟没有一个人愿意当这个村官。行政村也是一级组织，不可一天无主的。黄效举想了两天，最后决定就让水亮这个大学生村官先兼着村书记，然后再慢慢物色。

水亮给黄效举报告那两个女人拎刀骂街的事，黄效举显然没啥兴趣。他吐了一口烟，笑了一下，然后说："女人嘛，生就一张破嘴，让她们骂骂，出出气就好啦。"

他给水亮谈村书记的事。水亮一听让他担任村书记就推脱，说自己刚来一年多，没经验和能力，尤其在拆迁工作推不动的当口，他认为自己不能胜任，会耽误大事的。黄效举吐了一口烟，大声说："革命战争时期十八岁就当军长了，你一个名牌大学生，咋这样熊呢？烂泥抹不上墙。让你干你就干，后边有我顶着呢，怕个球！"

水亮不好再推脱，就应了下来。

应下这个村书记，水亮也是经过激烈思想斗争的。

他在农村长大，考大学就是要跳出农门的，本不想再回到农村。可在北京上了四年大学，依然没有脱掉农村孩子的那身朴实气。那天，他去一家公司面试，一条腿才迈出门，就听到其中一个考官说："这人，一身坷垃气，当村官还差不多！"水亮本想转身回一句的，犹豫了一下，还是迈出了另一只脚。出门后，他在心里骂道："俺一身坷垃气，你他妈嘴里还吐着坷垃，竟充起城里的大尾巴驴来了。村官咋了，我就去当村官，不受你们这些鸟人的气！"水亮就是被那人一句话给呛的，报考了村官。

当村官，多少有些出于无奈，但一旦真当上了，他就有了梦想。他的梦想是从基层一步步走上去，甚至还想过县长、市长这样的位子。至于做官如何为民做主，他没想太多。他只想，干部，干部就必须干事，把上面交代的事办好，再苦再难再麻烦也得办好了，这样才有成绩，才有可能提升。当然，他也给自己立下了规矩，那就是一定不能当没良心的官。自己也不止一次地骂过那样的官，至少要做到不让自己骂自己。

可让他没想到的是，麻烦会来得这么快。黄书记来村里宣布他担任村书记后的第三天，马园村 63 户的男主人，突然都消失得无影无踪了。这下子，水亮懵了。现在，大人小孩嘴里都会说"和谐"这两个字，谁都有人身自由，他不能说不让这些人外出打工呀。但这些人一走，家里剩下的都是妇女、孩子和老人，户主人不在了，工作对象就没有了，再好的拆迁方案也成了一张白纸。

马园村在东城区边界，下辖马园、董园、刘园三个自然村。

一年前，市里决定建工业园区，马园村被划到了拆迁范围内。按说市里给的拆迁政策是不错的，土地按省里政策补偿，住房拆一还一、集中上楼，村民全部实行低保、医保、承诺安排在园区企业上班。离城区远的村子两个月就拆迁完毕。可城郊几个村就不顺利，马园自然村就是个"钉子村"。村民的祖上不是纯粹的农民，都是在城郊种菜的菜农。用黄效举的话说，马园都是刁民，难伺候，人人都想吞大象，个个都想一夜之间成为百万富翁。开始他们不同意拆迁，说是马长胜马大虎贪污，现在"二马"落马了，他们又玩集体蒸发。看来，不强拆不行了。黄效举搔着头皮想，自己好不容易混了个副处级，市长大会小会地骂他无能，现在投资企业不能落地，说不定哪天头上这顶小乌纱帽就被大风吹走了。

黄效举拿定了主意：加强工作组力量，选择时机强拆！但时机真不好选，现在村里的青壮男人都不在了，只有这些个妇女老人的，没法下手啊。

水亮不太赞同黄书记的意思。他觉得现在村里青壮男人都走了，就是怕强拆，他们就是想软磨软抗，以柔克刚。要想拿掉这个钉子村就必须先拿掉村里的钉子户。解决了钉子户，其他人的工作就好做了。通过半个多月的摸排，他认为马园村的钉子户就是李七奶。她死活不同意拆，村里人就跟着起哄：李七奶同意拆了，我们就同意。很明显，在水亮眼里应该数李七奶最难处理。可这个李七奶难就难在软硬不吃，她儿媳郑大丽和儿子六根六年前外出打工一直没回，现在她带着九岁的孙女秀秀没气没色地过着，而且村里人都说她是整天与鸟儿说话的精神病。她就像白豆腐掉到灰窝里，吹不能吹打不能打的，无法下手。

打蛇瞅七寸，要想收效快就必须先拣最难处入手。水亮决定先从李七奶家入手。水亮觉得李七奶这颗钉子可能自己也拔不了，但他想试试。所以，正面接触李七奶的事他不想让任何人知道，以免被人笑话被人小看。于是，他选择五一假期期间，工作组其他人休息的这两天。

水亮在农村工作快两年了，多少有了点经验。他去李七奶家之前，很认真地做过筹划。他在QQ上跟女朋友小真商量了半天，包括穿什么衣服、带什么水果、如何开口说话。更有意思的是，他让小真模拟一个精神有毛病的老奶奶，他给她谈拆迁的事。他问，她不合情理地答；她骂，他就设法忍着；她提问题，他回答。最后，女友小真还策划出一个苦肉计，让水亮下跪，声泪俱下地诉说如果李七奶不同意拆迁，他就会丢工作，家里的奶奶就会自杀。两个人一句一句地聊到凌晨，最后竟通过视频合唱起“呼儿嘿哟”那首老歌。关了电脑，水亮觉得信心百倍，很快就让自己入睡了，他想以一个饱满的精神状态去面见李七奶。

夜里，水亮竟又做了一个梦。他一会儿梦到在农村的母亲、生病的奶奶；一会儿梦到自己见了七奶，七奶并没有精神病，而是很爽快地答应了拆迁。他在梦里似乎还不停地笑了一阵，那笑得很开心；后来，好像又哭了起来，鼻涕一把泪一把的。反正，这一夜里他的大脑一点儿也没有真正休息。他醒来的时候，竟八点多了，脑子昏沉沉的，并没有自己想象的精神饱满。

年轻人血脉旺，精气足。水亮洗过脸，做了几个扩胸动作，就感觉到一身的劲儿。他锁了村部的铁门，骑上自行车去了菜市。他选了十几个又红又大的苹果，一称正好五斤，付了钱，推起自行车就走。可他走了几步，突然想起一件事来，七奶这么大年纪了，牙齿也许不好，苹果她可能咬不动了。于是，他又折回来，买了几斤黄灿灿的香蕉。俗话说老人喜软，李七奶看到香蕉也许就会开心些。自行车骑得很快，他感觉车子都带着风儿了。一路上水亮为自己的细心和周到感到高兴。

他按照昨天夜里与小真的策划，把自行车放在村部，拎着苹果和香蕉，向李七奶家走去。

水亮刚走几十步，手机突然响了起来。这是谁啊，大星期天的还打电话。他心里这样想着，还是接了。电话是东城派出所周所长打来的。没等水亮问什么事，周所长就说：“水书记，村里的治安你得抓一抓了。昨天夜里你们董园自然村几个赌博的打了起来，一个人的胳膊都被打断了，我们拘了人！马上要开两会了，上面安排要加强治安，你来所里一趟吧！”

水亮说:“我现在有事,过会儿去吧!”合了手机,水亮在心里骂了一句:穷人乍富,都不知道咋造了。董园村人少地多,这次土地被征和房屋拆迁家家都得到了十几万的补偿款。一下子有了那么多钱,有的就买车到城里拉黑出租,没事干的就赌博、喝酒、打架。治安案件一个接一个。水亮想着这些事,心里就生气,他对这些拿到钱就造的人真是恨铁不成钢。脑子里突然就蹦出鲁迅先生的那句话来:怒其不争、哀其不幸。

他这样想着走着,不一会儿就快到李七奶家的门口了。水亮放慢了脚步,他突然觉得没了底气,昨天夜里的设计好像一下子没有了踪影。这时,他看到院门外一个小姑娘正自己拍着手唱着什么。他想,这肯定是李七奶的孙女秀秀了。他微笑着走过去。小姑娘并没有注意到他的到来,仍然拍着小手唱着。水亮听清了,她在唱那首《小燕子》:

小燕子,穿花衣
年年春天来这里
俺问燕子你为啥来
燕子说,这里的春天最美丽……

水亮很多年没有听到过这首歌谣了,他停下脚步,认真地听着。这时,秀秀发现了他,小脸一红,不唱了。水亮柔声问:“你是秀秀吧?奶奶在家吗?”秀秀嗯了一声,就高声对院子里喊:“奶奶,有人来了!”院子里并没有人回应。秀秀望了一眼水亮说:“奶奶在家!”说罢,就带着水亮进了院子。

李七奶坐在堂屋里。面前是一张吃饭的小桌子,桌子上有个纱罩,纱罩下是两块切开的红西瓜。见水亮进来,她也没有吱声,手里拿着蝇拍子,扬在空中,一动也不动。水亮把苹果和香蕉放在七奶身后的方桌上,笑着说:“七奶,我是新来的村书记,我叫水亮,您就叫我亮子吧。我奶奶也这样叫我。”李七奶抬眼看了看他,停了一会儿才开口:“想扒我的房子吧?扒了房子,我的小燕子就没有家了,我死都不会答应的!”

水亮没有反应过来,什么“小燕子没有家了”?一时不知道如何接话。他深吸了一口气,让自己镇定下来,想了想,说:“七奶,我不是来扒房子的,我是来看看您老人家!”李七奶像没有听见一样,没有任何反应,手里的蝇拍子也一动不动。

水亮这时真有点不知道如何是好了。昨天夜里与小真的模拟,根本就没有这一段。这时,一只蝇子落在了纱罩上,李七奶突然落下了蝇拍子,但并不是对着蝇子拍下去,而是拍在桌角上。蝇子似乎并不怕,转了一圈又落了下来。七奶的蝇拍子又落了下去,仍然不是对着蝇子拍的,还是拍在了桌角上。这只蝇子似乎在与七奶逗着玩,转了两圈又落了下来。七奶仍是把蝇拍子落在了桌角,并不真正去打这只蝇子。

水亮有些纳闷，他不知道为什么七奶就是不真打这只蝇子。是不是七奶人老了，手没有准头儿，打不住它呢。于是，他就说："七奶，我来帮您打它吧！"说着就想去七奶手里要蝇拍子。七奶这才扬起头，看了看水亮，然后说："它在我家半个月了，我要想打，早打死它了，我就是不打，打死它，我家的燕子吃啥！"

水亮突然觉得七奶真的是精神有病了。他没有了主张，不知说什么好。

他想走，又觉得不能这样就走。他要坐下来观察一下七奶，到底是个什么样的状态。他自己找了个小凳子，坐在了七奶的右边。七奶并不理他，手里仍然扬着那个蝇拍子，眼光盯着那只绿头蝇子。水亮也想不出说啥好，一边想一边看着七奶手里的蝇拍子。

这样过了十几分钟。突然，秀秀在屋外喊："奶奶，奶奶，小麻雀又占燕窝了！"七奶听到秀秀的喊声，猛地站了起来，冲出屋门。水亮也站起来，跟了出去。这时，才见屋檐下一溜有四个燕子窝。一只小麻雀在中间那个燕窝里，露着头，四只燕子喳喳地叫着，轮流向麻雀扑去。麻雀被两只燕子叨着了，挣扎了几下，还是缩在窝里不出来。

七奶看着四只燕子与麻雀争斗，嘴里恶狠狠地喊："燕儿，叨它，叨死它！"

二

水亮五点多就醒了，醒了就起床。他是个从不睡懒觉的人。

村委会院子里有个电水井，他从屋里端着刷牙的缸子，胳膊上搭着毛巾来到院子里。三只小麻雀在他的身边飞来飞去，叽叽喳喳地叫个不停。他没有理会它们，开始刷牙洗脸，他想把自己都收拾好了，再腾出手跟这三只小麻雀玩会儿。

水亮一边洗脸一边想，这三只小麻雀现在成为自己的朋友了，这多少让他有了个伴儿。想想他刚来时，那真是孤独大仙，村委会小院里连个麻雀也没有呢。两年前，他无奈却很顺利地考上村官。上任的第一天，他至今还记忆犹新。那天，天特别热，他背着行李，一个人挤公共汽车来到了东城区办事处，才知道自己被分配到了马园行政村。当天下午，办事处派人送他上任。接应他的是该村的村书记马长胜和主任马大虎。交接仪式很简单，双方见了面，说明来意，表明态度，就各自离开了。被扔下的水亮，一个人环顾着破旧荒凉的村委会，突然有些茫然和空落。

其时，村委会就是一副空架子，三间破房，几张旧桌椅，除此之外，连水都没有，更别说做饭吃了。正在他不知晚上去哪儿吃饭时，马大虎的妻子来村委会院子里摘她种的菜，看见他一个人孤零零的，便邀他到她家吃饭。在马大虎家住了一宿，第二天，因为没有具体的工作可做，他就跟着村里的电工马锋四处走走看看，熟悉一下村里的情况。水亮也曾在村委会住了两晚，但热得实在受不了，就搬到了马锋家。直到半年后，村委会搬到了新建的办公场所，他才开始了独立生活，自己做饭吃，一个人在村委大院里住。

就这样，水亮无所事事地闲了近半年。直到村里开始实行养老保险，他才结束了这段赋闲日子。由于能写会算，他当上了社保员，还用村里公共地拆迁补偿的钱配上了电脑。每天制表、填表，了解参保人员情况，很忙、很累，但内心还是充实快乐的。他终于找到了当村官的感觉。慢慢地，也得到了村民和马长胜的认可。从此，他更忙了，被村委会委以重任——管钱，说大一点就是财务出纳。实际上，也不过是个跑腿的，到管理区取个文件，为村委会购置用品，有时替马长胜、马大虎去开会，基本上都是他一个人来办。

后来，院子里来了一只小麻雀，接着又来了两只，他算有了伴儿。再后来，这里也能上网了，他可以跟女朋友小真聊天，生活就有了些滋味。现在，自己突然成了村书记，命运似乎一下子给了力，水亮想着便笑了，生活真是不可预知呢。

水亮心情不错，在院子里做了几个扩胸运动后，准备回屋。这时，他看到一男一女走进了院子。两个人都三十多岁，一看就是两口子。水亮看着有点面熟，但并不知道他们的名字，就问："你们是哪村的？这一大早的，有事吗？"男的张了张嘴，似乎很难开口，水亮就说："啥事？你们说啊！"这时，女的开口了："俺叫郭红，他是俺男人毛海兵，俺是董园村的。"水亮笑了笑："你们两口子一大早的，有啥事呢？"郭红看了看毛海兵，意思是让他说话，可毛海兵就是不开口。郭红就说："书记，俺们是来打证明的，俺俩要离婚！"

水亮心里一咯噔，心想这一大早的，离哪门子婚。俗话说，宁做十年恶不拆一门婚，水亮决定劝劝他们。他问："你们因为啥离婚，过得好好的？"郭红想了一下说："俺们是感情不和。结婚证丢了，民政上说要离婚得在村里先打个证明，证明我俩是真两口子。喊，俺孩子都十来岁了，证丢了就不是两口子了？"水亮看他们的表情，并不像感情不和，这其中肯定有啥弯弯。为了慎重，就说："来，来，到屋里说，你们得说清楚了，不然这个证明我可不能给你们开！""书记，咋了？我们只是让你开我们是两口子的证明，离婚跟你没关系。我们现在是一家人，是千真万确的啊，夜里还一个被窝睡着呢！"郭红是个麻利女人，嘴一句也不饶人。

进了屋里，水亮看着他们俩不说话，他是故意这样的。这时，毛海兵终于开口了："水书记，你就给俺开证明吧，俺要不离婚，俺俩哥就跟俺要征用土地和拆房子补偿的钱。俺两口子都打八架了！"说罢，掏出一支烟递了过来。水亮不吸，没有接。他想了一下，说："这样啊，你两口子挺精明啊，离了，把钱转到女的名下，这样你俩哥就要不到了？你们这是假离婚，是犯法的，知道吗！"

水亮在村里工作两年多了，也掌握了一些方法，这一招叫震，先震一震他们。毛海兵一听这话就有些急，立即说："书记你不知道这里面的事。俺俩哥都在外面工作，俺娘在世的时候都是我一个人伺候她，一直到老，他们连赡养费也没拿过。娘死了，两个哥话说得漂亮得很，把家里十来间老房子都给了我。可这一拆迁一补偿，他们见我得了几十万就眼红了！”

水亮这才明白，原来是这回事，拆迁把亲情都拆没有了。他觉得这是一桩家务事，难缠，清官难断家务事，不如不问，于是说：“我劝你们不要这样，为了点钱把亲情弄没了，要离婚啊，得慎重。再说了，也不需要村里出证明，户口本就能证明你们的关系。我还有事呢！”郭红一听这话，忽地站起来了：“这样呀，你早说，俺们也不在你这磨牙花子了！”说罢，走出了屋门。毛海兵也起身，有些不好意思地对水亮笑笑，转身也出去了。

毛海兵和郭红走后，水亮开始弄吃的。饭是昨天晚上剩的，热一下就行了。他一边吃一边盘算这一天的工作，今天又是周末，拆迁工作组也休息了，他决定还是要去七奶家，他就不信自己感动不了这个老太太。管理区黄书记越说他书呆子气，他越不服输，他就是要看看自己能不能拿下七奶，他要证明一下自己的能力，好胜几乎是每一个年轻人的特点。

水亮来到七奶家院门口时，秀秀正在摘门旁上的葛花玩。秀秀已经认识水亮了，对他友好地笑笑。水亮弯下腰说：“秀秀，奶奶在家里干啥呢？”秀秀小声地说：“去年那窝小燕子，夜里回来了，奶奶正跟它们说话呢。”跟燕子说话？水亮觉得好笑，七奶通鸟语啊？于是，又问秀秀：“奶奶当真能跟燕子说话啊？”秀秀见水亮不相信奶奶，就有些生气了，歪着头扭着脸说：“奶奶就是跟燕子说话呢，她们一说就半天。不信，你去听听！”水亮摸了摸秀秀的小辫，笑着说：“我信，我信！能不能告诉叔叔，奶奶都跟燕子说什么了？”

秀秀想了想，说：“昨天奶奶说燕子最狡猾了，燕子不承认呢。”水亮来了兴趣，赶紧问：“奶奶咋说燕子狡猾呢？”秀秀见水亮很诚恳，就有些骄傲地学着奶奶的口气说：“燕子的狡诈就是叫人信任它。它们把巢和卵放到了人住的屋檐下，你一抬手就可以捣坏，这是对人最大的信任。没有任何一种鸟敢这样，人就被感动，就善待它们。”

水亮一想，还真是这个道理。信任真重要呢，有时信任是可以保护自己的啊。他觉得七奶有点神，对燕子这么了解！于是，他就兴趣极大地想听听七奶与燕子说话。只有取得了七奶的信任，这拆迁的事儿才可能有进展。

七奶果真坐在院子里，与两只飞上飞下叽叽喳喳的燕子说着话呢。水亮停住了脚步，不再向前，他怕打扰了七奶。太阳从东边照过来，七奶的笑容里跳动着温暖的阳光，她面前的两只小燕子身上也泛着黑色的金光。她和声细语地说：“没忘本呢，这隔着千山万水的还是飞了回来！”七奶说罢，两只小燕子叽叽喳喳了一阵。七奶笑了，又说：“我知道你们没忘我这个孤老婆子，赶快收拾你们的窝吧，你们一走啊，这窝就让雀儿给占了，我打都打不走呢。”两只小燕子又叽叽喳喳一阵，落在了七奶面前。七奶接着说:“你们和秀秀就是奶奶的命根子,奶奶的期望,见不到你们回来啊,奶奶我就没了魂。”其中一只燕子叽地叫了一声,落到了七奶的胳膊上。

七奶用手抚着它的剪尾,又说:“你们比六根他们还心疼我呢,他们一走都六年了,无影无踪的。唉,燕行万里不忘家,人一出门就迷了眼,人不如燕呢!”这只燕子一动不动,任七奶抚摸,它似乎知道这样七奶心里会好受些。水亮站在一旁,心里有些吃惊,七奶果真能与燕子说话呢。这些天,为了做七奶的工作,他也在网上查了不少关于家燕的资料。别看燕子是这么小的生灵,可真不简单呢。

燕子在秋季总要进行每年一度的长途旅行——成群结队地由北方飞向遥远的南方,去那里享受温暖的阳光和湿润的天气,而将严冬的冰霜和凛冽的寒风留给从不南飞过冬的山雀、松鸡和雷鸟。表面上看,是北国冬天的寒冷使得燕子离乡背井去南方过冬,等到春暖花开的时节再由南方返回本土生儿育女、安居乐业,其实不然。燕子是以昆虫为食的,而且它们从来就习惯于在空中捕食飞虫,而不善于在树缝和地隙中搜寻昆虫食物。在北方的冬季,没有飞虫可供它们捕食,食物的匮乏使它们不得不每年秋去春来,南北大迁徙。

水亮一边想,一边听着七奶与燕子说话。过了好大一会儿,七奶发现了水亮。七奶今天心情不错,精神似乎也正常多了。她对水亮说:“你看,我不是不拆房。房子拆了,这些燕儿到哪儿安家呢。燕儿是神鸟,它们都是夜里飞回来,可通人性了。”水亮就笑着说:“奶奶,我理解您跟燕子的感情。可这不拆也不是个事啊。再说了,燕子还可以去农村住呀。”七奶不高兴了,她站起来,抻了抻自己的上衣,说:“孩子没娘不行,燕儿没有老家也不中呢!”

水亮感觉这次也不会有什么进展,就想把与女朋友小真商量的苦肉计使出来。

在他的经验里,老人家都怕敬,你越敬他,他就越不好意思。如果此时自己真的给七奶下跪,说不定就真能打动她。当然,他知道这样像演戏一样下跪并非出于自己的内心,但他还是想试一试。就算没有结果,自己也没有什么不好意思,眼前的七奶都七十多岁了,给她下跪一下也不丢什么面子。这样想着,他就决定演一场下跪逼宫的戏。于是,他突然在七奶面前跪下了。当自己的双膝落地时,水亮却突然又没有了演戏的感觉,他觉得自己此刻是真诚的,他不是在给七奶演戏,而是真诚地希望能感动七奶,让七奶同意拆迁。

七奶见这情形,也猛一惊,连忙走过来拉水亮。这时,水亮便说:“七奶,您要不答应搬啊,我这工作就没了。我十几年的学就白上了,我就只能回家了,我奶奶会气死的!”

七奶一边拉着水亮的手,一边说:“唉,你这孩子别难为七奶,现在奶奶心里除了秀秀,就是这几窝小燕子了,它们就是我的命根子。”水亮仍然跪在地上说:“七奶,您不答应,我就不起了。我让新盖的还原楼上给燕子装上窝还不行吗?”

七奶看了一眼水亮,叹气道:“燕子会住城里的楼上吗?城是个怪物,吃土地吃树吃花吃草，连人进了城都被吞进肚子里没影儿了。别说燕子，我也怕城呢！”水亮觉得七奶的话半人半神的，知道不好理喻，就跪在那里不起来。七奶长叹了一口气，然后说：“孩子，你先起来吧，你不能这样逼奶奶。”

水亮想了想，怕七奶真的转身走人，自己就没台阶下了。于是，就顺坡下驴地起来了。水亮说：“七奶，您就是我的亲奶奶，您就把我当成亲孙子吧，反正我有时间就来，直到您同意帮我为止。”说罢，开始帮七奶收拾院子，然后给秀秀辅导作业。他是想以此来感动七奶。

他知道七奶的心这些年伤透了。他听村人说，七奶的儿子六根脑子不太灵，为了给他说媳妇，七爷口里省牙里攒，半辈子的钱才盖了这六间大瓦房和一间门楼。六根的媳妇郑大丽进门一年多，七爷就落下病死了。又过了两年，郑大丽丢下秀秀抬腿就出去打工了，一去一年多没回来。六根说是去找郑大丽，一去也没回来。慢慢地，七奶的精神就有了毛病，时清醒时浑。要想解决七奶的问题，关键是得让她心情好起来，这是水亮的判断。

水亮帮秀秀讲作业，秀秀高兴坏了。讲了还让讲，缠着不让水亮停下来。水亮心情也很好，就把秀秀不会做的作业，一题接一题地讲。

快到十一点时，水亮的手机响了。原来是黄书记，要水亮去管理区商量强拆的事。黄书记听说水亮在七奶家，有些生气地说：“你呀你！干事摸不着大小头，她一个神经老太太，你能做通工作吗？你那是瞎子点灯白费油。快，快回来！”

水亮合了手机，心里十分不高兴。他过去真没想到，黄书记是这个作风。现在基层这些干部，火气都这么大，一点儿耐心也没有。他强笑着对七奶说：“奶奶，我先走了，上面叫开会呢。您得好好想想啊，不然我可没法干下去了。”

七奶的脸色变得有点冷，说：“反正，燕儿不走就是不能拆！”

水亮一听，心凉了半截，快步走出七奶的小院。

出了院门，水亮苦笑着说：“我的亲奶奶啊，燕子得到秋天才走，还有几个月呢。您是真不想让我活了啊！”

三

七奶提前做好了午饭。秀秀还没放学回来，她就把饭和炒的青菜盖在了锅里。

两只小燕子一忽儿飞进屋里，一忽儿飞出去。七奶嗔骂道：“还不去衔泥搭窝，马上该下蛋了，只顾疯玩儿。”燕子好像听懂了七奶的话，叽叽喳喳个不停，似乎在与七奶斗嘴玩。

七奶搬个小凳子，来到了院子里。她坐下来，两只燕子也落在了她面前。不一会儿，从外面又飞回来两只，也落在了七奶面前。七奶想，这燕子真够闹人的。于是，就笑着给它们拉话儿："唉，你们说现在人是咋了，都忘了本了，不恋家不要家了，村里的人啊都飞进城里的高楼大厦里去了。村子一片一片地烂，城一块一块地向外疯长，把人们都吃进城的肚子里了，这城真是个怪物啊！"燕子们许是听懂了七奶的话，有些愤恨地叽叽喳喳叫着。它们也是为自己不平，城把乡村吃进肚子里了，把人吃进肚子里了，也同样把它们逼得无处可安身了。

正在这时，秀秀进门了。秀秀今天显然不高兴。

七奶问她咋回来这么晚，她也不搭话，而是把书包往地上一摔，气呼呼地站在那里，很委屈的样子。几只燕子飞出去了，七奶站起来，摸着秀秀的头说："好孙女，这是咋了？谁欺负咱了！"这时，秀秀突然哇的一声哭了起来。几只燕子听到哭声，又飞过来，在秀秀的周围叽叽喳喳着，像是在安慰秀秀。七奶挥挥手，燕子就飞开了。过了好一会儿，秀秀才哭着说："他们都说俺妈不是小燕子，说俺妈是鸡，说俺妈在城里做鸡了！"

七奶这才想起前几天的事儿来。几天前，秀秀说老师要他们写作文，题目是"我的妈妈"。秀秀记忆中就没有见过妈妈，不知道咋写，就问七奶。七奶就对她说，你妈长得像小燕子，她现在飞出去了，肯定会回来的，你就写妈妈是燕子吧。秀秀很喜欢燕子，与燕子也是朋友了，对燕子十分了解。她就把妈妈想象成燕子，作文很快就写好了。今天上午，语文老师讲作文，认为秀秀写得好，就在班上念了。可班里的同学却说："秀秀妈郑大丽不是燕子，是鸡，在城里做鸡了！"这些孩子也都是听家里人平时说的。秀秀一听就哭了，放学也不回家，就坐在教室里。她想象不到妈妈是啥样子，为什么别人说她是鸡呢。

七奶知道了缘由，哄秀秀说："好孙女，他们瞎说烂他们的嘴。吃饭吧，晚会儿我去找干部，让干部骂这些该撕嘴的孩子！"

秀秀上学走了，七奶就出门去村委会大院找水亮。她心里想，你都找我多少次了，现在俺得去找你了，村里的孩子都欺负俺孙女秀秀了，你得给俺做主。

水亮没在村部，他正在管理区接受黄书记的谈话。

黄书记说，他决定让会计马锋当村主任。在黄书记眼里，还必须让村里人出来当村主任，只有本村人能治得了村民。这叫"以敌治敌"。水亮不知道黄书记是如何跟马锋谈的，更不知道马锋怎么又同意了。这些都不重要，重要的是马锋同意了。同意了就好，有了马锋当村主任，他这个村书记肩上就不那么重了。他给黄书记表态说：完全支持组织决定。末了，水亮还是说："按法律程序，村主任得全村人选举，不然不合法，可现在村里男人都不在，这选举的事如何办？"

其实，黄书记叫他来正是商量这事的。黄书记问："男人不在家，按说女人就是一家之主，选举算不算数？"水亮想了想说："算。"

水亮还是担心那些女人们会不会参加选举，就是参加了，会不会投同意票。黄书记很诡秘地笑了笑说："嘿，你真是个书呆子，我看你这书是白念了，活人还能让尿憋死了!”水亮一时不知道黄书记葫芦里卖的是啥药,就不作声了。黄书记又点了一支烟,吐出浓浓一口烟雾,才开口说:“你准备印选票吧。把马锋的名字印上,设计成‘同意’不动笔,‘不同意或另选’动笔,就像市政协选举时的那种傻瓜票!这些老娘们儿大多不会写字,省她们的事。再说了,就是会写字的,不给她们笔,也是干瞪眼!”水亮一下子明白了过来,原来是这样。选举学问可真大了去了,他听说过“不同意举手”、“鼓掌通过”这种糊弄人的选法,但对这种表面合理其实不合情的选票,还真是第一次听说。

水亮临出门的时候,黄书记又把他叫住,说:“不是刚拨给村里两万元春季困难救济款吗?通知开会时就说,来参加会议的每户两百元,不来的罚款两百。你把钱取出来,准备一下!”水亮离开管理区,骑自行车回村里。

春风不歇,一连刮了几天,一路上尘土飞扬。水亮心里也灰蒙蒙的一层土。

早上七点,黄书记和管理区刘主任带着拆迁工作组的二十多个人来到了村部。他亲自在扩音器前讲了话,要求每户必须来一个人到村部开会,来的发两百元,不来的就罚两百元。讲了一阵子后,就让工作组的人全部下去,每人负责三户,挨家挨户叫人来。快到九点时,妇女和老人们一个个来到了村部。他们不知道来开什么会,反正现在开会就发钱,不发钱就没有人来开会。他们拿到装着两百元钱的信封,脸上才露出笑容,叽叽喳喳地拉起家常来。

工作组的人都回来了。黄书记示意把村部的铁门关上,清点人数。来得还真不少,除了七奶和牛大馍家没来人,总共来了 61 户。有几家确实没有大人,来了六七个半大孩子。人齐了,刘主任清了清嗓子,宣布会议开始。黄书记开始讲话,大意是村里没有主任不行,经过酝酿和征求意见,区里研究决定马锋做候选人。接着,水亮讲解选票。同意的就啥都不要动了,交上来就行,不同意的在后面写上“不同意”。

水亮刚讲了一遍,下面就叽叽喳喳起来。这时,二十多个工作组人员,就向村民们靠近,制止着不让说话。选票发下去了,那些村民你看我,我看你,一时不知道咋办好。也有几个识字的要笔,黄书记大声说:“要笔的先站出来,等会再填!”下面便没了声音。主持会议的刘主任看看会场的妇女和老人,说:“没意见的就缴票吧!工作人员收!”这时,工作组的人开始收票。有几个不想缴,工作人员就说:“不同意可以另填人,不缴票是犯法的!犯选举法!”

会场里又是一阵乱哄哄的声音,工作人员加快了收票的速度。两个识字儿的妇女就是不缴,非要笔。刘主任跟黄书记耳语了几句,就让人送过笔来。她们填了后就缴了。不大一会儿,票统计好了。

刘主任宣布:“本会场同意票 58 票!刚才,董园、刘园两个村的选举分会场也报来了票数,三个自然村应到会 243 户,实到 221 户,马锋同志得赞成票 189 票,符合选举法!现在,我宣布马锋同志当选为马园行政村村主任!大家鼓掌!”会场一下子安静了下来。这时,黄书记带头鼓掌,二十多个工作人员也鼓起掌来,掌声还挺响亮和热烈。

会场上的人以为选举完就可以走了。在他们心里,选村主任不是什么大事,谁当村主任都一样,现在上面都说和谐了,你马锋当了村主任也不能生吃了我们。这些人纷纷站起来就要走时,二十多个工作人员从四周围了过来。这时,刘主任又说:“下面进行会议的第二项议程,请工作组冯昊组长宣布土地征用和房屋拆迁方案,然后诸户签订合同!”会场一下子乱了。人们都站了起来,起哄着:我们不同意!我们不签!

村部院子的铁门开了。十几个公安干警快步进来,分散在会场四周。会场一下子安静了下来。接着,冯组长说:“这个方案在村里也公示几个月了,董园、刘园村民早就签过了,现在都拆完了!你们也不要有什么幻想,这方案是市里定下来的,今天必须签!”会场又开始乱了起来。十几个警察厉声维持着秩序,不许乱说乱动。冯组长接着说:“大家想一想,谁想好了谁签,签了就可以走!想不好继续在这里想,一直到想通为止!”

冯昊看着会场,心里很不是个滋味儿,左小腿针扎一样疼了几下。他的小腿骨折后就落下了毛病,心里一烦躁就针扎一样地疼。这感觉他没有和任何人说过,因为这事不能说,这条腿是自己故意打折的,这能跟谁说呢。

三年前,他在管理区当城管执法局长,只有上边来人才维护一下市容,其实就是专门负责城区的私搭乱建。这些私搭乱建他又管不了,都是上面有人撑腰的;老百姓见有后台的人私盖也跟着盖,你白天去拆了,晚上冯昊的家就被扔了砖头和死狗死猫,也常常接到恐吓电话。他要求换岗就是得不到批准,于是,他就自己把左小腿骨打折了,这才辞掉这个执法局长。可辞掉后,休养了一年,又被任命为工业园区拆迁组组长。组织上理由很充分:老冯有过同类工作经验!老冯无法再推辞,打折腿的痛只能往自己肚子里咽。

老冯知道这明显是强迫。会场上的人也知道这是强迫!会场一阵一阵骚动,叽叽喳喳成一片。这时,工作组人员及干警就站到村民们后面,几乎一个人后面站一个人了。会场又安静下来。过一会儿,有人提出要去方便。工作组人员就跟着她走到院子西北角的厕所,站在外面等。这样,僵持了一个多小时,快到十二点了,妇女们提出要回去给孩子做饭,说孩子放学该回来了。刘主任就说,那来按手印吧!会场又安静了下来。

又过了半个多小时,几个工作组的人员开始跟一些妇女谈。

他们说,这方案跟董园、刘园的一样,你们就是再坚持也是不能更改的。再说了,就是今天按了手印,如果你真不同意拆迁,我们也没有办法啊,只是今天你们不按这个手印,我们都交不了差,按吧!

有几个妇女被说动了,关键是看这形势,不按手印是不行了。她们心里也有自己的小九九,按了手印,上面也不能来硬的,先按了再说吧。于是,同意按手印的被叫到前台,按了手印就被人带出了院子。见有人按了手印,其他人的心也跟着松动了,一个接一个地走向了前台。

快到两点时,会场上终于没有村民了。黄书记点上一支烟,长出一口气,对工作组二十多个人和十几个干警说:"大家辛苦了!走吧,都回管理区吃饭!"

水亮这天喝了不少酒。他得给管理区的领导和工作组、干警这些人一一敬酒。人家帮了自己的忙,不敬不行啊。更重要的是他心情很不好,这几天的事像梦一样,让他分不清真假了。

他回到村部就快五点了,头晕晕的,倒在床上睡了起来。

睡梦中,水亮被咚咚的敲门声弄醒了。他走出屋外,才知道天都黑了,光线暗得眼前一片模糊。他打开院子的铁门,见是前几天来找他的毛海兵,就皱着眉说:"你又来干吗?离了吗?"毛海兵不说话,挤进了院子。水亮就说:"嘿,你这人真是的,问你话呢!找我还是离婚的事啊?"毛海兵站在院子里说:"婚是离了,可法院来了传票,要我上法庭。俺那俩哥把我告了!"水亮揉了揉眼,没好声气地说:"传票到了,你上法庭就是了!这事找我干吗呀。"

"你是村书记,你得为俺做主。听说你是学法律的,你得帮俺!"毛海兵哭着腔说。

水亮看了看他,说:"这事我管不了!去吧,该咋的咋的!"说罢,转身向屋子走去。

这时,他听到扑通一声。一回头,见毛海兵竟跪了下来。水亮又转过身,大声说:"起来,起来!这是干啥?"毛海兵望着他说:"你不答应帮俺,俺就不起来!"水亮想了想,心里烦得很,就说:"我真帮不了你,我不是律师,进不了法庭!你明天去城里找个律师,律师能帮你!"

毛海兵在夜色中站了起来。

四

这几天,村里的男人陆续回来了。

其实,他们并没有走多远,大多都在药都城或周边一些工地上打工。当他们知道马锋当了村主任,自己家的女人按了手印,就有些急了,合同手印都按了,说不定就要强行拆迁了。他们其中几个人也找过律师,律师说,合同按手印了,就是表明同意了。既然同意了,如果再不拆迁或阻拦拆迁那就违反合同法,上面就可以来硬的了。

于是,男人们决定回村。如果上面真强行拆迁,那些个娘们儿屁都不顶用。别看平时她们那破嘴都刀子一样厉害，弄到真事上就都尿裤裆了。

马四宝是村里的人头，别看平头百姓一个，村里人都信他的。马四宝在内蒙古当过兵，他自己说当过排长，要不是喝高了，说出连长跟当地一个小媳妇通奸的事儿，他就会提副连了，就成干部了，就不会回到村子里。他的话没有人能证明是真的，但也没有敢说是假的。他为别人裤裆那点事丢了前程，村里人为他可惜，也为他的仗义所折服。加上他能说会道，自然就成了村民心里的主心骨。

马四宝回到村里，村里的男人便暗地里勾连好了。要是上面来强拆，他们就阻挡，也来硬的。他们也想好了对策，先让村里的老人和妇女上。他们知道，上面是不可能对妇女和老人怎么样的；还有一招，那就是做七奶的工作。只要她不同意拆，村里其他人也就都不同意。

这天傍晚，马四宝来到了七奶家。见七奶正跟归巢的燕子说着话，就笑着说："七奶，这燕子可是神鸟呢。可惜啊，这一拆迁，您就再见不到它们了！"七奶一听这话就说："我就是不拆，看他们能咋得了我一个孤老婆子！"说罢，望着屋檐下的几只燕子，又说，"这些燕儿就是我的命，燕子死，我死！"

马四宝见七奶这样说，心里高兴坏了。他说："您老放心吧，谁敢动您的燕子，我们绝不答应！"临出门时，他又小声地对七奶说，"七奶，您可要留神啊，说不定那些人会在夜里把您这些个燕窝给捅了！"七奶笑了一声，然后说："我夜里睡不着，真有人来，燕儿会叫醒我的。我跟他们拼命！"

马四宝走出七奶的院子，心里乐滋滋的。他觉得，七奶这张底牌他拿定了。

一直把七奶当作底牌的还有个人，这个人就是水亮。他一直想，七奶是个关键，如果她同意拆迁，村里的其他人就好解决了。

水亮前些天一直在网上查，他终于查出来了，苏州在还原农民拆迁房时，就在还原楼上设计了鸟窝。人们搬进来后，第二年各种小鸟照样来楼上做窝。农民世世代代与小鸟成了朋友，虽然住楼了，没有鸟叫声，依然睡不安生，过不舒心。他把这些资料拿给黄书记看，黄书记叹了口气说："你呀，你给设计院去说吧！"于是，水亮就一趟趟跑设计院。设计院说修改图纸要加钱，水亮就一次次地给他们赔笑脸，说好话。最终，设计院的杜工程师被他打动了，免费做了修改。

这天上午，水亮一拿到图纸，就回到村里，他要给七奶看。他想，这样漂亮的鸟窝，七奶说不定会高兴的。

水亮来到七奶家，七奶仍然坐在院子里的矮凳上，望着飞来飞去的燕子说着什么。水亮走到七奶身旁，见窝里有一只燕子卧在那里不动，就讨好地说："七奶，这燕子是做窝了吧。它一窝能抱几只燕子啊？"七奶看了看水亮，这些日子她觉得水亮人不错，心里也不再讨厌他了，就说："燕子一窝一般就抱四只小燕子，有时也有抱六只的。"水亮见七奶心情不错，心里暗喜。

他又投其所好地问七奶："七奶，您给我说说这燕子吧，您老人家都能跟它们说话呢。”七奶想了想，说：“燕子啊最聪明，它知道离两条腿的人不能太远也不能太近。珍禽猛兽害怕人、远远地躲着，人便去深山捕它们；家畜被豢养离人太近，人便随意杀它们。只有燕子摸透了人的脾气，又亲近人又远着人，人就敬神一样敬着它。”

水亮真没有想过这些事儿，听七奶这样一说，他对七奶敬佩不已。七奶精神一点毛病也没有，清醒着呢，她比谁都明事理儿。于是，他趁势把图纸拿出来，指给七奶看。七奶问：“这是啥？”水亮就说：“这是我让设计院设计的楼房，每层楼上都设计了鸟窝，燕子也可以在楼上做窝的！别的城市都这样做的。”

七奶看了看图纸，又抬头看了看水亮，然后摇着头说：“你这孩子，这是给麻雀和其他鸟儿弄的。燕子可不会进窝的。”水亮急了，解释说：“燕子会的，它可以在这鸟窝里重新做窝啊！”七奶有些生气地说：“你啥也不懂，念书把脑子念进水了。燕子要在明亮地方做窝。它们每年用嘴衔来泥土、草茎、羽毛，再混上自己的唾液。有时补补旧巢，有时搭新巢。哪会进你做好的窝呢？”

水亮听七奶这样说，心里很凉。自己这些天的努力，就这样白费了。他正想再解释时手机响了，是黄书记打来的，要水亮立即到村部去，他已经在村部了。水亮答应了一声，又强装着笑说：“七奶，我先走了，明儿我带您去苏州看看，让您看看燕子是咋在那楼上做窝的。”七奶说：“你忙你的吧，我一辈子没出过门。我也不上这州那县的，进了城我头就晕。”

水亮到了村部，见黄书记、冯组长和马锋都在。黄书记见水亮拿着图纸，就问：“老太太同意了？”水亮说：“她不相信燕子会在这里做窝，真没办法！”黄书记笑了：“你呀，叫我咋说你呢，你还真相信愚公能移山呀！那最多只是个传说。”水亮叹了口气，也没说什么。他能说什么呢，七奶的工作一天做不通，他就不能证明自己是对的。

黄书记看了看马锋，说：“还是老太太吃柿子，先捏软的吧。那个牛大馍咋还没来？”马锋说：“快了，快了！”说着便掏出烟递过来。

一会儿牛大馍来了，坐了下来。黄书记就盯着他看，一句话也不说。牛大馍心里有点发毛，说：“书记，我来了！”黄书记把烟掐了，看了看马锋，然后说：“知道你来了。你知道叫你来干什么吗？”牛大馍赶紧说：“不知道，不知道。”

黄书记看了一下冯昊，就说：“老冯你说说吧！”

冯昊看着牛大馍，问：“你叫什么名字？”

牛大馍一愣，答道：“我叫牛五州，村里人都叫我牛大馍。”

冯昊又问：“你是哪一年来马园村的？”

牛大馍想了想，然后说：“1989 年吧。”

“你一个外乡人，是咋在马园村落户盖屋的？说！”

牛大馍一听这口气，心里吓了一跳。牛大馍是二十年前来村里的外乡人，开始是在村口沟边摆摊算卦，后来就搭起了塑料棚，再后来就变魔法一样不知不觉中把棚变成了简易房，变成了砖房，变成了院子，变成了蒸馍卖的馍店。他觉得自己在马园落户是有点来路不明，心里就怯几分。

见牛大馍不说话，黄书记就说："你一个外来户，还在村沟边荒地违章盖了房子，村里人把你告了！按照规定，你得把房子扒了，立即走人！"牛大馍见黄书记这样说，紧张了起来，小声说："我走人，我到哪里去啊！"

这时，马锋说："老牛，你哪里来还到哪里去，把房子拆了，把砖头什么的拉走！"牛大馍脸上唰地冒出了一层汗，虚着脸说："主任，您不能这样啊！"

冯昊看了看牛大馍脸上的汗，说："现在是和谐社会了，你要是识相呢，限你一周内把房子扒了，该还原你多少就还原你多少面积，要钱也行。"

牛大馍当即签了合同。第二天，拿到钱，就在外面租了房子。第三天，拆迁组就开着推土机把房子给拆了。推土机推房子的时候，村里不少人都站在外面看。见牛大馍孙子一样递烟，就有人骂着什么，走开了。

水亮的奶奶病重了，他请了一周假回老家去了。

刚到家第四天，他就接到黄书记的电话。黄书记简单问了一下水亮奶奶的病情，就让他快回来。说省长要来视察，现在七奶和一些村民正在闹事，市里要求所有工作人员必须全部在岗。水亮想问什么事，黄书记却挂了电话，水亮第二天早上才能乘汽车。晚上安排好家里的一些事，就给马锋打电话问个究竟。

马锋在电话里把大致情况说了。

说牛大馍拆迁后，又拆了老蒿家的房子。老蒿原来是赤脚医生，后来改做了兽医，再后来农村不喂猪牛了，他又改成人医了。几年前，给一个农民开阑尾炎开出了事故，老蒿跑了。他爹听说不同意拆房子，公安就要抓他儿子回来坐牢，就同意拆了。按说这是好事，有几个常年在外打工的人家也同意拆了。可就在这当儿，七奶家的燕子窝夜里被人捣了两个。七奶的精神病又犯了，拎着刀，一直在管理区大门口闹。村里一些人就跟着七奶起哄，一个叫马松的小年轻砸了管理区的牌子，被抓起来了，村民这才被制止住，可七奶仍一直在区大门闹，现在被强制弄回她家里，她却拎着刀，坐在院子里，几天都不吃饭了。

水亮一听这话，心里就明白了。捣七奶燕子窝的，肯定是村里人，他们是想用七奶这张牌，来制造混乱、阻止拆迁。想到这些，他心里很复杂。村里的工作不好干呢，甭再说农民都善良了，有时也鬼得很的。他们啥招都使得出来。水亮觉得七奶也太没道理了，这建工业园拆迁的大事，她竟以几只燕子闹出这么多事来。再一想，他也颇同情七奶，孤孤独独的一个人，只有燕子才是她的伴呢。

第二天，水亮早早地就起来了。他要弟弟送他到十几里外的县城坐车。

田野上空还有着薄雾，小燕子带了它们双剪似的尾，斜飞在旷亮无比的天空之上。叽的一声，已由这块麦田上，飞到了沟边的柳条之下。自行车驶在路上，水亮看到，有一只小燕子在粼粼如波的水沟里掠过，剪尾或翼尖沾了水面一下，那小圆晕便一圈一圈地荡漾了开去。再向前看，便见飞倦了的几对燕儿，正闲散地憩息于纤细的电线上。

可这时，水亮的心情却黯淡了下来。他又想到了七奶家那几窝燕子。

五

“狗不咬”是马园村民给水亮起的外号。

水亮没觉得有啥不好，反而觉得心里有那么一点点满足。虽然，村民们对拆迁的事仍没有一点松口，但他从村民对他的态度中，感觉到已经有一些村民开始理解他了。

七奶事件后，水亮一户一户地去做工作。

马园村民家家都爱喂狗，有的还不止一条。

开始的时候，狗见了他就龇牙咧嘴地围着他叫。水亮是怕狗的，但又不能不去，手里便拎着根短棍子，以防万一。进得去门了，可屋里的人脸色并不比狗脸好看多少。不让坐，也不搭理，故意冷着水亮。但水亮不生气，他也是农民，他知道农民的脾气，敌不了敬。他自己本来不抽烟的，但他却装着烟，进屋就给男主人让烟。多少让村民有点不好意思，最终还是让水亮坐下来了。虽然，话语是不冷不热的，但水亮不在乎。他心里想，我是来做工作的，做工作就不怕看脸色。你给我脸色看，我没啥丢人的，我不是为我自己求你，我是为工业园区建设。再说大了，是为了城市化，是为工业发展做工作。

水亮往往先从拉家常开始。见村民开口了，再给他们讲拆迁的事。村民能听得进去了，他就不失时机地宣传征地拆迁的优惠政策，讲工业园区给当地村民带来的好处。他用家常话解读政府拆迁补偿政策，算国家建设、城市发展的大账，算村民家庭变迁的细账。其实，村民们都理解，就是嫌他们得到的补偿少了。尤其一些地多的，也给水亮算账。他们说自己每个人有三亩多地，每年种蔬菜收益是多少，现在一下子没有地了，将来怎么办。水亮就给他们解释，说有低保了，将来还可以到工厂打工。但村民们不放心，他们都认为进工厂这事攥不牢，工厂弄不好还会倒闭，工人还要下岗。再咋说也不如自己种地稳当。

一连半个月，水亮天天出了这家进那家。一遍一遍地说，一遍一遍地讲。终于又有两家同意拆了。他心里高兴坏了。晚上就跟女朋友小真聊天，说这事。可小真却冷冰冰的。水亮开始以为小真对这事不感兴趣，或是白天工作累了，并没有在意。可一连几天，小真都爱理不理的，水亮心里就有些预感，小真是不是变心了。这天晚上，他没有上网，而是给小真打电话。小真冷冷地说：“水亮，这两年我想了很多，我觉得我们不合适，还是分开吧！”水亮正要问为什么，小真却挂了电话，他再打过去，小真的手机却关机了。

水亮这一夜发疯了一样，一次次拨打小真的手机，可听到的都是那句话：你拨打的手机已关机！

天快亮的时候，水亮想明白了：小真其实早变心了！自从他当了村官，小真对他的态度就开始变化了。她也是农村出来的，是不想让水亮待在农村的。水亮想，真是活见鬼了，越是农村出来的越看不起农村，越怕农村，越梦想城市。尤其，小真当了那家房地产公司的办公室主任后，水亮心里就隐隐觉得她变了，喜欢谈她的老板，也常常出去陪老板应酬，有时从她接电话的声音里，能感觉到她应该是与别人在一起。他没想到小真也会走上当二奶的道上去，看来钱是最能改变一个女人的。

水亮觉得自己受到了极大的侮辱，决定去省城找小真，他要小真给自己一个说法。即使分开了，他也不能让小真成为这个房地产公司老板的二奶，他觉得，这样他会一辈子抬不起头的。

天亮了。

水亮起来草草地洗了脸，推着自行车就去管理区，他要给黄书记请假，要去省城找小真。黄书记见水亮这么早就来了，就笑着说：“水书记，是不是马园村民都被你说服了，来给我报喜！”水亮心里很难受，本想发火的，但还是压了下来，说：“黄书记，我有点急事，得去省城一趟，就一天时间！”黄书记点上烟，把他从上到下看了一遍，然后才说：“咋了？想你女朋友了？我正要找你呢，七奶那边你还能拿下吗？拿不下我可采取行动了啊！”水亮心情很不好，见黄书记明显地对自己不信任，就说：“你们随便吧，我是没这个能力了！”

水亮走后，黄书记给马锋打了电话，要他立即来管理区。

马锋来到黄书记办公室，黄书记就直截地说：“你可能也听说了，组织部都考察我了。现在我必须以最快速度把马园拆掉，我二十年的努力才有这次机会，不能让这些人给我搅了局！”马锋见黄书记这样说，心想，就听令吧，不干也不行。于是就表态：“书记，你咋安排我咋办，我尽最大努力！”

黄书记又点上一支烟，才说：“我跟刘主任研究了，想让公安在网上通缉李七奶的儿子李六根和媳妇郑大丽。他们两个弄回来一个，七奶的问题就解决了。”马锋一听说要抓六根和郑大丽，就说：“书记，他们都六年音讯皆无的，上哪儿找他们呢！”黄书记很是失望地看着马锋说：“就你这脑子，他们能都死了？只要活着，上了网，公安就能找到他们！”马锋一时不知道再说什么好，想了想，就附和着说：“公安能找回他们好啊，七奶也有福了！”

黄书记掐了烟，有些生气地说：“别扯闲篇了，我叫你来，是让你想想这六年前村里可发生过啥事吗？没有理由，公安以啥名堂上网通缉呢！”马锋这才明白过来，他搔着头，皱着眉，很发愁地苦思冥想。黄书记又抽了半支烟，马锋才开口说：“有了！六年前，村东头马老五家的房子被点着了，人还差点被烧死呢。”黄书记听罢，竟从椅子上站了起来，笑着说：“好！就这事了！你赶快写写情况，我下午就安排人去公安分局！”

现在，村里已拆了六户了。黄书记办好网上通缉李六根和郑大丽的事，就与刘主任和冯组长研究。他们觉得现在强拆的时机到了。他们三个人研究了方案，又报给市里。市里开始并不同意强拆，但也觉得不强拆不行，就同意了。分管副市长一再叮嘱，要周密部署，以防万一，尤其不能出人命。

他们制定的方案很周全：由四台推土机同时进村，管理区和区派出所 74 名人员全部出动，另外再从市公安局调 50 名防暴队员预备。

这个方案报到副市长那里没有通过，他觉得这样还是不妥。要想办法把村民尤其是男村民都调到别处，来个调虎离山，然后再实施强拆。黄书记觉得这个建议好，就决定由刘主任和水亮把男村民召集到村部院里，关了门开会。他在外面指挥，会议一开，推土机再迅速进村，从村东头开始推。如果发生意外，就立即抓人。时间就定在三天后的中午。

其实，这个方案水亮是不知道的。他从省城回来，情绪一落千丈，人像丢了魂一样，工作也没了激情。这一点是完全可以理解的，像水亮这样一个二十三岁的大学生，女朋友突然投入他人的怀抱，他的心理压力一定很大。

这天晚上，水亮早早地吃点东西，就想睡。这些天，他感觉太累了。当他去锁村部大门时，毛海兵正站在门口，想进又不想进的样子。水亮看着他，说：“你又有啥事？官司赢了吗？”毛海兵掏烟，水亮不接，他就说：“我是来请你的，官司赢了，法院判给他俩每个人六千块，算是道义了。我明天要请村里的人吃饭，我就是要让那两个不孝的哥哥难看！书记，你得去呀！”水亮苦笑了一下，心想，钱啊把亲情都弄没有了，真是相煎何太急呢。见水亮没说话，毛海兵又说：“多亏你指点，我才找律师的。你得去啊！”

水亮就糊弄了一句：“我明天有事，争取吧！”说罢，就关了铁门。

天刚亮，水亮就接到了黄书记的电话。他要水亮做准备，说上午九点刘主任和冯组长要给村民开会。

水亮吃了点东西，就开了扩音器，开始通知村民来村部开会。这种会这些天开多了，村民们就没在意，去就去呗，听听你咋说，不增加补偿就是不拆，看你能怎么着谁。正是抱着这个心态，到九点半，村部还真来了四五十人。

人们到了会场，没多大一会儿，突然进来十几个警察。他们把铁门关上后，就站在会场四周。水亮预感到这可能是一场预谋，可能黄书记要采取强制行动了。但他心里并不怯，这些天他与会场上的这些人都混熟了，估计这些人不会做出什么事来。于是，他就宣布开会。冯组长像平常一样，开始以拉家常口吻，给村民们讲拆迁的道理。从国家发展，到拆迁后农民变成城里人的好处；从国家的补偿政策到这次拆迁方案,一条一条地讲。会场上的男人们都在吸烟,小声说着什么,并不认真听;有几个认真听的,也装作很不在意的样子。

大约过了半个多小时,突然院外有女人厉声喊:“快出来啊!推土机开始推房子了!”会场一片骚动,马四宝站起来,要向院门走,另外一些男人也一起向外挤。四周的干警就围了过来。有几个年轻人跑到会议桌前,想把刘主任和冯组长当人质。几个警察迅速扑过来,有两个村民被摔在了地上。会场上的人,见有人被打倒,情绪一下子激动起来。开始想找东西与警察对打。这次会议按黄书记的安排,没有摆凳子,就是防备村民用凳子当武器的。

这时,马四宝喊了一声:跟他们拼了!会场上的年轻人就挥着拳头与警察打了起来。这当儿,外面的警车拉着响笛停在了门口。铁门被打开了,又冲进来二十几个警察。现在村民们显然没有了优势,有几个被铐上了,架到外面的警车上。接着,又有几个人被架上了警车。警车拉着十几个人呼啸着开出了村外,又有警车尖叫着进村了。这时,刘主任大声说:“都给我停下!你们这是妨碍公务!”

会场短暂地安静了下来。有十几个想动手的村民,被警察一人一个胳膊地架着,动弹不了。这时,水亮发话了,他说:“老乡们,你们不要动手!动手是解决不了问题的。”冯组长显然对水亮的话不满意,他打断水亮的话,大声说:“拆迁合同你们都是按了手印的,快两个月了,你们仍然不拆,现在强拆是合法的!谁再敢动,法律不饶你们。”

其实,黄书记策划这个强拆也是要给村民一点脸色。推土机强推了十来户,就开走了。

当推土机走后,工作人员也随即撤出了村外,最后走的是在村部的警察。

马四宝被抓走了,就没有了头儿,这些村民们也不敢真动了。当刘主任要水亮走时,水亮坚决不走。他说,他可以留下来,村民们不会怎么他的。刘主任说:“你太年轻了,现在他们正在气头上,你留下来很危险,他们会拿你当人质的!”

水亮最终还是没有跟警车一道走。他一个人留在了村部。他想,也许自己会被村民们当作人质,但他觉得这些人不会怎么着他。这些人受了这么大委屈,这个气总得有地方出,不出早晚还会再憋出事来。

人都走后,水亮关了铁门,坐了下来。

他本来是不抽烟的,但还是点着了一支。

他才抽了一口,烟雾就把他的两眼呛出了泪来。

六

三只小燕子不知从哪里进了屋。

它们叽叽喳喳地在水亮头顶上盘旋，不时掠过他的额头。一会儿，一只黄嘴叉的燕子竟在他额上啄了一下，便又飞走了。水亮迷迷糊糊的以为是在梦中。可他揉了揉眼，清醒了一下，便看到了从窗外射进来的金色阳光，三只小燕子就并排站在窗台上，正在相互叨着、叫着，并没有在他头顶盘旋。

水亮躺在被窝里，还要回忆刚才的情形。是梦呢，还是小燕子真的在自己额上啄了呢，他一时弄不清。但这时，天已经大亮了，水亮赶紧翻身起床。

当他走出屋门，来到院子里的电水井旁准备洗漱时，听到了外面一阵骚动。他心里一惊，又沉静了下来。他知道外面肯定站满了村民。这一点，昨天晚上他就有预感的。他放下刷牙的杯子，掏出钥匙，打开了铁大门。这时，四五十个妇女和老人，中间也夹杂着十来个男村民，拥进了院子。

水亮显得特别的镇静，因为这是他预料到了的事，他心里是有准备的。于是，他微笑着说："请等我洗漱好再说，行吗?"人群中并没有人搭话。水亮苦笑了一下，就开始接水、刷牙。又用脸盆接了大半盆水，很认真地洗起脸来。他感觉这一夜睡的，脸都出一层油，他要仔细地洗一下。

一切都收拾好了，水亮就说："这样吧，反正我也跑不了的，你们选几个代表出来，我们认真地说说。这样你一句他一言的，我也听不清。"人群里骚动了一阵子，就有五个人进了水亮的屋子。他们一个个都沉着脸，不说话。水亮说："我理解你们的心情，我可以尽快让昨天被带走的人回来，但你们必须答应我一些事!"

"俺男人被抓走了，不知道在号子里受了啥罪呢！俺还能答应你什么?"一个妇女突然带着哭腔大声说。

另一个女人接着说："水书记，我们知道你是好人，可是人不全放出来，你就休想离开这院子了。反正我们的男人也进去了，我们啥事可都敢做出来!"

水亮见她们这样说，就笑了一下，然后说："我是不怕你们的，要是怕你们，我昨天就走了，我为什么要怕你们呢？我也是地地道道的农民，但有一点我要说清楚，你们这样不讲政策、不按套路地阻止拆迁是不行的。现在全国哪个地方不在拆迁？我们的方案，我负责任地说是把政策用到了上限，政策范围内真没有亏待你们！你们必须保证配合拆迁。这是全市工业发展的需要，这是大理!"

进来的几个妇女觉得没有啥话说，就出去了。接着又进来一拨人。水亮还是细声慢语地解释。他知道，此时不能来硬的，不然就会发生意想不到的事。快到十点的时候，水亮给黄书记打了电话，说明情况，要求来人解决。电话刚打过，就有人冲进屋子，声音很大地说："你给那个黄书记说，不要带人来，要是带人来了，就别怪我们对你不客气!"水亮想了想，就把这人的话告诉了黄书记。

十一点多钟，黄书记和秘书两个人来到了村部。

黄书记在农村工作十几年，他了解如何应对农民。昨天，他来的是硬的，那是黑脸；今天，他就要来软的，唱唱红脸。做农村工作就要有软硬两种手段，不然就开展不下去。昨天，被带走的十九位村民，按黄书记安排，没把他们送拘留所，而是带进了管理区大院。人带来后，就把他们的手铐给解了，然后倒水给烟。先是把这些人弄在会议室里，他开了一个多小时的动员会。然后，把工作组和管理区的干部分开，两人对一个村民，做两对一的谈心。吃饭的时候送来的是盒饭，管理区干部与村民一道吃，吃过接着谈。有几个脾气硬的，一直谈到快天亮。

十五六个小时的谈话，这些村民终于被打动了。早上吃过饭，黄书记又把昨天研究的方案在会上给这十九位村民通报了一下。那就是：考虑到村民实际情况，每户再增加半年的拆迁过渡安置费用；管理区承诺帮助马园村创办集体企业！

围在村部的村民们，不知道自己的男人被抓走后发生了什么事，心里很焦急。见黄书记与秘书两个人来了，心里安顿多了。黄书记把人召集到院子里坐好，把从昨天到现在发生的事讲了一遍。人们先是安静了一会儿，紧接着又乱哄哄的了，他们不相信黄书记说的话是真的。这时，黄书记就说："你们先派几个人到村口等着吧，半个小时，人不回来，可以把我扣留下来！"

这时，有一半人，就呼啦一下冲向了院门外。

接下来的拆迁很顺利，这是水亮没有想到的。

他从心里转变了对黄书记的看法。他觉得并不是所有的基层干部都不关心农民，只不过他们有时也是没办法才采取一些下策。现在拆迁的确是全国性难题，不来点硬的也真不行。但一味来硬的，不站在农民那一头兼顾他们的利益，也是办不顺利。这样想来，他觉得当村官还真的不容易。虽然小真不理解他，虽然当村官没有啥实惠，但对自己的人生是一个很大的丰富。自己虽然在农村长大，是地道的农民子弟，但通过这两年多的工作，他才知道，其实他原来并不真正了解农民。

这些天，他的心情好多了。人生何处无芳草，只是缘未到。他强迫自己尽快忘掉小真，甚至他在想小真的时候，就把小真往坏里想，想她是一个爱慕虚荣和金钱的女孩。夜深人静的时候，他实在化解不了心中的结，就把小真想象成娱乐场所的小姐。一个女孩没有了尊严，只爱金钱时，还值得自己爱吗？

现在，水亮整天在拆迁现场，弄得灰头土脸的，但他的心情却比前些天好多了。这关键是，他摆脱了来自小真对他的心理压力。

而今，七奶家成了名副其实的"钉子户"，这也是水亮最头疼的事。

随着村里其他人家的拆迁推进，整个村子只剩下村部和七奶家了。

现在，马园的拆迁上了市报，又成了"和谐拆迁"的典型。黄书记的意思是，就剩七奶一家了，可以暂时缓一缓。但这种缓其实是外松内紧，工作一刻也不能停。这个工作就交给了水亮。当然，这也是水亮主动揽下来的，他这样做，是有自己的考虑的。如果他不承揽下来，工作组就可能按他们原来商量的方案，夜里把七奶和秀秀架走，强行将房子推倒。这个结果，水亮是不愿意看到的。他觉得，如果真这样做了，七奶的病会发展到哪一步，甚至出不出生命意外，都很难说。所以，他还是坚持要做工作。

而黄书记也自有他的算盘，他不断地与公安沟通，只要能把李六根或郑大丽其中一个人给抓回来，把七奶交给他们，就可以强拆了。

七奶这些天病情确实加重了。她看到村里的房子都拆了，心里也感觉自己家可能也难逃被拆的命运。她心里焦急，越焦急病情就越重。这些天，随着村里的房子陆续被拆，她家里来了十几对燕子。它们就站她家的院墙上或房檐下，叽叽喳喳叫个不停。人有人言，鸟有鸟语。七奶听得懂这些燕子的话，它们是在商量到哪里安家。有几只燕子因为燕窝被捣坏，雏燕生死不明，它们是在悲痛中；也有几只燕子，七奶能从它们的叫声和眼神中知道，它们是想在七奶家安家。七奶的心像刀割一样。

七奶知道这些燕子是最知趣的了：它们三月份回来，飞进飞出、乳燕大叫，人们正想烦的时候它们九月就搬走了。过了几个月，人开始思念它们时，它们才回来。它们会根据人的情绪起落安排自己的日子。可现在，它们还不该走呢，人们就强行逼得它们无处安身。七奶也没有办法，就给这些燕子说话，安慰它们。七奶说："唉，现在世道变了，城在不停地吃土地，也吃人，吃百鸟百物，这样早晚是要得报应的。看来我也救不了你们了，就先在这安家吧，过一天是一天。"

已经有几只燕子开始在七奶家屋檐下重新做窝了。七奶很高兴。她就在院子里，放个水盆，放些细草，放些碎细的黏土，放些鸡或杂鸟的羽毛。这样，小燕子就不用到外面去找做窝的材料了。但也有几只燕子，仍然不做窝，就那样不停地叫着，声音很凄厉。没几天，就有四只燕子死了，死在了七奶的院子里。七奶流着泪，把它们放入纸盒，与秀秀一起把它们埋在了树下。

这些日子，七奶就在家里，寸步不离。她生怕自己出了门，房子就会被推倒。从前天起，连秀秀她也不让去上学了，让秀秀与自己一起来保护这些燕子。水亮接到老师打来的电话，决定去七奶家，把事情给她讲明，秀秀的学习是一天也不能耽误的。

水亮来到七奶院子里。见七奶和秀秀正都仰着头，向屋檐下看。他没有吱声，蹑手蹑脚地靠了过去。这时，他看见两只燕子正在两面夹击另一只燕子。被夹击的这只燕子，显然是个入侵者。它见两燕子左右夹击自己，就在檐下打着转地飞。它终于飞了出来，但那两只燕子还是不依不饶，又飞过来前后包抄。这只入侵的燕子，终于感到力不从心，鸣叫着飞出了院外。这时，七奶就说："唉，你们这两燕儿啊，咋也学得跟人一样只自顾自了呢？它也是被逼得没地儿安家，你们咋就不能容它们歇歇脚呢！"

见七奶的眼睛发直，显然她已经不正常了。水亮是知道的，他上大学时班里有个抑郁症同学，病一厉害，眼睛就这样子。水亮叫着秀秀说："秀秀，你咋不去上学了？家里有奶奶就行了，他们不会强行推你们的房子的，不上学可不行呢。"

七奶两眼直直地看着水亮，一句话也不说。

一个多小时后，水亮从七奶的院子里走了出来，他终于长出了一口气，七奶同意秀秀去学校了。水亮就想，唉，别说秀才遇到兵有理说不清了，秀才遇到抑郁症老太太更晕菜，得像哄小孩子一样地哄啊。他下意识地想，自己老了不会得这病吧？得了这病，那心里该是一个什么样子呢。

水亮还没走到村部，就看见毛海兵已经蔫头蔫脑地站在那儿了，那脸活像一个霜打过了的紫茄子。这人又怎么了？水亮边想着边走过去。

到了跟前，毛海兵就哭丧着脸说："水书记，我那婆娘把离婚当真了！听说她要改嫁，我去找她要钱，她翻脸不认人了。昨天晚上，我气急了，按了她，今天一大早她就去告我强奸她。你得给我做主啊！"

水亮一听这话，就觉得事情复杂了。这种离婚假戏真做的事在法学案例上多了去了，那法律不是儿戏，离了就离了，你再说是假的也不行，那手印是双双自愿按的，绿本本也是盖着民政部鲜红大印的，更不要说离婚后强行发生关系了，这种事在法律上板上钉钉的是强奸。别说违背妇女意志强行发生性关系了，现在就是违背男人意志强行发生性关系，也算强奸。水亮打开铁门，走进院子，边走边说："毛海兵，你算完了，只要她一告你，你一准被判强奸罪！我也救不了你。"

"这好端端的家一拆迁，我还被拆成强奸犯了！我他妈这不是没事找事吗！我咋办啊！"毛海兵号出声来。

就在这时，水亮的手机响了，是派出所周所长的电话。水亮一听急了："你说啥？真把毛海兵给告了！嗯，嗯，我知道了。"水亮挂了手机，长叹了一口气，对毛海兵说："你去自首吧，争取宽大处理。派出所一会儿就来人抓你了！"毛海兵一听，突然软在了水亮的脚下。

水亮是与带毛海兵的警车一道走的。刚才周所长给他打电话，说是黄书记找他，由他和周所长一道去深圳。七奶的儿媳妇郑大丽，正好在前几天的扫黄行动中被抓住了。

水亮想，嘿，真是的！活见鬼了。

七

水亮与周所长坐在去深圳的火车上。

周所长喜欢抽烟，一会儿出去抽一支，一会儿又出去抽一支。

水亮说，所长你别抽那么多了，对身体不好。周所长笑了笑，说："我这也是职业习惯。整天没日没夜的，不抽烟哪来的精神头啊，尤其是现在交通和通信发达了，犯罪嫌疑人难抓呢，就是抓到了，讲和谐了，审讯时也不能乱来。你想，别说这些嫌疑人了，就是这些村民都这样难弄，你对犯人来温文尔雅那一套他交代吗？唉，现在的事，真是扯淡。很多时候，人人都在瞪着两眼说瞎话儿。”

水亮坐在车上，本来想带本书看的，可来得疾慌，忘带了。看看列车上卖的那些花花绿绿的书，没有一本正经可信的。他索性就没买，就这么坐着，一任自己的思绪随着铁轨的声音信马由缰。

他努力了几次，最终还是不得不想小真的事。他弄不清为什么女人变化这么快，今天还与你要死要活地缠着，明天转身就与你成为路人了。唉，金钱、地位、爱情，女人在这些面前，真的连只小燕子也不如呢。水亮想起他在老家里看到的情形。这些日子，他之所以对七奶这么理解与亲近，其实是与他自己的奶奶有联系的。他的奶奶也七十多岁了，也特别喜欢燕子，他家里也是年年来燕子的。在农村人眼里，燕子是神鸟，吉利，燕子只进善良人家。燕子在谁家做窝，那就是一种荣幸。

他上小学五年级的那个春天，他家的燕子回来了，但回来的却是一只。而且这只燕子无精打采地在院子里转了一圈，望着旧巢发出几声哀鸣，就钻进了窝，很长时间蜷曲在窝里不再出来，很显然，它成了鳏夫或寡妇。另一只燕子是迁移时病死了，还是被人打死了，水亮和奶奶都不得而知。奶奶见这只孤燕的样子，不停地叹气。这只孤燕经常躲在巢中，很少发出叫声。早晨，它也会站在窝前的屋檐上，就像铁铸的一般一动不动，默默发呆。然后孤单单懒洋洋地飞向远方觅食。

一个飘着细雨的早晨，水亮去上学，刚出门就看见一对燕子飞进他家，它们盘旋了一圈后，竟看中了孤燕这半个大泥碗似的巢穴，凶巴巴赶出那只孤燕，强行占据了这檐下的燕窝。看到这情形，水亮很不平，恨不得赶出那对无理的燕子。可那只孤燕似乎早已心灰意冷，没有捍卫家园的激烈搏斗，甚至没有乞求和怨艾，孤燕就平静地离开了温暖的窝，但它却并不飞走，只是站在院子里的桃树枝上默默回望。此时，细雨凝成水珠滴滴滚落，望去好像孤燕悲恸的眼泪。

此后日子，孤燕也没有离开，并且不再垒新巢，每天就在屋檐下露宿，仍然常常站在开满红花的桃树枝上，默默眼望昔日洞房，看着侵占了自己小窝的两只新燕亲昵。真不知它心中在想什么，是回忆以往美好时光，思念昔日的伴侣，守候心中那段爱情，还是抱怨不公平的命运？现在，水亮觉得自己也能理解燕子的心情了。

周所长抽烟回来了。见水亮眼睛痴痴地在想心事，就大声说了句：“嘿，你在想什么呢？”水亮的思绪被打断了，笑了笑说，没什么。这时，周所长给水亮聊起了郑大丽的事。

他说：“东莞那边说，郑大丽是三个月前在一次扫黄行动中发现的。治安队员冲进去时，郑大丽就从二楼往下跳，结果摔断了一条腿，还是被抓住了，一直在医院治着，她就是不出院。就在东莞公安发愁的时候，他们看到了通缉名单，立即通知我们去领人。本来，他们是想送过来的，可郑大丽死活不回来。这不，我们还得跑这一趟。现在啊，公安局都快成受气局了，他妈的连个妓女我们都处理不了。”

周所长一边说，一边叹气。他们这样东一句西一句聊了十几分钟，周所长的烟瘾又上来了，不再理水亮。他又从座位上站起来，摸出烟向车厢的尽头走去。

水亮喝了口水，又接着想那年的那只孤燕。

那是一个无星无月漆黑的夜晚，冷风夹着倾盆大雨。第二天早晨，云散了，雨消了，灿烂的阳光普照着水亮的小院。可他早晨起来上学时，却惊讶地发现：院子里躺着孤燕的尸体。水亮现在想想，那孤燕肯定是自杀，因为它在屋檐下避雨是不成问题的，绝没有被雨淋死的道理。它是厌倦了孤独的没有爱情的生活，对未来失去了信心，还是相信真有天堂存在，去了遥远的未知世界与另一只燕子相会？总之它死了，死在一个风雨交加的夜里。那天水亮没有吱声，默默地挖了一个坑，把死燕子埋在了葡萄树下。

现在，他回想起来，那年的葡萄应该是特别酸的。

水亮走的第二天，管理区黄书记就接到了省长后天要来的消息。市里通知黄书记，在工业园区一定不能留死角，要让省里看到市里的拆迁成绩。这样，上面才有信心，才有可能把这个市级工业园区升为省级工业园区。对于上面的指令，黄书记从来都是尽力办的。他也是农民出身，没有根基，一步步走到副处级，全靠自己干。他常常自我解嘲地说，干部干部，不拼命地干，就成不了干部，就进不了步。所以，接到这个通知，他一下子上火了，半天之内嘴角出来了四个水泡。

他有些急了，心想，实在想不出办法来，就在夜里强拆。但一想，郑大丽马上就要带回来了，都等几个月了，再这样冒险有些不值得。他召集管理区班子成员开会，研究方案。作为马园村的村主任，马锋也参加了会议。后来，还是马锋想到了一个主意，他说，不如在七奶家四周架四个大广告牌，把她家给罩住。黄书记一想，省里来的人只是从这里经过，并不下车，而且车行的路线离七奶家有几百米呢，他觉得这样能行。于是，就立即安排制作四块大牌子，上面喷上工业园区的规划图。说不定这还是一景呢。

现在，在行政上干也不容易。工作来了，尤其上面来人检查了，那真是比水火都急。黄书记一面安排人制作安装广告牌，一面打电话让水亮和周所长赶快带郑大丽回来。本来第二天，水亮和周所长就可以回来的，但周所长没去过深圳，就订了两天后的票。黄书记一听，立即想发火，转而一想，派出所不属于自己直管，再一算，后天早上回来也正好赶上，因为下午省长才从这里经过。于是，就顺水推舟地说：“那就后天吧，在深圳你们玩一天！”说罢这话，黄书记猛吸了一口烟。其实，他气得牙根子痒痒。

广告牌是夜里竖起来的。当然，七奶夜里就知道了。村长马锋和管理区三个女干部就坐在她屋里，反复说，就一天时间，明天就会拆掉。七奶不同意也是没有办法的，就是她想死也是不可能的，四个人看一个，这是黄书记安排的。省里检查不走，就轮流派人在这里盯着七奶，一步都不能让她离开院子。

其实，这一阵七奶心里反而清楚多了。

她心里想，她的这个小院肯定保留不下来了。但她就是想等到秋天，燕子飞走了再让拆吧。这些燕子飞走了她也心净了。这些天她不止一次想到死，甚至想把秀秀也带走。她想，秀秀没爹没娘的，她再走了，就像一只孤燕。七奶今年以来老感觉自己心口疼，她觉得自己可能活不多久了。秀秀才九岁，她一死，秀秀一个人咋活呢。她心里有了预谋，那就是等秋天燕子飞走后，她就带着秀秀走。甚至，如何走的办法她都想好了，她想选一个月亮很好的夜晚，把房子点着了，她就与秀秀一道升天，去找那些陪伴她一茬又一茬的燕子。

她的这个想法很可怕，但她一点也没有流露出来。

现在，见四个人围着她一动也不动，她就暗暗想起办法来。吃过早饭，她对马锋说："你们走吧，我不会咋了这牌子的，但过了夜，你们一定得把这牌给我拆了，不然，我就撞死在你们面前。"马锋见七奶说这话很正常，觉得七奶可能是想通了，只要答应过后把这四块牌子再拆了，她兴许不会有什么事的。他把这个想法给黄书记汇报了。黄书记还是不相信，不让撤人。

晌午了，看七奶的另外三个女干部，也觉得七奶应该是没有问题了，说话很在理，脑子也很清醒，就又给黄书记打电话。黄书记又问了一些具体情况，加上路段上也正缺人，就同意他们先撤回来。他也想了，一个七十多岁的老太太，还真能把牌推倒不成！

水亮和周所长带着郑大丽回到管理区，已经快十二点了。

本来，黄书记是要水亮带着郑大丽立即去见七奶的。可周所长说，郑大丽是因纵火嫌疑被通缉的，得先到所里做个笔录，才能取保离开，不然没法销卷。黄书记就说，那快去吧。周所长带着郑大丽去了派出所，水亮就给黄书记汇报郑大丽的情况。他说，开始郑大丽死活不回来，后来听说拆迁能领到十几万补偿款和还原一套楼，就同意回来了。但她说，房子拆迁后她得跟李六根离婚。

黄书记听着这话，心想，公安通缉令都找不到李六根，你到哪跟他离去。

时间太紧急了，黄书记也不想再听水亮说什么，三点钟省长就到了，他得陪市政办的人再把线路走一遍。于是，他就安排水亮说："你吃点饭，立即回马园，现在郑大丽还不能回去，你先去七奶家稳住她，稳到四点钟，就一了百了了。"水亮到食堂扒了几口饭，就急急地骑着他那辆自行车回了马园。他是想尽快把郑大丽回来的消息，带给七奶和秀秀。他想，这对七奶和秀秀来说，一定是个最激动人心的消息了。

水亮离七奶家还有几百米的时候，突然见七奶举着一个燃着火的扫帚，在点广告牌。扫帚显然是倒了油的，不然，火不会着得那么旺。广告牌是化纤布喷绘的，见火就着了。水亮一急，车子就倒了下来。他站起来，扶着车子想再骑上去，可试了几次就是上不了车子，他的腿都软了。这时，他索性放下自行车，向那边跑去。

这时，七奶家四周的四块广告牌都着火了，四面火光把小院团团围住。水亮一把拉着七奶就向外拽，七奶却拍着手大笑不止。这当儿，一对燕子向火光扑去。水亮想，这对燕子肯定是看到了火，想冲进去救还没出窝的小燕子。

火呼呼地燃着。水亮脸上的汗，不停地向下流。

八

七奶被送进市精神病院了。郑大丽从派出所取保出来，就签了拆迁合同。

其实，郑大丽与六年前村里马老五家的那场火一点联系都没有。但既然作为嫌疑人做了笔录，她心里还是有点怯。这些年，她在外面做小姐也不止一次被抓过，做的笔录她自己都记不清了。但公安局是联网的，只要立案了，你就很难再销了，不一定哪天一并案，又会把你扯出来。郑大丽从派出所出来的时候，周所长严厉地对她说："不要说你是不是纵火的嫌疑人了，就你这些年在案的那些事儿，判你三年五年的，那是随时的事儿。你要老实配合政府把房子拆了！"

郑大丽当然知道这里面的轻重。所以她很配合，甚至连补偿和拆迁政策都没问，就签了合同。由于一时找不到住的地方，水亮就跟马锋商量了一下，把村部的两室会议室让她和秀秀先住着。水亮给马锋说这事的时候，马锋还给他开玩笑，说郑大丽虽然半老徐娘，可也是风月场的高手，你可别倒下去了啊。

秀秀现在变了个人儿一样，高兴得要命。妈妈回来了，虽然有些生分，但毕竟是有了妈妈，自然高兴得又唱又跳的。尤其，搬到村部后，她心情更好了。因为她与水亮是熟悉的，她觉得水亮就像自己的大哥哥一样，有不会的作业还可以问呢。

郑大丽和秀秀搬来的这天，秀秀竟用一个小纸盒子装来了四只小燕子，这些小燕子与秀秀很熟，它们听秀秀的话。秀秀想，奶奶住院了，房子也就要拆了，就剩下这四只小燕子，她必须把它们弄回来。水亮帮秀秀把纸盒子吊在了会议室的屋檐下。

按说，燕子是不在纸盒子里做窝的，但现在没有办法，也许这些小精灵们也理解和认同了这个现实，就在纸盒里安了家。只是它们又衔来细草和鸟毛在盒子里铺了一层。燕子是不吃死食的，它们只吃飞动着的昆虫。秀秀去上学，小燕子就飞出去找食。秀秀放学回来，小燕子就回到了窝里，叽叽喳喳地叫。

郑大丽也许怕碰到村里人，极少出门，整天就在村部的住处玩手机。有时，水亮回来了，她就主动找水亮说话儿，东一句西一句的，有时还给水亮开玩笑。玩笑开过分了，水亮就觉得不好意思。有天晚上，秀秀让水亮给她讲作业，郑大丽也过去了。她站在水亮后面，装作很无意地用胸碰水亮。水亮感觉到了，脸一红随即又镇定了下来。夜里，他想他得赶快把郑大丽弄走，别生出什么是非来。正好，黄书记说村部过几天也要扒了，让他到管理区去办公。水亮想，这正好，想睡就有人把枕头递过来了。

水亮决定赶快离开郑大丽，越快越好。

第二天，他就去管理区找黄书记。他说，村部快扒吧，留在那里，外面的人还以为是钉子户呢。黄书记现在不能听钉子户这三个字，听了就皱眉头，皱了就得好大一会儿舒展不开。他说："好好，下周就拆，我让办公室给你找个窝。"水亮又说："现在董园的安置房已经交付了，我看先找一套让郑大丽娘俩住进去。我去医院看了，七奶的病也好得差不多了，安置好她们心净了。"黄书记扭头望了望水亮，眼神很复杂。过了一会儿，他就说："那你看着办吧，反正还原楼都一样，关键得给郑大丽说好。这女人我看也不是省油的灯！"

这天中午，水亮从管理区回来得早，一进门，郑大丽就主动找他说话。水亮想，正好要给她谈先搬进董园村还原楼的事呢，就与郑大丽说了起来。郑大丽一听，满口答应。水亮这时才从她的话中听出，她正不想跟马园村的人住一起呢，这些人一直在背后嚼她的舌头。不仅如此，她还想等房子还原了，七奶的病好了，她还要带秀秀去外地。她的理由似乎很充分：大城市的教育好！水亮就想，你说得挺好，但主要还是为了自己。他觉得郑大丽这样的女人已经习惯了城里那种日子，根本不可能再过农民的日子了。

他们正谈着，院子里进来一个人。这女人披着头，几分的妖艳，水亮想了半天才想起来，这女人就是郭红，郭红与半年前相比简直变了个人。水亮想，你还别说，这钱真能大变活人呢。郭红见水亮正与郑大丽说着话，便有点不好意思。水亮就说："啥事？说吧！你不是把毛海兵送到监狱里了吗，还有啥事呢。"水亮显然对郭红极端不满，他觉得这个女人心也太狠了。离婚假戏真做不说，想独吞钱也不说，竟能以强奸事儿把男人送进监狱。钱真是把人变成鬼了。

郭红见水亮态度不好，就虚着脸说："俺正是来找你的，后悔了。"水亮想了想，说："你后悔就赶紧去找检察院法院啊，找我有啥用呢。你呀你，别想太美了，就是毛海兵判了刑，你也不能独个人吞了那些钱。"

郭红脸一红，接着说："婚离了俺是不复了，可俺也并不想把他判了刑呢，以后俺闺女咋做人呢。"水亮觉得跟她说不清，其实，他也真帮不了她啥忙。如果郭红到法庭上反悔了，那她自己又犯了诬陷罪。现在唯一的办法，就是郭红要找法院谈，就说自己不再追究了，反正也是假离婚的两口子。这样一来，毛海兵兴许能判个缓刑。水亮就把这番话告诉了郭红，郭红明白了过来，扭着身子走了。

村部终于拆了。整个马园村成了一片空地，空空荡荡的。

水亮搬到管理区办公去了，郑大丽和秀秀也搬进了董园村的安置楼里。水亮又到医院看了七奶，见她精神正常多了，心里也轻松不少。

这半年多来可真发生了不少事，自己也累得要命。他想让自己休息一下，调整一下。他想自己也该翻翻书了，马上公务员招考就开始了，他想通过考试离开这里。虽然他考的是信访局的副科长，职位也不好，但入了行政这一行，就得在这个体系里运转啊。他知道自己没有什么关系可以靠的，他只能靠自己的能力。好在，现在有考试这个通道了，不然，他不知道自己还要在等待中熬多少时间，才能弄上副科级。

可麻烦事偏偏不放过他。他还没安心看几天书，突然又接到黄书记的指令，让他去接李六根。黄书记给他说这事时，也气得骂起了娘："这不是没事找事吗？找他的时候他地遁了一样，不找他了，他倒一下子从地底下冒了出来！"

周所长也气得要死，这上了个通缉令还真惹出麻烦来了。他一与水亮坐上警车，就开始抽烟，抽着骂着，骂着抽着。

李六根是在河南石黄附近一个黑砖窑发现的，听说人都快傻了。周所长和水亮来到河南石黄，见到了李六根。水亮和周所长原来都不认识李六根，见到他都吃了一惊。眼前的李六根眼神呆滞，勾着头就是不抬起来。周所长问他话，他一句不说，问急了，他就嘟囔一句，也听不明白个字眼。人倒是吃得不瘦，勾着头时，后脖子上便有团很厚的肉绷着。

据当地民警说，他被发现时正在窑场搬砖坯呢，一人背了四十多块。你看他的头都直不起来了，这是常年勾头背砖落下的。他们又介绍说，这个李六根在这里干的时间是最长的，据窑主交代应该有五六年了。

七奶家现在倒因拆迁团圆了。李六根被带回来，也没法做笔录，他这些年很少说话，几乎话都说不成句了。周所长也知道六年前那火也不可能是他放的，说不定是自己着的呢。就让一个小干警写个笔录，让李六根按了手印完事。当然，这笔录是排除了李六根作案嫌疑的。他是不想再为什么郑大丽和李六根再自找麻烦了。

过了半个月，上面下文了。黄书记升为这个工业园区的党委书记，提了半格，成了正处级。他从基层乡镇工作员，一步步能走到正处级，成为工业园区的书记，自然是件不容易的事。管理区刘主任接了黄书记的位子，成了书记，也高兴得不得了。他张罗着给黄书记祝贺。整个管理区的人都很高兴，他们知道自己都有可能升半格。别看就提了一个黄书记，他在管理区的最上头，他走了，上面又没有派人，他腾出了一个位子，实际上就等于腾出了一串的位子呢。

这天晚上，贺宴是在锦绣前程大酒店举行的。酒喝的是古井贡十六年原浆，朱红的瓶子，吉利，水亮也参加了。黄书记来回敬酒的时候，特意给水亮炸了一个"雷子"，这个雷子有二两多。炸完后，水亮的头一下子就有些晕了。黄书记却十分清醒，他拍着水亮的肩头说："小水啊，你有股子冲劲，跟我年轻时一样认死理，但以后要多长脑子，不能光埋头拉车不抬头看路。你还嫩呢，好好历练吧！"

水亮觉得黄书记这话虽然说得实在，但话里面也夹杂着一些嘲笑。他又不好反驳，就又端起一杯酒，说："黄书记，你是领导，我小水再敬你一杯！"说罢，仰头喝了。黄书记顿了一下，就又拍着水亮的肩膀，笑着说："好，我喝！我看好你这样的小伙子！"

酒喝到这种程度，酒桌的局面就不好控制了。

刘主任好像比黄书记还高兴，他也喝得差不多了，端着酒杯四处回敬。更有一些想给黄书记和刘主任套近乎的，变着花样地去敬酒。水亮已经不能再喝了，头晕晕的，老想吐。但他头脑是清醒的，他极力地控制着自己，他不能让自己现场直播了，那样自己就会没有面子。又有人来敬酒，水亮又喝了几杯，他有点控制不了自己了。这半年多的事儿，一股脑儿地涌出来。他心里很难受，自己端起酒杯喝了起来。

这时，旁边的人就笑着说："你看，你看，水亮真喝多了，自己端着酒杯跟喝水一样！"水亮也不理他们，又喝了一杯。

正在这时，有两个人进了宴会厅。

他们给黄书记说了几句，就来到水亮面前。来人问："你叫水亮吧？我们是检察院的，请你跟我们走一趟！"

水亮看了看这两个人，又端起了酒杯，嘴里不清不白地说着："好，好，再来一杯！"

九

水亮到了检察院，喝了杯水，脑子有些清醒了，但仍是晕晕乎乎的。

酒醉心不迷，看着面前两位穿着制服的检察官，水亮掐了掐自己的虎口，说："我犯啥法了？你们叫我来。"

其中一个检察官看了看另一个，说："给你明说了吧，是马长胜和马大虎案子的事！你自己先想想，如果实在想不起来，我们明天再问！"

水亮真的想不起来他们俩的事跟自己有什么关系，就说："他俩的事，跟我有啥关系啊？你们给我提个醒吧。我喝多了，这脑子不好使了。"

另一个检察官想了想，然后说："按说，我们是不能给你提示的，既然你喝多了，我就告诉你吧。马长胜和马大虎前两天交代，他们私分那十五万块钱的时候，分给了你一万。有这事吗？你仔细想想吧。"

水亮这才明白是怎么一回事。都一年多过去了，他一时还真想不起来。

刚才说话的那位检察官点上一支烟后，又开口说："你就承认了吧，他们两个都指证你，你不承认也不行。再说了，你不承认，我们不好结案啊！"

水亮又要了一杯水。坐在他前面的两个人就用眼神说着话。他们是有经验的，一般被问话的人，如果要烟或要水，差不多心理防线就快要破了，离交代不远了。其中一个人递过水后就笑了。另一个人心里明白他为什么笑，这家伙肯定在心里说，今天碰到了一个初犯，不要上手段，就自个儿交代了。

水亮喝了杯水，脑子更清醒了。他想起来了，当时马长胜和马大虎找他，说量董园和刘园村土地时，把一块沟地也量上了，五亩多地按每亩三万七的标准可拿到十八九万块钱。因为是荒地，就没有在哪户人家的头上，他们说原来村里欠饭店里的钱，还有其他账要还，就让水亮写两个死过的人名，去领款。钱领回来了，水亮把存折交给马长胜。

过几天，马长胜和马大虎来到村部，让水亮又写了几个人领款的条子。最后，马长胜说："水亮，给你一万块钱吧，你在这也辛苦，拿不到多少钱！"水亮怀疑他们是私分了，但没有证据，就不好揭发，因为他刚来不久，得罪了他们，他是没法在这干下去的。但刚开始的时候，水亮心里是清楚的，他不能拿这钱，就拒绝了。马长胜和马大虎相互看了看，马大虎就说："这样吧，这一万块钱就给你了，你去买个电脑，村里也需要！"水亮一想，这样差不多，买电脑算村里的财产，自己也是为了村里在用，就答应了下来。买了电脑还剩三千多块钱，他本来想交出来的，但又一想，真交出来马长胜他们还不知道咋想呢。反正他们都分那么多了，自己这三千多块钱用了也就用了，何况自己和小真正需要钱呢。于是，他就给小真汇去了两千，剩下的一千多自己花了。

水亮当然不可能说实话，他说电脑是为村里的事在用，剩下的钱他存着，并没有贪污。他这样说后，两位检察官互相看了一下，让水亮在笔录上按了手印，然后说："那你先回去吧！这几天别远离，有事再叫你。"

水亮走出检察院大门时，感觉脊梁沟一条线的冰凉，他知道刚才那阵子后背出了不少汗。虽说，三千多块钱不够立案的，也判不了刑，但毕竟自己是花了不该花的钱。想想，真的很后怕。现在，自己刚刚开始工作就做出这事来了，将来呢？将来能保证不再出这样的事吗？当然，此时他下定了决心，以后这样的事坚决不能碰，一点都不能碰。他决定明天就把这三千块钱补上去，一点破绽都不能留。不然，自己将来的前程会发生想不到的变化。

他这样想着，心里真的很后怕。夜很静了，他走在街上，能听到自己的心脏咚咚地跳，一下一下地向外蹦，似乎要跳出胸腔一样。

水亮回到住处的时候，已经快十二点了。他打开门，倒在了床上，感觉安全多了，也踏实多了。不一会儿，他的醉意又上来了。几分钟的时间，就打起了呼噜。

这一夜，水亮睡得很香、很死。可郑大丽和李六根却折腾了一宿。

李六根精神一时恢复不到正常，住进了新楼还是一声不吭。见到秀秀，他兴奋得直搓手，不知说什么好，而郑大丽对李六根的回来，却气得要命。见李六根精神有些呆滞，人也黑得抹了灰一样，就很恶心。可李六根见郑大丽与结婚时变了个人一样，身体的冲动就再也压不住了。秀秀刚睡，他就饿虎扑食一样把郑大丽压在身下。郑大丽这些年也阅男人无数了，但她还是经不住李六根牛一样的横冲直撞。

开始的时候，她是拒绝李六根碰自己的。但她推不动李六根，再说了，毕竟还是夫妻，况且她一下子断了这事几个月，自己也需要，就闭着眼任李六根发疯。李六根下来后，郑大丽就装睡。她本来想给李六根说离婚的事，但又怕李六根一时性起再折腾自己。李六根像一头饿狼，傻傻的，一句话也不说，就是直往郑大丽身边挤。停了没有半小时，他又把郑大丽翻过来，压了上去。郑大丽反感极了，可怎么也推不动他。于是，郑大丽就使出招数，让李六根快下来。可她的招数用在李六根身上一点都不灵，反而激起他一次次更勇猛的冲锋。

水亮醒来的时候，已经快九点了。他急急地洗了脸，连饭也没吃，就去了办公室。

他刚到办公室，周所长就来了。周所长与水亮关系不错。他听说昨天水亮被检察院的人叫走了，有些不放心，不知道水亮到底回来没有。他本想给水亮打个电话，但一想如果水亮还在检察院那就不太好了，所以他就来到了水亮的办公室。

见水亮正在倒水就放心了。坐下来，小声地问："昨天没事吧?"水亮笑了一下，把昨天的经过说了。他说，买的电脑算村里的财产，这不，就是这个笔记本。周所长点上烟，吐了一口，就说："现在的事儿啊，得留神呢！说不定啥事就把自己扯进去了。"

水亮笑笑，然后说："我看也没啥，只要记住钱别装错口袋，人别上错床，出不了啥大事!"其实，说这话他心里是有些虚的，毕竟自己用了那三千多块钱。

周所长就笑。笑过之后，他又说："这可不一定，你不要以为天底下就没有冤案了。干哥这一行的，经历得多，啥稀奇古怪的事都有。走马路上还能被酱油瓶砸破头呢!"两个人就笑。

他们正笑着，郑大丽推门进来了。水亮一愣，就问："你有啥事？这一大早的。"郑大丽看了看周所长，并不开口。水亮说："说吧，都是老熟人了，还有啥不能说的。他是公安，他懂法!"说着，他和周所长都笑了起来。郑大丽犹豫了一下，开口了："我要与李六根离婚!"

"离婚？这天各一方六年多了，亲热还来不及呢，离哪门子婚。"周所长吐了一口烟，笑着说。郑大丽就有些不好意思了。

水亮就说："正好，周所长也在，你说说为啥离吧。没有正当理由，民政可是不批的啊!"郑大丽也不看周所长，说："我受不了李六根，他跟牛一样!"说罢，就扭过了脸。水亮一听这话就想笑，但还是忍住了。想了想，对郑大丽说："这理由恐怕不行，你去找妇联处理吧，她们管这事!"

郑大丽见周所长又笑了，再听水亮这样一说，就说："那好吧，我去找妇联。反正不能再跟他过了!"

郑大丽走后，周所长突然大笑起来，笑过之后说："嘿，骚矫情！"

这些天，水亮被两个人缠得头昏脑涨的。

一个是郑大丽，天天来找他，要求离婚。一个是毛海兵。毛海兵被判了缓刑，也从郭红那里要回了五万块钱。可他一出来没几天，郭红就带着女儿嫁到外地去了。他成了孤家寡人，精神一下子垮了，人变得神经兮兮的，老来找水亮主持公道。

水亮被他们缠得实在没办法，就不再开门办公。水亮正在准备公务员考试，心里急急的。

考试终于结束了。水亮入围了，接下来，就是面试。可在面试的时候，他感觉明显不公，但又不好说什么。他最终落选了，与综合分第一名只差半分。可他的笔试比这人多了九分呢。水亮心里就灰灰的。

当然，这事他也想过，就怕与那些当官的子女撞了车，撞了车就没戏了。后来，水亮还是自己劝自己，机会多着呢。再说了，只要努力干，真干，干出成绩来，就不信得不到重用。黄书记不就是明显的例子吗，他也是从一个乡镇的办事员，一步步干出来的呀。这样想着，水亮心情便好些。

周所长见水亮落选了，就请他喝酒，说是酒可消愁。喝酒时，周所长说："考不上，不一定是坏事，福兮祸兮嘛！你就是考上了，那个信访局也不是人待的地方，跟你现在一个熊样，整天接待的还不都是郑大丽、李六根、毛海兵这样的人吗！"

话是开心锁的钥匙。听周所长这样一说，水亮基本调整了过来。自己想想，周所长说的也是实话，考上了还是干这活。更何况，组织部过几个月就会对他们这批干了三年的村官考评了，说不定还会有更好的结果呢。

水亮的精神又恢复到从前。他想，还得把精力投入到工作中去。眼下，最要解决的就是郑大丽和李六根的事。于是，他决定去李六根家看看。

到了周末，水亮骑着自行车先进精神病院，见七奶可以出院了，他像终于完成了一件大事，心里的一块大石头落地了。虽然，他还不知道上面是不是继续要他留任村书记，但毕竟他发誓要做的七奶的工作，阴差阳错地有了个好结果，一种从没有过的成就感油然而生。

他给郑大丽打电话。一个多小时后，郑大丽、李六根和秀秀三个人一道来到了医院。

办好了出院手续，他们四个人陪着七奶回到了董园还原区的住处。

也许是李六根和郑大丽都回来了的缘故，七奶显得精神正常了。到了新家，左看看右看看，就赶紧让水亮坐，还让秀秀给水亮倒水。

水亮见七奶心情很好，就从包里拿出一对绒质小燕子，交给秀秀。这两只小燕子，做得跟真的一样：上身为发金属光辉的黑色，头部栗色，腹部白粉红。秀秀一按它的头，就发出真燕子的叫声。

水亮见七奶张了张嘴，正要给这两只燕子说什么。也许，她突然意识到这是一对绒质的假燕子,就把要说的话咽了下去。水亮有意岔开了话题,他怕七奶再发出什么杈来,就对秀秀说:"秀秀,你看这燕子多可爱啊!"

这时,一只黄嘴叉的雏燕不知从哪里突然飞了过来,在七奶头顶盘旋了两圈,竟落在了七奶的身上。这个时节,怎么会有燕子呢?

水亮和秀秀一下子惊呆了。

过了好一会儿,秀秀又高兴起来。她看着落在奶奶胳膊上的那只小燕子,唱了起来:

小燕子,告诉你
今年这里更美丽
我们盖起了大工厂
装上了新机器
……

(选自《十月》2012年第2期)

杨小凡

1967年生于安徽亳州。中国作家协会会员,现在某企业供职。曾在《人民文学》《中国作家》《小说月报原创版》《十月》《芙蓉》等多家刊物发表小说、报告文学三百多万字,出版长篇小说、中短篇小说集等十二部。作品曾获中国报告文学奖、安徽文学奖等,若干小说被多家选刊转载,并曾被改编成电影和长篇广播剧。

并非游戏

王昕朋

一

马沟村支书马平安突然病逝的消息传到钢山县政府大院，县长周大保立即停下正在主持的一个会议，驱车赶到马平安家中。这让马平安的两个儿子感动不已，按照当地规矩，两人给周大保磕了三个响头。

马平安的大儿子马金山说，周县长你太讲究了，我爸要是地下有知，肯定会感激不尽的。二儿子马银山说，我爸前些天还说过，我死后咱县的那些官中第一个行来往的肯定是周大保！马金山剜了弟弟一眼。周大保却好像没在意，用纸巾擦着眼睛，说，应该的，应该的。马书记是咱县大名鼎鼎的老先进老模范，连续三届县人大代表，对他突然去世，县委、县政府感到非常悲痛。他说完，朝帘子后边瞟了一眼。

按照这一带的习俗，人死了以后要设灵堂，前边挂着一张白布帘子，正中间悬挂死者的遗像，两边是寄托着子女哀思的挽联。布帘的后边放着死者的棺材。这些年各地加大和加快殡葬改革的步伐，人死后当天即要送到火葬场火化，临终住在医院的，一般从医院直接送去火葬场。周大保朝帘子后边瞟一眼，完全是下意识的，并非想看马平安的遗体。

行来往的一般在灵堂不作停留，因为后边络绎不绝有来者。当地有一种风俗，遇到“红事”也就是办喜事，办事的家庭不请不去，而遇到“白事”也就是丧事，听说了就要去行来往。行来往的不离开，孝子就得一直跪着，还得号啕大哭。至于有没有眼泪，没人拨拉孝子的眼睛去看。

最近几年，马沟一带兴起了一个新行业——代哭，就是孝子花钱租人在灵堂外代替孝子哭，哭得越响表示孝子贤孙越孝顺。马家的灵堂外就有几个代哭的男子。代哭的人毕竟受过专业训练，又拿了人家的钱，哭起来非常卖力，且节奏感强，词也是事前编排好的，一套一套的很有连续性。

也许是马家兄弟没有事前给代哭的人明确指示，代哭的哭着哭着出了岔子。

一个说，我的爸呀，我妈早上还给您做了您最喜欢吃的面疙瘩汤，您没喝一口就撒手走了呀。一个说，爸呀，我妹妹还小，以后她想您的时候我拿啥话哄她呀？周大保听着，眼角闪过一丝笑。他太了解马平安的家庭情况，两个儿子，老伴早在十几年前就去世了，怎么又冒出老伴和女儿？

马金山看出了周大保的心思，赶忙对弟弟使了个眼色，说，银山，你在这招呼客人，我陪周县长到里屋歇歇。

马平安家是座三层的小楼。他本人住在一楼的东屋里，西屋是他放东西的地方，中间是客厅，当地人称为屋当门，用来接待来家的亲朋好友。现在一楼的屋当门做了灵堂，马金山只好招呼周大保上二楼。周大保挥挥手说，不上去了，就在你爸屋里坐坐。老人家在世时，我每次来你家，喝酒喝茶都在他屋里。

马金山只好打开了马平安住的屋子。门一开，周大保好像被什么味道刺激了一下，鼻子哼哧一声，身子也朝后趔了趔。进屋之后，没等马金山招呼，他主动坐在客人座位上，朝桌子上瞅了一眼，发现黄花梨木的烟灰缸里的烟头冒了尖。这只黄花梨木的烟灰缸，还是前几年他带队去海南岛参观，马平安在当地一家商店里买的。那些年，马平安抽烟比较厉害，一天两包。这两年改成以茶代烟，走哪儿都带着泡了浓茶的大杯子，一停下来就滋溜溜喝几口。这烟灰缸里的烟是谁抽的呢？周大保有点儿纳闷。

马金山忙着要倒茶，被周大保制止了。他说，金山你别忙了，我坐一会儿就走。你先坐下，咱说说话。

马金山原想在周大保对面的椅子上坐下，屁股快沾椅子时又站了起来，另外搬了只矮凳子坐在周大保对面。这样，他就比坐在椅子上的周大保矮了一半。周大保心里想，这个马平安的家规够严厉，他活着的时候，晚辈和他说话时必须坐在矮凳子上，他死了儿子还不敢违背这个规矩。想到这些，他又掏出张纸巾擦了擦眼睛，问道：你爸怎么走得这么突然？没送医院抢救吗？

马金山难过地低下头，说，我昨晚在县城有个饭局，快十点才回来，到他屋里请安。他刚和我说了两句话，突然脖子一歪，头就耷拉下来。我又拉又推，喊了好大会儿他也不理。再想把他送医院，一摸他的鼻孔，已经断了气……

周大保很有经验地说，那是突发心肌梗塞的征兆，你越拉他推他越麻烦。让我怎么说你呀金山？早几年每回见你爸，我都劝他再找个老伴。老伴老伴，老来有伴，能躺你身边，总比儿子……唉。

马金山悔恨交加，喊了一声爸，双手捂着脸哭开了。

周大保在屋子里走了两圈，递给马金山一张纸巾，问：你爸没留下什么遗言吗？你应当知道，他是马沟举足轻重的人物，他的遗言很重要……

马金山摇头，说，没有。太突然了。他一句话也没来得及说。

这之前他有没有给你交代过村里的事情，比如马沟煤业公司改制的事？周大保问,原来定的那个方案有变化,到底怎么变的?

马金山想了想,坚定地回答:没有。

周大保又问,会不会给银山说过呢?

马金山摆摆手,说,更不会。银山在县政府跟你干,又不属于马沟的人,我爸从来不给他说村里的事。

周大保似信非信地摇摇头,叹了口气说,非常可惜。马沟是县政府确定的第一批改制试点村,在这改制的关键时候他突然走了……

马金山目不转睛地看着周大保,仿佛想从这位县长的表情中读出点什么。

周大保看了看表,说,时间不早了,县里还有个会等着我。

马金山慌忙起身,摆出一副送客的架势,说,您现在就走啊?

周大保的屁股纹丝不动。

马金山又问了一句,您这就走呀?

周大保嗯啊着,仍然没动,目光四下搜索着。稍停片刻,又看了看表,说我得回去了。可还是没动。

马金山只好又坐下,小心翼翼地问,周县长您还有啥重要指示?

周大保沉痛地说,我现在想着你爸的悼词中怎么高度概括、高度评价他的一生。

马金山说,周县长我谢谢您!

周大保让马金山坐下说话,马金山说,我站着就成,穿着孝袍总坐着不好。周大保就没再和他客气,严肃地说,得抓紧把改制的事完成了,这样你爸好有个善始善终。

马金山郑重地点点头,说,我都听您的。

周大保摆摆手,说,哎,不能这样说。不是听我的,是听马沟百姓的,再说深一点是听人民的。你是马沟村改制办主任,你第一次第二次的改制方案,你爸都给否了。

马金山说我爸就胆小,老是怕有人背后叨咕。

周大保拉长了脸,让人说话天塌不下来。背后骂我这个县长的少吗?总不能这边骂了,屁股朝这边挪挪,那边骂了,屁股朝那边坐坐。我觉得你的第二个方案没有太大问题嘛!专家、县有关部门都没提多少意见。你抓紧改一改,争取这两天上村民代表会。稍后又补充一句:到时我也来参加。

周大保说完,见马金山答应得很爽快,才起身离开。

车子沿着村中的柏油路向外行驶时,周大保隔着车窗玻璃朝外看,发现村子里好像什么事情也没发生过,村民有的三三两两站在路边聊天,有的坐在门前一边晒太阳一边抠脚丫子,有的围着圆桌打麻将,还有的背着粪箕子朝村外的田里走,四五个小学生模样的孩子在踢足球,嘻嘻哈哈地追逐打闹着,就连狗呀鸡呀等小动物，也各自悠闲地做着自己的事情。

周大保是在农村长大的，他晓得村里不管遇到红白事情，村里人即使不是倾巢而出，也会家家派个人去办事儿的人家帮忙。他想起在马平安家除了见到他的两个儿子，听到有人代哭，再就是些看热闹的孩子。是邻里之间感情冷漠了，还是对马平安有成见？他想不明白，当了三十多年村支书的马平安，在马沟村怎么落得这么个人缘？

周大保大学毕业后被分配在县乡镇企业局工作。那时的马沟村村镇企业已经办得红红火火，有煤矿、煤场、运输队、铸造厂、砖瓦厂、服装厂，村年集体经济收入过百万元，在全县村级组织中排名前三，被称为百万村。

马平安虽然识字不多，但头脑灵活，思维敏锐，尤其学东西快。七十年代有一段时期兴起农民赛诗，只要有人把报上的哪类诗读两遍，他就能滚瓜烂熟地背下来，而且隔夜就能编改成自己的诗朗诵出来。这两年，他从报纸上看到一些先进地区的经验，马上就活学活用，但绝不是照抄照搬，而是结合马沟的实际加以改造后借鉴利用。

马沟村全县第一个铺上了村级柏油路，办起了第一个农民敬老院、第一家农民幼儿园、第一个农民图书室、第一个青年之家，还别出心裁地办了一个农民文化中心。省里一位领导来马沟考察后，惊叹这个村改革开放带来的巨大变化，称其为“明珠”，随行的省报记者写的长篇通讯就用了《中原农村一颗光芒四射的明珠》为题，占了省报大半个版面。

从此，马沟村成了闻名全省的文明村，前来参观者络绎不绝。马平安当年被评为省劳动模范，十佳村党支部书记。作为乡镇企业局的工作人员，周大保几乎每周都要到马沟村去一两次。那时他也是热血青年，马平安做的事情的确让他打心里敬佩。有一回发年终奖金，全村人均一千元，村支部委员马奔提出：马平安的贡献大，奖金标准应当定得比群众高，建议给他定两千元。

马平安知道了这事，当着周大保的面就摔了杯子，马奔你小子别他妈的拿我说事。你给我定高，还不是想自己也定高？老子还没到老眼昏花的时候。告诉你，咱马沟只有吃苦在前的党员，没有见利就上的干部。这煤是谁挖出来的？这厂子里的活是谁干的？是马沟的老少爷们。反正老子把话撂前边，我一分不比群众多拿！谁要是想发财，就别当党员，别当村干部！

马奔说你不定高，群众又怎么定高，总不能年年一个水平不涨吧？马奔一气之下辞去了村党支部委员的职，自己买了辆车跑运输去了。

马平安对自己要求很严，但是对来马沟的客人却热情大方，好酒好茶好烟招待，临走还给带上点土特产，像三两只鸡、十来斤鸡蛋，或者当地名酒名烟什么的。周大保他们年轻人没车坐，大多是坐公共汽车去。临走，马平安宁肯自己骑自行车或步行，也让自己的桑塔纳去专门送他们。

所以，周大保他们愿意和马平安交朋友，自然也没少了给马沟“吃小灶”，比如计划、项目、贷款等等。周大保当上乡镇企业局副局长，听到有人说马沟是花钱培养出来的典型，非常生气，说，马沟村一开始是自力更生、艰苦奋斗干出来的。他们干好了，要上新台阶，要有新发展，上级当然要给予支持，这符合国家让一部分地区率先致富的政策嘛！你能说深圳是靠国家的钱建起来的？

当上副局长，后来又当了局长、副县长、县长的周大保，的确到马沟的时间越来越少。有一年开人代会，他在会上见到马平安，马平安握着他的手开玩笑说，周县长，我有大半年没见你了！他说，惭愧，惭愧。第二天，他就去了马沟，当场给马沟村拨了三百万煤矿技术改造的费用。

吃饭时，马平安说乡镇企业局有个同志从马沟借了辆上海轿车，用两个月了，还没送回来。周大保恼火地说，回去我就处分他！马平安又摇头又摆手，可不敢，不敢啊！你处分了他一个，往后谁还敢和马沟来往？第二天，马平安派他大儿子给他家送了一套实木家具，还捎话给他：当副县长了，别再那么寒酸。

周大保一直以为，马沟村的群众对马平安是心存着一份感激的。周大保记得当年总结的马沟群众有十个不出村：村里有商场，买日常用品不出村；有卫生所，小病不出村；有文化中心，看电影看戏不出村……农村有句老话：不看吃的看穿的，不比穿的比住的。周边的村子，就是全县的村子，那些年有哪个能像马沟一家一户一座小楼？县里宣传本县形象的宣传画册上，新农村就是马沟村村民的住宅区。

马平安过五十大寿时，村里百十户人家，家家都去祝贺，光礼金就收了十几万，大家还送了一幅牌匾，上边“领头雁”三个大字还是时任县委书记受马沟村群众所托题写的。马平安把那些礼金全都给了村幼儿园，牌匾他也不让挂。他说我离群众的要求还差很远。那么多村子后起直追，农民收入超过了咱马沟，我心里着急啊！周大保的媳妇马红艳在他面前抱怨说，一开始就不收礼金，得省去多少麻烦！

马红艳也是马沟人，比周大保小两岁。周大保在马沟“蹲点”时，她在市里一家师范学院读书，还是马平安为他俩牵线认识，又撮合他俩恋爱、结婚的。马红艳长得好看，是马沟村的一枝花，马金山也追过她。她自己在学校喜欢上一个男同学，看不上又矮又瘦、厚嘴唇的周大保，用她的话说周大保的嘴唇比城墙还厚。马平安一次次找她父亲做工作，说周大保年轻有为，你家闺女找了这样的小伙子，还不是在银行存了一大笔现金？最后，甚至下了命令，你闺女要是不和他恋爱，以后就别踏进马沟村！

不知是出于对马平安“逼婚”耿耿于怀，还是经常听娘家人说三道四，马红艳没少在周大保面前说马平安的坏话。每回，周大保都拉下脸批评她，你就信你娘家人的挑拨。我隔三岔五去马沟，村里大人小孩三千多口子能叫上名字的也有一半，怎么没听哪个人说马平安一个不字？

马平安突然病逝，马沟村百姓虽然说不上有天塌的感觉，但也不应当反应如此冷淡,好像这个人与马沟村没有什么关系。这的的确确让周大保感到有些意外。

二

马平安的灵堂是中午前布置妥当的。为布置灵堂,马金山颇费了一番心机,他找来了县城里专门做殡葬的公司,提供从灵堂设计、装饰、用料,到唢呐演奏、代哭、行孝演出等一条龙服务。

灵堂设计了一座大门,仿照马沟村的村门,形状如飞腾的巨龙,仅大大小小的白花黑花就用了两千多只,全用的绸子。灵堂一边搭建,唢呐就开始演奏。

本来那家专业殡葬公司有三支唢呐队,一般人家办丧事也就租一支,马金山让三支队伍全到他家来。公司负责人为难地说,还有两家已付过定金,要不去人家得要赔偿。马金山说,赔多少都是我的。我再给你加两倍的钱。这样,三支唢呐队吹奏起来声势浩大,几里外都听得清清楚楚。马金山得意扬扬,马银山却感到困惑,几里外都听得清楚,本村的人怎么就听不见,好像集体得了聋哑病。

刚送走周大保,街上有人说,天蒙蒙亮的时候,还见平安叔的大皇冠从街上出去,一眨眼的工夫怎么人就不在了?马金山听出是马奔,蹭地蹿了出去,想找他理论理论。可是,只看见了马奔那辆宝马车的后屁股。他气得对着空旷的村街跺着脚大骂:哪个狗日在嚼舌头根?谁家儿女拿自己的老子玩游戏?

马银山把他拉了回去,痛心地说,大哥,咱在办丧事,能少惹点麻烦就少点麻烦,不惹更好。马金山瞪了弟弟一眼,说,就你这软皮蛋性子,在官场上也没大前途。你要是听我的,早点回家来帮咱爸打理煤矿,咱爸也不会那么累。马金山自己正在办移民加拿大的手续,所以心思一半在马沟一半在国外。

马银山说,前几天咱爸去县城,吃饭时征求我对改制的意见。我明确给咱爸说不支持把煤矿改制归个人或少数人。煤在咱村地下,矿也是当初村民集资和村集体名义从银行贷款的,再说咱村有的三代人都挖过煤,凭什么就改制归咱?

马金山喘着粗气,用挟着烟头的手指点点马银山,说,怪不得咱爸犹犹豫豫,直到今天也没签字,原来是你投了弃权票。我告诉你老二,我坚定不移地支持改制,上边也压着让改,你一个人反对没用。周大保找咱爸多少回了,说咱马沟过去是老先进,这次改制成了老落后。你是不是想让咱爸戴着老落后的帽子去见马克思?

马银山用左手推开马金山的胳膊,用右手扇了几下飘荡的烟雾,理直气壮地说,咱爸不是犹豫,是压根不情愿。他和我的观点基本一致。咱爸亲口给我说,我马平安见马克思之前怎么就成了煤老板了呢?让老百姓人人有股份有财产怎么就不行呢?马金山说,上边说得很清楚,改制就是打破大锅饭。人人有股,不等于没改?

两兄弟争执了一阵，无果而终。临近中午时，村子里除了几个和马平安家近房的老人来烧了把纸，再没有其他人来。马金山穿着孝袍，按规矩不能随便离开灵堂，但是他实在忍不住，到门口转了几圈，村街上有些来来往往的人，有的假装没看见他，有的看见他却绕道走小胡同，对面几家明明在二楼的窗户朝这边看，目光和他对视一下就缩回头。

这一回，马金山点了一支烟抽着，从门口朝东溜达。他不信马沟村村民会对他爸爸的病逝无动于衷。妈的，要是那样你们就太没良心了。马沟村能有今天的好光景，不全是我老爸带着你们打拼来的？我老爸接过马沟的烂摊子时还叫大队，整个大队账上一分钱没有不说，还欠了三十多元钱的外债，你们家家户户撅着腚在坷垃地里流一年汗水，劳力多的能挣个十元八元，劳力少孩子多的还透支。现在呢，家家有在煤矿上班的，不缺零花钱，再加上孩子上学不花钱，家里人看病不花钱，老人在敬老院不花钱……这些都是村里包了。看看你们哪家没有摩托车，还有的买了小轿车。你们……他不愿再往下想。他觉得世道变了，人心也变了。

马金山一直走到路尽头的村东口，迎面碰上一辆红色丰田吉普车。那辆车已经从他身边驶了过去，突然又倒车回到他身边停下。车窗玻璃打开一半，露出一张雪白的脸和一双水灵的大眼睛。

其实，马金山一见车就知道是马平安的干闺女小荷，整个马沟村就她开红色吉普车。他一直疑惑这车是马平安帮她买的，马平安死不承认，说小荷能耐大了，全县两百多家小煤矿都用她经销的电缆。他清楚小荷的关系都是马平安给牵线搭桥，只是不愿点破罢了。

小荷冲马金山笑了笑，亲热地叫了声哥。她笑得太夸张，脸上堆积的化妆品在她的笑中一片片抖落。她说，你咋穿个大白袍子，让爸看见不骂死你才怪呢！她称马平安时从来不带“干”字。

马金山不喜欢小荷。心想，熊妮子仗着有几分姿色四处交际，你交际就交际呗，还打着我爹的旗号！他冲小荷吼道：你爸死了，你还笑得出来！

小荷大吃一惊，很快又笑了，哥你的玩笑开大了。我昨晚十点多还接爸的电话，他让我今天务必来一趟……

马金山惊慌地四下看了一眼，责怪地说，他接你电话没几分钟就闭眼了。

他这话很深奥，足以让小荷吓得浑身发抖。好好一个大活人，接你小荷的电话几分钟就咽了气，与你通话的内容有没有直接关系，只有你自己最清楚。

小荷果然心慌意乱，跳下车认认真真地看了看马金山的装束，双膝一弯跪在地上，双手拍打着柏油地面号啕大哭，我的爸呀，你好狠心呀，怎么连句话也不给闺女说就走了呀！你让闺女以后找谁为我做主呀！

马金山没理她。他想：你哭吧，哭得声越大越好，让马沟人都听听，我爹马平安还有一个有良心的闺女，你们也就知道应该怎么做了。

小荷哭了几声就爬了起来，从车上拿出一瓶矿泉水浇在手上，洗了洗手上的浮土，然后上了车，招呼马金山也上车，说，哥，那咱赶快回家给咱爸守灵去吧。

马金山皱着眉头，说，你就这样去？

小荷低头看了一眼自己身上的红夹克，眼珠子转了几转，不好意思地说，那我回去换件衣服再回来。她掉转了车头，没有熄火，但也没有开车。已经走出几米外的马金山回头看了一眼，见她正对着车上的反光镜给脸上补妆。他愤愤地骂了一句：浪货！

眼看村民到父亲灵堂行来往的稀少，马金山心里焦急，想了个主意，把他下属的运输公司的几个队长找了来，给他们下达了一个重要任务：养兵千日用兵一时，现在是你们给老子出力的时候了。然后，他按人头每人给他们分配了二十个名额，让他们带人来他家行来往，也就是给他父亲马平安磕头。

有个小队长嘟噜道，这事得人家发自内心，哪有赶着拉着的？

马金山咣当给了他一拳，谁来，可以带全家一起来，我按人头发钱。

布置完以后，马金山就在灵堂里等着。

马沟村三面环山，是在一条狭长的山沟里。春季的白天本来就短，处在山沟里的马沟村的夜晚比山外来得更早些，下午五点多钟的时候，黑夜的影子就光临了。负责管厨房的来找马金山，问他：马总，咱开多少桌席？马金山还没回答，马银山不耐烦地抢着回答道：按十个人一桌开席。马金山说不行，多开十桌，按咱定的宴席标准，八凉八热，一个也不能少了。接着又叮嘱一句：餐具全都换白色的。

马金山说完，转身上二楼他的房间里睡觉去了。他觉得这一天太累太累，仿佛用尽了他过去一个月的劲头。刚刚躺下，突然听到哭声大作，不光是灵堂内外，就连门前的村街上也哭声一片。他从窗户朝外看了一眼，果然黑压压的一群人，多是些上了年纪的老头老太太带着小孩子，还有些怀抱着孩子的妇女，大人孩子加起来有七八十人。

马金山先是高兴，村民终于有所表示了。转念一想又感到心疼，不是疼钱，而是为人情关系冷漠心疼。看看，看看，拖儿带女，拖拖拉拉的一大堆，又不到账房上账，吃完喝完一抹嘴，拍拍屁股走人。我马家又不是酒店开业！就是酒店开业你也不能来白吃白喝。

他套上孝袍下了楼，打算把那群人吆喝走。走到最后一级台阶，突然又改变了主意。我马金山还缺他们吃喝这一点？来了就是捧个人场，图个好名声，让我老子知道马沟村还有这么多百姓念着他，并没有因改制问题忌恨他。这样一想，他心里坦然了些，反身上楼又躺下了。

这时手机响了。电话是小荷打来的，一开口就急不可耐地问：大哥，我爸把村煤矿改制的那些材料放哪了你知道不？

马金山一听也急了，骂了一句：哭丧呢你！哭丧也没见你真伸头。

小荷说，这是红艳姐让我问的，你别对我发火。我现在就和红艳姐在一起，她有话给你说。

马金山刚要挂电话，马红艳在那边开口了，他只好应付着，在心里对小荷发火：浪货，拿县长夫人压我！看我以后怎么整治你。

马红艳在电话里先对马平安的突然病逝表示哀悼，马金山听出背景有音乐声，像是在咖啡厅里。马红艳说，平安叔是个好人，也是我们家的恩人。那年我妈患病，你大保哥平时廉洁，手里不宽裕，没有存钱，好几万的手术费全是平安叔给掏的，救了我妈一命。我妈啥时提起平安叔，都感动地掉眼泪。

马金山有些激动，安慰着说，红艳你也别太难过。我爸也一直把你当亲闺女。马红艳说，我知道我知道。接着话锋一转，说，哥你也知道，平安叔跑几趟找我，说咱村煤矿改制，动员我跟着入股。他说红艳你是咱马沟的闺女，对马沟贡献最大，咱村资产你也有一份。你要是不带头入股谁入股？我为了支持平安叔的工作才点了头。到现在我们家大保还不知道这事。

马金山心想，去你妈的！你男人私下给我爸谈了十几回，后来又在会上不点名地批评老先进变成老后进，拖了全县改制的大腿。甚至还威胁说，谁当改制的绊脚石，我就把他搬开，扔到历史的垃圾堆里！入股也是你老公的事。你家在哪个乡村改制企业入了股，你清楚我也清楚，全县的很多干部都清楚，只有你自欺欺人，以为别人都不知道。别看我马金山大大咧咧，少心缺肺，可是我敢作敢当，要就明要，拿也明拿，挣钱也光明正大地挣。不像你两口子既想当婊子，又想立牌坊，死不要脸！当然，这都是他的心里话，没有说出口。他也不敢说出口。

马红艳还在电话那头不停地说，你们家银山，我和大保也一直当亲兄弟待的。他从进了县机关，大保没少关心他。上个月大保还对政府办主任交代，让这次报银山副科长。你也知道在县机关当个副科长多难，有的人干了一辈子，退休还是个科员。

马金山越听心里越烦，一会的工夫烟灰缸里的烟头都冒了尖。他不敢挂断电话，就把手机开到免提，放在床头柜上，任凭马红艳在那头唠叨，自己仰面躺在床上跷着腿继续吞云吐雾。

咚咚，咚咚，门外有人敲门。马金山说了声，门没关，瞎用什么劲。

大大！进来的是一个七八岁的男孩，看样子是走了急路或者心急上火，脸蛋儿红扑扑的，额头上汗淋淋的，头发也冒着热气。马金山骨碌碌翻身下了床，把那孩子抱了起来，亲了亲他的脸蛋，说，我的小帅哥啥时来的？一个月没见了。来，让大大看看又长个没。

大大，我要见爷爷……男孩子号啕大哭，爷爷，爷爷！

马金山轻轻拍着他的后脑勺，念叨着，见爷爷见爷爷，大大带你去见爷爷。

这个男孩叫马军，是马银山的儿子，刚刚跟着他妈妈秀红来的马沟。马金山婚后生了两个女儿，都跟着他媳妇去了加拿大。打从马军出生，他对这个小侄子就倍加疼爱。秀红曾经抱怨马银山说，你抱咱儿子的次数还没他大爷抱的多。

马军两三岁的时候很调皮，常常和比他大两岁的马金山的小女儿动手动脚，每回遇上这事，马金山都把自己的小闺女抱起来打屁股，让她给马军赔礼道歉，惹得他媳妇很不高兴，说他对侄子比对闺女亲，重男轻女。

马军在县城跟着爸爸妈妈，又在全托的幼儿园里，马金山去县城很少见到他。每回见到马军，他都两眼放光，按马军刚学会走路时喜欢在他脖子上骑大马的习惯，趴在地上让马军骑着跑几圈。马军高兴地哈哈大笑，他也乐得闭不上嘴。马金山的媳妇有一次对两个女儿说，你们也甭想着你爷爷的家产了。你爷爷百年以后，你爸肯定不会和你叔争，就把你爷爷的家产全给了马军！

难道……马金山刚想了个开头，马银山进来了，开门见山地说，大哥，咱爸的后事不能拖，怎样办你有个考虑没？

马金山说，不让你告诉小军他娘俩，你咋还是把他们接来了？

马银山有点儿恼火，不高兴地说，大哥，咱爸死了这么大的事能不让小军知道？万一他哪天找爷爷，我告诉他到地下去找吧，他还不得跟我拼命！

马金山语塞了。他常常被马银山说得答不上话来。

这时，楼下有人喊马金山的名字。马金山仔细听了听，是马奔粗豪的声音。他说，这个杂种到底来了。他还算有良心，没忘了当年咱爸帮他。他说着，从马银山怀里接过马军，举到自己脖子上，一颠一颠地下了楼。

三

马金山万万没有想到，马奔是来谈改制的事。

马奔在灵堂行过来往，又到账房上了账，然后对马金山说，金山兄弟，借一步说说话。马金山把他带到二楼的小客厅里，又故意从包里掏出一盒时下全中国最贵的烟，自己点了一支，对马奔说，要抽自己拿。马奔没有在意，掏出一根雪茄，晃了晃说，我抽这个，这个过瘾。

两人默默抽了一会儿烟。马金山不习惯雪茄的味道，呛得咳嗽了几声，才问：听说你越做越大，发了大财。马沟大人孩子没有不知道你是百万富翁，背地里叫你“马百万”呢。

马奔说，哪里，哪里，比你差十万八千里。不瞒你说，外边对我的传言一半是猜测，一半是我故意炒作。现在这社会，你不炒作，不包装，别人以为你没实力，不跟你合作不说，还处处欺负你。

马金山笑笑，嘲讽地说，你就不怕今后国家来个吹牛皮收税？

马奔也笑了笑，反唇相讥地说，那我也得先看你交不交。你不交我也不交。

马金山好像意识到这个时候孝子不应当和别人说说笑笑，马上换了一副沉痛的表情，低着头抽烟，不再看马奔。

吭，吭，马奔咳嗽了两声，说，金山兄弟，有件事本不应该这个时候说，但是我考虑再三，觉得不说反倒不好。平安叔毕竟还没入土，有些问题说明了解决了，他老人家也好入土为安。

马金山的心一阵惊悸，抬头看了看马奔，问：啥事？

马奔嘴上说着，不好意思，不好意思，兄弟别见怪，手却从衣袋里取出张纸条递给马金山。马金山看了一眼，是一张盖着马沟村委会大印的证明，上边写着马沟村开煤矿借马奔家盖房子用的大梁、石头、砖头、水泥、木料等，都有具体数字，就连两张铁锨也在上边写得明明白白。马奔说，你看仔细了，这是平安叔亲笔写的。

其实不用马奔点拨，马金山也认得父亲的字。再说，村里开煤矿时，他已经高中毕业，在村广播室看广播，早晨太阳刚露头，播放“东方红，太阳升”，因为马平安不允许放“军港的夜啊静悄悄”一类的歌。村里有什么通知，他就用不太标准的普通话，在广播里宣读：马沟村宣传站，现在广播通知。他常常把通知念成通吃，所以马沟的年轻人私下称他“马通吃”。马平安为了开煤矿的事，白天在村“两委”办公室开会，晚上约人到家里来谈，所以，马金山对这事的来龙去脉也比较清楚。

当时村集体没有多少资金，马平安求爷爷告奶奶，从银行贷了一点，从别的地方借了一点，但是还差不少。村民对投资开煤矿态度不一致，投资不积极，有的担心在地下挖煤搞得墙倒屋塌，有的害怕投进去没有收益倾家荡产，有的说周边几个国有煤矿，咱竞争不过人家，到后来在村子下留下几个窟窿怎么办？

马平安又急又气又累，病了一场。他躺在床上召开支委会，要求大家带头投入。马平安说，咱周边几个地下有煤的村子都动起来了。咱要按兵不动，就是端着金饭碗讨饭吃。我把准备给两个儿子盖房子娶媳妇的钱全拿出来，扔就扔了。这样，那几个村委也都纷纷表态支持。

马奔的那张借条，就是马平安在病床上写的。后来，马奔辞职单干，马平安要把借条上的东西折算成现金还给他。马奔说，平安大叔你也太会抠了吧？这么多年就是存在银行也得不少利息。

马平安生气地骂他，你小子像支委说的话吗？

马奔哈哈大笑，说，我已经不是支委了。就算我还是支委，还在马沟村，也不能老是跟着你无私奉献吧？现在是市场经济！

马平安说，你爱要不要。等哪天我一蹬腿走了，你去阎王爷那儿找我吧！

为此，两人很长一段时间里走对面也互不搭理。

今天，马奔来谈这事，让马金山心里着实恼火。他把纸条还给马奔，冷淡地说，这事我不知道。

马奔脱口而出地说，你不知道可以去问……他发现说走了嘴，赶忙停住了。马金山说，你是想说让我找我爸问是不？那你就找他去吧。我爸要是说把马沟煤矿整个给你，我也坚决照办！说着，他站起身，把烟头在烟灰缸里使劲摁了几下，明显是下逐客令。马奔急了，板起面孔，用挟着雪茄的手指着马金山，愤愤地说，马金山你怎么说话不讲理呢！

马金山说，我他妈就不讲理了，你能怎么着我？说着，一伸手把挂在墙上的双筒猎枪拿在手中，虎视眈眈地看着马奔。马奔也不含糊，弯下腰把头抵在枪口上，大声喊着：来吧，朝我头上打。你要不开枪你就是个孬种！

两人的争吵声惊动了马银山。马银山从楼下灵堂匆忙赶上来，一看眼前的架势，吓得面色苍白。他夺过马金山手中的猎枪，把马金山推出门，然后又拉马奔坐下，问了问缘由，赔着不是，说，奔哥，这事你别朝心里去。一来我哥可能真不清楚那档子事，二来这个时候他心里特难受，情绪不好。反正千错万错都是他的错。不过你放心，等把我爸送走，我会好好和他谈谈。你手里有证据在这儿，谁还敢不认？如果马沟村没人认，我帮奔哥你打这个官司。

马奔说，银山你这才叫人话。他临出门，又回过头低声对马银山说，你爸扔下改制这个摊子突然走了，据我所知，咱村人要拿这件事说事。你没看见，哪有几个人来吊唁？老少爷们对你爸有怨气啊！百姓不可欺啊……

马奔走后，马银山一屁股坐在椅子上，长长地叹了一口气，喃喃自语地说，爸呀，您走得也不利索呀！

马银山大学毕业后就进了县机关工作。马平安对他的要求是不能落后。有一次他回家，马平安拿出一本存折，一只他上小学时背过的书包，让他面对面坐好。马平安先把书包递到他手里，问他：还记得不？他的眼泪一下子就夺眶而出，情不自禁地叫了一声妈，就把书包紧紧贴在胸口上。

那只书包是他上小学前，身患重病的妈妈在十五瓦灯泡昏黄的光线下，一针一线给他缝的。他妈说，我去买书包，转了几个店，又贵又不结实。长大后他才理解妈说的不是真心话。妈实际上是知道自己的时间不多了，想把对儿子的情感通过这一方式表达。

马银山上初中时，有同学笑话他的书包太土，他用积攒的钱买了一只新书包，回到家把妈缝的书包扔在墙旮旯里。马平安发现后大发雷霆，把书包铺在他妈的遗像前，让他跪在上边。

马平安说，你妈那个时候拿针都费劲，给你缝这只书包，手指上扎了几十个几百个血眼。这书包哪条缝里没有你妈的血、你妈的汗、你妈的泪！

打那以后，一直到大学毕业，马银山随身带的都是这只书包。

有一次，马平安又打开存折让马银山看了一眼，说，这几年咱村里好了，咱家里日子也好了。我办了两个存折，两个全是你的名字。见他惊讶，马平安又说，为啥？

你在官场，是国家的人，就那点工资收入。你老爸不希望你像有的当官的那样，到处伸手捞钱，弄不好把自己折进去。老爸不巴望着马家出大政治家，但马家做官的必须是正经人，干正经事。我给你看这两张存折就是告诉你，你不要为钱犯愁，更不能为钱栽跟头。我跟你哥也说过了，你哥没意见。你要是为了钱栽跟头，我就一把火把这两张存折全烧了……

这些年马银山一直没敢忘记爸爸的话。周大保任常务副县长时，曾选他当秘书。那时的秘书已经不像过去的领导秘书那样专门负责写领导讲话稿和文章，这些事一骨碌交给了研究室。领导的秘书就是专职为领导服务的，像收收发发，接接电话，上传下达，领导外出时为领导开车门、拎包、端茶杯，领导家里有事了也得鞍前马后地跑等等。说白了就是个服务员，只是称呼不同罢了。

马银山不想做这个工作，马平安也不支持，只有马金山态度暧昧，一会儿说当领导秘书好，提得快，咱乡的书记乡长，还有几个经济好的乡镇的书记乡长，不是领导的亲戚就是给领导当过秘书的。要不是咱爸和周县长这层关系，秘书这差事八竿子也轮不到你！一会又说当领导秘书不好，你看看天天时间多紧，几乎寸步不离，就差没上同一张床了，你哪还有时间干自己的事。

不过，马银山是那种只要接了事就认真去做，做了还要做好的人。明明心里不乐意，做得却十分认真，前两个月的工作一直受到周大保的肯定。马红艳曾在电话中告诉马平安，银山兄弟干得不错，大保说他眼里有活。在当地人的话中，眼里有活，这四个字是评价较高的。可第三个月一开始，情况就发生了变化。

那一天，马银山陪同周大保到马沟参加小荷的矿山电缆厂成立大会。中午吃了喝了，临走时小荷交给了他两个信封，说，这个写名字的是给你的劳务费，没写名字的是给周县长的出场费。他当即表示拒绝，还严厉批评小荷。他说，小荷你这是让领导和我犯错误。支持民营经济发展是政府义不容辞的责任，周县长来也不光是冲你个人，而是冲全县的民营企业。你这样做把领导当成什么了？小荷笑着说，哥，这是规矩，你不懂。你只管交给周县长就行了。马银山说那不成。周县长会处分我！

第二天，小荷到县城来了，没经过马银山通报就进了周大保的办公室。又过了两天，马金山给他打电话，问他是不是犯了错误，让周县长不满意。他觉得太突然，又很不安。马金山说，这样吧，你主动向周县长提出来不适合做秘书工作。他还想问个究竟，一想不当秘书正合自己心愿，就作罢了。一周后，马银山就调离了秘书岗位。打那以后再见到马红艳，尽管她还像过去那么热情，一口一个银山兄弟地叫着，但是他从她的眼神中能够读到一种距离。

后来他回家时，马平安拍拍他的肩膀，对他说，儿子你行。

马银山一直为有个好爸爸感到骄傲。马平安带着马沟群众把马沟村搞得生龙活虎，享有很高威望。他第一次骑自行车带女朋友回马沟，马沟的村民看见他都远远打招呼说:老二回来了。你爸要是忙,家里没人做饭,就带你媳妇到我家吃去!

马平安的妻子去世后,说媒的踏破门槛,可是他一概回绝,至今没再续弦。他又当爸又当妈,个中的酸甜苦辣只有自己和两个儿子体会最深刻。

两个月前的一天晚上,马平安突然给马银山打电话,说是在县城和几个朋友多喝了几杯,让他送他回马沟。他在一家酒店门前的台阶上找到了酩酊大醉的马平安。上车以后,马平安不时摸摸他的头和脸,又是笑又是哭,让他觉得莫名其妙。在他印象中,爸爸从没有这样酒后失态。他想,也许是两个月没回家,父亲太想自己了。男人长得再大再高,在父母面前还是个孩子。

车子快到村口时,马平安让他停车。他以为父亲酒后经车子颠簸,可能想呕吐,就停好车把父亲扶下来。马平安突然冲着马沟村跪下,双手合十,由上而下地连续作了几个揖,哽咽着说,马沟村的老少爷们,我马平安对不住你们了!

父亲的举动让马银山大吃一惊。他上前去拉父亲,父亲跪着不动,他又不敢使大劲,怕把父亲拉倒了摔着。于是,他与父亲面对面地跪下了,诚恳地说,爸,你没有做对不起马沟村父老乡亲的事,心里应当踏实。

马平安说,我心烦意乱,心烦意乱啊!

马银山弄不清到底发生了什么事,掏出手机想给大哥打电话问问,顺便让大哥来帮他一起劝劝父亲。马平安听他在拨号,夺下他的手机,说,不要给那个畜生打电话。他说,是我哥!马平安说,你哥他就是个畜生。

已经临近春节,天气十分寒冷,到了晚上温度持续下降,又在空旷的山野上,穿着大衣的马银山冻得浑身哆嗦,上下牙齿碰得咯咯咯地响。马平安怕冻着儿子,才又上了车。他问马银山:乡村集体企业改制的事你听说了吗?

马银山回答:听说了,市里县里都有文件,我看过。

马平安又问:说是一刀切了吗?

马银山说,好像是有要求,让年底前完成改制任务。

马平安突然出其不意地又跳下车,围着车子转着圈子,一边转一边说,这咋办呢,这咋办呢!

马银山说,爸,上级让咋办就咋办呗!这事还能难着你。

马平安又蹲在地上想了一会儿,长长地叹息一声,问:儿子,你爹当大股东行不行?

马银山没有马上回答,这件事来得太突然,父亲的态度也让他感觉太突然,所以他必须认真考虑考虑。县里有相当一部分乡村企业已经改制,从他所了解的情况看,有的改制较为顺利,有的改制遇到阻力甚至闹出了群体事件来。有一个村办的铸造厂,去年报的赢利三百多万,是市、县明星企业,不到半年,改制时资产评估亏损一百多万,村委会主任一分钱不用掏就买断了,乡里还倒过来还补他五十多万,弄得村里几百个村民越级到市里上访。

你爹当大股东行不行？马平安又问了一句，接着说，你哥非得坚持让我当大股东，还有，还有……

马银山知道父亲不说出的名字有不说的原因，他也不想知道。他关心的是大股东占多少股，整个公司的股权如何设置和分配。他的问题问完以后，马平安沉默了，好大会儿才蹦出一个数字：八十！

马银山听了这个数字反倒异常镇静。他说，爸，您怎么就占了八十，您怎么能占八十呢？您想过没有，这个数字一旦公布，咱马沟村人会是什么样的反应？

马平安站起来，跺了一下脚，说，回家，睡觉。老子喝醉了。

马银山把父亲送回家后马上回了县城。人还在路上，马金山的电话就打过来，开门见山地把他骂了一通，说他里通外国出卖自家利益，说他装模作样假廉洁……马金山越说越激动，最后告诉弟弟，咱爸回来就改变了主意，不想拿那么大的股。你知不知道，咱爸这股里不是他一个人，咱一家人。咱爸要是不要了，不干了，得给咱家给我包括给你带来多大麻烦你知道不？

马银山烦了，说，你们爱怎么折腾怎么折腾，这事与我没关系。

春节那几天，马银山除了初二按当地规矩回了媳妇娘家，初三在机关值班，其他时间都在家里陪父亲。他发现到家里来串门拜年的乡亲稀少，与过去每年春节络绎不绝地来人有很大反差。他还发现父亲和大哥之间好像有点儿疙疙瘩瘩。现在看来，这都与改制有关。因为当时说马沟村改制方案春节后就要公布……

马银山不愿再想下去了。他甚至怀疑父亲的突然病逝，和改制这件事有一定的关联。

四

怀疑马平安突然病逝诱因的不光是马银山，他的干闺女小荷也怀疑，甚至比马银山考虑的疑点更多。

小荷地地道道是马平安看着一天天长大的。她的父亲是马平安从小一起割草、放羊、玩耍的好朋友，母亲和马平安的媳妇也是邻居，从小就能玩到一起的好姐妹。她临出生的时候，母亲难产，父亲在水利工地上没赶回来，当时任大队会计的马平安用平车拉着她母亲，翻山越岭走了十几里山路，把她母亲送到镇卫生院。一路上，马平安几次摔倒，头也磕破了个大口子，流了很多血。她母亲躺在病床上，抱着刚出生的她给马平安磕了个头，说，俺娘俩的命是你给捡回来的，这闺女就是你亲闺女！

小荷从懂事开始，就经常在马平安家吃喝，和金山、银山混得亲如兄妹。她七岁那年，父亲生病去世，家里的担子一下子重了。马平安那时已经当了村支部书记，给她母亲在村办的电磨坊里安排了个搞清洁的工作，活儿不重，按月领补贴，母女俩的生活才没有陷入窘境。她从小学、初中到高中毕业，学费全是马平安帮着缴。在马沟村人的眼里，小荷就是马平安的闺女。小荷也一直以马平安的闺女自居，在他面前开口闭口称爸，省略去了前边的“干”字。

小荷高中毕业后，因为没考上大学，就在村煤矿灯房当了一名工人。本来这个活既不脏也不累，还分三班倒，收入也不低，别的女孩想干还够不着，可是她只干了八个月就不愿干了，缠着马平安要到经营部门工作。

马平安看她性格大大咧咧，人也长得挺俊，说话有板有眼，是个跑业务的料，就答应了。没想到干了两年，建立了一些关系户后，她提出辞职，想自己单独开公司。

马平安狠狠地骂了她一顿，骂她私心太重，只顾着个人，不考虑大伙。她不吭不声地听着，一句话不说。等马平安骂完了，停下来喘息的时候，她还是旧话重提，爸，我想自由自在，我想给自己挣钱。马平安一生气，几天都没理她。

小荷也不急不躁，不催不问，今天上县城待两天，明天去省城逛几天，还去了北京、上海旅游。一个月下来，她琢磨着马平安的气也消得差不多了才登门，上来就掏出一大堆给马平安买的东西，有吃的人参含片、枸杞，有春夏秋冬替换的长短袖 T 恤、羊毛衫、皮夹克，还有鞋子、围巾。马平安嘴上骂着，你这个傻孩子，花那么多钱干吗，我一老头赶哪门子时髦？心里却乐呵呵的。小荷看老头子高兴了，才又提出了自己办公司的事。

马平安这个把月也对小荷的事做了反复思考。这些年，周边的乡、村企业倒闭的倒闭，改制的改制，不说是人心所向，起码也是大势所趋。自己的大儿子虽然还挂着村办运输公司经理的头衔，实际上大部分车的车主是他个人。马平安说过、骂过，甚至摔酒杯，大儿子不敢和他吵，就怂恿大儿媳跟他闹。大儿媳妇说，爸您也太保守太落后了，现如今哪还有像您这样天天替群众打工的？

马平安说，怎么着，共产党不为群众服务叫啥子共产党？

大儿媳妇说，拉倒吧您，周县长的媳妇马红艳私下开公司，还不是一家两家呢。是县委书记不知道还是纪委书记不知道，管了吗，查了吗？您心里比我和金山清楚，只不过嘴上不认。

马平安说，人家是人家，我是我。

大儿媳妇说，那您不也天天赶着金山给这个送礼那个送礼吗？

马平安急了，说，市场经济！一块蛋糕你想吃我想吃，谁把掌刀的人喂饱，谁才能分一块。

大儿媳妇哈哈大笑，嘲讽说，爸，有您这句话就成了。

不久，马金山以他媳妇的名字在县城注册了一家公司。马平安想，自己的亲儿子也管不了，何况一干闺女？所以，他没再反对小荷的事。不过，他还是给小荷约法三章：不能打着他的旗号与马沟村企业做生意；不能像市场上有些人那样销售假冒伪劣产品坑害群众;不能偷税漏税。如果做不到,从此断绝父女关系。

其实,马平安的干闺女就是最好的名片。后来,马平安偶然一次听说马沟村煤矿在用小荷经销的产品,曾问过小荷是不是走后门了?小荷理直气壮地说,我的产品好,销路自然好。您老人家不会希望马沟的企业用伪劣产品、出安全事故吧?

马平安咕噜咕噜嘴,没说出话来。他发现自己说话越来越瓤,有时觉得真理在自己这边,而一旦辩论起来又是自己被对方说得哑口无言。大儿子、大儿媳妇也好,小荷也罢,说的都是事实。你总不能喊几句口号,就让人家服你吧!就说改制的事,周边村子集体企业大都改了,有的村领导一夜之间成了百万富翁,甚至千万、亿万富翁,老百姓有意见,那也没见再改回集体企业。别说改回来,谁要说集体这个字,马上就有专家骂你,领导批你,说你思想保守,想搞倒退,干扰市场经济……

小荷很精明,眼睛跟针一样能扎到人的心里,尤其是马平安的心思。所以,马沟村煤矿改制的事,她不失时机地插了一腿,想占一部分股份。她踌躇半天,还是找到马红艳,拉上马红艳,老头子就不能不掂量掂量。你马沟村煤矿也好,其他几个村办企业也好,在发展过程中得到县政府主要是周大保的多少支持?改制你就不发展了?改制是为了更快发展。那还离不开周县长的支持。

在和马红艳取得共识后,小荷找马平安认真地谈了一次。马平安不是不懂世故,答应可以考虑。小荷说马红艳那份是干股。马平安这才急了,骂道:凭啥?凭她男人是县长?我给她五十万干股,等于给她五十万。她就不怕拿到手里烫着?

小荷说,爸您咋不算算账。您给她五十万,不要说以后周大保可以用种种名义给你三五百万,就是评估时少给您计算百儿八十万,两头不还是您赚大头。

马平安说,我这不是自己坑自己吗?

第一次谈话没有结果。这一次她到马沟来,就是想和马平安再进一步谈,没想到在村口遇到马金山,又从马金山嘴里得知马平安病逝的消息。她对马金山说回家换衣服,实际上是加大油门赶到县城找马红艳。她自己开公司以后,和马红艳的关系快速升温,几乎到了一日不见如隔三秋的地步。马红艳除了工作以外,大事小事都找她办,说是你办事姐放心。马红艳入股马沟村煤矿这样的大事,来来回回搞协调的工作自然交给了她。两人见面,谁也没提马平安突然病逝一个字,而是直奔主题说起了马沟村煤矿改制。

小荷说,姐,马沟村谁接班事关重大,要是马金山接上了,咱姐俩入股的事就难了。我知道他。他老婆孩子都移民加拿大了,他就想改制到自己名下,过一两年再转卖出去,然后卷了钱去和老婆孩子热炕头。

马奔这人怎么样?马红艳问,他也当过村委。听说他干个体以后,每年还给马沟敬老院、幼儿园捐款。

小荷一惊,马上明白马奔抢在自己前边找过马红艳。她眼珠子转了几个圈,说,马奔人是很能干,也讲义气。

小荷在商场打拼了几年，因为当下的官场和商场密切相连，所以她实际上是官场商场都熟悉。有的领导不允许别人说自己信任或喜欢的人坏话，认为那就是打自己的耳光。她就绕着弯子先说了几句马奔的好话，接着冲马红艳笑了笑。

小荷的笑很有艺术，也可以说很有技巧，是那种藏而不露、委婉曲折的笑，马红艳当然看得出她的笑里有话，就催她说，我是问这人忠诚可靠不？现在谁还看能力，关系就是实力，实力就是能力。

县长夫人的话可谓高屋建瓴。小荷更是深谋远虑，吞吞吐吐地说，这个我还不太了解。我和他没共过事。就是他和我爸闹翻那次我在场，他临出门时扔了句话，说什么鱼死网破，我爸当时脸都白了！

哎哟，咱可不敢跟这种人瞎掺和！马红艳刚喝一口茶，还没来得及咽下去，阿嚏一声全都喷出来，飞溅小荷身上。马红艳觉得有点不好意思，忙拿纸巾给小荷擦。小荷笑着说，没事，没事。姐你要是个男人多好，这一下我就为你湿（失）身了！

接下来两人又商量了一阵。马红艳提出选村支书得经过党员会，还得乡党委考察等等，手续太烦琐，时间来不及。马平安一死，马金山作为村改制办主任，把改制方案拿会上走个过场，一旦通过了，改起来费老鼻子劲。她说，小荷还是你先去摸摸马金山的底，就明着给他说，他答应给咱好处，咱就帮他顺利接上老头子的班。他要是不答应，改制的事他就靠边站，换别人干，到那时弄不好他还会排在外边进不来呢！

小荷就是带着马红艳的嘱托以及自己的心思，又匆匆赶回马沟村。一进灵堂，看见马平安的遗像，她心中忽然闪过一个问号：从来没听说老头子有心脏病，怎么会……她扑通跪在地上号啕大哭，学着丧失亲人的妇女悲伤欲绝的样子，边哭边用额头碰地，当地叫"拾头"，是最能淋漓尽致表达悲伤的方式。

"拾头"的益处可以举出若干，比如让别人看不见到底流没流泪，比如可以朝前爬行。小荷三下两下就钻到了帘子后边，双手抱着棺材哭得更伤心。其实，她是想借此举看看马金山兄弟的反应。棺材里边如果是空的，他弟兄俩肯定会惊慌失措地来劝她、拉她。

马金山早看透小荷的心思。他讥讽地说，小荷你换件衣服的时间够长的了，该不会是现买布现做的吧？小荷呜咽着说，我一听爸病逝的消息，浑身都软了，踩油门的腿直哆嗦，没办法就停在路边大哭一场，觉得好受点才敢开车。秀红过来劝小荷歇歇，人死不能复生，别哭伤了身子。小荷借机发了牢骚，说，爸平时身体壮得像头牛，能吃能喝咋就突然得了病，还是心脏病呢？

我爸是气的！马金山没好气地说，村煤矿没改制前，上边给压力，压得爸脖子疼。一说改制，就跟发大水一样，上上下下、左左右右扑腾扑腾都涌上来了。爸几次给我说想找个地方躲一躲，清静清静。

马银山接过说，爸给我说过他甚至想过死，说活到这么一把年龄，就这些日子最累。咱这社会怎么了，有人见到有利就像饿狗闻到臭屎味一样，是我真跟不上趟，还是……他难过地说不下去了。

马金山说，就是前天，我爸在县城被不知什么人软缠硬磨了大半夜，我都睡着了还没回来。第二天一早我就听他唉声叹气。

小荷眨了眨眼，说，大哥你说的不对吧？前天的第二天就是昨天，昨天早上我还在县宾馆见你和银行的人一块吃早餐呢！

马金山慌了神，赶忙改口说，那就是今天早上。我现在的心情乱糟糟的，像一团麻绳，哪记得那么清。不过，他越改口越让小荷心里犯嘀咕。她的两个眼珠仿佛充足了气的小皮球又鼓又圆，目不转睛地盯着马金山的眼睛。

恰在这时，马金山的手机铃声响了。他低头看了一眼来电号码，马上侧转身子，用一只手遮挡着和对方说了几句。挂断电话后，他就对马银山说，领导要我去汇报给爸治丧的事。我去去就回。说完，他不等马银山表态，三下五除二脱掉孝袍，快步如飞地走了。

小荷听到汽车发动的声音，嘴唇边露出一丝不易察觉的微笑。

马银山对小荷说，你先回吧，这边有我。等出殡的日子定了再通知你。

小荷抹着眼泪，说，我当闺女的，也得给爸守灵。嘴上这样说，人已经朝外走，到了门口又回头说了句：二哥你也多保重。

小荷一出门，秀红闪身进来了，朝小荷离去的门口瞅了一眼，愤愤地说，跟大哥像一个模子刻出来的，心里就只有钱，也不知要那么多钱干吗？

马银山长长地叹了口气。

小荷一上车就给马红艳打电话：姐，给你说个信息，你千万别让吓着了。我从大哥，不，是从马金山的话中听出了破绽。我估摸着，我爸可能没死，十有八九是装死。

接她电话的马红艳正在看电视，手里拿着遥控器反复调台，听了小荷的话，她果然吓得从沙发上跳起来，手中的遥控器吧嗒掉在地上。她说，这怎么可能。要真是这样，他马平安不是在玩游戏吗？

小荷说，这不是游戏，是，是阴谋。姐你等我一会儿，我一会儿就到。

马红艳挂断电话后，仿佛被人从后脑袋瓜子狠狠打了一棒，身子晃了几晃，沉重地倒在沙发上，歇斯底里地喊了一声：老周，周大保！

周大保晚上陪市改制办来检查工作的同志喝了几杯，刚回到家，正在卫生间里冲澡，听马红艳叫他，就把卫生间的门拉开一条缝，不耐烦地问：啥事？马红艳说，你快点出来，我有重大新闻告诉你。

周大保听马红艳说完，心里感到惊奇，表面上却不慌不忙，一边剪着指甲，一边平静地说，别听小荷那妮子瞎咧咧。这怎么可能呢？马平安多年的村支书，连这点起码的政治觉悟都没有，装死抵制改制，那问题大了！

马红艳不满意周大保的话，呸了一声，说，你别在我面前讲那些大道理。我就问你，马平安那边你到底和他谈得怎么样，他是个什么态度?

周大保没回答。

马红艳抓起沙发上的皮垫，朝周大保扔过去，严厉地说，周大保你听着，这些年你没少帮马沟帮马平安。马沟村煤矿改制，不让咱占一半也得三分之一。

周大保火了，有本事你找马平安试试?

马红艳还要再吵，小荷风风火火地赶到了。她刚要朝沙发上坐，周大保冲马红艳挥挥手，说，你们到屋里谈去，我不想听你们那些事。他明知小荷来找马红艳谈什么事，故意装作没兴趣，这就是官场上的学问。

马红艳拉着小荷进屋后，他立即放下剪刀，给马金山拨了个电话。电话是通了，但没人接听。他再打时，里边传出的是清脆的女声：对不起，你拨打的电话已关机。他气得扔了电话，起身在客厅里走了几圈。他也想过给马银山打电话，拿起手机拨了两个号又放下了。

马平安从来不给马银山说村里的事，尤其是经济方面的事，怕马银山学坏了，岂不知这样反倒害了你儿子，就凭你小儿子那点工资收入，如果一点灰色收入也没有，维持生活还可以，想买车买房、交朋友拉关系，做梦吧你！你马平安活着，能给他经济上的支持，万一……想到这里，周大保的思路突然拐了个弯。他想，马平安会不会在改制方案里把马银山也列入了股东？想着想着，他给马银山打通了电话。没想到这个电话给他带来了意外的收获。

马银山在电话中抱怨马金山，他当老大的，连让我和爸遗体告别也不等，就在我爸火化单上签了字。周大保说，这个马金山太自私了，现在这气候，遗体放三五天有什么了不起嘛！接着又安慰了马银山几句就挂断了电话。他把小荷说给马红艳，马红艳又说给他听的话，与马银山刚才电话中诉苦说的话连在一起进行了分析，越是往下分析，头涨得越厉害，而且由隐隐作痛发展成撕裂的痛。

五

市委、市政府召开的改制动员大会，是周大保代表县委、县政府参加的。会上，他还代表县政府同市政府负责人签订了改制目标任务责任状。市政府负责人在签完字后严肃地说，大保，你那个县前些年乡村集体企业上马快，不说是村村点火、户户冒烟，也是遍地开花。前两年你们有些企业已经改制，但仍然面广量大。这一次，你们县改制的任务最重。你们县的改制工作完成了，我们市的改制工作就完成了一半，你可得舍得花点精力啊！

周大保当即表示，如果不能在市委、市政府要求的时间内完成改制，如果改制过程中出现群体性事件,如果改制进展不顺利,我自己摘了乌纱帽送到你手上。可进展并不是周大保想象的那么顺利。

首先是开乡镇党委书记、乡镇长会传达市委、市政府会议精神。县委宣传部根据分工,专门从北京请来一位对股份制颇有研究的专家,在会前讲授改制工作的重大意义、法律依据,甚至连操作规程都讲了。那天的会议十分隆重,周大保主持,县委书记做报告。专家讲座的过程中,台下鸦雀无声,几百人的会场静得连有人坐的时间长了、挪挪屁股碰了下扶手的声音都听得清清楚楚。

周大保心里高兴,看来改制的工作还是很受欢迎嘛!没想到专家讲完了,几次站起来向台下鞠躬,除了他和县委书记鼓掌,竟然没有一个人回应。这让专家十分尴尬,县委书记和周大保也很难堪。

接下来是与专家互动阶段,台下唰唰唰地递上来十几张纸条,周大保翻着看了一遍,眉头越皱越紧,几乎拧成了咸菜疙瘩,额头上沁出一层汗。

那一个个问题提得太尖锐,太露骨,让他无法念出口。可念不出口也得念,这个过场总得走吧。形式主义之所以存在或者泛滥,就是因为有一个形式。他挑了一张在他看来是四平八稳的问题念了:请问专家先生,是不是集体企业必须改制才能生存下去?企业能不能搞好是不是所有制决定?

北京来的那位专家到底是经过风雨见过世面,当即笑着问答说,我先回答第二个问题,企业能不能搞好与所有制没有根本的关系。我们的国有企业有很多搞得很好,现在还占全国经济总量的半壁江山。

哗哗哗,台下掌声热烈地响了大约三分多钟,专家又几次站起来鞠躬致意。接着,专家又说,我现在回答第一个问题,集体企业的确存在很多弊端,在座的各位恐怕比我有发言权。从我调查研究的情况看,主要有以下几点:一是管理体制上的问题;二是经营上的问题;三是……他刚讲到这里,台下又响起了掌声。不过这次掌声与上一次掌声截然不同,呱呱,呱呱,节奏感特强,明显是鼓倒掌。在周大保听起来,就是在说滚吧。滚吧!专家是个很有个性的人,站起来挟着包就朝外走。

当天下午会议前,周大保和县委书记就分别接到了市委书记的电话,严厉批评他们贯彻落实市委、市政府改制会议精神不力,没有把会议组织好。专家临走时告了他们一状,说他们这个县"好像远离中国改革开放时代的另一个星球部落",或者说叫"另类"。市委书记明确指出,谁抓改制不力,我就撤了谁,让能推动改制工作的同志来做这项工作!县委书记和周大保也发了火,两人在会上都拍了桌子,周大保爆了一句脏话:谁他妈的当拦路虎,老子就当打虎英雄!

为了督促检查各乡镇推进乡村集体企业改制的进度,县政府向各乡镇派出了督察组。县委、县政府"四大班子"主要领导亲自挂帅,每人包了一个乡镇。周大保包的就是马沟乡。他从参加工作在县乡镇企业局当办事员起,到科长、副局长、局长,再到副县长、常务副县长、县长,历次活动,不管是政治的、经济的活动,他的点都是选马沟乡，再具体一点是马沟村。他想，这一回他亲自出马，马沟肯定又会拿个全县第一。

偏偏这一次，他想错了。

马沟村有二星级宾馆，有大大小小十几家饭店，还有专供村民农忙和村办企业上班的职工就餐的大食堂。但是，周大保每次来，马平安都是在办公桌上铺张报纸，让大食堂送几样大锅菜招待他，而且每次都不摆酒，喝白开水，除非他陪同上级领导来，两人就这样简简单单。每次吃完，他都会拍着马平安的肩膀说，老哥，只有到了你这里，我才能吃一顿舒心的饭。

可是这一回不同，马平安在村宾馆二楼装修豪华、专门用来宴请商业上往来客户的房间摆了一桌丰盛的宴席，还上了茅台酒。

周大保问：老马你这是啥意思，怎么破了咱俩多年的规矩？

马平安说，规矩该破就得破，不破不立。说着，给周大保和自己各倒了满满一杯酒，和周大保碰了碰杯子，说，我敬你！然后一仰子，吱溜喝个底朝天。

周大保看出马平安有心事，有话给他说，陪着他一连喝干八杯酒，三钱的杯子，三八二两四下肚了。周大保觉得心有点烧得慌，就开门见山直奔主题，问马平安：乡政府开会了吧？

马平安说：开了！

周大保又问：会议精神知道了吧？

马平安说：嗯。

周大保再问：责任书签了吗？

马平安说：没签。

周大保愣了一下，问：为啥？

马平安两眼通红，眉头紧锁，说话有点儿结结巴巴，我，我得问问，问问马沟村百姓同不同意，授不授我签字的权利。

周大保马上明白了，问题出在马平安这里。他耐着性子，不慌不忙地把改制的意义、重点、原则等向马平安说了一遍，最后强调，改制是发展生产力的需要，改制是一次深刻的革命，改制是大势所趋。最后，他问：老马，这些乡政府没传达？

马平安摆了摆手，说，传达了，我听不懂，听不懂。

周大保说这有什么听不懂的，明明白白，清清楚楚，是个……他想说是个傻子也听明白了，话到嘴边又改了口，说，是个很容易弄懂的事情嘛！再说通俗易懂点，就是你马沟村的村集体企业都要改制。

马平安问：往哪改？

周大保说：不能再吃大锅饭，要改制给能人。

马平安问：是不是个人、私人？凭啥？

周大保一下子语塞了。是啊，他也只是照抄照搬市委、市政府的文件，没有问个凭啥，所以现在也回答不了马平安的问题。马平安借着这个话题和几分酒气，像迫击炮一样哐哐哐哐地一连扔出了十几个问号：俺马沟村集体企业办不下去了？不是吧？俺马沟村走共同富裕的道路错了吗？不是吧？村集体经济收入没有了，幼儿园、敬老院、文化中心、卫生室都散伙？也不是吧……

周大保说，老马你这是先入为主，也可以说主观武断。我刚才已经把改制的重要意义给你说了。你马沟的村集体企业现在是搞得不错，但是你能保证往后一直保持赢利？不光是乡村集体企业，国有企业也得改。咱们市有个锅炉厂你一定知道吧，管理经营混乱，连续几年亏损，后来改制由一家民营企业控股，去年实现赢利五百多万，职工工资也翻了番。

马平安说，你说那事我知道。锅炉厂与我们村煤矿有来往，厂里管生产和经营的干部我也认识几个。过去那可是咱市先进企业。为啥亏损，厂子里的议论我也听到些。改制前那届班子的头，也就是厂长在别处自己办了个锅炉厂，把厂里的订单大部分拿到他自己的厂子去干，就连他自己的厂子职工发的毛巾、肥皂，他家里人买卫生纸都拿大厂子报销。

周大保说，不会吧，怎么没有举报？

马平安说，举报，谁敢？有一个老的车间主任写过举报信，那信转来转去又到了厂长手里。那个老主任从此没有个好日子，家里下水道坏了，后勤部门不给修；生了病买药，厂卫生室不给报；原来接他的班在厂质检科工作的大闺女，以工作需要为名下放烧锅炉……

周大保说，也许真的是工作需要嘛！烧锅炉的工作也得有人干吧。

马平安说，那厂是咱市第一家改制的国有企业，改给谁了？控股的民营企业就是厂长在外办的，法人是他小孩二舅，股东里有一个是管改制的领导的孩子。原来八百多人的厂子一下减了五百。

周大保说，咱不说他了。你还是说说你对马沟村办集体企业改制的想法吧。

马平安没听周大保的，接着刚才的话题往下说，那个锅炉厂改制后，下岗工人的日子不好过，男的有十几个在我这煤矿下井挖煤，上了年龄的女工有的给人家当保姆，有的在街上卖油条，年轻点的女工有的去广东打工，还有几个去乱七八糟的歌厅坐台。我这村集体企业的工人可大都是村民，要是让他们下了岗……

周大保显然不耐烦了，推开酒杯站了起来，老马，你越说越离谱了。哪一项新鲜事物在一开始和发展过程中没有缺点和问题？关键是看大方向、大局、大环境。他说话喜欢用排比词，不管内容能不能连得上只管往上排。

马平安愣了，眯着眼睛看了他一阵子，好像第一次认识他。周大保有点不好意思了，问：老马，你怎么了？

马平安说，我是在向你反映问题，县长大人。你还记得当年机关有个同志借马沟一辆小轿车多用了个把月，你听了就上火，要回去处分人家。我今天给你说这么

大的事,你却无动于衷……

周大保说,那事不也是你老兄死活不让我处理?还送……他想说还送套红木家具堵我的嘴,话到嘴边又改了口,说,我回县里一趟,明天回来咱开个村支部会统一统一思想。

周大保回到县里,和县委书记碰了个头,交流了一下情况。县委书记说他包的那个乡进展很快,接着把他做工作的办法给周大保做了介绍,周大保再到马沟时,在村支部会严肃地说,对改制工作有抵触、不支持,进展缓慢的村,问题出在村主要负责同志身上。这些个同志习惯于当皇帝、一言九鼎;习惯于把集体企业控制在自己手里,当成自己的钱袋子;习惯于传统思维方式,等、靠、要,不敢下海和别人竞争……他说着,眼睛看着马平安。

他发现马平安的脸由黄变白,又由白变红,像风吹动着的云彩飘忽不定。于是,他按照县委书记教的办法,又来个扬鞭催马,更加严厉地说,说到底,这些同志是对待改革的态度问题,是对待新旧体制的态度问题,是对待广大群众的利益问题。对于这些有思想问题的同志,县委和县政府的态度就一点:不论他资格多老,资历多深,只要他不支持改制,就坚决撤换!

马金山也是村支部委员,参加了那个会议。他噌地一下站起来,右手高高举过头顶,热情地说,马沟村党支部坚决拥护和支持县委改制的指示!我们村马平安书记说了,谁不支持就撸他个孙子。在当地话中"撸"有多种意思,撤职叫撸,打人叫撸,批评人骂人也叫撸。其他几个支委看着马平安,都没有说话。

马平安说,我头疼,得请个假去躺一会儿。说着,不管周大保同不同意,起身走了。他这一走,马金山更活跃了,周大保说一他也说一,周大保说三他也说三,让周大保心里非常高兴。会上,通过了成立马沟村改制工作领导小组,由马平安任组长,马金山任副组长兼办公室主任,具体负责改制工作。

散会后,周大保把马金山留下,又单独交代了一番,最后强调,给你爸好好做做思想工作,多年的老先进了,这次千万别成了绊脚石。

马金山说,怎么会呢?过去马沟再有钱,支书是个穷光蛋,一改制,就成了千万富翁。这个账他还能不会算!可能觉得说漏嘴了,忙又改口说,党员干部带头致富嘛。看看人家马奔,全县第一个坐大奔的,真正的马奔!

周大保放心不下,第二天又去了一趟马沟。马平安躺在床上和他见面。马平安说,我糊涂啊!

周大保握着他的手说,实话说我也糊涂。可咱都是党员干部,党的纪律怎么说来着?下级服从上级,看不明白你就照葫芦画瓢,保证不会错。

至于什么人给马平安一夜之间洗了脑,周大保不知道,他也不想知道。他的关注点已经转移到了改制方案上。而改制方案几个关键条款,他都亲自指导,亲自审查,亲自把关。他心里暗暗为自己娶了个马沟村的媳妇感到高兴。因为马红艳已经向马平安父子暗示过入股的事,马平安父子也答应了。

那天晚上他回到家,马红艳没等他脱外套、放包,急急忙忙拉着他坐在沙发上。马红艳说,我私下问了一下专家,马沟村煤矿价值估计在五千万以上。关键不在这个价值,在入股后升值的价值。现在煤炭卖到一百五一吨,三年五年后呢,说不定三四百一吨,咱要是有股在那里,一年还不赚个千儿八百万!

周大保说,你光想着挣钱,怎么不想着赔钱。万一煤炭行情走下坡路呢?万一煤炭挖完了呢?万一……

马红艳瞪了他一眼,别整排比了。你知道人家背后叫你什么吗?周排长!排比用得长。专家说了,咱中国这样的国家,煤炭几十年内都不可能走下坡路。至于煤挖完,那得等到咱下辈子。你把挣的钱存银行里,还怕下辈子没的花?

周大保说,那也不成。你让我堂堂一个县长,怎么伸手和老百姓争利益?我开不了这个口。

马红艳干脆踢了他一脚,说,没让你开口,我已经开过口了,让小荷捎话试探了马平安爷俩的口风。他爷俩没意见。马平安说得更痛快,你让周县长买断算了。

周大保像被电棍捅了一下,忽地站起来,你听听你听听,马平安这是在骂人!

马红艳生气了,一边朝卧室走,一边嘟哝着说,反正我已经说过了。这事和你没关系。到了卧室门口,又回过头说,马平安那老小子滑头着呢。他嘴上说的和心里想的不一个样。他大儿子已经把村运输公司先改制了!

周大保后来一了解,事实的确是那样。马金山先行一步,把他兼经理的马沟村运输公司改了制,他成了第一大股东。在公示的资产清单上,运输公司的资产全部折算下来,还欠外债一百多万。他对人说,我这是自己给自己背了一身债。这辈子还不清就等下辈子吧。

马沟村煤矿的资产评估是本县一家专业公司做的。初评结果是价值五千万,马平安不同意,马金山也不同意。马平安说这五千万够干啥?这些年光银行贷款都超过这个数,再加上每年村里投入,两个五千万也不止。马金山的说法截然不同。他说,五千万太多了吧?你过去银行贷款、村里的投入拿回了多少?我看能值两千万就不错了。就是这两千万也得有人掏得起。

马金山的言下之意,马沟村的人掏不起买矿的钱,按照市、县关于改制的相关规定,可以对外招商引资。他的这话显然是说给周大保听的。周大保在一次关于改制工作的经验交流会议上夸赞说,马沟村的改制办主任马金山,就善于活学活用,把政策用得恰到好处,用活了,用灵了。

周大保万万想不到,改制方案还没提交村民大会,马平安就突然病逝,而种种迹象又显示他没有真死。他是去市里省里甚至北京上访了,还是以这种方式抵制第二个改制方案?周大保越想越不安,招呼马红艳和小荷出来,对她俩说,你们就别关在屋里想得头痛了,该干啥干啥去。

马红艳说，小荷出了个点子，不知合适不合适？

周大保看了她一眼。马红艳明白他的意思，是让她在小荷面前不要冲锋在前。于是，她轻轻推了一下小荷的胳膊。小荷心领神会，说，我知道马金山县城的公寓的地方，他找女人都是朝那地方带。

周大保一惊，你想干吗？捉奸？人家那是两相情愿，不是卖淫嫖娼！

小荷咯咯咯地笑了，说，你没听有个手机段子上说，卖淫嫖娼也有新规定，完事后当场给钱的叫嫖娼；一周后给钱叫性伙伴；按月给的叫情人；按季给的叫包养；按年给的叫二奶。马金山那人的德行我知道，他找女人都是完事后当场给。用他的话说省得麻烦。

马红艳和周大保会心地对视一眼，都在心里想：你咋知道这么清楚！

六

马金山在他所住的公寓嫖娼被派出所抓了个现行，消息像长了翅膀一下子飞遍马沟村各个角落，应验了那句"好事不出门，坏事传千里"的老话。

秀红气愤地说，大哥也太不像话，不在家给爸守灵，干这种肮脏事！

马银山悲愤交加，扶着马平安的棺材哭得直不起腰。小荷在一旁煽风点火，说，得想办法把大哥捞出来，先把爸送下地。大哥那边罚多少钱我给。她见马银山两口子不说话，稍停片刻又说，花点钱把大哥捞出来没问题。关键是大哥的党员、村委会委员、村委会主任、改制领导小组副组长、改制办主任这些职务都保不住了。这改制的事交给了别人，大权旁落。

秀红说，谁要给谁。要不是改制的事闹腾，爸也不会突发心脏病呢。

小荷明显感觉到秀红对自己的不满。这之前，她也曾找过秀红，劝她向老爷子要点股份。秀红坚决地拒绝了，还反过来劝她不要跟着凑热闹。所以，她不想和秀红黏糊，就对马银山说，二哥你这时候得有主见。马银山不知是没听见还是不愿搭理她，给了她一个冷冰冰的后背。她顾不上计较，因为她知道自己肩负着重要使命。她接着说，二哥，你知道爸为啥又支持改制了吗？是因为大哥。爸再拖延，马金山就得进去。

马银山这才回过头来看了小荷一眼。小荷把他从棺材头前拽到后尾，避开秀红，悄悄地告诉了他一件事情。

就在马平安为改制的事犹豫不决时，马红艳有一天突然去马沟找马平安，在马平安的办公室里和他聊了一个多小时。马红艳走后，马平安就把马金山叫到办公室，外人只听见老头子拍桌子摔板凳骂娘，马金山吵了几句气哼哼地走了，却不知道究竟发生了什么事。恰在此时小荷到了。小荷说，我一进爸的办公室，看他斜躺在沙发上，呼哧呼哧地喘着粗气。我喊了几声爸，爸。他理也没理。我也没敢再喊，就在他旁边的椅子上呆呆地坐着。过了有半小时，爸才起身，张口就问我，马金山的事你听说了吗？

小荷说到这里，故意卖了个破绽，等着马银山往下问。果然，马银山着急上火地催她往下说。她说，其实我也是在县城听说大哥的事，赶着回家告诉爸的。有人举报大哥担任村委会委员、运输公司老总那些年利用职权贪污受贿，数字还挺吓人，据说要是查实了，少说也得蹲个十年八年大牢。

马银山说，我早就看大哥没好结果。你看看他，县城买公寓，市里买别墅，家里盖三层楼，尤其是换车那个勤，在全县也数得着。他是最早把吉普车换成新产的桑塔纳，又是最早把桑塔纳换成皇冠，后来又是最早把皇冠换成奔驰。他抽烟清一色几十块一盒的名烟，茅台根本不喝……你一个村委会委员，哪来那么多钱？过去，我总以为是他自己背着爸做点小生意，现在看来我想错了。

小荷说，是呀，大哥是太招摇了，老是跟马奔比。你能跟人家比吗，人家是个体户老板，现在叫民营企业家，再怎么大手大脚是自己挣的。她好像很是惋惜地叹了口气，接着说，马红艳知道这事后来告诉爸。她对爸说了，你是老先进，上级怎么也会给您老人家点面子，我们家大保也好说话。不过，您要不是先进，成了落后了，这事就难说了……

这，这不是威胁爸吗？马银山气愤地说，赤裸裸的交易！

小荷说，那你有啥办法？现在为啥很多人明明对上级有意见，还得老老实实跟着干，就因为人家有法儿弄你。你没辫子你儿子有吧，你儿子没有儿媳妇有吧，儿媳妇没有其他亲戚七大姑八大姨有吧……就是人家想整爸也能找出一二三四五的理由。爸开始生气，骂大哥不争气，说他自己犯的事自己去扛。我就劝爸，那毕竟是你亲儿子。你对你儿子狠得下心，能对你孙女也狠下心吗？大哥在加拿大的孩子知道她爷爷不要他爸了，还不恨死你！

马银山问：大嫂和孩子知道了？

小荷说，马红艳和大嫂像亲姐妹，她还不给大嫂说。大嫂打电话给爸，连哭带吵。我也给爸说，就算你连孙女也不要，上上下下、左左右右的老朋友、老熟人、老关系知道你做事太绝，还敢跟你来往？

马银山问，是你把爸说动了心？

小荷说，实话实说不是我，是现实。现实就摆那儿。

马银山又问，那这一次大哥出事是不是又有人暗算？他经常带女人去公寓，早不出事晚不出事怎么就赶这节骨眼上出事？

小荷撇撇嘴，又慌慌张张地说，光是嫖娼也就拘留几天，罚罚款，我怕的是把举报他的事放在一起处理，那麻烦就大了。

那你说现在怎么办？马银山没有处理这类事情的经验，有点儿茫然不知所措。

小荷这才把和马红艳商量的结果给马银山说了：一是重新做一份改制方案，给马红艳干股，在过去爸答应的基础上再增加一倍。小荷特意说明：这样马红艳才能逼着她老公周县长把大哥的事抹平。钱多少是多？大哥挣得差不多了，该让人家挣点了。

第二呢？马银山问。

小荷听马银山的口气有些不耐烦，又像带着气，琢磨了一会，才说，第二就赶快把改制方案落实呗。这么给你说吧哥，咱爸……

马银山打断她的话，说，不，是我爸。

小荷说，对，是我爸。

马银山加重了语气，说，是我爸！

小荷这才明白马银山是在制止她叫马平安爸。她心里十分不高兴，表面上没显示出来，接着说，要是村里集体企业早几年改制，大哥用的那些钱干的那些事还有人追究吗？我用自己的钱，你查我啥？所以说，改制的事不能拖！

马银山思考了片刻，问：要是村民大会通不过呢？

小荷反问道：可能吗？除了极少数人，大家多少有点股份。股份就是钱，这年头谁和钱有仇？尤其是那些村民小组干部、车间主任一级的，比一般群众股份多，肯定更积极。实在不行还有个办法，学马奔前年争村委会主任的手段，挨家挨户送红包。

马银山反感地说，马奔那样做不是没成吗，还差点儿出事。

小荷说，这你就不知道了吧，别人送的比马奔的礼重！

马银山惊讶地瞪大了眼睛。他说，你说得严重了。我爸不会对这事睁一只眼闭一只眼，让这样的事在他眼皮子底下发生的。

小荷不以为然地说，你以为咱爸真是老顽固，脑袋瓜子不开窍？错了，咱爸走南闯北啥事不明白，心里亮堂得很，比咱还亮堂。

马银山对小荷唠唠叨叨说马平安的不是很不满意，又强调说，是我爸。

小荷突然哽咽了，说，二哥，我今天给你说实话吧，我是马平安，也就是你爸我爸的亲生女儿！

马银山啊了一声，身子晃了几晃，扑通坐在地上。

小荷看时机差不多了，得给马银山一点思考的时间，就对他说，我现在就回县城找红艳姐，先把大哥捞出来再说。要是真关他一夜，他不疯才怪呢！

小荷到底了解马家人的脾性。马金山在派出所里真的在发疯。

要毁一个人最好让他丢面子，面子是什么，是尊严。而尊严属于精神层面，毁了他的尊严就等于摧垮了他的精神。民间反腐专家统计，近些年来因腐败落马的官员，不管是官至部长、省长，还是基层的科长、股长，只要一“双规”，马上就吐个一塌糊涂。究其原因，是这些人平日里呼风唤雨，很有尊严，突然沦为阶下囚，昔日的尊严荡然无存了。

马金山就是如此。

过去，派出所从所长到一般民警，哪个见了他不是笑嘻嘻的，马总、马哥地叫着，自从进了派出所，这个横眉竖眼，那个讽刺挖苦，让他懂得了天壤之别的真正含义。两小时过后，他就忍不住大喊大叫，叫你们所长来，我跟他有话说！

办案民警刺了他两句：唏，你以为在马沟村呢？看看，这是什么地方！说着指了指墙上威严的警徽。

马金山说，你们所长躲哪去了，叫他出来。奶奶个熊，他哪次去马沟我不是亲自接待，只要他开口，我又哪一次没满足他的要求。这个时候给我玩阴的了。

办案民警说，我警告你啊，再说脏话骂人给你加一条妨碍执法罪！

马金山没脾气了。一会儿又哀求办案民警，说，你们罚多少钱，我认。求求你们先放我回家，家中还有一大堆工作等着我处理。

哎，你怎么不说回家给你爸办丧事？办案民警问。

马金山吃了一惊。虽说他没有秘不发丧，但也没有大张旗鼓，怎么连派出所一个普通民警都知道了？难道……

人越是在情绪烦躁的时候，考虑问题越容易极端。马金山自然先想到改制的事，不知为什么，他心里发慌，头上冒汗，两条腿哆嗦不停。马平安前天晚上在村委会上说的最狠的几句话一遍遍在耳边响起。

参加会议的村委每人面前放着一本马沟村集体企业改制方案。这个方案是由马金山担任主任的村改制办花了两个星期的工夫搞出来的，蹲点的周大保也看过了，称赞说是个好方案。

按照这个方案，马沟村村办集体企业，主要是马沟村煤矿改制后本村人控股百分之五十一，外来投资者控股百分之四十九，猛一看还是马沟人控股，实际上控股的不是马沟村委会，也不是马沟村全体村民，村、组、企业负责人占了百分之九十，其中马平安一人为百分之五十一，换算下来，马平安个人控股占全部股份的百分之二十五以上，是第一大股东，或者说是第一大老板。如果加上马金山百分之十五的股份，他们父子实际上占了全部股份的百分之四十以上。

马平安当时就哭丧着脸，说：我马平安一夜之间成了千万富翁，我这心脏、我这大脑、我这棺材板子一样的身子骨承受不起，承受不起啊！让我怎么有脸把这个方案拿到村民代表会上讨论？人可以不要钱，但不能不要脸！我就想不明白，有的人为了要钱竟撕破脸，脸都不要了……

马金山记得他当时急得团团转，劝马平安不要再往下说。马平安指着几个村委说，咱们是老哥们，我才掏心窝子给你们说。

有个村委说，老马，你就别谦虚了。咱马沟村的集体企业不管是煤矿还是其他的，哪个不是你操心费力办起来的，别说给你这些股份，就全给你我反正没意见。

再说了，你也不是白拿白占，那股份是花钱买来的！

另一个村委说，是呀，我对这个改制方案也没啥子意见。要我说，你马书记当老板，还能想着老百姓，要是卖给只顾自己的那些人，他们只管自己吃肉，老百姓别说喝汤，连腥味恐怕也闻不着。

前些天，周大保让他带着村“两委”的到附近一个改制工作先进村学习取经。刚进村就碰上一对婆媳吵架。原因是改制后村集体经济收入断了，幼儿园办不下去了，婆婆让在广东打工的儿子儿媳把孩子带走，儿媳妇说在城里打工收入本来就不高，外来人口孩子在城里上幼儿园交不起费，就这样吵了起来。马平安当时二话没说，扭头上了车，说，不学了，这经咱取不来，回去！现在，这个支委又提起这事，对他既是很大的刺激，同时又是提醒。他想，也许历史又把我马平安推到了这个位子上。从那时起，他没再说推辞话。

回到家里，马平安对马金山说，方案还得改。我琢磨了，村里搞个经营公司，家家都有股份。挂在我名下的股份，分红时拿出来让大伙儿花，最起码幼儿园、敬老院、卫生室这些不能撤。撤了才是最大的倒退！

马金山为难地说，这恐怕不行。马红艳一人就要百分之二十。

马平安生气了，说，你要不改，我不签字，让周大保签去吧。

马金山想，是不是周大保知道了改方案，下决心要整我父亲？他不敢往下想，又求那个办案民警，说，哥们，我和那姑娘不是第一次，应当算不上嫖娼。

办案民警火了，照你这样说我们抓错人啦？我问你马金山，你俩是不是谈好了价格？

马金山狡辩说，你买萝卜白菜不给钱啊？我给她的是，是……这么说吧，我是打算长期和她处朋友。

办案民警还要发火，电话响了。他一边接电话，一边瞅着马金山。

马金山心想，坏了，有人要挖坑埋我了！

七

床头柜上的座机电话响了。

马银山拿起电话，刚听了一句就吓得面色苍白，把话筒扔在地上。秀红觉得奇怪，捡起电话，对着话筒严厉地问道：找谁？对方咳嗽一声，没有回答。秀红恼怒地骂了一声无聊，我挂了啊！对方这才开口，说，我是马平安！秀红惊恐万状，扔下电话就去抱马银山，而且用力很大，马银山的胳膊关节都发出咯吱咯吱的响声。秀红的声音像在风中飘着，他，他说他是，是马平安。

马银山已经镇静下来。他轻轻地抚摸着秀红因恐惧扭曲的脸，安慰她说，好了，我们明天就可以回去了。接着，他走到院子里，大声喝令唢呐停下，然后一把扯掉灵堂门前的帘子，对马金山公司来帮忙的人说，拆了，统统拆了！

马平安没死，马平安还活着，瞬息之间就传遍了马沟。而且通过现代化的传播工具，在很短的时间内传到了县城。

这简直是在玩游戏！县委书记怒不可遏地拍着桌子，马平安他到底想干什么？一小时前我还接到省报一个记者的电话，要来马沟采访，说一个村党支部书记被逼死了。你看看，这事情闹成什么样子了！周大保说，你先消消气，我马上去马沟一趟了解了解情况。

周大保和马金山几乎是同时到达的马沟，一前一后进的马平安家。

那些被马金山请来的殡葬公司的员工、他自己下属公司的员工正在忙着拆卸灵堂，清理现场，搬运东西。唢呐班子的十几个人则堵着门口，叫喊着要加倍赔偿。这也难怪人家，原定三天的活不到一天就结束了，毁约方当然要赔偿。

马银山看见马金山，吼了一声就要冲过去撕巴他，你是个什么狗东西，能拿老子的生命开玩笑，做游戏！在马金山的记忆中，弟弟长到这么大还是第一次对他爆粗口、要动手。他耷拉着头没敢吱声。周大保也在一旁跺着脚，瞪着眼，讽刺加挖苦地大声训斥马金山：你看看你们马家父子多有能耐，给活人出殡，可以上吉尼斯世界纪录了，申请国际游戏大赛冠军也没问题！

马金山蹲在地上，全没了往日神气活现的样子。他下属公司的一位高管给他点了一支烟，他猛地抽了几口，仿佛要给自己提提精神，没想到反而剧烈地咳嗽起来，边咳还边呕吐。马军懂事地拿了张纸巾，帮他擦了擦嘴唇边的痰液。他一把将马军紧紧抱在怀里，失声痛哭。马军也哭着说，爷爷没死，爷爷一会儿就回家。末了又加一句，我想我爷爷。

我的宝贝孙子，爷爷回来了！随着一个沧桑的声音落地，马平安出现在刚刚撤掉的灵堂大厅里。一屋子人只有马军亲热地扑到他怀里，马金山低着头抽烟，其他人一个个瞪大眼睛看着他，好像他是外星来的不速之客。

老马你这是弄啥呢？周大保先开口了，你知道你这样做的后果有多严重吗？

定我个反革命?！马平安火气很大，说出话硬邦邦的，你周县长看看哪顶帽子适合给我戴，随便。

周大保笑了，老马呀老马，咱俩是二十年的老伙计了。我是什么样的人你还不了解？在咱县也就我能和你这样掏心窝子说话。今天当着金山、银山的面，别怪我不给你面子。你玩这样个游戏，不要说对上级如何交代，就是马沟村几千百姓你又怎样面对？

马平安说，我考虑好了，辞职！

周大保沉吟片刻，严肃地说，现在是改制的关键时期，你一甩手啥也不管，对得起谁啊？他的这个“谁”包括了方方面面，马平安心里清清楚楚。

一直没说话的马金山大概看火候到了，也对马平安说，爸，周县长说得对，你一撤，马沟还不稀里哗啦全塌了，保证比出一次煤矿安全事故还毁得重！

马平安冲马金山吼了一声：没人把你当哑巴！不是你和几个像蛆的人在里边瞎掺和，乱搅和，老子到今天能人不像人鬼不像鬼？

马金山不服气地顶撞：小荷是你的亲生闺女，也是我搅和的呀？

你说啥？马平安瞪着眼珠子，你小子再说一遍？

马金山说，小荷去派出所接我。她亲口告诉我，你和她妈……

马平安哈哈哈哈大笑几声，说，说这样的话亏心不？我马平安在马沟不说是英雄好汉，也起码不是流氓、孬种。眼前呢？说着，他泪如泉涌，声音苍凉。马军被他吓得心慌，也跟着哭了。

周大保也听得出，马平安表面是骂马金山，实际是冲着他。也许他意识到再给马平安施加压力，会逼得马平安真的做出惊人的动作。来马沟前，县委书记已经告诉他，省委、省政府领导对下边一些地方改制不尊重基层干部和群众意见、搞一刀切、强迫命令的做法已经提出了严厉批评。马平安的事如果捅到上边，他们得吃不了兜着走。

于是，周大保换了副平缓的口气说，老马，马沟村企业改制的大权一直在你手里。金山虽说是改制办主任，也只是负责做方案，最后还得你批准。说着，他给马金山递了个眼色，马金山心领神会，立刻接上说，这么多年，我就是爸的一只小卒子……

马金山的牢骚还没发完，就被门外的吵嚷声打断了。

听到马平安死而复生的消息，马沟村能走动的几乎全挤到他家门口，想来看看这个传奇人物。一时间，他家仿佛变成了戏台，人声鼎沸，一片混乱。渐渐地，人们的议论从马平安的死而复生转到了村里的改制上。这些日子改制的事闹得沸沸扬扬，加上周边村改制的事情不断传来，村里人对改制方案迟迟不出台存在着各种说法。

从七十年代后期到如今快二十年了，马沟村村民没少沾村办企业的光，家家有人在村办企业上班，按月领工资，不缺零花钱不说，敬老院、幼儿园、村小学、卫生所、文化中心……这是全体村民的福利、福气、福祉。周边改制工作进度快的村，有的一夜之间这些全都烟消云散。这在村民们看来是不能接受的。

正如马平安说过的那样，村里开煤矿、办其他企业，哪家哪户没出力？现在一纸文件让改制，集体财产成了一人或者几人的财产，做梦吧你们！老百姓也不是好欺负的。平时你村干部吃点喝点拿点就算了，但真正要把几千万甚至上亿的资产变你们家的，绝对不能答应。

有的喊：把煤矿炸平，也不能让他们一伙人占了。

有的叫：你马平安别说装死，就是真死，吞了的大伙的财产也得吐出来。

有的骂:过去看你马平安还像个为老百姓办事的好村官,没想到你生着法子坑老百姓。

后来就变成了集体呼喊:马平安,出来! 马平安,出来!

不知是谁说了一句:县里有个贪官在他家里,让他和马平安一起出来给咱说清楚。于是,呼喊又变成了:马平安,出来! 大贪官,出来!

屋子里的人听着门外的吵骂声,脸上的表情千差万别。周大保皱着眉头,焦虑不安;马金山惊恐万状,两眼无光;马银山夫妇神色凝重,一脸怨气。只有马平安镇定自若,非常轻松。马军见爷爷没事儿了,乐得屁颠屁颠地满屋子跑。

周大保恼羞成怒,把怨气全撒在马平安身上,你马平安到底打的什么主意? 一会儿装死人,一会儿又挑唆群众围攻县领导,我看你是故意对抗改制,反对改制,反对改革开放!

马平安也不是鬣茬儿,反驳说,马沟村就是沾了改革开放的光富裕起来的。没有改革开放就没马沟的今天。但是,你们搞的那种改制,我打心眼里就是不支持。

周大保在屋子里转了几个圈,气急败坏地说,那你说现在怎么办?

马平安说,我和村两委的多数同志商量了一个方案。现在我就到门口去征求村民的意见。马金山一听慌了神,用身子挡住马平安,劝止他说,爸,你不能自作主张,我这个方案是村委会讨论过的,征求意见也得用我这个方案。

马平安平静地说,你给我滚开。

马金山没动,还挺了挺腰杆。

马平安急了,扬起胳膊抽了马金山一个耳光。马金山还是岿然不动,一副大义凛然的样子。马平安突然弯下腰,在马金山的大腿上狠狠地咬了一口。他这一口用力大,马金山疼得娘呀娘呀地叫着,跳到一边去了。这一情景不仅让屋子里的几个大人目瞪口呆,就连马军也吓得扑到妈妈的怀里,头也不敢抬了。

马平安还没出门,门外突然间变得鸦雀无声,只有一个洪亮的声音在说:老少爷们,我来晚了一步,让你们担惊了。我要告诉你们,咱马沟的马平安书记不黑不贪,压根儿就没打算把集体资产化为己有……

马平安听出是马奔在说话,屋子里的几个人也都听出来了。

马奔说,马书记为啥安排了一场死而复生的游戏,就是想让一些人充分表演一下,看看他们高喊的改制到底是为了谁。他"死"的这三十多个小时是和我在一起,还有咱村的几个支委、村委。我们商量了一个新改制方案。我没有权力宣布,一会儿马平安书记会亲自给大伙儿说明。我马奔只能告诉老少爷们一句话,马平安还是过去的马平安,请老少爷们还像过去一样信任他、支持他!

哗哗哗,如同大风吹树叶一般的掌声响了起来。

马银山上前紧紧抱住浑身颤抖的马平安,亲热地叫了一声爸,就说不出话了。

马金山抱着受伤的腿,单脚跳着上了楼。

周大保的神情有些恍惚，一屁股坐在沙发上。

八

一个月后，马沟村煤矿改制方案经村民代表大会高票通过。在这个方案中，改制后的马沟煤矿由民营企业家马奔控股，马沟村村民自愿入股，不愿入股的，按眼下的市场价格赔偿当年的投资。马奔除了投资一千万对马沟煤矿进行了技术改造，提高了产量，还按照合同规定，保留了与村民利益相关的福利，第二年又对幼儿园、学校进行了翻修和重建。

马平安因为操纵了一场活人出殡的游戏，造成不良影响，辞去了马沟村党支部书记的职务，到县城跟二儿子马银山去过了。他每天骑着自行车接送小孙子上学放学，闲下来到公园和一些老人一起下下棋。人混熟了，说话也就随便了。有人问他，你老马当初何必做那场游戏？马平安认真地回答说，我不做那场死亡的游戏，今天就不会活得这样轻松。

唯一让他感到遗憾的是，他从小就疼就爱的干闺女小荷，从此再没去看过他。知道这档子事的老人跟他开玩笑，问他是不是和小荷的娘有一腿，小荷是不是他闺女。他笑笑反问，我马平安有那个福气吗？

马金山把运输公司也卖给了煤炭公司，去了加拿大。在那里待了不到一年，又一个人回来了。他说那边的生活不习惯，不踏实，老是有一种双脚离地的感觉。他还开玩笑说，就是想找小姐，语言不通也不敢。他在县城开了一家投资公司。有人说他的投资公司是放高利贷，断言这小子早晚得栽个大跟头。

周大保那次事情后不久，就被免去县长职务，调到市里一个局任局长。

十年后的一天，马奔来县城请马平安喝酒，对他说，老书记啊，咱的煤矿又要改制了。市改制办周大保副主任来咱村宣布的，说咱这样年产二十万吨的小煤矿，要让省里的大煤炭公司兼并重组。

马平安愣怔了一会儿，问：又是一刀切吗？

（选自《特区文学》2011 年第 6 期）

王昕朋

1957 年生，安徽萧县人。中国作家协会会员，先后出版过长篇小说《红月亮》《天理难容》《天下苍生》（合著）《团支部书记》《漂二代》，在《人民文学》《中国作家》《十月》等报刊发表文学作品三百多万字。现供职于中央国家机关。

饥饿之年

拖　雷

咣当一声成贵醒了，他看见人们都从站台上飞了起来，像轻烟一样飘飘袅袅的，年轻的在最上面，娃娃们在中间，年老的总是慢慢腾腾的，怎么扑腾翅膀就是飞不起来。车站的钟表准确地指到了十二点，成贵整整睡了一个钟头，现在他醒来，醒了眼睛就亮了，人们并没有飞起来，而是在跑，像欢快的鱼朝着更广阔的水域游。成贵一下想起来，自己的火车正是这个点，人们赶火车的方向，就是自己的方向。他来不及穿鞋，像只受伤的鸵鸟，拖着黄胶鞋，背着行李，他的行李是一个编织袋，娘用一个晚上，帮他缝上的，把衣褂放在最里层，被褥包在外面，用布单子缝死，再用塑料布裹缠住，塞进了编织袋。这样的行李拿着放心，背着轻省。

事实上，这次成贵从心里不愿意到呼和浩特。虽说村里的年轻人都出去了，混得好的，还在城里买了楼房，比如村里的四干头，他到了呼和浩特，批发羊腰子，就发得流油，过年回来给他娘买了一个金镯子，弄得老太太颠着小脚到处显摆。成贵一点儿都不羡慕他，四干头再有钱，他也觉得他不是个东西，小时候他就偷鸡摸狗，大一点儿他就扒铁路——张寨村比邻铁路，能偷什么就偷什么，夏天偷蔬菜和西瓜，冬天就偷煤，有一次四干头用铁锹撬走了新铺铁路的枕木，被人告了，判了三年。出来以后，眼前的张寨村在他的眼里就是一个小池塘，他待在这里太窝囊了，天高任鸟飞，他背了一卷行李走了。几年以后，他回来了，回来不仅穿得有眉眼，还领了一个白灵灵的媳妇。

真他娘的。成贵总是这么咽着唾沫骂道，那个女子瞎了眼，怎么就找上了四干头。

眼前的站台就是捅炸了的马蜂窝，人们头撞了头，脚踢了脚，嗡嗡的，哇哇的，乱成了一锅粥。火车站的门口挤满了人，没有秩序，没有队列，检票员就是个二流子，留着长头发，制服里面还穿着花衬衣，他似乎根本没看见眼前乌泱泱的人流，他没看见也不急，嘴里嚼着口香糖，人浪得很。

成贵有行李，挤不上前，除非他长了翅膀飞过去，他只能在人群外面焦急地张望，后来他看见有人从车窗上爬。这确实是个好办法，省工省力，他就靠着车厢走，中午的阳光把车厢上的绿油漆照软了、照裂了，身体贴上去，能闻见一股油漆的气味，那气味很好闻，淡淡的，像七月莜麦的味道。车窗里的人脸都是变形的，他就对车窗里的人说，我把行李放进去，行吗？

车窗里的人像听不懂他的话，他的口音也许太重，他得用普通话，普通话人家才能听懂，他就用生硬的普通话说，我把行李放进去，行吗？车窗里的那个人真的听懂了，点了点头，他就把行李卷竖着塞进去，那人真好心，从里面拿得小心翼翼，像接一个易碎的花瓶，行李总算进去，他得上车，他用力扳着车窗的边框，将一条腿探上去。小时候，他上树是全村最快的，所以爬车窗一点不费力气，他的整个身体悬了起来，他看见车窗里的那个好心人是惊讶的，他也许没想到，除了行李，人也要进来。好了，他的身子已经进了车厢，车厢里的霉味儿，他都闻得真切，车厢外火车的汽笛已经响起，那是一声刺耳尖叫，车厢像被蜇了一下，身体痛苦地在抖。

他的脚被什么卡住了，身体停滞在半空，是一个铁路上的人把他抓住了，他抓住成贵的脚死死不放，真是要命，半个身子已经进了车厢，他不可能再下去，怎么能下去呢，他下去，火车肯定是赶不上了，他的行李卷还在车上。火车痉挛般地抖动着，那人就是不放手，成贵急了，今天你就是上车抓老子，老子也得上了这趟车，他用力一踹，身子一下轻了，他滚进了车厢，他的一只黄胶鞋留在那人的手里。

长长的一声汽笛，火车在白蒙蒙的水汽中开始一蹿一蹿地往前走着，站上那个人有点恼羞成怒了，费了半天的力气，就抓住一只破胶鞋，肯定不能善罢甘休，他的身体跟着火车一起跑了起来，他边跑边骂，骂成贵的十八代祖宗，最后将手里的那只黄胶鞋，朝着车窗里扔去，他的举动滑稽又夸张，引起车厢里的一片笑声。

车厢里的人很多，满满的，大家都是买的站票，站票就得站着，除非有提前下车的空出了座位，这种可能很渺茫。机灵的就先抢占车厢之间的过道，包括洗漱间空当，再有就是座位下面，那是一片又凉快又舒坦的所在，用报纸平铺好了，身体能很舒展地躺在上面，这里盯的人多，一般是得不到的。平地里没有空间，人们就会抬起头，盯见悬在半空的行李架，那里是需要冒险的，很容易被人发现，列车员不是瞎子，若是被他们发现轻者一顿臭骂，重者一顿毒打，敢爬上那里图舒坦的，除非长了豹子胆。

成贵还算幸运，他身边的车座下就是空的，他本来想钻进去，可又担心行李会丢。他就把行李塞进了车座下，人倚在椅背边，木讷地站着。现在危险没了，他有点儿心疼那只胶鞋，那双鞋还是他哥在山西长治当兵时寄回来的，他不舍得穿，今天要出远门才穿上，却丢了一只。没人会注意他没鞋的脚，他现在一点儿都不担心，在车上无所谓，下了车怎么办？车窗外的风景由荒凉的山和稀疏可见的树木组成，看多了会乏眼，这里没河水，满天满地的全是黄土色，靠天都吃不上饭。

不是没机会离开村里，二十岁那年，成贵就有机会去当兵，他的哥哥成龙就是当兵走的，留在长治，给军队的领导开小车。他当然愿意，在村里能当兵是件让人羡慕的事，名额少，争抢的人多，他的身体没问题，眼睛能看到三四里地的。可万万没想到，在体检中，他的脚出了问题，一个女军医在他脚后跟发现有一块足癣，这是能传染的皮肤病，因为这片不大的足癣，成贵的当兵梦破碎了。

有人叫他。开始他以为是自己的耳朵听花了，这么拥挤的车厢里谁会认识他，所有人都在闷热的车厢里昏昏欲睡，谁会叫自己。那声音又叫了一次，是从车厢的过道处传来，成贵把身子侧过来，他看见人群里亮出一道像湖面上的水线，六六像个猴子一样，蹦在了自己的眼前。六六的出现很意外，意外得像疲惫中看见座椅上闪出来一个空闲的位子，六六是和成贵从小一起长大的玩伴儿，有一段日子没见着了，能在这里碰见，真是做梦都没想到，六六的脸上又黑又花的，汗和浮土涂抹在一起，他说："你干甚去呀，能在这里碰见你。"

"到呼和打工去，在村里待下去饿死呀。"

"寻下地方啦？"六六看着他说。

成贵摇了摇头，他确实没找到地方，呼和那么大的地方，他还愁找营生？

"你找下啦？"成贵拽着六六的衣角问道。

六六一副得意的样子，他说："我干了快一个月了。"

"甚地方？"

六六说："工地上，筛沙子，一天三十块钱，管吃管住，每月给四百零花，年底结剩下的钱。"

成贵眼睛一亮，这确实是个好营生，一天三十，一个月下来就是一千块钱，他说："六六，你把我也介绍过去吧，你看我这身体，咋也比你强吧。"

"现在谁说这些呢？"六六仰着头，他用舌头舔了下嘴唇说："关系，你知道不，一切都得说关系，你有烟吗，给哥哥点根烟抽。"

成贵朝着六六的屁股上兜了一脚："你妈的，去了两天半城里，还真虚开了。"

六六嬉皮笑脸起来，说："成贵，你真他妈的有福，在车上还能遇到哥哥，下了车，你就跟哥哥走，前两天工头还说要人呢。"

成贵的心一下宽敞多了，遇到六六，确实让他省不少事，到呼和，他不用再像没头苍蝇一样到处找活，虽说不是头一次进城，可真的让他只身一人找营生，他的心里还是没底。他把兜里的烟，心甘情愿地给六六点上，"你是咋寻见这家工地的？"

六六点着烟，美滋滋地说："是我自己找的，上个月我一个人背着行李卷，跟你一样，到了呼和，你说是受苦呢，真让你找个受苦的营生，你还真找不上，人家不是要油漆工，就是要瓦工、泥子工，都是技术活，咱们是受苦，不会技术。在街上逛了几天，身上也快没钱了，在城里活着钱就是脸，没钱就是没脸，那几天我跑遍工地，跑得心着了火，舌头上长了包，就是找不到。后来我没办法，就找到家里一个远房亲戚,那个亲戚,我一点儿都不愿意去找他,可实在没办法,只能硬着头皮,觍着脸。那个亲戚是卖包子的,早晨在街边摆摊卖点包子和稀粥,没想到他挺热情,在他摆摊不远的地方有个工地,工头每天到他这里吃早点,人混熟了,他一说,人家就把我招进了工地。”

六六的话充满了传奇,讲的人和听的人都会被这个故事所打动。火车外面的光线,一波一波地流进来,晶莹的光斑在六六黝黑的脸庞上跳动,车厢里的嘈杂依旧,没有人去理会他们的谈话,六六已经从故事中退回到了他自己,脸面上的潮红在一点点恢复,他看着车窗上不断变幻的光影,突然问道:“你是不是再也没见过红艳?”

这个话题有点儿生凸,很长时间没有人问他了,叫红艳的是成贵以前的对象,和成贵同村,前年跟着一个西路侉子,嫁到了鄂尔多斯。成贵的目光变得有点儿紧,他慌乱地摇了摇头,说:“没见过,听人说在鄂尔多斯开了一家小卖部。”

六六的笑容很复杂,他说:“那就成了买卖人啦。”

天擦黑的时候,火车进了站。行色匆匆的旅客都像刚从墓穴里爬出来的一样,沉闷的旅途一点都不美好,太不美好了,拥挤的车厢、嘈杂的人群,烟味、酒味、汗臭味、香水味、尿臊味、屁味、屎味,五花八门的气味充斥着小小的车厢,他们拥挤在下车的过道中,推搡、谩骂、皱眉、跺脚,恨不得一脚将眼前的人全踹出去。

下雨了,明亮的雨线在车站的灯光中飞舞,地是潮潮的,空气也是潮潮的,成贵扛着行李卷,心怦怦跳,眼前的城市对于他,更像一个要见待的女子。虽说以前也见过,可那是远远地端详,这次是近距离的,女子的呼吸他都听得真真的,他在打量她,她也在打量着成贵,成贵觉得自己一点儿出息都没有,手脚都出了汗。他还隐隐地觉得有点尿紧,他不能说,只能紧紧地跟在六六的身后,在他眼里,身材不高的六六就是这座城市的主人,他熟悉这里的空气、街道,熟悉这里狡诈的人,熟悉这里的味儿。他从容的步伐,安定的神态,使成贵紧张的心情放松下来。他就是一束光,这光没了,成贵就会陷入黑暗。

出了站台,眼前的人影变得稀稀疏疏,没了喧嚣,只有沙沙作响的雨声,像个娘们一样不停地抽泣,这是城市给他的感觉,城市永远都不是阳刚的,即使在晴天,它也总是拖泥带水,阴柔造作,不干脆,不明朗。站前停着几辆出租车,车里的人热情地向他俩招手,成贵不敢作声,他的脚步踩着六六的脚步,在他眼里,六六此时更像一个影子,飘忽不定,他无法揣度六六在想什么,他猜不出来。六六没有了在火车上的欢快,他走得很沉默,走得悄无声息。

过了十字路口,成贵才看见不远处有一个公交站牌,湿漉漉的路面上掩映着城市迷幻的灯光,有高楼,有霓虹,甚至从那恍惚的倒影中,能听到歌声。六六终于说话了:“到了工地,你就睡我的铺,剩下的事明天再说。”

这口气听上去不是在商量,而是在命令。成贵的心很慌乱,他点了点头,接下来他很想抽根烟，可手在兜里摸索了半天，还是放弃了这个念头，他看见一辆空荡荡的公共汽车，朝他们驶了过来。

六六他们的工地在城郊，这里没路灯，路全是泥糊糊，深一脚浅一脚地走，到了工地，已经是半夜静悄悄的，六六的工棚是用 PVC 板子组建成的，外面看挺洋气，白蓝相间，走进去一股热浪迎面而来，这热浪里有着浓重的气味，像牲口棚里的味道。六六没开灯，里面全是大通铺，他摸了半天摸到了空当，便打着了打火机，招呼成贵。“你咋睡呀。”成贵压着嗓子说。

“我还有地方，你睡吧。”安顿了成贵，六六就蹑手蹑脚地出去了。

被子是六六的，皱皱巴巴的，贴着皮肤，除了汗臭味，被单上有不少一片一片的硬渍，那硬渍像补丁一样遍布在被子的各个角落。成贵明白，那些都是六六夜里跑马（遗精）的结果，他忍不住笑了，但没出声，这小子在梦里不知又梦甚样的女子哩。从呼吸上判断，屋里至少有十几个人，有的在猪哼哼，有的牛嚼草，有的像死了一样，一点儿动静都没有，屋里太黑了，什么都看不到，他们这些人长得什么样？

外面的雨似乎变大了，窗户上发出噼噼啪啪声响，成贵的心里潮乎乎的，他一点儿都睡不着，现在他有点儿想不起老家的模样，想不起娘的样子，才走了一天，他的脑子像是被清洗过了一样，怎么什么都想不起来了，他在哪儿？

天亮了，六六光着膀子，担着毛巾，嘴里含着牙刷进了屋。成贵早起了，坐在铺边上抽烟，六六说：“昨天睡得好吗？”

成贵踩灭了烟头，点了点头。

六六从嘴里取出牙刷，朝地上吐了一口牙膏沫，他说：“一会儿，你和我吃完早饭，就去找工头，你用我的盆子，洗脸去吧。”

下过雨的清晨，天像换了新衣裳一样，亮亮敞敞的，成贵洗了脸，跟着六六吃了早饭。人们开始了一天的劳作，这是片新开发的楼盘，有十几栋，今年是打地基，工地像战场上的前沿，沟堑纵横，那巨大的坑地，比炮弹炸过还深还大。在一个搅拌机前，六六找到了工头。工头是本地人，姓韩，四十多岁，张嘴说话，牙是黑黑的，他看了看成贵，然后问六六：“你们村的？”

六六点了点头，从兜里急忙掏烟。工头摆了摆手，继续说：“这儿的规矩，你跟他都说了，每月给点生活费，工钱最后结，同意吗？”

六六说：“同意，工钱在韩哥那里放着，比放在银行里还放心。”

工头又看了看成贵，就说：“那你跟六六一组，先干筛沙子，别他妈的偷懒，要是被老子看见，别说工钱，老子大耳光先抽你一顿。”

成贵赔笑道：“韩哥，我就是个受苦人，地里的苦比这重得多，您放心吧。”

工头的手机响了，他摆了下手：“现在就干活吧，回头我给你做上表。”

心安定下来，六六就把自己铺位旁边腾出个空当，成贵把行李打开，把被褥铺整好了，六六说：“走哇，干活去。”

沙子堆得像座小山，这些粗粝的沙子无法和水泥搅拌在一起，只能把他们筛成像面粉一样的细沙子，这活有点儿像在村里面的打麦，成贵的手腕上有的是力气，他下锹实诚，默不作声地干着活。六六是个精头，他干上一点儿活，就坐下来点根烟，他一边看着成贵干活一边说："这个工地上，天南海北的人都有，不要和他们实心地处，尤其那些南蛮子鬼得很，回家前我和几个四川佬要钱，这些人就是鬼，不到一会儿，把老子输得就剩下个裤衩了。"他说着，朝地上狠狠啐了一口，"晚上，老子还和他们闹整，非得捞回来。"

成贵擦了下额头上的汗，阳光下六六的脸红红的，像个斗志昂扬的公鸡，在村里的时候，六六就爱耍钱，咋耍都行，摸鱼子、爬山、斗地主、推牌九、打麻将，没有他不会的，他身上有赌性，他输了钱就输羊，输了羊就输牛，输了牛就输小四轮，最后输得要甚没甚了，他才决定往城里跑。这个家伙命好，这个你不承认不行。成贵说："是不是，人家捏了套套，你别被人家耍了。"

六六把手里最后的烟屁股抽完，他说："敢，吓死他们。"

中午歇晌，做饭的女人是工头雇的，六六端着碗，敲打着筷子，对成贵说："这里每天就是馒头和大烩菜，看见就想吐。"

成贵笑了一下，这六六在城里把肚皮都吃白了，在村里连肉都吃不上，到这里能白吃上馒头和大烩菜，成贵知足了。六六捅了下他，小声说："看见那个做饭的女子了，她的肉才香哩，你看她的大奶子，像不像两个大馒头。"成贵的脸红红的，那确实是一对好乳，在阳光的照耀下，沉甸甸，颤巍巍，他把目光很快地躲开了。直到打饭的时候，成贵才看清那女人的眉眼，那女人生得很媚，虽上了年纪，脸上还有不少的麻斑，可眼睛里、骨子里无不流露着浪气，她的眉毛是画出来的，阳光下，还闪着光。麻脸女人抡勺头时，问他："你是新来的？"

成贵点了点头。麻脸女人又问："甚地方的？"

成贵看见碗里白菜和大肥肉快要溢满了，他说："土贵乌拉。"

麻脸女人显然对这个地名有点儿陌生，她的目光在成贵的脸上滞留了一下，六六涎着脸说："改花，你不是又看对了我的兄弟吧，告诉你，我这兄弟可是个处男呀。"

麻脸女人的笑声很夸张，她边笑边说："什么处男，都是处理过的男人。"

大家都笑了，这是个愉快的中午时光，成贵脸是窘的，但心里是欢实的，他好像很长时间没有这么开心过，他蹲坐在工棚前的一根横木上，看着人们狼吞虎咽地吃着饭，这让他心里很踏实，他想自己已经快要融入眼前的这个世界，现在他一点儿都不紧张了，一切好像都在按部就班地发展，平整的阳光一点点地浸漫了他的全身，他觉得自己已经变了一个味，这种味儿跟六六身上的味儿差不多。

在工地上，白天里干活，晚上时间就是喝酒、赌钱。开始几天里，成贵更愿意吃完饭到周边的地方转一圈，从工地走，不到半小时，就会走到一个大公园里，这个公园虽在市中心，可随着夕阳一点点地落下，人们都会从四面八方聚集过来，公园里一下热闹起来，孩子们穿着旱冰鞋，像戏里面的哪吒一样，脚蹬风火轮，穿行人群之中，还有下棋、打扑克的，成贵乐意在这里度过一天的最后时刻。在公园的一角，一个修车子的老汉能拉二胡，还有吹笛子的，一个简单的戏班子就有了，会唱二人台、爬山调的，走到这里总是要停住脚步，亮开嗓子，唱上几句。

直到夜有了凉意成贵才离开这里。回到工棚，这时正是六六和四川佬赌钱正酣之际，他们玩的是爬山，一块钱的底，闷牌两块，看牌一块，大家围坐一团，烟雾缭绕，有闲不住的，手痒痒的，也乘机下底，发上三张牌，碰碰运气。

今天六六的手气不错，他手里的票票已经捏了一沓，人也是喜眉喜气的，快到一点的时候，四川佬终于沉不住气，偃旗息鼓了。六六是大赢家，他蘸着唾沫，数了下手里的钱，四百多块，这是他在这里两个月的生活费。

熄了灯，成贵听见身边的六六还在捂着嘴笑呢。

在这个工地上四川人确实不少，常玩钱的有五六个，在炎炎夏日里，北方人再热也不脱裤子，这几个四川佬倒好，脱得只剩一条裤头，裤头花花绿绿的，什么都有，有的上面尿渍斑驳，一圈一圈的，这些人似乎并不在意，怡然自得。他们被六六称为“峨眉派”，为首的是个五十岁的家伙，人们叫他黑头，别看他脸黑头发白了，他的眼睛却是贼亮，通常他坐在一个角落里，不言不语，人们都听他的，他不说话，可他的眼睛会说话。听六六说，这个老家伙蹲过六年牢，犯的什么事谁都不知道。

成贵说：“他们能犯什么事，一个个身材五短的。”

六六说：“你别瞧不起，这些人身体是瘦小，但要真的打起来，手上有劲得很，上个月，他们一伙打一个安徽的，可把人家打坏了，头上缝了几针。”

成贵心里不服气，鼻子轻轻地哼了一声。

天不下雨，热得要死，工地里、工棚里到处像个蒸笼，无处藏身，空气是稠的，一点都不流动，用不了几天这空气就会发霉，腐烂。城里盖房就是快，没几天地上的水泥钢筋，像长势不错的庄稼一样，拔地而起。成贵干活的时候，想起家里的地，这样的天，正是庄稼上籽的时候，没有水将会颗粒无收。上火归上火，还得干活，成贵脱光了上身，一锹锹扬着眼前的沙石，直到扬得眼冒金星，他才停下来，他的皮肤在阳光底下，晒出了油，晒出了盐，一阵阵地生疼。身边的六六早就不知跑到哪儿躲阴凉去了。成贵不能跟六六比，人家脸壮，他点着了一根烟，眼前的一切热浪腾腾，虚幻中，他看见不远处的麻脸改花在洗头，改花穿着一件肥大的花衫子，水花四溅，她的两只手不停地在头发上拂来拂去，他看见改花腋下的汗毛，又黑又长，很显眼。

吃了晚饭，天仍高烧不退，成贵到水房用凉水洗完了身子，凉快了一些。他就披着一块湿毛巾，出了工地，在工地门口的一家饭馆里，他看见六六正红头涨脸地和几个人喝酒，六六没看见他，成贵快步走开了。

大公园的空气要好一些，这里树木多，日头已经接近天边，照得整个公园金光灿灿。成贵蹲在一个象棋摊前看了半天，两个下棋的人都是二把刀，嘴比棋还臭，相互骂骂咧咧，谁都不服谁。成贵听见修车子那头又响起了二胡、笛子的声响，还有一个女子在唱《夸河套》，女子声音真甜，成贵心痒，想凑前看看热闹。修车摊前已经站了不少的闲人，他们听得入迷，不时叫好鼓起掌，成贵挤进去，他才看清正在唱曲的女子是麻脸改花。他没想到，身材肥胖的改花，还有这么一副好嗓子，改花并没看见他，她一点儿都不怕人多，不怕人看她，越看她，她就唱得越来劲，她的身姿站相，跟戏台上的人一模一样，夕阳把她脸上的麻点都照得格外生动。伴奏的老汉们，因为有人唱，这曲子就有了魂，一个个都很投入，像喝了二两酒，摇头晃脑的。

夜幕下垂，带有凉意的风来了，闲人们都不愿意离开，一个劲地叫着好，这里光线暗，就挪到光线好的地方，改花的胸脯鼓鼓的，眉眼里流露着满足，人们叫好，老汉们愿意拉曲，她就一曲一曲地唱着。她会的曲子多了，什么《借冠子》、《闹红火》、《刘干妈》，就连荤曲《十八摸》她也会唱。成贵站在一个角落里，他的身体彻底放松下来，白天里的苦劳有这小曲滋养，什么烦恼都会忘了，这个麻脸改花真是能耐，唱什么都有味道，唱什么都有滋味。

风里有了潮气，许是要下雨，拉二胡的老汉这才意识到时间已经太晚了，忙停了弦，把自己吃饭的家什装车，大家正在忙碌，天上就亮出一道闪电，随后豆大的雨点从天而降，这雨来得真快，一点征兆没有，天空就电闪雷鸣，风雨交加，人们踩着雨水都跑开了，从老天的架势看，这将是一场大雨。改花没地方跑，就上了凉亭里，这时，她看见了成贵。成贵见改花已经不像平日里那样随便，手脚都有点紧张。

改花说："你甚时候来的？"

成贵脸红红地说："我在这里听了半天你唱曲了。"

改花抖了抖身上的花衫子，她的奶子确实大，鼓鼓的。她说："我唱得咋样？"

成贵说："唱得好，比我们家里专业的，都唱得好。"

改花坐在成贵对面的长椅上，她说："我就是专业的，我以前在我们旗里的二人台剧团。"

成贵眼睛睁得很大，眼前的改花不可能说谎，她的眼睛亮闪闪的。"那你为什么来这工地上干活？"

改花的脸色一下变了，刚才欣喜的神情像是被什么抽走了似的，她叹了口气，像是要唱，她没唱，声音低低地说："男人要钱，要得家都不要了，没办法，我跟他离了，婚离了以后，我就走了背字，单位改成私人承包，我这脸蛋，没人能看得上，只能进工地里做做饭。"

成贵是个懂心的人，虽没成过家，可他知道，改花的日子一定不好过，他摸出一根烟，正要点上，改花却把手伸了过来："给我一根。"她会抽烟，抽得有模有样，吸一口，回味一下，然后轻轻地吐出。她说："你不问这个，我现在快把他长甚样都忘了，你知道不，我现在一点都不恨他，要怪就怪自己命苦。"

雨没有一点儿小的意思，豆大的雨滴溅打在身边的植物上，发出清脆的声响，成贵喜欢听这种声响，在农村，下雨天没法下地里干活，他就坐在屋檐下听这声响，他总认为这是雨在说话，风会说话，雨也会，只是雨爱说些心里难受的话，像现在的改花一样，她就是有一肚子难受的话要说出来。改花说："我从小没妈没爸，是跟着我的大姨长大的，我每次问起我爸妈的事，我大姨就说他们死了，病死的。我大姨是童养媳，天底下的童养媳都命苦，我大姨也一样，她十五岁那年，从婆家跑出来。她实在受不下那苦，就跑出来了，婆家的人追了有几十里地，她就躲在麦田里，她听见他们说，逮住了非打断她的腿。这话她听得真真的，她一动都不敢动。天快明时，她才逃出来。到了火车站，遇到了我的大姨夫，他刚从国民党的部队跑出来，两人搭了伙，回到了我大姨夫的老家过日子。"

成贵听得津津有味，在这样的环境中，听一个女人讲往事很亲切。忽明忽暗的光线照在改花的脸上，看不见她脸上的麻点，一点儿都看不见了。"你的曲子是你大姨教会的？"

改花脸上神气地说："她唱得好着咧，闹红火的时候，整村人早早挤到戏台前，为的就是听她唱。"

说这些，改花的身体清清爽爽的，人似乎都要钻到雨珠子里了。很长时间，她没有和人说起过这话题，有些话题在脑子里搁久了，就会发霉，就会淡忘，现在它在改花的叙述中变得有形，变得清晰了，变得飞舞起来，这样的雨夜也许就该谈这样的话题。不幸的话题留到不幸的时候再说。她的声音在饱满的气韵中变得清亮，一点儿不觉得累，一点儿不觉得厌烦。

成贵的眼神很专注，他听得很认真："后来呢？"

改花说："我上完了初中，旗里的二人台剧团来学校招人，我的嗓子好，他们就把我招走了，我能挣上工资了，在那里，我一干就是十年，十年呀，人都老了。"

雨后的夜凉凉的，成贵回到工棚，人都睡着了，睡得很安稳。成贵有点儿失眠。他的眼前改花的影子总是晃来晃去，声音也在延续，他睡不着，他想到另一个女子红艳，那个女子和自己是同村的。红艳的爹是开砖窑的，红艳在那里当会计，成贵在那里打过半年工，在红艳身上，成贵看不到一点儿娇惯的影子，红艳待人特别好，见了谁都会主动地打招呼，热情地笑一笑。成贵从来没有主动和她说过一次话。一天傍晚下大雨，电闪雷鸣，他跑着准备钻进砖窑里躲雨，红艳看见了他，远远地喊他，在雨中他犹豫了一下，还是进了红艳的办公室。就在那间土坯盖成的办公室，他俩一聊就聊到了天黑，雨一直在下，屋里屋外都是黑黢黢的，红艳让成贵坐到她的身边。这是个让人窒息的时刻，在黑暗中他对红艳的话有些迟钝，她说让他坐过去，是不是自己听错了。成贵的身子想听到第二声召唤，没有了，黑暗中，只有淅淅沥沥的雨声，他什么都看不见，什么都听不见。

成贵弓着腰，他看不清红艳的准确方位，他伸手摸，一步两步，就在他走到第三步的时候，他摸到了一双冰冷的小手，那手又凉又滑，他一下将它攥住，紧紧地攥住。接下来，他闻到了红艳的呼吸，那气息呼呼地吹到他的脸上、心头上，成贵就一把将红艳抱在了怀里，这是他第一次和女人抱在一起，他的身体在抖，嘴唇瓷实地按在了红艳的嘴唇上面，红艳的手紧绷绷地勾在他的脖子上，他一点儿都不紧张了，有了第一口，就有第二口，那一夜他忘了是什么时候，离开的那间小土房。

他和红艳的交往，仅仅停留在那次亲嘴。红艳爹不知道从哪儿听到了女儿和他在野混，一个月以后，就给她做主找了婆家。

短暂的恋情并没有给他和红艳留下多大的伤害，他记得红艳出嫁那天，日头红彤彤的，耀眼的光线照亮了山村的每一个角落，每个围观的人脸上都被这种不真实的光彩所笼罩，成贵就站在村口的一处断墙上，这里地势高，能把发生的一切，一览无余地收尽眼底。他看见鞭炮过后，弥漫的青烟中，穿着一身红的红艳像一团火走出了家门，她的脸上光艳红润，脚步走得轻省，她并没有注意到远处的成贵，就是看到了，她也会把视线转开，她闻到了幸福的气味，这气味就托在她的脚底，让她身子轻得像一团浮云，她飞了起来，和天上明亮的光彩融为一体。成贵在那一刻，眼睛睁得很大，他眼里的红艳已经不是记忆中那个和他亲嘴的女子，她已经是仙，会飞的仙。

成贵躺在被子里，喉咙干涩，身体燥热，浑身汗津津的，夜里不能想女人，想了女人裤裆里的玩意儿就管不住了，脑子里的那两个女子没有了神情笑貌，只有白花花的肉体，先是胖瓷的改花，然后是瘦弱的红艳，两条蛇把成贵彻底缠绕起来，有温度、有色彩的假象让成贵管不住自己的手，只有这样他才能完成自己体内不断上升的高潮。

第二天，成贵的头有点疼，他看所有的人都有点儿歪歪斜斜的，他以为是自己中了风，口眼有点儿歪斜，不放心，就站在镜子前端详了半天，还好，除了双眼有点儿浮肿，目光有点游离，一切都属正常。他用劲拍了拍自己的脸，出了水房。六六在阳婆地里抽着烟，他的眼睛盯着成贵，成贵走路有点儿飘，六六越看他越不会走，走到了近前，六六声音出来了："你昨天红火好了？"

成贵像被他发现了什么，先是脸一红，然后说："甚红火，有屎红火呢？"

六六的眼睛很神秘地眨了眨，似乎窥探了什么秘密，一脸自得地问道："你昨天夜里干甚去了？"

成贵说："瞎转。"

工地上的沙子经过了一夜的雨淋，变得沉甸甸的，挥锹的动作有点吃力，六六干了一会儿，头上就渗出汗来，他点了根烟，坐在锹杆上，他用眼睛斜瞄着成贵，今天的成贵干起活一点儿不像以前那么生猛，抡锹的动作慢条斯理的，六六吐了口烟,说:“昨天老子狠狠地把峨眉派的那几个人收拾了一顿,赢了这个数。”说完,六六伸了个巴掌,他的脸上是灿烂的,他的一嘴黑牙暴露无遗。

成贵并没有接他的话,他尽量将自己手里的锹挥舞得有模有样,只有这样,他的脑子才不会胡思乱想,才会安分。六六把昨天的赌局描绘成了一场敌众我寡的战争,胜利的一方当然是六六,他明修栈道,暗度陈仓,瞒天过海,围魏救赵,总之在昨天的牌局上,他就是一个优秀的指挥者,一个运筹帷幄的军事家,他的出色表现,让人数众多的峨眉派变成纸老虎,变成了一败涂地的乌合之众。他得意的笑容生动具体,像一页纸片一样,在成贵的眼前不停飞舞。

六六说:“你听见没有,老子跟你说话呢?”

成贵擦了额头的汗,现在好多了,力量正在体内一点点地恢复,他说:“听着呢。”

六六舔了下嘴唇说:“晚上,我请你喝酒去。”

傍晚,成贵换了件干净的衬衣,跟着六六出了工地。要去的饭馆离工地并不远,是家门面新装修的,六六走得熟门熟道,看来是这里的常客。六六对吃喝从来不挂心,只要兜里有钱,就敢掏。他不紧不慢地翻看菜单,神态是雍容华贵的,口气是阔绰有加的,这是六六下馆子的习惯,成贵和六六下过无数次馆子,六六每次举菜单的时候,是他最有魅力的时刻,他更像个从容不迫的指挥家,眼前的菜单就是他要指挥的乐谱,气氛、眼神、呼吸,一切对他来说太熟悉,他翻一页,嘴里便轻吐出一个菜名,直到服务员睁大了眼睛,不得不打断他:“你们就两人吧?”六六才终止了点菜。

菜上来了,满满一桌子,天上飞的,地下跑的,水里游的,草窠里蹦的,都有了,成贵说点这么多浪费了。六六抽了口烟,似乎看不惯成贵一脸的穷气,他说:“浪费,也浪费到咱们肚子里,放开了吃哇,服务员,上瓶白酒。”

喝了几盅酒,六六就说:“老子现在找见了银行,你知道不,那几个四川人就是给老子开的银行,老子一没钱了,就到他们那里去取。”

成贵说:“我要是你,见好就收,久赌必输,快别玩啦。”

六六喷了口烟说:“你呀,甚都好,就是没胆子,男人没胆子就屎也干不成,老子早就想通了,人这一辈子,快得很,一眨眼,一辈子就过完了,吃喝嫖赌是老天给男人的权利,这权利你要是不用好,你这辈子就算白活了。”

成贵的脸红红的,在酒精的作用下,他似乎认同了六六的话,他承认自己确实胆子小,在当年和红艳的事情上,他就是胆子小,没有把红艳干了,他完全有这个机会,有这个可能让她的肚子大了,这样他骄傲的爹就会低下头。可这样的念头只是念头,它会发生吗?

六六用手腕擦了下嘴边的油渍,又一杯酒下肚,酒真是好东西,它是水里的火焰,心上的舌头,六六说:“老子现在想做甚就做甚,不是和你吹,经老子玩过的女人有这么多。”说着，六六又伸出那只油腻腻的手，他伸出的是五根指头，五根指头代表的是五个，还是五十，五百，不得而知，成贵笑了一下，他说：“你就吹吧。”

“吹？”六六瞪着红红的眼睛，他说：“你去问问改花，你去问问，老子怎么让她快活的。”

成贵觉得自己的耳朵好像听错了，怎么会和改花呢，成贵的脑袋嗡嗡作响，身体也不由自主地摆动起来，他说：“是那个给咱们做饭的改花？”

六六又一杯酒下肚，他说：“就是她，本来老子是不吃窝边草的人，外面的女人老子都顾不上，能照顾上她？可她要主动送上门来，主动送上门来，老子只好受用，哎，你别说，这改花，你别看她是麻子脸，在床上骚得很，那浪劲让你能舒坦死。”

酒劲不断上涌，眼前的六六仍在眉飞色舞地讲述着，在带有咸味的唾沫星子里，成贵能想象到改花的样子，这样子和昨夜里跟自己说话的那个女子是两个人，再怎么结合是结合不起来的。成贵的心有点火辣辣地疼，这种疼不具体，很模糊，但它是存在的。在六六的话语中，改花的身体无异于是一片淌着血、冒着白汽的猪肉。两人一边说笑，一边开心地吃喝着，你一杯我一杯，一瓶酒很快就见底了。六六嚷着还要来一瓶，成贵拦住了他，确实喝多了，谁都不能再喝了，再喝就会睡在这里。结了账外面已经到了深夜，秋风不冷不热地吹到脸上，成贵的头晕乎乎的。六六的兴致高涨，他的酒劲和一吐为快的话题，让他如同脚上踏了两个风火轮，他蹬上这两个风火轮，整个身体就顿时飞腾起来，光他一个人飞起来，还算兄弟吗，不算，他得拉上成贵。

六六对成贵说：“走，哥领你上一个黄米店，让你红火红火。”

成贵当然知道六六说的黄米店是什么地方，成贵犹豫了一下，就跟在了六六的身后，灯光忽明忽暗，成贵看见自己的影子变长变短，有点儿像鬼影，这么踉跄地走着，这么恍惚地看着，成贵觉得自己的酒醒了，前面的六六在酒精的作用下依然走得坚挺，这家伙走到哪里，都是熟门熟道。走了约二十分钟的路，路边有了灯光，那都是门脸的招牌灯，发红的是饭馆，发白的是商店，发粉的就是黄米店。成贵往那里走的过程中，多少有点后悔答应六六，可现在要是反悔，六六肯定会不高兴的，会骂他是个孬种、屎货，他只得硬着头皮跟着进去。那是一家足疗店，几个露着大腿、袒着胸脯的女人，像是刚吃罢了饭，在狭小的过道中，摆着一张小饭桌，上面是几个塑料餐盒，屋里除了迷人的香气，就是残羹剩饭的味道。

六六似乎认识她们每一个人，在她的大腿上摸一下，你的脸蛋上捏一下，几个女人口音各异，六六说：“哎，成贵，你挑，哪个好，你就跟哪个进屋。”

成贵有点儿不适应，呆乎乎地看着六六，六六说：“你看我干甚，让你挑她们，哪个好，快点儿。”

成贵点着了一根烟，长长吐了一口，他朝着里面一个瘦弱的小姐点了下头，六六在那个小姐腿上拍了一下，笑着说：“老子知道，你就会找她，她长得像……”没出口的话被成贵一脚踢了回去。

走过狭小的过道，里面是一间间木板隔断的小屋子，里面只放了一张床，进了屋，那个瘦小的小姐把门反插上了。接下来，她笑着问成贵："你的那个朋友说我长得像谁？"成贵坐在床上，尴尬地笑了一下："他胡说呢。"

那女子开始一件一件脱衣服，女人确实精瘦，皮肤也黑，脱完了衣服，像刚从地里钻出的泥鳅，她看着成贵："你咋不脱？"

成贵看了下屋里的灯，他没说话，那女子是个聪明人，马上关了灯。屋里黑黢黢的，气息和欲望一点点从黑暗的内部升起，那女子搂住成贵的刹那口气软软地说："我知道，我长得像谁？"成贵没说话，那女子说："我长得像你以前的女朋友。"

从屋里出来的时候，成贵有点儿失魂落魄，他的脚步松软，酒劲早就散尽，整个足疗店，他觉得有股刺鼻的臭味。这里的灯光、气味、每个人脸上浮动的笑容，都让他感到眩晕，他的胃在痉挛，有点想吐，他一刻也不想在这里待着，一刻都不想。

出了屋，成贵就站到马路牙子上抽了一根烟，现在好多了，夜晚的凉风不紧不慢地吹过来，成贵的头脑又恢复了平静，什么都没发生过，就像什么都没发生过一样，他看见不远处围着一群人，嚷嚷的，他就过去了。原来一个男人和隔壁这家的小姐发生了矛盾，细一听，那小姐说好了要二百，男人只给了一百，说是没陪好他。那男人剃着一头青皮，胳膊上刺着龙，一看不是善茬儿，小姐还在不依不饶地抓着那男人的手臂，男人火了，扬手给了那小姐一个耳光，动静越来越大，男人冲进店里，一脚踢翻了屋里的茶几，男人的举动完全吓坏了几个小姐，不知谁报了警，警车赶到的时候，那个男人已经离开这里。警察是两个中年人，他俩拿着警棍，进了那家被砸的足疗店。

这时，成贵突然想起了六六，六六还在量黄米，警察搂草打兔子，会逮他一个正着，成贵赶紧跑到刚才那家店里，那个精瘦的女子说："你别进去，都通知了。"

没一会儿，六六一脸悻悻地从足疗店里出来，警察还没走，六六朝地上啐了一口，他对成贵摆了下手，两人一前一后挤进黑夜之中。成贵说："日弄了没有？"六六说："日弄屎哇，刚进去，就有人说警察来了，吓得老子一下就软了，套子现在还挂着呢。"

成贵一下笑起来，在笑声里，他看见六六把手伸进裤裆里，揪出一个白胶皮套子，甩手扔在路边："他妈的，真是倒霉透了，甚也没干，二百就花完了。"

成贵从兜里捻了半天，捻出一百，塞给六六，六六不要，后来还是揣了起来。六六说："羊毛得出在羊身上，老子非得再从那几个四川佬身上捞过来。"成贵拍了下六六的后背："你最近快别玩了。"

六六说："你是不是怕老子有晦气，没事，再玩上，老子自有一套，你放心吧。"

第二天，吃了午饭，成贵蹲在水房里洗衣服，他脑子里还残留着那个瘦女人的印象，说实话，那个瘦女子跟红艳确实长得有点儿像，尤其是眉眼，皮肤嘛，红艳要比她白，他还是第一次和女人干那事，可太匆忙了，来不及细细体味就已经结束。想象的体温正在一点点地恢复，那女子暖暖的气息就在他的胸前，成贵的脸颊红热起来，洗衣服的动作像只醉蟹，他抬手拍了下发热的脸，这时他才看见身边站了一个人。因为突然，吓了他一跳。

是改花。改花看见成贵洗衣服，就轻手轻脚地进来，当看见成贵一脸惊恐地看着自己，她一下大笑起来，她的笑声比她的唱腔好听多了，清亮、自然，不加掩饰，成贵的脸更红了，仿佛从笑声中，改花已经察觉到自己的什么秘密。

“你胆子原来这么小?”改花边笑边擦着眼角溢出的泪。

成贵见了改花，多少有点儿不像前些天那么自然，脑子里六六的话还在回响，他并没有接改花的话，自顾自地低头揉搓着水盆里的衣服，水房光线暗，改花看不见成贵的表情，见他手里的衣服搓成了卷，她就挽起袖子:“怎么能这么洗呢，这么洗根本洗不干净。”说着，一把将成贵推开。

这样的改花是六六描述的那种人? 淫荡而贪婪，给谁说，谁会信。阳光斜斜地从狭小的窗子落进来，落在改花宽宽的后背上，整个水房充满了暖暖的色调，在这种色调中，改花的眼睛盯着水盆，两只手在搓板上不停地搓揉，这么简单勤劳的女人，给人的感觉是安全的，在这个世上，让人感到安全的人还多吗? 改花额头渗出了汗，亮晶晶的，她顾不上擦，随着机械的动作，那汗珠飞舞起来，像美丽的蝴蝶。

“你怎么不去听我唱戏了?”改花声音低低的，像是询问，又像是在责怪。

成贵靠着门框，点着了一根烟，烟雾中，成贵想起自己和六六那天夜里模糊的身影，想起那个身材瘦小的小姐，在某种程度上，他觉得自己有点对不起改花，虽然他和改花认识的时间并不长，可他发现自己正在一点点懂一个人，懂一个女人，这种情况以前很少发生在他身上，可现在发生了。当他听到六六的话时，起初确实是惊讶，惊讶的不是六六，而是改花，后来他想通了，改花和六六原本就是一路货色，他们要是没干出点儿勾当，那才让人感到惊讶。现在他觉得自己又错了。

“你想什么呢，我问你话呢?”改花停止了手上的动作，她用袖管揠了揠脸上的汗，她已经注意到成贵在走神。

成贵从遐思中恢复了常态，他笑了一下，没有内容地笑了一下:“你说什么?”

改花并没有怨成贵，在她的眼里，成贵就是个孩子，没长大的孩子，没长大的孩子是不能责怪的。前天夜晚，她到修车摊前唱曲，在围观的人群中，她的目光是期待的，她真的希望成贵在不远处，笑吟吟地看着自己，可她看了半天，甚至几次误了拉二胡人的弦，她也没看到成贵。没看见成贵，她的心就有点儿空落落的，仅仅是一夜的说话，她的心就变得潮湿了，真是怪气了。

她把刚才的话又重复了一遍。

成贵把手里的烟头扔在地上，用脚踩了踩，他说:“哦，我喝酒去了，跟六六。”成

贵在说出六六的同时，眼睛下意识地看了看改花的表情，改花表面上并没有什么变化，她支起身，朝成贵招了下手："来，咱俩拧一下，这样干得快。"

改花脸上虽有麻点，手臂却白得像秋天的水萝卜，看着这么白的手臂，成贵的心是慌乱的，手指头都是慌乱的，六六对改花的污蔑就是一个屁，连屁都不如。因为用力，改花的脸红红的，脸上的麻点像香蕉苹果上的点缀，就在衣服松落的刹那，两人谁都搞不清楚，为什么会抱在一起，回忆是回忆不起来的，成贵的身体紧绷绷的，像是拧紧的那件衣服，他发现改花的身体并没有躲避，而是在迎合，主动地迎合，阳光颤动，改花的身体、气味暖融融的，都在轻微地颤动，包括她柔绵的唇舌，真甜呀，真香呀，记忆从远处跑过来，带着暗香，带着风，成贵觉得自己没喝酒都醉了。

就在成贵的手在触摸改花那硕大的乳房时，改花的身体一下变得紧张起来，她赶忙把成贵推开，然后一溜烟地跑出了水房。现在安静了，那件拧干的衣服已经掉落在地上，它需要重新漂洗，外面除了阳光，什么都没有，还好，没有人看见刚才那一幕。心还在突突地跳，残留的激情正在一点点地退却，退到心的角落里，退到不易让人察觉的地方。

一连几天，成贵的脑子里都恍恍惚惚的，他看不见改花，哪儿都看不见，打饭的姑娘成贵不认识，反正不是改花，她哪儿去了？在六六面前，他得装着，得绷着，他不能让六六看到一点儿蛛丝马迹，六六眼贼，你就是放个屁，也能闻到你吃的是什么。两人干活的时候，成贵尽量不走样，丁是丁卯是卯地挥舞着锹，脑子里却是腾云驾雾，在哪里都有改花的气味，这气味酥酥软软的，仿佛就是从眼前这一堆堆的沙土中渗冒出来的，以前成贵也和女人好过，可这种感觉还是第一次，那缭绕的香气把他魂都带走了，带到了天上，带到了云彩里，让他两脚着不了地，若是迈腿走的话，他就要栽跟头，就要狗啃泥，他怎么就变成这么一副德行，一个好好的男儿，怎么就一下子六神无主了呢？

晚上，他怎么也睡不着，使劲闭眼，还是觉得头顶上日头在明晃晃地照着自己。他来回地翻着身体，像是在饼铛上翻烤着半生不熟的烙饼，还是睡不着，再翻身下去，这床薄，压塌了会闹出笑话的。干脆坐起来，身边的六六不在，肯定是耍钱去了，他正要披着衣服到隔壁的工棚看看他们耍钱，可就在穿上鞋时，他看见六六床上有本书，书皮子有点儿发卷发黄，好在上面的字还看得清晰，那本书叫《为谁演奏》。成贵上过初中，他爱看书，在村里时看过《三侠五义》、《薛刚反唐》，包括一些武侠小说，他看过不少，有些情节，他还记得清清楚楚，正好睡不着，就拿起来看看，这一看，上了瘾，索性不睡了，看个通宵。

午夜一点的时候，六六回了屋，从他喜滋滋的表情看，一定又赢了钱，他见成贵还没睡，披着被子，在一盏烛光下看着书，他说："你装×呢，是不是不睡，就是为了让老子看你看书呢？"

成贵挤弄了下发酸的眼睛，这才发现，夜深了，他说："这书在你床上放着，写得不赖，借我看几天，看完就还你。”

六六一看说：“不行，那是韩哥的，是他放我这里，忘拿了。”

韩哥是他们工头，成贵已经看了过半，不舍得丢下，就说：“书在我这里绝对没事，明天夜里我保证看完，还你，给你买盒红云烟还不行吗？”

六六心软了，摸了摸腮上疯长的胡茬子，说：“看吧看吧，老子现在早就不抽破红云了。”

确实，现在的六六手阔得很，买烟全是十二块一盒的苁蓉烟，那烟上档次，呼和城里的人都抽这个牌子的烟，六六手上夹着苁蓉烟，俨然就是城里人。在玩上，成贵从心里佩服六六，这小子最近像开了天眼，总是在赢，小则十几块，多则几百块，把那几个四川人玩得急红了眼，就是把压箱底的钱拿出来，也要和六六拼个你死我活。六六面对这种围攻之势，如唱空城计的诸葛亮，一副胸有成竹的样子，他对成贵说：“让他们来，老子不把他们收拾愣了，有鬼。”

那本书写得确实有意思，成贵上午干活的时候，脑子里全想着那本小说里的内容，现在改花的样子已经收起了锋芒，变成了水，成贵的心不再痛楚，却像水一样柔软，改花的笑容已经融成亮晶晶的波纹，随着一天天变凉的秋风吹来，那亮晶晶的笑容化成无形的幻影。中午吃饭的时候，六六说：“改花不在工地干了，说是她以前的男人来找她，回了老家。”

这个话题沉甸甸的，成贵有点想不通，想不通改花为什么临走都不跟他打声招呼，那天他和她在水房里的举动，难道仅仅就是举动？怎么没有发现改花要离开的迹象？她为什么不说，没必要，还是说出来怕成贵心里难受，真是有意思。成贵很快抽完了一根烟，又点上，烟雾中，他看见自己的手臂在颤抖，烟雾像是慌乱地飞舞，他怕六六发现什么，就低着头，什么都不说，只听。六六说：“听打饭的那个女人说，改花的男人现在有了钱，人家自己还买了一辆大车，一个月能挣五六千，挣了钱，就回来接改花，毕竟以前是两口子，又有孩子。”

六六口气幽幽的，好像从心里为改花高兴似的，也许还有点儿悻悻，大家都是男人，改花的男人有钱，改花再命硬，硬不过钱，这让六六的心里像被什么烫了一下，烫了一下的，还不止六六，成贵也是。那天成贵的身体一点儿劲都没有，力气正从体内一点点地被抽空，他想自己应该好好睡上一觉，睡醒了，脑子里的念头就会烟消云散。

好不容易支撑到晚上，他的睡意却是一点儿没有，闭上眼睛，脑子里像转轮子一样停不下来，这轮子带着太多的思绪和念头，他坐起来看书，书上的文字都变成会爬动的蚂蚁、会飞舞的蝴蝶，他看上两行，眼花了，脑子也迷离了，什么都干不了，唉，也许今天最该干的事情就是喝烧酒，可他不敢去叫六六，喝多了，他会控制不住地跟六六说出一切的，他怎么会和他说这些，不可能。这些话在六六面前，将永远烂在肚子里。

深秋的一场雨把街面变成一个风烛残年的老人，树木干枯，满地的落叶正在雨水的浸泡下腐烂，街上的灯看上去也不如夏日明亮，昏昏的。成贵点着烟，拖着身影在街上走着，他已经很长时间没有这么出来溜达，天短了，黑得快，现在街上的店面基本都关了，没什么人，偶尔一辆车驶过，光亮是暂时的，很快街面上又是昏暗的。

那个广场更是冷清，所有曾经茂密的植物，都在季节的淫威下，不得不脱光了身子，还是那些看上去不张扬的松树有气节，一如既往地站在那里，像在蓄谋着什么。那个亭子还在，夜幕中，成贵觉得改花还在那里站着，他能看到恍惚的光线中，改花脸上的麻点也散发着迷人的光泽。他能听见改花摆动着手臂，放开那明亮的嗓子，开始唱，唱：唉，唉，姓刘的，嫂嫂把话对你讲。这是《借冠子》的唱腔，改花的声音一会儿忽远，一会儿忽近，那声音好像来自苍穹。

台阶上有积水，脚踩上去，水就变软了。成贵一步步上了亭子，亭子上什么都没有，远处的街灯看上去很缥缈，影影绰绰的，成贵又点上了一根烟，烟雾升腾，在暗夜中，飘出一团古怪的图形，成贵闻了一下，空气中全是凉凉的气息。

回到工地，夜深了，这时他看见工地大门前停着两辆警车，警车上的灯在夸张地闪烁着。成贵见那里围了不少人，深夜里工地上的人都没睡，他们有的穿着秋衣秋裤，有的还光着上身，外面只披着一件褂子，大家围站在一起，像是看什么稀罕事，既紧张又兴奋。成贵凑了过去，他问人们是怎么了？

人们说："有人拿刀砍人了。"

"砍谁了？"

"那个耍钱的六六。"

成贵的头嗡的一声，像撞到了什么东西，心也跟着突突地跳起来，他问那个人到底怎么回事，那人就把事情的原委告诉了成贵。原来六六每次耍钱的时候，身上的口袋里多放几张牌，都是大点的，每次要牌时，他看到手里的牌，其中两张大，他就把另一张和口袋里的换，一来二往，他总是赢钱。这次他耍奸的时候，被人当场发现，那帮四川人早就输红了眼，他们终于找到了输钱的原因，这个家伙竟然在牌上做手脚，那个叫黑头的四川人二话没说，让人按住六六，他从床下取出刀，一刀下去，砍断了六六的一只手。

讲述的人声音有点儿哆哆嗦嗦，听得成贵也哆嗦起来，他脑子里能想到那血腥的场面，刀是冷的，血是热的，六六一声惨叫，一只没有血色的断手，像只被煮熟的猪蹄蹄，跌落到成贵的眼里。

整个工地乱哄哄的，像刚散了戏，人群中，成贵看见那个姓韩的工头，一会儿接电话，一会儿扯着嗓子乱喊，他一眼看见成贵，招手叫他过来："你干什么去了？"

成贵愣了一下，他想说什么，姓韩的工头已经打断了他的话："一会儿你坐我车去医院，看你那个老乡，真他妈的倒霉。"说着，他连痰带嘴上的烟蒂一同吐到了地上。

“那,那砍他的人呢?”成贵声音直直地说。

“那个黑头跑了,剩下的都被公安局带走了。”

姓韩的工头开着摩托车,成贵坐在他身后,夜晚的风很凉,飕飕地往脖颈子里钻,街面上灯水恍惚,影影绰绰的,摩托车像是在水面上急驰的大鸟。六六呀,六六,你为什么不早听我的劝,你若是早听了,还能有今天的局面吗?唉!成贵想到今后的六六只有一只手,只有一只手的男人别说讨老婆了,就是生活也成了问题,苦受不了,活也做不成,谁养活他。六六呀,你不在村里好好待着,非得跑到城里,城里是你待的地方吗?你说你有能耐,比你有能耐的人多了,以前赢了钱,那是侥幸,那是天上掉下了馅饼,是老虎打盹时你揪了一根胡须,你美什么,现在你手没了,后悔了,晚了。风把成贵的眼泪和鼻涕吹得一塌糊涂,他脑子也清醒多了。在一个居民楼下,韩哥停下摩托车,他说:“你在这儿待着,我回家取点钱。”说完,韩哥一蹿一蹿地跑进了一个漆黑的楼道。

到了医院,韩哥前面领路,他好像对这里很熟悉,径直到了急救室,在急救室的门口,有一个头破的人,血流了一脸,像个演出失败的戏子,闷坐在那里。再往里走,一股刺鼻的酒味,空气混浊,满地是稀稀拉拉的呕吐物,一个人喝得酒精中了毒,躺在推车上人事不醒。韩哥边走边捂着鼻子说:“老子就不愿意来这地方,都他妈的什么事。”

六六已经进了手术室,先前到的工友给他垫了钱,垫的钱只够把人推进去,那点钱远远不够治疗,大家正满头大汗地坐在医院的走廊里抽着烟,一见韩哥来了,像盼到救星,终于等来了,人们簇拥着把他领到大夫那里。大夫是长脸,在灯光的照耀下,脸上没有一点血色,他说:“你是病人的家属还是领导?”

韩哥愣了一下,他说:“是领导。”

长脸大夫正了下眼镜说:“情况是这样的,他的手被人砍下来的时间有点长,这种情况下,手已经没有成活的可能,我们医院的专家商量了一下只能保守治疗,你们谁是负责人,先在这上面签下字,出现了什么医疗事故,与我们医院无关。”

大家围作一团:“真的接不上了吗?”

长脸大夫说:“接不上了。”

“到北京,能接上吗?”

长脸大夫不耐烦地说:“那你就到北京去,实话告诉你,这种情况就是到纽约,也接不上了。”

韩哥回头看了下成贵,成贵脸红红的,韩哥到底是见过世面的人,拿起笔,就签了字。

长脸大夫说:“这个手术很复杂,需要的费用很大,你们的人只交了一小部分,我们先做手术，剩下的钱明天交来，一共六万。”

韩哥的眼珠差一点掉出来，他说：“六万，怎么这么多？”

长脸大夫说：“六万多吗？这只是前期费用，后期的巩固治疗还没说呢。”

台阶上冰冰凉，成贵只好蹲着，烟雾一口进一口出，嘴里都是火，夜色浓稠，人的心情也变得浓稠了，韩哥说：“他妈的，六万，砍人的也跑了，这钱去哪凑？”

众人说：“韩哥，你大小是老板，明天医院就让把钱交上，咋整？”

韩哥的脸更长，他说：“你们不要看我，老子去哪儿找六万，人也不是老子砍的，还说老板呢，这个工程让老子垫资，老子差一点把老婆卖了，你们说，去哪儿找钱？”他这么一嚷嚷，别人更是一筹莫展。

人们七嘴八舌地议论，像一群没食可觅又不肯善罢甘休的公鸡，韩哥就是这群公鸡的头，他一会儿站在平地上叫，一会儿又跳到台阶上叫，最后他身上的鸡毛全着了火，空气里一股燎鸡毛的味道，同时成贵看见韩哥头也像个被充了气的气球，一点点地变大，而他的身子却在一点点地变小，头太大了，以至于他的身子开始摇摇欲坠，没过多长时间，他看韩哥的头一点点又变小了，像是泄了气，他听见韩哥长长叹了口气说：“别嚷嚷了，老子砸锅卖铁也只能掏出三万，剩下的你们自己想办法。”

话说到这里，谁也没话了，大家似乎都看出来，让韩哥掏出三万，无异于扒他的皮抽他的筋，可剩下的钱从哪里来。这群人哪个是能拿出三万的人，别说三万，就是三百块，也费了大劲。韩哥走了，大家变得无声无息，刚才的热情像戏子脸上的油彩下了台，就被冲洗掉了，救人的话题已经变得乏味、遥远，没有人再去提及。

六六从手术台上推下来是整十一点，他进了重症监护室，做手术的大夫说，手术很成功，大伙都很高兴，刚才的阴霾风吹云散，大夫似乎也为讨彩，医疗费没再提及，这是个皆大欢喜的场面。成贵是六六的老乡，夜深了，大家不可能都耗在这里，就对成贵说，你在这里盯夜，等天亮了再过来换人。人都走了，成贵心里空空的，他到了重症监护室，这里的空气是凝固的，压得人心疼，里面只躺了一个人，虽然穿着病服，脸上扣着氧气罩，身上还插着各种管子，他就是六六，成贵能闻出他的味道。一个小护士在给六六输液，她对成贵说：“你看着液体，要是快输完了，你按墙上的铃，你要是困了，墙角有椅子。”小护士的声音既好听又温暖，这么好听温暖的声音，成贵已经很长时间没听到了，成贵忙说了声谢谢，小护士走了。

整个监护室里静悄悄的，成贵站在六六的身边，现在的六六因为打了麻药，正在昏睡，脸红扑扑的，像喝醉的样子。他的左手臂缠着绷带，那是一只被人用刀砍掉了手的手臂，只有臂，没有手，那个四川佬真狠心，为了点儿钱，居然能下此狠手。成贵的眼睛热热的，想想六六真是可怜，他五岁没娘，十岁的时候爹得了急病也没了，是靠着姐姐，饥一顿饱一顿地活到了今天，现在他的手也没了，受苦人靠的就是这双手，手没了以后的日子怎么过呀？想到这些，眼泪就管不住了，哭过身子也就轻了，累了。

墙边有三把椅子，可以并排起来当床，成贵躺上去，本来就想伸展一下腰，可一躺上去，眼睛就再也睁不开，他困极了，一下睡了过去。梦里有着潮潮的气息，他看见少年的六六光着脊背，他的脊背晒得黑黑的，像个缎面披在身上，他举着一个叉子，站在禾田里扎青蛙。青蛙和蛤蟆很容易混淆，六六的眼是尖的，他在十米远的地方就能分辨出来，青蛙的后背是青绿色，蛤蟆是土黄色；青蛙的后背光滑，蛤蟆是凹凸的，六六在禾田里一下午能扎五六十个，扎好的青蛙，他用一个蛇皮袋子装好。在七月的夕阳照耀下，六六像个英雄一样出现在村口，村口有六七个孩子，在等待着六六的到来，其中个头最矮的就是成贵，成贵跟随着他们来到村西头的破窑洞里，那些窑洞是村里先人们留下来的，随着风吹雨淋，早就破败不堪，有些窑洞里还有那些先人的棺材，成贵想不通的是，为什么那些棺材不埋，却放在那里，平日里孩子们不敢去这些破窑洞里，来到这里风也变得阴森了。

现在，大家一点儿都不感到害怕，有六六在前面走，还怕什么？孩子们架柴生火，把捕获的青蛙割下两条肥嫩的后腿，再到不远处的水塘清洗，架在火上烘烤，肉烤好了，空气里弥漫着青蛙肉的香气，大家都饿了，就着山坡上最后的一线光，吃得全嘴黑。成贵胆怯，始终站在一旁，他不敢伸手去拿，他觉得当自己的手探向那些青蛙肉时，六六会拿着地上的柳枝抽他的手。成贵是从外村搬过来的，孩子们对他生分。天黑了，他什么都没吃上。一个叫猫猫眼的小孩，蹲着腿累，就让成贵到破窑洞里找几块土坯砖，成贵心里不愿意，但还是迈开了步。他点着一根油松枝，光线越来越暗，所有的地方都是黑漆漆的，微风吹着杂草，发着沙沙的声响，破窑洞就在眼前，外面已经找不到一块土坯砖，只有走进去，走到黑暗中才会找到。身后的笑声似乎已经听不到了，成贵现在回去，只会遭到他们的嘲笑，他得进去。

窑洞里空空的，先人的气味早就被这旷野上的风吹得干干净净，再往里走，成贵看见一个土炕上垒着土坯砖，有的已经剥落成了土，成贵拿了上面的三块，突然轰的一声，土坯砖坍塌了，一个斑驳的棺材从尘土中显现出来，成贵的头皮紧紧地，他扔下手里的砖，转身就跑，门口站着一个黑影。黑影是六六，他说，你慌什么？成贵的嘴上说不出话，手在慌乱地比画，六六说，你还没吃青蛙腿吧，给你。说着递给成贵一个黑乎乎的东西，成贵饿极了，放在嘴里，什么东西硌了他一下，他吐出来，原来是一块指甲，这时他才看清，自己拿着的原来是一只手。

从梦里醒来，成贵身上出了不少汗，屋里的灯光暗了，外面的曙光已经照射进来，地上像是溢满了水一样，这时成贵想起来，六六输的液体，他跑过去，液体是满的，正有条不紊地流进六六的体内，他一下放心了，肯定是那个好心的护士见他睡着了，没打扰他。六六还在熟睡，他脸上的表情很舒展，好像所有的事情都放下了，没有烦恼。成贵真的希望六六能这么一直睡下去，可怎么可能呢？当他从梦里醒来，发现眼前的一切，他那舒展的表情还会存在吗？

到了八点，工地上的工友来了，他是来替成贵的，他说，昨天大家凑了一下，也就凑了两千块。他问成贵，六六在城里有没有亲戚？成贵想了想，就摇头，那工友又问，有没有一村的，混得好的？成贵一下想起了四干头，卖羊腰子的四干头，他说："有一个同村的，我上午去找一找他。"那工友拍着成贵的肩，快去，快去。

新的一天刚开始，街上车水马龙，城里的人面相是新的，衣服是新的，呼吸是新的。成贵边走边想着四干头的地址，每次四干头回村，成贵总是躲着不见，现在要去哪儿找他，这么大的城市里，又有谁认识四干头，他现在就是城市里一粒灰尘，说不定在哪个区域里飘荡着。成贵的胃里泛着苦水，才意识到自己还没吃早饭，路边有家卖包子的小饭馆，肚子里垫了包子，思路也被打开，他想起村里人说，四干头给城里最大的烧烤城供羊腰子。他就问卖包子的，最大的烧烤城在哪儿？卖包子的说，在北面，那里有个草原烧烤城是呼和最大的。

有了这条线索，就等于黑暗中看见了一束光。出了包子铺，人也有了精神，有了期待，看到哪里，哪里就是阳光。成贵上了公交车，还有空座，这是个意外，在医院成贵睡了一会，可那是在椅子上睡的，加上心里有事，浑身上下不自在，现在头搭在腿上，睡意就蔓延了全身，车不紧不慢地走着，有点儿像小孩的摇床，到了草原烧烤城，已经接近中午。说是草原烧烤城，其实就是一个个小店比邻的大院，中午没什么人，也许晚上这里会是另一个世界，歌舞升平的世界。一家小店里走出一个头发松散的女人，她端着脸盆出来泼水，成贵就上前问认识不认识一个叫四干头的人，他是卖羊腰子的。

女人似乎对四干头很熟，她看了下成贵问："你找他做甚？"

成贵就说："我和他是一个村的，有点儿急事找他。"

女人整了下散发，说："他白天不来，到了下午才来，我这里有他电话，你给他打个电话吧。"

女人很热心，成贵要上四干头的电话，就到公用电话亭拨了四干头的号码，电话通了，电话那头的四干头说了一嘴不伦不类的侉子话(普通话)，声音怪怪的，成贵报了自己的名，四干头愣了一下，成贵这个名字似乎对他已经陌生了，当成贵又补充了一句，他才想起什么，他说："哦，是成贵呀，你什么时候来的呼和?"口音又变成了家乡味，热情多了。

成贵说，来了一阵子了，现在在工地上打工。四干头说，来了也不联系我。成贵说，瞎尿忙。

聊了几句，成贵觉得该言归正传，说："今天有点正经事找你，能不能当面谈。"

四干头说："你过来吧，我就在草原烧烤城这边。"

放了电话，成贵心里踏实多了，之前他猜忌过四干头，这个家伙在城里发达了，眼高怕是不会认他了，没想到，电话里不生隔。走在路上成贵心里暖洋洋的，他想起躺在医院的六六，心里说，你小子真有福，这回医药费有着落了。到了四干头说的地方，是一个巨大的批发市场，四干头在这里有一间门脸。四干头穿着灰西服，人还是瘦精瘦精，两只眼睛贼溜溜的。他看见成贵很热情地握着手，成贵反倒有点不自在，心想以前对四干头的态度真是不应该，看人家发了财，就小眼看人家，事实上人家一点儿都没变，四干头抽的是中华，两人聊了一会儿，烟抽完了，四干头看了下表，说："中午啦，咱们到饭馆里慢慢聊。"

饭馆就在批发市场的旁边，看来四干头是这里的常客，服务员见了他都打招呼。两人进的是雅间，四干头把菜单给成贵，让他点自己爱吃的。成贵说："你点甚，就吃甚。"

四干头点了三热两凉，一点儿不像六六下饭馆那样铺张，两人喝的是啤酒，四干头说："你刚才电话里说有事找我，甚事？"

成贵就把事情经过照直说了："六六出事了，他在工地上因为要钱捣鬼，被四川人砍了一只手，四川人跑了，现在六六还在医院里躺着呢。"

四干头眼睛呼啦啦地转，看不出脸上有什么表情，成贵就接着说："现在医院里要六万的治疗费，工地上先垫了三万，大伙凑了几千块，还差不少，你也知道六六的情况，在村里他要甚没甚，实在没办法，想到了你，你能不能想一想办法？"

四干头还是不说话，不说话就不知道他在想什么，刚才热情如花的脸已经枯萎了，他闷着，成贵的话就止住了，看着四干头，看得四干头从遐思中一下警醒，他有点儿不好意思地举着啤酒杯，说："来，来喝酒。"

喝着酒，吃着菜，四干头不时地问着村里的情况和在城里的生活，就是不谈刚才的事，成贵不想在不咸不淡的话题上浪费时间，他来这里干什么，来吃你四干头这顿饭，自己也不是要饭的，就是要饭，也不会大老远跑到你四干头面前要饭。成贵不想再兜圈子，也不能不明不白地坐在这里吃饭，医院里六六还在等着呢。"我刚才说钱的事，四哥，你能不能想想办法，等六六出了医院，我俩就是砸锅卖铁，也把你的钱给你还上。"这话成贵说得动容，说得四干头无处藏身，他得面对，能借不能借说个明话。

四干头用手捋着额头，他的脸上本来就没有多少肉，手指发力的地方，像犁过的田野，没有血色的皮肤被捋得暗红一片。他抬起头，目光中流露着少有的真诚，他说："成贵，你看是这么个事，今年烧烤城的买卖不行，我这里的货就发不出去，发出去的全是垫的钱，这几天，供货的人每天催款，愁呀。"

成贵不傻，能听出四干头的话，他把杯里的啤酒一口干了，就站起身，说："四哥，六六还在医院，我就不陪你聊了。"

四干头显然没想到成贵会这样，不这样又能怎么样呢，他想一把将成贵拉住，可拉住了怎么办，你得从身上掏银子。四干头能掏吗，四干头爱看娶媳妇，不爱看打发死人，这钱掏了就是打水漂，六六能还吗，他少了一只手的人拿什么还？走就走吧，难受一时，四干头怔在那里，过了好一会儿，他才高声叫道："服务员，买单。"

下午起了风，一飙一飙的劲风吹到脸上，生疼生疼的，成贵的眼睛里全是泪。他不知道自己为什么会这样委屈。仔细想想，人家四千头借钱给咱是人情，不借是本分，就是一个村的，也有亲疏远近，人家就是没借你钱，哪里做得不妥，哪里做得不对，可成贵就是管不住眼泪。他一边流着泪一边想还是自己没本事，没本事还受不下人家的脸子，四千头他算个什么东西，这也就是为了六六的事，要是自己的话，死也不会在四千头面前弯一下腰的。

上了车，成贵想起了病床上躺着的六六，六六的医药费一点儿着落都没有，自己身上只有一千块，加上工地上大伙凑的也不过三万多，咋整？医院要是见不到钱，还会治疗吗，要是不给治疗，那该怎么办？成贵下车后，急切地往医院跑，进了病房，楼道里全是人，全是他们工地的人，那个韩哥也在那里，大家的脸色都不好看，成贵以为大伙儿都在等着他的医药费，就问："咋啦，是不是医院要钱呢？"

那个陪床的人一下子就哭了起来，他说："六六，没了。"

这话说得成贵没有一点儿准备，他甚至没搞清眼前这个工友为什么要哭。他摇着那个工友的手臂说："哭尿呢，快说，咋啦？"

那个陪床带着哭腔说道："你上午走了不长时间，六六就醒了，醒来以后，就问成贵呢，我说你回去睡觉去了。六六就不说话，一个人躺在那里不知道想什么，我就对他说，砍他的人虽然跑了，公安局正抓他呢，抓住了公安局的肯定也会帮你砍下他的一只手，这样就两清了。他躺在那不说话，眼睛盯着屋顶。后来，我就提着暖壶打开水，回来的时候，看见他的床是空的，人没了，这时我看见窗户大开着，才明白了怎么回事，什么都晚了。他拔了身上的管子，从上面跳下去了，你是不知道，那惨样，人都摔成个烂柿子了。"

天色在一点点变暗，变得混沌不清，猩红的太阳在西天的边际上只是一个摆设，它更像个塑料灯笼挂在那里，既无光亮又无温暖。成贵站在窗前，黄昏的大街上依旧是熙熙攘攘的，成贵有点儿想家了，在家里，这个时候，自己也许正在从地里往家走，这是个挖山药的时节，每天要挖到天黑，黑到什么都看不见的时候才往家走。娘在家里做好了饭等他，等他拍干净了土，洗干净了脸，再坐下来吃饭，那饭的香气从夜色中一点点地渗透过来，他闻出来，娘给他做的是山药鱼鱼。

六六火化了，工地上出钱，让成贵抱着六六的骨灰，回老家下葬。坐上火车，成贵鼻子酸酸的，他还能想起在火车上遇到六六的情景，六六那张笑脸，明晃晃的笑脸，这才不到半年的时间，一个活生生的人就没了，消失了。这就是命，六六爱要钱，是他的命，要钱被人砍了手，这也是他的命，没了手就灭了活的希望，这全是命的一手安排。谁也逃不过去，躲不过去。成贵把六六的骨灰盒紧抱在自己的怀里，这样他能感受到六六的体温。成贵的泪管不住了，热汩汩地直流，流到了嘴里，流到了脖子里。

老家的秋天真像秋天，树叶黄澄澄的，一阵风吹来，天都染黄了，就连流动的空气都有着说不出的味道，那味道是由庄稼、牲口的粪便组成，城里人是没福气闻到的。按照六六族人的意思，六六的骨灰就埋在山坡上的破窑洞里，那里原先是六六的家。现在成贵明白了，小时候六六为什么领着村里娃娃们经常到这里来耍。那地方还和成贵梦中一模一样，唯一变的，就是那破败的土窑里多了一口新打的棺材。

娘见六六进城里没了命，就劝成贵不要去了，娘老了，下不动地了，身边得有人伺候着，成贵说，干到冬天，拿上工钱，就不去了。

在村里听到了红艳的消息，那个可怜的女子，嫁了人家，总是生不出娃，男人着急，就带着到处看病，看来看去，也不知道是谁有毛病，男人心里上了火，没事就打红艳，有一次手重，把红艳的肋骨打断了一根，以前红艳都忍着，这次她实在受不了跑回了家，家里不干了，就离了婚，两人都各找了人家，没到半年，都生了孩子，红艳还生了一个男娃子。听了这消息，成贵动了想去看看红艳的念头，就在他临走的前一天，他骑了十里地，到了红艳婆家的村子。那个村子，叫花村，成贵小时候来过这里，这里有一个很大的水泡子，水旺的时候，看不到边际，夏天里成贵就和村里娃娃们拿着旧轮胎，到这里耍水。成贵已经看不见当年那个水泡子，眼前仿佛是个陌生的地方，红艳对于他也是一个陌生的女人，什么都没发生过，成贵就在村子外面的大树下，抽了三根烟，他觉得自己该回了，他要做的事情，就是这么骑着车子再回去。

下了第一场雪，工地上已经是冷冷清清，人们领着工钱，都回家过年了。成贵好几天没见到韩哥了，他欠自己五千块工钱。他想拿了五千块钱，也要像当年的四干头一样，给娘打一个金镯子，这么想着，成贵的心里就暖融融的。雪下得断断续续，像扯不完的破棉絮在空中飘洒，成贵将自己不用的东西全部捆扎好，就等着韩哥给他工钱，他等呀等。一个星期过去了，就是看不见韩哥的影子，他不可能为了这么点钱跑了吧？

人都走了，工棚里冷清得有点儿怕人，尤其是六六的空铺就在旁边，每天夜里，成贵都觉得六六悄悄地回来了，在暗夜里先是脱衣服，然后就借着月光数票子，最后就是把被子捂在嘴上，一个人偷着乐。工地上有几个不打算回家过年的安徽人，成贵就把铺盖搬到他们那里去住了。

终于把韩哥等来了，他现在不骑摩托了，而是开着一辆白色的富康，有一个大灯都碎了，一看就是二手车。成贵说："韩哥，你再不来，我可要困濁起来了。"

韩哥的脸上有点儿惊讶，他说："你还没回呀？"

这话问得成贵有点儿不好意思，他说："我咋回呢，韩哥你钱还没给，我咋回？"

韩哥自顾自地点着了根烟，他说："钱吧，多少钱啊？"

成贵拿出一个小本本，上面他都记得清楚，一共五千块，韩哥的手并没有去接，他说：“六六借了我一本书，是不是在你手上。”

成贵愣了一下，他急忙点头，说对，对，在我手上。

韩哥说：“那你给我找回来。”

成贵就跑回了工棚，他翻呀，找呀，把捆好的行李打开，找了个遍，也没找到，明明就在他这里，哪儿去了，他又跑到原来那个工棚里找，还是找不到，没办法就转身找到韩哥，说那本书实在找不到了。“这样吧，那本书顶上一百块，还不行？”成贵说。

韩哥瞪大了眼睛，他的黄牙咬着烟蒂说：“一百？我给你一百，你去买一本给我？”

这话说得成贵吓了一跳，一百都不行，那本书怎么这么贵，他茫然地看着韩哥，他声音低喏地说：“那你说多少钱？”

韩哥叉着腰，在屋里来回走着，他说：“你知道那本书对我多重要，那本书是朋友写的，还给签了名，你知道吗，是朋友写的，你说这值多少钱？告诉你，给我找去，找来以后，我把你的工钱全给你，找不到，半个子儿都没有。”

这话不像韩哥说气话，看来动真格儿的了，成贵到哪儿找去，他的全部家当就那么点，他从里到外翻遍了，没有，没有，你说咋办？他突然想起来了，他说：“我想起来了，这本书我好像放在六六的床上，对，是在他的床上，不会是烧他的物品时把那本书也烧了吧。”

“什么，烧了？”韩哥的火一下点了起来，他走到成贵的面前，不由分说，给了他一个耳光，然后就是一脚，把成贵差一点踹到火炉子上，成贵的脸火辣辣地疼，脑袋也嗡嗡作响，他实在没想到眼前的韩哥会打他，平日里善眉善目的韩哥怎么会打他，还打得这么狠，他双手捂着发烫的脸，目光僵直，仿佛害怕韩哥冲上再来打第二个耳光。韩哥的火一点没减弱，他继续在屋里大步来回地走：“你妈了×的，什么东西。”

成贵的头脑稍微清醒了点，他想韩哥在气头上，打就打两下，只要把工钱给他，再打两下他都不会喊疼。

韩哥走到了成贵的面前，成贵下意识用双手捂住了脸，韩哥紧绷的脸一下笑了，他用手指着成贵的脸说：“看你个屄×样，还不快滚。”

成贵的身体并没动地方，他嘴上说：“你给我工钱，我就滚。”

韩哥抬起腿，又踹了成贵一脚，这一回成贵已经有了准备，他把身子稍稍侧了一下，韩哥用力过猛，险些跌倒。眼前这个棒槌，真是个难缠的家伙，韩哥本来想诈唬诈唬，省了那五千块钱，以前他用过这样的手段，也收到过良好的效果，今天偏偏遇到了这个家伙，给他上嚼子，他就是不上，你说气人不气人。

韩哥说：“你不是要钱吗，你给我现在把那本书找来，找不来，那本书就顶五千块，你知道不知道？”

成贵说:“我找不到。”

“找不到,找不到,那五千就是赔偿。”

成贵说:“你给我工钱。”

“你他妈的,听不懂人话是不是?”

成贵说:“你给我工钱。”

……

一连几天,成贵在工地上,只要看见韩哥的白色富康车,就上前要自己的工钱,几个安徽人也支持他,辛辛苦苦干了一年的工,他凭什么说不给就不给,你得拧住他要,这种家伙的心都是黑的。成贵抓住车门说:“你给我工钱。”

“你他妈的是神经病,告诉你,老子就是有钱也不给你,你去法院告我去。”

成贵拉着他的车门就是不撒手,韩哥就上车点火,给油,雪地上太滑,成贵站不稳,人就悬在半空,拖了一阵子,韩哥就心虚了,他熄了火,下车,似笑非笑地对成贵说:“爷爷,你到底想干什么呀,不活了,想学六六是不是?你看见没,学六六。你就到楼顶上,两眼一闭,你们哥俩就见面了。”

冰冷的车门激得成贵骨头都疼,他就是不撒手,他知道撒了手,眼前的这个人就会像气球一样飞到天上,他就再也够不着,摸不见。韩哥实在想不出更好的办法,他就从兜里掏出了两千块钱,他擦了下鼻下的青涕说:“我今天就带了两千,剩下的明天给你好不好,你放手吧,明天一定给你。”

成贵就放了手,低头数钱的时候,韩哥上了车一溜烟就跑了,跑得真快,空气中只有一阵青烟,人就不见了。两千总比没有强,他把两千叠好放在棉袄里面的兜里,这就是胜利,在他的眼里,似乎已经掌握了战胜韩哥的法宝,他要和他斗下去,还有三千呢,他在地里苦上一年才挣一千,这三千就是他三年的收成,他能不要吗,不可能。

天蒙蒙亮,他就睡不着了,他起了身,将地上的炉火生起来,屋里有了暖意。快到年关了,他得拿上钱赶紧回家,这个王八蛋工头,就是不顺当地给你钱,你说怎么办?今天他决定无论如何都要走,想什么办法,他要把自己的工钱拿上。借着炉火,他再一次将自己的行李捆绑好了,像他刚来的那样,把衣褂放在最里层,被褥包在外面,用布单子缝死,再用塑料布裹缠住,塞进了编织袋。一切收拾停当,他就盼着太阳快点升高,升高了,他就能看见在工地的尽头,那辆白色的富康车缓缓驶来,车停了,韩哥满脸堆笑地朝他走来,先是递给了他一根烟,然后把剩下的三千块钱如数给他,这又何必呢?成贵拍着韩哥的肩,他看见在阳光的阴影下,韩哥一脸愧疚的笑容。

这是错觉,什么都没发生,到了十点,他还是看不到韩哥的身影。天灰着脸,没有太阳,没有光线,像是又一场大雪即将而至。成贵憋不住了,就跑到工地外的公用电话,给韩哥的手机打电话,电话通了,韩哥听到是成贵的声音,他就说正在外面办事，一会儿让他再打，说完就挂了，成贵再拨过去，对方已经关机。

成贵一直打到中午，韩哥的手机始终关机，成贵就耐不住了，他一下想起上次到医院看六六，曾到过韩哥的家，他还依稀记得路线，就借上安徽人的自行车，到了记忆中那栋居民楼前，他只记得是那个单元，是几楼，他就不知道了，他就一家一家地敲，敲第一家就是韩哥家，韩哥做梦也没想到，成贵会出现在他家的门前，他正和几个弟兄打麻将，本来手就不顺，债主又上了门，他说："你妈的，没完了，你以为你找到我家，我就不敢打你。"

成贵吸了下鼻子："你给我钱就完了。"

韩哥又一记大耳光抽在成贵的脸上。"要钱，老子今天要你的命。"说着他就招呼身后那几个弟兄一起上来，一顿拳打脚踢，成贵就再也爬不起来了，他的脸贴着冰冷的地面，他看见自己的血把地上染红一片，在寒风中冒着腾腾白气，他还看见自己的一颗牙，就在那摊血水里，他动不了，浑身被打散了，他动不了。他能听见韩哥的笑声，刺耳尖厉，那笑声已经变了形，更像一把小号在他的耳边不停地吹。他听见沉闷的关门声，可那笑声还在延续。

雪是从黄昏时分开始飘落下来的，静悄悄的，当街上路灯亮的时候，雪已经铺了厚厚的一层，那雪粒一点湿、一点暖地落在成贵的脸上，他一点都不觉得冷，他抬起头雪就飘到了他的嘴唇上，那么轻，一舔，竟是甜甜的。天上是墨蓝的，像个被冻得结结实实的湖面，这冰封的湖水里，有着温暖的记忆，它不遥远，他能看得见，他看见房屋低矮的老家，看见娘，白发苍苍的娘，看见六六，笑脸纯真的六六，什么都看得见，还有熟悉的风，迷人的气味，都在这高高的苍穹上，一览无遗。别看了，别听了，他的脸上已经有热汩汩的东西流过，流到嘴里，流到脖子里。

他的身体在这片破败的楼房已经靠了三个小时了，他用那根棍子支撑着自己疼痛的身体，他知道自己在等什么，坚持什么，这个大雪之夜里，他不在这里等下去，又能干什么呢？雪无声地将他一点点地掩盖，他的头发上、肩上全是这白面似的雪花，他能听见自己的牙齿在打架，那是没有门牙的牙齿在打架，他朝地上狠狠啐了一口带血沫的痰，他说："你妈的，你真是个屄×。"

天终于黑了，黑得无声无息，像天上的雪，有了响动，那是从破败的楼道里传出来的，是一阵笑声，变成小号似的笑声，他看见姓韩的工头，就走在最前面，他用剩下的三千块，在这个下午翻了一倍，赢了钱，他的心情当然不错，他显然对黑夜一点儿提防没有，一点儿准备没有，雪地上隐映的亮扑溅在他脸上，他倨傲的脸上正燃着一团火，在这团火里，还来不及看清，不远的死神正朝他迎面走来。他呼了一口气，在这清冽的空气中，只闻到自己嘴里的气味有点混浊。

（选自《阳光》2012 年第 1 期）

拖 雷

本名赵耀东,20世纪70年代出生,中国作家协会会员,呼和浩特作家协会副主席。曾在《作品》《北方文学》《青海湖》《阳光》《草原》《延安文学》《西湖》《黄河文学》等发表小说多篇。著有小说集《为谁演奏》,长篇小说《河套往事》等多部。获草原文学奖。

附录一　中篇小说部分总目录

第十二卷至十六卷	第十二卷	绿化树	张贤亮
		悬崖	郑电波
		雪落黄河静无声	从维熙
		珍珠湖	刘健安
		浮屠岭	古　华
	第十三卷	远村	郑　义
		桃花湾的娘儿们(上)	映　泉
		太阳	郑彦英
		翅羽上的故事	冯苓植
		鲁班的子孙	王润滋
		在困难的日子里	路　遥
		老一辈人	张石山
	第十四卷	秋天的思索	张　炜
		桃花湾的娘儿们(下)	映　泉
		家政	楚　良
		瓜棚风月	李　準
		驼铃	佳　峻
		桑树坪纪事	朱晓平
	第十五卷	老井	郑　义
		天狗	贾平凹
		金米	张　炜
		南风	田中禾
		没有热量的萤光	竹　林
		孩子王	阿　城
		听山	矫　健
		古河道	彭见明
		清明雨	祝兴义
	第十六卷	麦秸垛	铁　凝
		秋天的愤怒	张　炜
		红高粱	莫　言
		男人的一半是女人	张贤亮
		女人秋	阎强国

第十七卷至二十卷		
第十七卷	小鲍庄	王安忆
	插队的故事	史铁生
	流星在寻找失去的轨迹	张一弓
	鸟树下	叶　华
	那一面山坡哟	丁　茂
	中王	肖建国
	山林恋	李宽定
第十八卷	商州初录	贾平凹
	棉花垛	铁　凝
	冰坝	梁晓声
	血泪草台班	张石山
	苦寒行	何士光
	十三号盲流点	窦　强
	老人仓	矫　健
	孤坟	郑兢业
第十九卷	四妹子	陈忠实
	蘑菇七种	张　炜
	高粱酒	莫　言
	故里烟霞	郑电波
	家族	周大新
	旷野	尤凤伟
	神主牌楼	张石山
第二十卷	爸爸爸	韩少功
	狗道	莫　言
	老树	原　非
	一草一木总关情	张　平
	红橄榄	肖亦农
	两程故里	阎连科
	伏羲　伏羲	刘　恒

第二十一卷至二十四卷	第二十一卷	秋之感…… 周克芹 阴阳界…… 从维熙 头人…… 刘震云 远山几多弯…… 莫伸 黄豆芽·绿豆芽…… 王金力 青纱帐，母亲…… 刘子成 明天，七爷回家…… 原非
	第二十二卷	第二次悲剧…… 韩石山 乡村情感…… 张宇 荒漠公主…… 许志强 女人塘…… 魏世祥 人之度…… 储福金 老喜丧…… 航鹰 沙地牛仔…… 郭雪波
	第二十三卷	无边无际的早晨…… 李佩甫 迷渊…… 郑电波 山里的世界…… 陈映实 九明家的女人…… 储福金 沉寂的五岔沟…… 莫伸 瑶沟人的梦…… 阎连科 山的记忆…… 母国政 奶子岭记事…… 叶丛
	第二十四卷	豌豆偷树…… 李佩甫 山杠爷…… 李一清 现场会…… 苦马 步出密林…… 周大新 村长…… 何申 乡间故事…… 阎连科 寨王之死…… 贺慈航 烦恼就是智慧…… 张贤亮 鼋王…… 朱月瑜

<table>
<tr><td rowspan="33">第二十五卷至二十七卷</td><td rowspan="11">第二十五卷</td><td>活着……余　华</td></tr>
<tr><td>九月还乡……关仁山</td></tr>
<tr><td>泱泱水……尤凤伟</td></tr>
<tr><td>一曲未了……阙迪伟</td></tr>
<tr><td>碎瓦……赵本夫</td></tr>
<tr><td>走出困局……葛安荣</td></tr>
<tr><td>美满姻缘……孙少山</td></tr>
<tr><td>激流勇退……常庚西</td></tr>
<tr><td>欣逢佳节……和军校</td></tr>
<tr><td>割草的小梅……叶蔚林</td></tr>
<tr><td>穷乡……何　申</td></tr>
<tr><td rowspan="10">第二十六卷</td><td>跪乳……岳恒寿</td></tr>
<tr><td>这方水土……向本贵</td></tr>
<tr><td>村民组长……何　申</td></tr>
<tr><td>自戕……钱国丹</td></tr>
<tr><td>乡村教育……王　彪</td></tr>
<tr><td>残棋……赵秀林</td></tr>
<tr><td>摘贫帽……韦晓光</td></tr>
<tr><td>分享艰难……刘醒龙</td></tr>
<tr><td>黄坡秋景……张　继</td></tr>
<tr><td>古辘吱嘎……孙春平</td></tr>
<tr><td rowspan="12">第二十七卷</td><td>年前年后……岳恒寿</td></tr>
<tr><td>太极地……关仁山</td></tr>
<tr><td>村办厂……韦晓光</td></tr>
<tr><td>李老倌的圣诞节……范　稳</td></tr>
<tr><td>王士道……宋本善</td></tr>
<tr><td>都市里的生产队……柳建伟</td></tr>
<tr><td>花瓶镇……向本贵</td></tr>
<tr><td>老那……和军校</td></tr>
<tr><td>正爷……王泽群</td></tr>
<tr><td>林木乡长……段　平</td></tr>
<tr><td>乡村行动……阙迪伟</td></tr>
<tr><td>年月日……阎连科</td></tr>
</table>

第二十八卷至三十卷	第二十八卷	天知地知……刘　恒
		狗皮膏药……贾兴安
		归去来……芳　洲
		天道酬勤……星　竹
		天上有个太阳……施祥生
		子规……章世添
		回乡……王祥夫
		工作人……张抗抗
		小村“总统”……孙春平
		遍地羊群……张　继
	第二十九卷	葵花朵朵……孙志保
		愤怒的小凉河……马其德
		山村叙事……张行健
		乡村里的企业家……杨恒标
		1960 年的乡村……星　竹
		稻草湖……楚　良
		六神有主……彭瑞高
		一亩二分地……阙迪伟
		空缺……史生荣
		乡村物语……王中云
		门卫牛一氓……刘明恒
	第三十卷	阿吉……贾平凹
		农民父亲……李西岳
		一头花奶牛……王新军
		民选……梁晓声
		1958 年的唐吉诃德……艾　伟
		怀念一个没有去过的地方……邓一光
		乡村事件……戴雁军
		状告村长李木……张　继
		阖岚镇沿革……贾兴安
		寻找妻子古菜花……北　北
		甩鞭……葛水平

第三十一卷至三十三卷	卷	篇名	作者
	第三十一卷	歇马山庄的两个女人	孙惠芬
		松鸦为什么鸣叫	陈应松
		遥远的温泉	阿 来
		讲案	阙迪伟
		地气	葛水平
		乡事	刘学林
		牌坊村	夏天敏
		土炕和野草	胡学文
		七月黄	陈中华
		我们的成长	罗伟章
	第三十二卷	望粮山	陈应松
		败节草	李佩甫
		未完成的夏天	钟求是
		我们的路	罗伟章
		豆选事件	曹征路
		土里的鱼	夏天敏
		状元羊	吴克敏
		愤怒的苹果	王祥夫
		灾星	阿 宁
	第三十三卷	太平狗	陈应松
		乱季	孙春平
		泪为谁流	阿 宁
		燕子东南飞	孙惠芬
		颠倒的时光	鲁 敏
		生长的月亮	高菊蕊
		温暖的平原	徯 晗
		老五	吕志青
		我们的生活充满了阳光	李 铭
		逆水而行	胡学文

卷次	分卷	篇目	作者
第三十四卷至三十六卷	第三十四卷	一树槐香	孙惠芬
		一脸阳光	刘平勇
		马耳朵沟的教育诗	李　铭
		上山钓鱼	杨中标
		两棵枣树	徯　晗
		幸福来到陇沙屯	周　耒
		白莲浦	陈旭红
		田园诗	畀　愚
		在天上种玉米	王　华
		合水渡	杨少衡
		我们的村庄	刘庆邦
	第三十五卷	向阳坡	胡学文
		大学生村官	史生荣
		撞得南墙“咚咚”响	和军校
		县长搭台	肖建国
		野猪村	罗尔豪
		黄河大合唱	李新勇
		西口外	向　春
		武湖梦	曾　剑
	第三十六卷	小爱物	张　炜
		乡风	邓宏顺
		灰汉	陈继明
		漫水	王跃文
		报恩	刘国强
		造房记	罗尔豪
		谁被推倒于地	杨少衡
		家燕	杨小凡
		并非游戏	王昕朋
		饥饿之年	拖　雷
		附录一　中篇小说部分总目录	
		附录二　主要参考书目	
		附录三　参考各类杂志目录	

附录二　主要参考书目

(1977 年至 2012 年)国内出版的各类获奖作品集图书、优秀作品精选集图书(112 部)

[1]王蒙.《全国小说获奖·落选代表作及批评》(短篇卷上下).长沙:湖南文艺出版社,1995.

[2]王蒙.《全国小说获奖·落选代表作及批评》(中篇卷上下).长沙:湖南文艺出版社,1995.

[3]《全国优秀短篇小说评选获奖作品集》(多卷本).北京:作家出版社,1988.

[4]《全国优秀中篇小说评选获奖作品集》(多卷本).北京:作家出版社,1988.

[5]王蒙.《中国新文学大系》(1976－2000)(短篇,多卷.)上海:上海文艺出版社,2009.

[6]王蒙.《中国新文学大系》(1976－2000)(中篇,多卷.)上海:上海文艺出版社,2009.

[7]康濯.《中篇小说选刊获奖作品集》(1977－1980)(上下).福州:海峡文艺出版社,1981.

[8]康濯.《中篇小说选刊获奖作品集》(1981－1982)(上下).福州:海峡文艺出版社,1983.

[9]康濯.《中篇小说选刊获奖作品集》(1983)(上下).福州:海峡文艺出版社,1984.

[10]康濯.《中篇小说选刊获奖作品集》(1984)(上下).福州:海峡文艺出版社,1985.

[11]康濯.《中篇小说选刊获奖作品集》(1985)(上下).福州:海峡文艺出版社,1986.

[12]康濯.《中篇小说选刊获奖作品集》(1986－1987)(上下).福州:海峡文艺出版社,1991.

[13]康濯.《中篇小说选刊获奖作品集》(1988－1989)(上下).福州:海峡文艺出版社,1993.

[14]李国文.《中国当代文学作品精选》(多卷本).北京:北京十月文艺出版社,1999.

[15]《中国当代小说珍本》(1949－1992)(多卷本).西安:陕西人民出版社,1993.

[16]孙颙.《改革开放三十年短篇小说选》(上中下).上海:上海文艺出版社,2008.

[17]《中国短篇经典丛书》(6 册).上海:上海文艺出版社,2008.

[18]中国作家协会《小说选刊》杂志社选编.《中国当代短篇小说排行榜》(多卷).桂林:漓江出版社,2004.
[19]中国作家协会《小说选刊》杂志社选编.《中国当代中篇小说排行榜》(多卷).桂林:漓江出版社,2004.
[20]白烨.《中国现代乡土小说大系》(短篇、中篇、长篇合集共6册).北京:农村读物出版社,2003.
[21]《新世纪获奖小说精品大系》(共8卷).长春:时代文艺出版社,2010.

附录三　参考各类杂志目录

《中篇小说选刊》.福州:中篇小说选刊杂志社(共188册)

1981年度	1、2、3期	(共3册)
1982年度	1、2、3、4、5期	(共5册)
1983年度	1、2、3、4、5、6期	(共6册)
1984年度	1、2、3、4、5、6期	(共6册)
1985年度	1、2、3、4、5、6期	(共6册)
1986年度	1、2、3、4、5、6期	(共6册)
1987年度	1、2、3、4、5、6期	(共6册)
1988年度	1、2、3、4、5、6期	(共6册)
1989年度	1、2、3、4、5、6期	(共6册)
1990年度	1、2、3、4、5、6期	(共6册)
1991年度	1、2、3、4、5、6期	(共6册)
1992年度	1、2、3、4、5、6期	(共6册)
1993年度	1、2、3、4、5、6期	(共6册)
1994年度	1、2、3、4、5、6期	(共6册)
1995年度	1、2、3、4、5、6期	(共6册)
1996年度	1、2、3、4、5、6期	(共6册)
1997年度	1、2、3、4、5、6期	(共6册)
1998年度	1、2、3、4、5、6期	(共6册)
1999年度	1、2、3、4、5、6期	(共6册)
2000年度	1、2、3、4、5、6期	(共6册)
2001年度	1、2、3、4、5、6期	(共6册)
2002年度	1、2、3、4、5、6期	(共6册)
2003年度	1、2、3、4、5、6期	(共6册)
2004年度	1、2、3、4、5、6期	(共6册)
2005年度	1、2、3、4、5、6期	(共6册)
2006年度	1、2、3、4、5、6期	(共6册)
2007年度	1、2、3、4、5、6期	(共6册)
2008年度	1、2、3、4、5、6期	(共6册)
2009年度	1、2、3、4、5、6期	(共6册)

2010 年度　1、2、3、4、5、6 期　（共 6 册）

2011 年度　1、2、3、4、5、6 期　（共 6 册）

2012 年度　1、2、3、4、5、6 期　（共 6 册）

《小说选刊》. 北京：小说选刊杂志社（共 60 册）

1981 年度　1、2、3、4、5、6 期　（共 6 册）

1982 年度　1、2、3、4、5、6 期　（共 6 册）

1983 年度　1、2、3、4、5、6 期　（共 6 册）

1984 年度　1、2、3、4、5、6 期　（共 6 册）

1985 年度　1、2、3、4、5、6 期　（共 6 册）

1986 年度　1、2、3、4、5、6 期　（共 6 册）

1987 年度　1、2、3、4、5、6 期　（共 6 册）

1988 年度　1、2、3、4、5、6 期　（共 6 册）

1989 年度　1、2、3、4、5、6 期　（共 6 册）

1990 年度　1、2、3、4、5、6 期　（共 6 册）

其他各类杂志 25 种（618 册）

《十月》《当代》《花城》《收获》《人民文学》《文汇》《萌芽》《中国作家》《青年文学》《莽原》《钟山》《春风》《新苑》《小说界》《新时代》《小说》《长城》《柳泉》《芙蓉》《现代人》《黄河》《北京文学》《上海文学》《福建文学》《青春》等。

小　　启

本套《中国乡土小说名作大系》共计36卷，收录了1977年至2012年间，在中国国内公开发表、出版的乡土中、短篇小说中的名篇力作。在选编过程中，我们已尽力与大多数作者取得了联系，但也有个别作者没能联系上。没有联系上的作者见此小启请尽快与我们联系，我们会及时奉上薄酬。

联系地址：郑州市经五路66号中原农民出版社文学编辑部

电话：0371－65788657

0371－65750993

13523500269（手机）

邮箱：FLhyzdb@163.com

联系人：高燕燕　郑电波